KB116682

백치

백치 상

Идиот

표도르 도스또예프스끼 장편소설

김근식 옮김

IDIOT
by FEDOR DOSTOEVSKII (1868)

일러두기

1. 번역 대본은 F. M. Dostoevskii, *Sobranie sochinenii v dvenadtsati tomakh*(Moskva: Pravda, 1982)와 F. M. Dostoevskii, *Polnoe sobranie sochinenii v tridtsati tomakh* (Leningrad: Nauka, 1972~1990)를 주로 사용하였습니다. 다만 판본에 차이가 없는 한 옮긴이가 번역 대본을 임의로 선택하였습니다.
2. 러시아어의 로마자 표기와 우리말 표기는 〈열린책들〉에서 정한 표기안을 따르되, 관행적으로 굳어진 일부 용어만 예외로 하였습니다.

이 책은 실로 꿰매어 제본하는 정통적인 사철 방식으로 만들어졌습니다.
사철 방식으로 제본된 책은 오랫동안 보관해도 손상되지 않습니다.

『백치』 등장인물

공작(레프 니꼴라예비치 미쉬낀) 백치.
나스따시야 필리뽀브나 바라쉬꼬바 또쯔끼의 전(前) 정부.
로고진(빠르펜 세묘노비치 로고진) 상인의 아들. 거부.

예빤친 장군(이반 표도로비치 예빤친) 대지주, 사업가.
리자베따 쁘로꼬피예브나(예빤치나 부인) 그의 아내.
알렉산드라, 아젤라이다, 아글라야 그의 딸들.

이볼긴 장군(아르달리온 알렉산드로비치 이볼긴) 퇴역 장군.
니나 알렉산드로브나 아내.
가브릴라(가냐) 아들. 예빤친 장군의 비서.
바르바라(바랴) 딸.
니꼴라이(꼴랴) 막내아들.

레베제프(루끼얀 찌모페예비치 레베제프) 아마추어 법률가.
베라 그의 딸.
블라지미르 독또렌꼬 그의 조카.

이뽈리뜨 쩨렌찌예프 니꼴라이의 친구.
안찌쁘 부르도프스끼 독또렌꼬의 친구.
페르디쉬첸꼬 이볼긴 가의 하숙인.
또쯔끼(아파나시 이바노비치 또쯔끼) 부호.
쁘찌찐(이반 뻬뜨로비치 쁘찌찐) 고리대금업자.
다리야 알렉산드로브나 나스따시야 필리뽀브나의 친구.
껠레르 복서.

1

제1부

1

날씨가 풀린 11월 말의 어느 날 아침 9시경, 뻬쩨르부르그와 바르샤바 간 왕복 열차가 힘차게 연기를 내뿜으며 뻬쩨르부르그를 향해 달리고 있었다. 습한 대기에 안개가 자욱이 끼어 겨우 날이 밝았다는 것을 알아차릴 정도여서, 철길 양 옆으로 열 발짝 정도만 벗어나도 무엇이 있는지조차 차창을 통해서는 식별하기가 힘들었다. 승객들 중에는 외국에서 돌아오는 사람들도 있었지만 그리 멀지 않은 곳에서 들어오는 평범한 사람들이나 상인들이 탄 3등칸이 더 붐볐다. 열차가 이곳까지 도달했을 때는 흔히 그러하듯 모두들 지칠 대로 지쳐 밤 사이에 무거워진 눈꺼풀을 껌벅이며 추위에 몸을 떨고 있었고, 사람들의 얼굴은 안개 속에서 누렇고 창백해 보였다.

동이 틀 무렵부터 이 열차의 어느 3등칸의 창가에는 두 승객이 서로 마주 보며 앉아 있었다. 외모가 상당히 빼어난 이 두 사람은 모두 젊어 보였으며 멋을 부리지 않은 가벼운 옷차림이었다. 이들은 서로 대화를 나누고 싶어했다. 만일 두 사람이 상대방에 대해서 알았고, 특히 이 순간 이들이 왜 서로에게 마음이 끌렸는지를 알았더라면, 어떤 인연이 이렇듯 기이하게도 그들을 뻬쩨르부르그-바르샤바 간 왕복 열차의 3등칸에 마주보고 앉게 했는지에 대해 물론 놀랐을 것이다. 이 중 한 사람은 스물일곱 살 가량으로

작은 키에, 검은색에 가까운 곱슬머리였다. 잿빛이 나는 그의 눈은 작았지만 이글거리고 있었다. 코는 펑퍼짐하니 낮았고 광대뼈가 나온 얼굴에 얇은 입술은 불손하고 경멸기가 도는 듯했으며 심지어는 표독스러운 미소마저 흘리고 있었다. 그러나 높고 잘생긴 그의 이마가 흉하게 발달된 얼굴의 아랫부분을 미화시켜 주고 있었다. 이러한 얼굴에 죽은 사람 같은 창백함이 유난히 두드러져 보였다. 젊은이다운 다부진 체격에도 불구하고 창백한 안색은 그를 매우 지쳐 있는 사람처럼 보이게 했으며, 동시에 그 창백함 속에는 불손하고 거친 미소나 날카롭고 자만에 찬 시선과는 어울리지 않는 무언가 고통스러울 정도로 열정적인 것이 있었다. 그는 넓적하고 두툼한 검은 양털 외투를 따뜻하게 입고 있었으므로 밤새도록 그다지 추위에 떨지 않은 데 반해, 그의 맞은편 승객은 미처 예기치 못했던 으스스하고 습한 11월 러시아의 밤을 등줄기에 소름이 돋은 채로 참아 내야만 했다. 그는 큼직한 두건이 달린 널따랗고 두툼한 소매 없는 망토를 입고 있었다. 그러한 망토는 스위스나 북부 이탈리아 같은 아주 먼 나라에서나 여행을 떠날 때 흔히 입고 다니는 것이었다. 독일의 오이트쿠넨[1]에서 러시아의 뻬쩨르부르그까지 가는 여정에 그런 옷을 입어도 되는지에 관해서는 미리 계산해 두지 않았던 듯싶었다. 그러나 이탈리아에서는 아주 유용한 것이 러시아에서는 완전한 무용지물이 되었다. 두건 달린 망토의 소유자는 중키가 약간 넘는 스물예닐곱 살 가량 되는 젊은이였다. 숱이 많은 노란 머리에 볼이 움푹 파인 얼굴을 하고 있었으며, 거의 흰색이 나는 뾰족한 턱수염을 살짝 기르고 있었다. 푸르고 큼직한 그의 두 눈은 무엇을 유심히 바라보는 듯한 눈빛을 띠고 있었으며, 거기에는 무언가 고요하지만 신중한 것이 담겨 있었다. 또 그의 시선은 아는 사람이라면 누구든 첫눈

1 당시 프로이센과 러시아 간의 국경에 있던 프로이센 철도역.

에 간질의 기미가 있다는 것을 추측해 낼 수 있을 만큼 이상한 표정으로 가득 차 있었다. 그럼에도 이 젊은이의 얼굴은 유쾌하고 섬세하고 담담해 보였다. 하지만 지금은 윤기가 가셔 추위로 새파래져 있었다. 그의 두 손에는 여행 도구 일체가 들어 있음 직한 낡고 색이 바랜 홀쭉한 비단 보따리foulard[2]가 놓여 있었다. 그는 밑창이 두툼한 반장화를 신고 각반을 차고 있었다. 모든 게 러시아 식 행장이 아니었다. 양털 외투를 입은 머리가 검은 맞은편 승객은 이 모든 것을 살펴보고 있었다. 부분적으로는 심심풀이 삼아서였다. 그는 마침내 무례한 듯한 웃음을 띠고 물었다. 조심성 없는 그 웃음 속에는 이웃의 실패에 대한 쾌감이 언뜻언뜻 실려 있었다.

「추운가요?」

그는 어깨를 움찔해 보였다.

「대단한데요.」 맞은편 승객은 그 말이 나올 때를 기다렸다는 듯이 대답했다. 「풀린다는 날씨가 이 정도이니, 진짜 추운 날이라면 어떻겠어요? 난 우리 나라가 이처럼 춥다고까지는 생각지도 못했어요. 새까맣게 잊어버렸어요.」

「외국에서 오는 길인 모양이지요?」

「네, 스위스에서요.」

「어휴! 그러니까 행색이 이렇군요!」

검은 머리 청년은 휴 하는 소리를 내며 껄껄대기 시작했다.

대화가 시작된 것이었다. 스위스 식 망토를 입은 노란 머리 청년이 대답하는 자세는 너무나 진지하여 놀라울 정도였다. 그는 검은 머리 승객이 심심해서 퍼붓는 완전한 잡담식 질문의 무의미성에 아무런 의혹도 품지 않았다. 대답 도중에 그는 정말로 오랫동안, 그러니까 4년 남짓 러시아를 떠나 있었다고 밝혔다. 그가

2 엷은 명주로 짠 옷감의 일종.

외국으로 나갔던 이유는 병 때문이었는데, 그 병은 이상한 신경 질환으로 갑자기 덜덜 떨기도 하고 경련을 일으키기도 하는 간질 아니면 무도병(舞蹈病)이었다고 했다. 그의 말을 들으면서 검은 머리는 수차례나 웃음을 터뜨렸으며, 특히 〈병은 다 고친 거요?〉 라는 물음에 노란 머리 청년이 〈아니에요, 아직 다 치료가 되지 않았어요〉라고 대답하자 크게 웃기 시작했다.

「헤, 돈만 헛되이 쓰고 온 게 틀림없군요. 내 생각엔 러시아가 더 믿을 만한 것 같던데.」 검은 머리가 빈정거리듯 말했다.

「옳은 말씀이오!」 옆에 앉아 있던 허름한 옷차림의 40대 중년 남자가 대화에 끼어들었다. 기껏해야 말단 관리쯤으로밖에 안 보이는 그 사내는 건장한 체격에 얼굴엔 빨간 코와 곰보 자국이 있었다. 「공연히 러시아 인들은 그쪽에다 자신들의 힘을 몽땅 빼앗기고 있는 게요!」

「오, 나의 경우는 그렇지가 않아요.」 스위스에서 온 환자는 다소곳하고 타협적인 목소리로 말했다. 「물론, 나는 이곳 사정을 전혀 모르니까 왈가왈부할 수는 없어요. 하지만 나의 주치의는 있는 것을 다 털어서 나의 여비를 마련해 줬고, 거의 2년 동안이나 나를 무료로 치료해 주었단 말이에요.」

「그럼 아무도 돈을 보내 주지 않았단 말이오?」 얼굴이 거무스레한 청년이 물었다.

「네, 나를 부양해 주셨던 빠블리쉬체프 씨가 2년 전에 돌아가셨어요. 그래서 먼 친척뻘 되는 예빤친 장군 부인에게 편지를 썼지만 답장이 없더군요. 그래서 이렇게 돌아오는 길이지요.」

「어디로 가는 중이오?」

「내가 어디에 머물게 될 거냐는 말이죠……? 글쎄, 아직은 모르겠지만, 어쩌면…… 저, 뭐랄까…….」

「아직 거처를 정하지 않은 거군요?」

환자의 말을 듣고 있던 두 사람은 또다시 소리 내어 웃기 시작했다.

「선생의 전 재산이 그 보따리 속에 들어 있는 것이오?」 얼굴이 거무스레한 승객이 물었다.

「틀림없이 그럴 거요.」 빨간 코의 관리는 극히 만족스런 표정으로 말을 이었다. 「수하물 칸엔 아무런 짐도 없겠지요. 물론 가난은 죄가 아니라지만, 가난이 줄줄 흐르는 게 눈에 보이는데 어떡 하오?」

사실이 그러했다. 금발의 젊은이는 성급할 정도로 즉시 그러한 사실을 인정했다.

「하지만 그 보따리에는 무슨 사연이 있는 것 같은데요.」 실컷 들 웃고 나서 관리가 말문을 열었다. (우습게도 보따리 주인마저 그들을 쳐다보다가 그만 자신도 웃음을 참지 못하자 그들은 더 한층 흥이 났다.) 「그 보따리 속에 물론 나폴레옹 금화[3]라든가 프리드리히 금화,[4] 아니면 그보다 값이 덜 나가는 네덜란드의 아라프 화[5]와 같은 외화 꾸러미 따윈 분명 없을 거요. 그건 댁이 신은 외제 반장화를 둘러싼 각반만 봐도 충분히 짐작이 가는 바요. 한데…… 그 보따리에는, 예를 들어 예빤친 장군 부인 같은 친척을 관련시켜 본다면 무슨 사연이 있지 않겠소? 물론 예빤친 장군 부인이 정말로 댁의 친척이고, 방심하여 상상이 지나칠 때…… 흔히 하게 되는 실수를 댁이 범하지 않는다면 말이오.」

「아, 또다시 알아챘군요.」 노란 머리의 청년이 말을 되받았다. 「내가 정말로 거의 실수한 것 같아요. 그분은 친척이랄 수가 없지

3 나폴레옹 금화는 나폴레옹 1세와 3세 때에 사용되었던 프랑스의 금화로 20프랑에 해당된다.

4 프리드리히 금화 역시 그 시기에 사용되었던 프로이센의 금화로 은화 5탈레르(약 3마르크에 해당하는 옛 독일 은화)에 해당된다.

5 네덜란드의 아라프 화는 러시아 금화의 여러 형태 중 하나로 3루블에 해당되며, 형태는 옛 네덜란드의 두카트(13세기 베네치아의 은화로 그 후 유럽에서 널리 쓰인 화폐)와 비슷함.

요. 그래서 아무런 답장을 받지 못했어도 나는 조금도 놀라지 않았어요. 그러려니 했었으니까요.」

「편지 보내는 수수료francare[6]만 쓸데없이 낭비했군요……. 흠, 댁은 모르긴 몰라도 아주 소박하고 솔직하군요. 그건 칭찬받을 만해요! 흠…… 예빤친 장군이라면 우리도 알고 있소. 그분을 모르는 사람이 없을 정도니까요. 댁에게 스위스로 생활비를 부쳐 주었다는 돌아가신 빠블리쉬체프 씨도 알 것 같군요. 만약 그 사람이 니꼴라이 안드레예비치 빠블리쉬체프 씨라면요. 왜냐하면 그분에게 사촌이 하나 있었으니까요. 이들 사촌 형제 중 하나는 지금껏 크림 지방에 살고 있고, 돌아가신 니꼴라이 안드레예비치는 널리 추앙받는 분으로 한때는 4천 명의 농노[7]를 소유하기도 했소…….」

「맞아요. 그분의 정확한 이름이 니꼴라이 안드레예비치 빠블리쉬체프였어요.」 청년은 이렇게 대답을 하고 모든 것을 다 안다는 이 만물 박사를 탐구하듯이 유심히 바라보았다.

이와 같은 만물 박사들은 사회의 어느 계층에서나 이따금, 심지어는 아주 빈번히 만나 볼 수 있는 사람들이다. 이들은 모르는 게 없고, 호기심에 가득 찬 자신들의 지혜와 능력을 주체할 수 없을 정도로 한 곳에만 집중시킨다. 물론 이들이 집중하고 있는 곳에는 오늘날의 어느 사상가가 지적했듯이 삶에서 보다 중요하게 여겨지는 관심과 견해가 결여되어 있는 것이 사실이다. 따라서 〈모르는 것이 없다〉는 말은 상당히 국한된 의미에서 이해를 해야 할 것이다. 말하자면 누가 어디서 근무를 하는데 그의 지기(知己)가 누구이고, 재산은 얼마나 있는가, 또 어느 군의 군수가 아무개인데, 그가 결혼을 했는지, 결혼을 했으면 여자가 지참금을 얼마나 가

6 미리 편지 값으로 지불하는 일종의 보험(재해 예방 등) 수수료.

7 1861년 2월 19일의 농노 해방 이전에 부동산의 가치는 농노들, 즉 그 땅에 매인 농부들의 숫자로 평가되었다.

져왔는지, 누구와 사촌지간인지, 또 육촌은 누구인지 따위의 지식을 의미하는 것이었다. 이들 만물 박사들은 팔꿈치가 다 해진 옷을 입고 다니며, 한 달에 17루블을 받는 봉급쟁이인 경우가 대부분이다. 만물 박사들에게 비밀을 털린 사람들은 자신들이 왜 이들의 흥미의 대상이 되었는지 생각조차 못한다. 하지만 이러한 흥밋거리에 전념하고 있는 만물 박사들은 자신들의 지식이 완전한 학문에 버금간다는 위안을 받으며 자존심을 세우고, 심지어는 고상한 정신적 만족감까지 느낀다. 게다가 그것은 아주 매혹적인 학문이다. 나는 이러한 분야의 학문에서 최고의 목표를 달성하려 했고 또 달성했던, 또한 그러한 식으로 잘되어서 출세까지 한 학자, 문필가, 시인, 정치인을 본 적이 있다.

이 모든 대화가 계속되는 동안 거무스레한 얼굴의 청년은 하품을 하거나, 무심코 차창 밖을 내다보면서 이 여행이 끝나기를 초조히 기다리고 있었다. 그는 왜 그런지 무엇엔가 넋이 빠져 있는 것처럼 보였고, 무슨 걱정에 사로잡혀 있는 것 같기도 했으며, 이상한 사람처럼 보이기까지 했다. 이따금 옆 사람들이 말하는 소리를 경청하는 것 같기도 하고 안 하는 것 같기도 했고, 또 그들을 쳐다보는 듯하면서도 안 쳐다보았고, 또 갑자기 웃음을 터뜨리고도 자신이 그 웃음을 터뜨린 이유를 알기도 하고 모르기도 했다.

「그런데 댁의 성함은 어떻게 되지요……?」 곰보 신사가 보따리를 들고 있는 노란 머리 청년에게 갑자기 물었다.

「레프 니꼴라예비치 미쉬낀 공작입니다.」 청년은 머뭇거리지 않고 즉시 대답을 했다.

「미쉬낀 공작이시라? 레프 니꼴라예비치라고요? 난 잘 모르겠는데요. 들어 본 적도 없군요.」 관리는 깊은 생각에 잠겨 말을 이었다. 「내가 그런 이름을 모른다는 말이 아니에요. 그 이름 자체는 매우 역사적이지요. 이미 까람진[8]의 『러시아 사(史)』에 나와 있는 이름이니까요. 하지만 실제로 미쉬낀 공작 가(家)의 사람들은 그 어디에서도 만나 본 적이 없을 뿐더러, 들어 보지조차 못했어요.」

「물론, 그럴 겁니다!」 공작이 즉각 반응을 보였다. 「미쉬낀 공작 가문의 사람들은 나 이외에 지금 한 명도 남아 있지 않으니까요. 아마 내가 마지막이 아닌가 합니다. 우리 조상들은 대대로 소지주[9]였는데, 나의 아버지만은 생도 출신의 소위였어요. 그런데 한 가지 궁금한 것은 예빤친 장군 부인이 어떻게 미쉬낀 공작 가문의 꼴찌가 되었는가 하는 거예요…….」

「헤헤헤! 가문의 꼴찌라고요! 헤헤! 재미난 표현이로군요.」 관리가 헤헤거리며 웃기 시작했다.

얼굴이 검은 청년도 따라서 웃었다. 노란 머리 청년은 자기가 한 말이 그다지 고상하지 못한 웃음을 불러일으켰다는 데 대해서 약간 놀라워했다.

「난 아무 생각 없이 한 말인데…….」 그는 어리둥절한 기색으로 해명했다.

「다 알아요. 알고 있어요.」 관리가 유쾌하다는 듯이 말을 막았다.

「그래, 공작, 거기서 교수에게 배움을 받고 오는 길이오?」 얼굴이 검은 청년이 갑자기 물었다.

「네……, 공부를 했지요.」

「난 생전에 아무것도 배우질 못한 사람이오.」

「나도 그다지 배웠다고는 할 수 없어요.」 공작이 변명을 하듯 덧붙였다. 「병 때문에 나는 체계적으로 공부할 기회를 놓쳤지요.」

「그런데 로고진 가문의 사람들을 아시오?」 얼굴이 거무스레한 청년이 불쑥 물었다.

8 N. M. 까람진(1766~1826)은 러시아의 역사가이자 12권으로 된 『러시아 국가사』의 저자이다. 『러시아 국가사』의 마지막 권은 그의 사후에 출간되었다.

9 농노의 신분을 거치지 않고 귀족이란 확실한 지위를 유지한 채 대대로 농민들 속에 섞여 있던 농민의 한 계층으로, 몇몇 가난한 귀족 출신들도 상당수는 이에 속했다.

「글쎄, 전혀 모르겠는데요. 난 러시아에 아는 사람이 거의 없어요. 혹시 댁이 로고진 씨가 아닌가요?」

「그래요. 난 빠르펜 로고진이라고 하오.」

「빠르펜이라고요? 그러면 당신이 바로 그 로고진 가문의…….」 옆의 관리가 갑자기 점잔을 빼며 말을 꺼냈다.

「그래요, 내가 바로 그 가문 사람이오.」 애초부터 곰보 관리에게 단 한 번도 시선을 보내지 않으며 공작에게만 말을 걸었던 거무스레한 얼굴의 청년이 무시하는 말투로 그 관리의 말을 재빠르게 막았다.

「어떻게 이럴 수가?」 관리는 놀라움에 몸이 굳어 버리고 눈이 튀어나올 지경이었다. 그의 얼굴은 치사하리만치 공손해졌다고나 할까, 아니 겁에 질려 어찌할 바를 모르는 표정이었다. 「그러면 한 달 전쯤에 2백50만 루블을 남겨 놓고 세상을 떠난 세습 명예 시민[10] 세묜 빠르페노비치 로고진 씨의 자제분이 아니십니까?」

「2백50만 루블의 유산을 남겨 놓았다는 걸 당신이 어떻게 알아?」 얼굴이 거무스레한 청년은 이때도 그 관리를 거들떠보지 않으며 그의 말을 잘랐다. 「글쎄 이렇다니까! (그는 공작에게 관리를 눈짓으로 가리키며 말했다.) 그 재산이 이런 사람들에게 무슨 소용이 있다고, 그런데도 이렇게 꼬리를 치며 다가오고 있지 않소? 사실 나의 부친이 돌아가셨소. 한데 나는 쁘스꼬프에서 한 달이 넘어서야 이 소식을 듣게 되어 이제야 허겁지겁 집으로 가고 있는 중이오. 망할 놈의 동생 녀석도 그렇고 어머니마저 돈도 보

10 19세기 중엽, 상인들의 대부분은 도매업으로 부를 쌓은 농부들이었다. 그들은 길드에 세금을 내지 않게 되면서 원칙적으로 시골 사람의 신분으로 떨어졌다. 입법부에서는 상업 부분에서 부상한 이 계층 사람들의 불만을 무마시키기 위해 길드의 세금을 면제받는 〈종신 시민〉과 〈세습 명예 시민〉이라는 안정적인 계급을 만들었다. 세습 명예 시민은, 상속 재산이 있거나 혹은 어떤 공로를 인정받아 상인 계층에서 부상한 비귀족 출신들을 다른 계급과 구분해서 부른 호칭으로 보인다.

내 주지 않고 아무런 기별도 없었다오! 날 개새끼 취급한다니까! 난 열병에 걸려 쁘스꼬프에서 한 달 내내 누워 있었다오……!」

「하지만 이제 아무리 적어도 1백만 루블이나 상속받게 되잖습니까. 오, 하느님!」 관리가 손뼉을 치며 끼어들었다.

「그게 당신과 무슨 상관이 있는지 말 좀 해주시오!」 로고진은 신경질적으로 그를 사납게 바라보며 말했다. 「나는 당신 같은 사람이 내 앞에서 물구나무를 서서 제아무리 재주를 피워 봐도 단 한 푼도 안 줄 거야.」

「재주를 피워 볼게요. 한번 해볼게요.」

「뭐라고! 당신이 그렇게 서서 1주일 내내 춤을 춰봐, 내가 한 푼이라도 줄 줄 알아?」

「주지 말아요! 괜찮아요. 주지 말아요! 그래도 난 춤을 출 거요. 마누라하고 자식새끼들 다 팽개치고 당신 앞에서 춤을 출 거요. 한마디만, 단 한마디만 그렇게 해보라고 부추겨 보세요!」

「뭐 이따위 친구가 다 있어!」 얼굴이 거무스레한 청년이 침을 퉤 뱉었다. 「5주일 전에는 나도 당신처럼」 그는 공작을 향해 말했다. 「보따리 한 개를 들고 쁘스꼬프에 있는 아주머니를 찾아 가출했어요. 그런데 나는 열병에 걸려 몸져누웠고, 그사이에 부친이 갑자기 중풍에 걸려 세상을 떠났어요. 고인이여, 편히 잠드소서! 한데 아버지가 살아 계실 때 나는 거의 맞아 죽을 뻔했다오. 공작, 내 말을 믿을 수 있겠어요. 그때 만약 내가 도망치지 않았다면 나는 그 순간에 아버지한테 맞아 죽었을 거란 말이오.」

「부친의 노여움을 산 일이 있었던 건가요?」 공작은 털외투를 두른 백만장자를 무언가 호기심 어린 눈빛으로 살펴보면서 반응했다. 물론 1백만 루블이라는 거금과 유산 상속에 호기심을 끌 만한 무언가가 있을 수 있겠지만, 공작을 놀라게 하고 흥미를 끌었던 것은 다른 이유에서였다. 더구나 로고진 자신이 공작을 자신의 대화 상대로 삼으려 하고 있었다. 그러나 대화는 인간적인 면에서라기보다 기계적인 필요성에서 나온 것 같았다. 말하자면 소탈한 성격이어서가 아니라 초조함, 불안, 흥분 때문에 누군가를 그저 바라보고 아무 얘기로나 혀를 굴리고 싶어서였던 게 아닐까. 그는 여태껏 열병에 시달려 오다 지금은 오한에 걸려 있는 것 같았다. 옆에 앉은 관리는 로고진의 움직임을 조심스레 살펴보며 숨조차 제대로 쉬지 못하고 다이아몬드를 찾듯 그가 하는 말 한 마디 한 마디를 포착하여 재어 보고 있었다.

「아버지가 화를 내긴 했어요. 그럴 만도 했지요.」 로고진이 대답했다. 「하지만 나에게 누구보다 못되게 군 건 동생 녀석이오. 어머니에 대해서는 말할 게 없어요. 이미 나이가 들어 성자전이나 읽고 할머니들과 노닥거리고 앉아 동생 센까 녀석이 하자는 대로 하지요. 그런데 어째서 녀석은 제때에 나에게 기별을 하지 않았냐는 거요? 다 아는 얘기 아니겠소! 게다가 사실 나는 그때 제정신이 아니었소. 나에게 전보를 쳤다고도 하더군요. 하지만 전보가 늙은 아주머니께 왔다 한들, 30년 동안 과부 생활을 한 노파라 새벽부터 저녁 늦게까지 광신자들과 앉아 있기나 하니 원. 수녀도 그런 수녀가 없다니까. 아니 수녀보다도 더 지독하다고요. 아주머닌 전보를 받고 깜짝 놀라 개봉도 하지 않은 채 그것을 경찰서에 갖다 주었는데, 그게 아직까지도 거기에 처박혀 있다는군요. 다행히 바실리 바실리치 꼬뇨프가 모든 걸 자세히 써서 보내 주었어요. 동생 녀석이 어느 날 밤, 아버지의 관을 덮은 비단보의 금술을 잘라 내며 〈이따위 것에 쓸데없이 돈을 낭비하다니〉 라고 투덜댔다는 거요. 녀석은 이 한마디만으로도 내가 마음만 먹는다면 시베리아로 유형 보낼 수도 있어요. 그 같은 언행은 신성 모독이기 때문이지요. 이봐, 콩밭 허수아비!」 그는 관리에게 말을 걸었다. 「법적으로 그건 신성 모독죄지?」

「물론이고말고요! 그건 신성 모독죄예요!」 관리는 즉각 맞장구를 쳤다.

「그런 죄를 지으면 시베리아 행이지?」

「두말하면 잔소리지요. 당연히 시베리아 행이지요!」

「그 사람들은 아직도 내가 아파 누워 있는 줄 알고 있소.」 로고진은 공작에게 계속 말을 해나갔다. 「난 아직 완쾌되지는 않았지만 단 한 마디의 언급도 없이 조용히 기차를 타고 이렇게 가고 있는 중이오. 그래서 동생 세묜 세묘니치에게 〈어서 문을 열어 봐라!〉 하고 호통을 쳐줄 셈이오. 녀석이 돌아가신 아버지에게 나에 대해 죄다 고자질해 왔다는 걸 알지요. 사실 나는 나스따시야 필리뽀브나 때문에 아버지의 노여움을 샀어요. 그건 어디까지나 내가 잘못한 일이지만요.」

「나스따시야 필리뽀브나 때문이라고요?」 관리는 무슨 생각이 났는지 비굴한 어조로 물었다.

「당신은 모르는 일이야!」 로고진이 참을 수 없다는 듯이 버럭 소리를 질렀다.

「난 그 여잘 알고 있는데요!」 관리가 의기양양하게 대답했다.

「뭐라고! 나스따시야 필리뽀브나란 이름이 어디 하나 둘인가? 뭐, 이렇게 빤질거리는 작자가 있어. 하긴, 나는 이런 인간들이 나에게 추근거리리라는 걸 알고 있었지요!」 그는 공작에게 끊겼던 말을 계속하려 했다.

「그 여자는 내가 아는 여자일 겁니다!」 관리가 끼어들었다. 「레베제프는 모르는 게 없다고요! 나리께서는 나에게 핀잔을 주시지만 내가 알고 있다는 걸 증명하면 어떡하겠어요? 그 나스따시야 필리뽀브나 때문에 나리는 부친의 지팡이에 쫓겨 나왔던 거지요. 그 나스따시야 필리뽀브나라는 분의 성(姓)은 바라쉬꼬바이지요. 양가집 규수에다 공작 영애라고 할 수 있는데, 또쯔끼 씨와 관계를 맺고 있는 걸로 알려져 있죠. 그 남자로 말할 것 같으면 대지주에다 자본가이고, 여러 회사의 중역으로 사업상 예빤친 장군과 교분이 두터운 아파나시 이바노비치입니다…….」

「아니, 이 친구 보게! 이거야, 젠장, 모르는 게 없구먼.」 로고진은 정말로 놀라지 않을 수 없었다.

「모든 걸 죄다 알죠! 이 레베제프는 모르는 게 없다고요! 나리, 저는요 알렉세이 리하쵸프 알렉사쉬까와 함께 역시 아버지가 돌아가신 후에 두 달 동안 안 가본 데 없이 다 돌아다녀서 어느 골목길 하나 모르는 데가 없어요. 그래서 이 레베제프가 없이는 되는 일이 하나도 없을 정도입니다. 지금 리하쵸프는 빚을 져서 감옥에 있지만, 그때는 아르만스와 꼬랄리야, 빠쯔끼 공작 부인, 나스따시야 필리뽀브나를 알게 될 기회뿐만 아니라, 그 밖의 많은 것도 알 기회가 있었어요.」

「나스따시야 필리뽀브나라고 했나? 그녀가 리하쵸프 따위와 그럴 리가…….」 로고진은 사납게 그를 바라보았다. 그의 입술이 새파랗게 질리며 경련까지 일으키기 시작했다.

「아 — 아니에요! 아무것도 아니에요! 아무것도 아닌 일이었어요!」 관리는 정신이 퍼뜩 들어 황급히 발뺌을 했다. 「리하쵸프는 그 어떤 돈으로도 그 여자에게 접근할 수 없었죠! 그 여자는 아르만스 따위하고는 다르니까요. 단지 또쯔끼 정도만이 가능하죠. 그 여자가 저녁때 볼쇼이 극장이나 프랑스 극장[11]의 지정석에 앉아 있으면, 장교들은 자기네들끼리 온통 그 여자 얘기를 하곤 했지만 직접적으로는 아무것도 입증하지 못했어요. 〈저 여자가 바로 나스따시야 필리뽀브나라고 하던데〉라고 수군거리는 것으로 끝났을 뿐이었어요! 그래서 아무 일도 없었다는 얘기입니다.」

「이건 있는 그대로의 사실이오.」 로고진이 미간을 찌푸리며 우울한 표정으로 수긍을 했다. 「그때 잘료제프도 나에게 그런 얘기를 해줬어요. 공작, 나는 그때 아버지가 입던 너덜너덜한 외투를 걸치고 네프스끼 대로를 막 지나가고 있었는데, 그녀가 가게에서

11 프랑스 대가들의 작품을 공연하던 상뜨 뻬쩨르부르그의 미하일 극장을 말한다.

나와 마차에 올라타고 있질 않겠소. 그 순간 나는 화끈 몸이 달아 오름을 느꼈다오. 마침 잘료제프를 만났지만, 그자의 행색은 나와는 비교도 안 될 만큼 세련되었소. 방금 이발을 하고 나온 단정한 신사의 모습에 오페라글라스까지 들고 있었으니까. 그런데 나는 아버지가 신던 더러운 구두에, 그야말로 짜디짠 배춧국에 절어 있는 모습이었소. 그자가 나에게 말하기를, 언감생심 그녀를 쳐다보지도 말라고 하더군요. 그러면서 그녀는 공작 부인이고, 이름은 나스따시야 필리뽀브나 바라쉬꼬바인데 또쯔끼와 함께 살고 있다고 했어요. 한데 또쯔끼는 그녀를 떼어 내려고 어지간히 애를 쓰고 있다고 하더군요. 쉰다섯 살이나 된 또쯔끼는 뻬쩨르부르그에서 가장 예쁜 미인하고 결혼할 속셈을 품고 있었던 게지요. 그는 그날 저녁 볼쇼이 극장에 가면 나스따시야 필리뽀브나를 볼 수 있을 거라고 귀띔을 해주었어요. 그날 발레 공연이 있는데 1층 특별석에 그녀가 앉아 있을 거라고 했어요. 우리 아버지는 집에서 발레 구경 간다고 하면 죽여 버리겠다고 으름장을 놓곤 했어요! 하지만 나는 몰래 극장을 찾아가서 다시 한번 나스따시야 필리뽀브나를 보았어요. 그러고는 밤새도록 잠을 자지 못했죠. 다음날 아침 아버지는 5부 이자가 붙은 5천 루블짜리 채권을 두 장 주면서, 〈이걸 팔아 와라. 거기서 7천5백 루블은 안드레예프 씨네 사무실에 들러 지불하고, 나머지는 나한테 가져와라. 한눈 팔지 말고 곧장 집으로 와야 된다, 널 기다리고 있겠다〉 하셨어요. 나는 채권을 팔고 나서, 그 돈을 가지고 안드레예프 씨네 사무실 대신 곧장 영국인 보석 가게로 직행하여 다이아몬드 귀고리 한 쌍을 골랐어요. 다이아몬드가 각각 호두알 만한 것이었지요. 돈을 다 지불했으나 그래도 4백 루블이 모자라 이름을 대고 나중에 갚겠다고 하니까 의심하지 않더군요. 나는 귀고리를 가지고 잘료제프를 찾아가서 사정을 했지요. 함께 나스따시야 필리뽀브나에게 가보자고 하면서요. 우리는 함께 그녀를 찾아가게 되었어요. 그때 나는 내 발 밑에 무엇이 있고, 내 앞에 무엇이 보였는지, 양 옆에 무엇이 있었는지 아무것도 몰랐고 기억도 나지 않았어요. 우리가 곧바로 홀 안으로 들어가자, 그녀가 직접 우리 쪽으로 걸어 나왔지요. 그때 나는 내가 누구인지를 숨기고 있었으며, 잘료제프가 〈빠르펜 로고진이 보내왔습니다. 엊저녁의 만남을 기념하기 위해서랍니다. 부디 받아 주셨으면 감사하겠습니다〉라고 말했소. 나스따시야는 포장을 뜯고 들여다보더니 살며시 웃으며, 〈이렇게 친절하게 신경을 써주시다니. 친구이신 로고진 씨에게 고맙다고 전해 주세요〉라고 말하며 고개 숙여 인사를 하고는 다시 들어갔어요. 한데, 내가 왜 그때 거기서 죽어 버리질 않았는지! 〈어찌 됐든 살아서 돌아오진 않을 거다!〉 하는 마음가짐으로 들어갔는데 말이지요. 하지만 무엇보다 기분이 나빴던 것은 잘료제프가 혼자서 생색을 다 냈던 거였어요. 나는 키도 작고 하인 같은 옷차림을 한 데다 멀거니 서서 그 여자만 눈이 빠지도록 바라보고 있었던 게 창피할 따름인데, 그자는 온통 최신 유행에 따라 파마를 한 머리에 포마드를 바르고, 불그스레한 안색에 체크무늬 넥타이를 매고, 연방 알랑대며 비위를 맞추고 있었거든요. 아마 그 여자는 그 치가 나라고 착각했을지도 몰라요! 그래서 밖으로 나오며 말했지요. 〈너 감히 엉뚱한 생각일랑 품지도 마라, 알겠니?〉 그러니까 그자가 웃으면서 〈너 이제 아버지에게 뭐라고 둘러댈 거니?〉 하더군요. 난 그때 정말로 집으로 돌아가기는커녕 물에 빠져 죽고 싶은 심정이었소. 그러나 〈이미 엎질러진 물이다〉라고 생각하며 죄책감에 젖어 집으로 돌아갔소.」

「저런! 쯧쯧!」 관리가 일그러진 표정을 지었다. 그는 소름마저 끼치는 모양이었다. 「고인께서는 1만 루블은 고사하고 단돈 10루블만 어떻게 돼도 살려 두지 않는 분이었어요.」 관리가 이 말을 되씹으며 공작에게 눈짓을 했다. 공작은 호기심 어린 눈빛으로 로고진을 뜯어보았다. 그 사람은 그 순간에 더 창백해진 것 같았다.

「살려 두질 않았다고!」 로고진은 되풀이했다. 「무얼 안다고 그러는 거야?」 그는 다시 공작에게 하던 말을 계속했다. 「모든 게 당장에 드러나고 말았지요. 잘료제프가 만나는 사람마다 이 얘기를 떠벌리고 다녔기 때문이었죠. 아버지는 나를 붙잡아 2층에다 가두어 두고 한 시간 내내 야단을 쳤어요. 〈이건 약과다, 이놈아. 이따 밤에 다시 와서 네놈하고 결판을 짓겠다.〉 그리고 어떻게 됐는지 알겠어요? 머리가 허연 영감이 글쎄 나스따시야 필리뽀브나한테 찾아가, 땅바닥에 머리를 조아리고 눈물로 빌었던 거예요. 그 여자는 마침내 귀고리 상자를 가지고 나와 아버지에게 내던지며 이렇게 말했다지 뭐요. 〈텁석부리 영감, 여기 당신 귀고리를 가져가요. 빠르펜 로고진이 영감의 날벼락에도 무릅쓰고 그걸 나에게 선사했다니, 그 값어치가 나에겐 열 배나 더해지는군요. 빠르펜에게 고맙다고 전해 줘요.〉 그 순간 나는 어머니의 승낙을 받고 세르게이 쁘로뚜신한테 20루블을 빌려 차를 타고 쁘스꼬프로 떠났는데, 도착하니 몸이 으슬으슬하더군요. 할머니들이 치료랍시고 나에게 성자전을 읽어 주기 시작했어요. 나는 인사불성이 되었죠. 그때 난 술집이란 술집은 죄다 찾아다니며 마지막 한 푼까지 탈탈 털어 쓰고 감각을 잃은 채 밤새 비틀거리며 거리를 돌아다닌 다음이었으니까요. 그러자 아침에 열이 나는 거예요. 게다가 밤새껏 개새끼들이 물어뜯는 바람에 겨우 정신이 들었던 거지요.」

「하지만요, 이젠 나스따시야 필리뽀브나가 먼저 손짓을 할 겁니다요!」 관리가 히히거리며 손을 비볐다. 「나리, 그 따위 귀고린 별게 아니에요! 이젠 대단한 귀고리를 선사하시지요…….」

「야, 나스따시야 필리뽀브나에 대해 앞으로 어떤 말이든 단 한 마디만 해도 맞을 줄 알아. 네가 리하쵸프하고 돌아다녔어도 다 쓸데없는 짓이었어!」 로고진이 그의 손을 꽉 붙잡고는 소리를 질렀다.

「때리겠다고요? 그럼 나를 아주 내쫓겠다는 말씀은 아니시군요! 실컷 때려 주세요. 그럼 그만큼 나리하고 인연이 깊어지는 거니까요……. 그런데 벌써 다 도착했군요!」

정말로 기차는 역으로 접어들고 있었다. 로고진이 조용히 떠나왔다고 했지만 몇몇 사람들이 벌써 그를 기다리고 있었다. 그들은 로고진 쪽을 향해 소리를 지르며 털모자를 흔들었다.

「이것 봐라, 잘료제프가 와 있잖아!」 로고진은 득의양양하면서도 사나워 보이기까지 하는 웃음을 띠고 마중 나온 사람들을 바라보았다. 그는 불쑥 공작에게 말을 했다. 「공작, 왜 그런지 모르겠지만, 당신이 퍽 마음에 들어요. 아마, 이런 순간에 당신을 만나서 그런 게 아닌지 모르겠네요. 하지만 이런 자는(레베제프를 가리키며) 똑같이 만났어도 마음에 들지 않는구려. 공작, 내게 오시오. 그 볼썽사나운 각반을 벗겨 주고 최고급품의 수달피 외투를 입혀 주겠어요. 연미복도 제일 훌륭한 것으로 맞춰 주고, 조끼도 하얀색 아니면 원하는 색으로 맞춰 주겠어요. 그리고 주머니에다가는 돈을 가득 넣어 줄 테니까……, 그리고 나스따시야 필리뽀브나에게 함께 가는 거요! 어떻게, 내게 오시겠어요, 안 오시겠어요?」

「미쉬낀 공작, 어서 승낙하쇼!」 레베제프가 재는 듯한 어조로 강요하듯 말했다. 「이 기회를 놓치지 마시오! 놓치면 안 돼요!」

미쉬낀 공작은 자리에서 일어나 로고진에게 공손히 손을 내밀며 상냥하게 말했다.

「기꺼이 찾아가겠어요. 내가 마음에 드신다니 대단히 감사합니다. 시간이 나면 오늘이라도 가겠어요. 솔직히 말하지만 나도 당신이 몹시 마음에 듭니다. 특히 다이아몬드 귀고리 얘기를 듣고서요. 귀고리 얘기를 하기 전에도 얼굴 표정이 어둡긴 했지만 호감을 가지고는 있었지요. 또 나에게 약속한 옷과 외투도 고마워요. 사실 난 곧 그러한 옷과 외투가 필요할 거예요. 돈도 지금 이 순간 거의 바닥이 난 실정이에요.」

「저녁때 돈이 생길 거요. 찾아오시오!」

「생기고말고요. 암, 생기고말고요.」 관리가 되받아 말했다. 「저녁때까지, 해가 지기 전까지요! 그런데, 공작, 여자들을 좋아하시오? 사전에 얘기를 해주시오!」

「아 — 아니에요! 난 사실은…… 아마, 당신은 모르겠지만 난 선천적인 병 때문에 여자를 전혀 몰라요.」

「그렇다면」 로고진이 탄성을 질렀다. 「공작은 완전히 유로지비[12]로 태어난 거군요. 하느님은 당신 같은 사람을 사랑하지요!」

「하느님은 그런 사람을 사랑하고말굽쇼.」 관리가 맞장구를 쳤다.

「이봐, 서기. 너는 내 뒤를 따라와.」 로고진이 레베제프에게 말했다. 모두들 객차에서 나왔다.

레베제프는 마침내 원하던 바를 달성했다. 떠들썩한 로고진의 무리는 곧 보즈네센스끼 대로[13] 쪽으로 멀어져 가고 있었다. 공작은 리쩨이나야 거리로 꺾어 들어가야 했다. 습기가 많은 날이었다. 공작은 행인들에게 물어물어, 가고자 하는 행선지까지는 3베르스따 가량 남았다는 것을 알아냈고, 거기까지 마차를 타고 갈 결심을 했다.

12 세속에서 미치광이 행세를 하면서 금욕적인 생활을 하는 수도자나 기독교 신자들을 가리키는 말이다. 백치이면서도 예언 능력을 가지고 있는 것으로 믿었으며, 〈바보 성자〉라고도 했다.

13 도스또예프스끼가 1847년 봄부터 1849년 4월까지, 1867년 2월부터 4월까지 살았던 곳이다. 작가에게 이 장소는 그의 다른 작품에서도 자주 언급되는 것처럼 아주 친숙한 장소였다. 보즈네센스끼 대로와 리쩨이나야 대로는 상뜨 뻬쩨르부르그의 주요 거리이다. 리쩨이나야는 리쩨이니의 여성형인데 많이 쓰이지만 정확한 표현은 아니다.

2

예빤친 장군은 리쩨이나야 거리에서 스빠스 쁘레오브라제니야 성당 쪽으로 약간 벗어난 곳에 있는 자기 소유의 집에서 살고 있었다. 6분의 5를 세주고 있는 이 (엄청난) 집 이외에 예빤친 장군은 역시 대단한 수입을 올려 주고 있는 거대한 집을 사도바야 거리에도 가지고 있었다. 그는 이 두 집 말고도 뻬쩨르부르그 근교에 아주 수익성이 높은 영지를 소유하고 있었다. 게다가 뻬쩨르부르그 군(郡)에는 무슨 공장까지 있었다. 과거에 예빤친 장군은 모든 사람에게 알려진 사실이지만 매점(買占)에 관계를 했다. 지금 그는 꽤나 괜찮은 몇몇 주식 회사에 손을 대면서, 큰 목소리를 내고 있었다. 그는 돈도 많은 데다 여러 가지 사업을 벌이는 발이 넓은 사람으로 알려져 있었다. 장소에 따라서, 특히 자신의 사업처에서 그는 없어서는 안 될 사람이었다. 그런데 또 한 가지 잘 알려져 있는 사실은, 이반 표도로비치 예빤친이 사병 집안의 아들로 태어나 교육을 전혀 받지 않았다는 것이다. 사병 집안에서 태어났다는 사실은 의심의 여지없이 오히려 명예가 될 만한 일이지만, 이 현명하다는 장군에게도 조그만 약점은 있는 셈이었다. 물론 그 약점이 대단치는 않은 것이라 해도 남들이 그런 얘기를 꺼내는 걸 달가워하지 않았다. 하지만 그가 현명하고 영리한 사람이라는 사실은 두말하면 잔소리였다. 예를 들어, 그는 자기가 나설 곳이 아니라면 절대로 나서지 않는다는 원칙을 지키고 있었다. 많은 사람들은 언제나 자기 분수를 지킬 줄 아는 그 나름의 겸손함을 높이 평가했다. 그런데 자기 분수를 잘 안다는 예빤친의 마음속에 이따금 무슨 일이 벌어지는지 사람들이 알기나 한다면! 실제로 그는 일상적 업무에서 나름대로의 경험과 지식을 겸비하고, 어떤 면에서는 뛰어난 재능마저 보였다. 하지만 그는 독창적인 견해를 가진 사람으로서보다는 타인의 생각을 실행하는 자로 보이고 싶어했다. 말하자면 아첨하지 않은 충실한 인간[14]으로, 러시아적이기까지 한 허심탄회한 사람으로 보이려고 했던 것이다. 그러한 모습 속에는 몇 가지 우스꽝스러운 사건마저 얽혀 있었다. 그러나 장군은 아무리 우스운 꼴이 연출되더라도 기가 죽는 법이 없었다. 더욱이 그는 카드 놀이를 할 때도 재수가 좋았다. 그는 유달리 많은 돈을 걸곤 했지만, 그는 카드를 좋아한다는 자신의 약점을 의도적으로 숨기려 하지 않았고 오히려 그것을 떠벌렸다. 사실 그는 카드를 해서 적지 않은 돈을 여러 차례나 따곤 했다. 그는 온갖 계층의 사람들이 혼합된 사회와 관계를 맺고 있었고, 물론 〈세도가〉와도 연결되어 있었다. 그러나 모든 것은 시작에 불과할 뿐, 그는 인내심을 가지고 때를 기다리고 있었다. 때가 되면 모든 게 돌아올 것이라는 생각에서였다. 사실 나이로 볼 때 예빤친 장군은 물이 한참 오른 시기였다. 더 이상 바랄 것이 없는 쉰여섯이라는 나이는 어디로 보더라도 최고의 전성기였다. 〈진짜〉 인생이 시작되는 연령이 아닌가. 건강, 안색, 시커멓지만 단단한 치아, 딱 벌어진 체격, 아침 출근 시의 사려 깊은 표정, 저녁 카드 판에서나 상관 집에서의 쾌활함, 이 모든 조건이 그의 현재와 미래의 성공을 촉진시켜 주고, 성공한 사람으로서의 그의 인생을 장미꽃으로 깔아 주었다.

장군은 만개하는 꽃과 같은 가족을 거느리고 있었다. 물론 모든 것이 다 장미라 할 수는 없지만, 그에게는 장미와 같은 것이 많이 있었다. 장군은 이미 오래전부터 가장 중요한 자신의 희망과 목표를 그러한 쪽으로 달성하려고 심혈을 기울여 왔기 때문이다. 이 세상에서 부모가 자식에게 갖는 목표보다 더 중요하고 신성한 목표가 있겠는가? 가족 이외에, 강한 애착을 가질 수 있는

14 빠벨 1세의 총신이자 알렉산드르 1세의 육군 대신이었던 아락체예프 장군(1769~1834)의 묘비에 새겨진 유명한 문구. 자주 노예 근성이 있다는 비판을 받은 고인의 마지막 뜻에 따라 새긴 것임.

게 과연 있단 말인가? 장군에게는 아내와 성숙한 세 딸이 있었다. 장군이 결혼한 것은 이미 중위 시절로서 벌써 오래전의 일이었다. 그가 결혼한 여자는 거의 동갑내기로서 미모나 교육 면에서 특출 난 점이 전혀 없던 처녀였다. 그가 결혼 지참금으로 받은 것은 기껏 50명의 농노였지만, 그것이 미래에 찾아올 행운의 기반이 되었던 것은 의심할 나위 없는 사실이었다. 그러나 장군은 훗날 자신의 조혼에 대해 푸념을 하거나, 그것을 무모한 젊은이의 객기로 여겨 본 적이 전혀 없었다. 그는 오히려 아내를 존경하고, 어떤 때는 두려워하다 못해 사랑마저 했을 정도였다. 장군 부인은 빛나는 가문 출신은 아니었으나, 유서 깊은 미쉬낀 공작 가문의 혈통을 이어받고 있다는 점에서 대단한 자부심을 가지고 있었다. 그 당시의 유력 인사 중의 하나로 그녀의 후견인 역할을 하던 사람이, 물론 진짜로 뒷배를 봐 준 적은 없지만, 젊은 공작 영애의 결혼을 주선해 주는 데 선뜻 나섰다. 그 후견인은 젊은 장교에게 담장의 문을 열어 주며 그의 등을 떠밀어 준 것이었다. 그러나 떠밀었다고까지는 할 수 없었다. 그 젊은 장교 스스로가 한번 보는 것으로 충분했기 때문이었다. 그는 결코 실수할 리가 없었다! 이들 부부는 몇 번 정도 서로 틀어진 경우는 있었으나 평생 사이좋게 살아왔다. 아주 젊었던 시절에 이미 장군 부인은 공작 영애라는 칭호와 가문의 마지막 대표자라는 자격으로, 어쩌면 개인적 성격에서 기인했는지 모르지만, 어느 지체 높은 귀부인들을 자신의 후견인들로 두는 데 성공했다. 훗날 남편이 부를 축적하고 지위가 높아졌을 때 그녀는 이 상류 사회에 어느 정도까지 길들여지기 시작했다.

최근 몇 년 사이에 장군의 세 딸, 알렉산드라, 아젤라이다, 아글라야는 몸도 마음도 성숙한 처녀가 되었다. 사실 이 세 처녀는 단순히 예빤친 가의 딸에 불과해 보였지만, 어머니 쪽으로는 공작의 혈통을 이어받았고, 적지 않은 지참금에, 앞으로 매우 높은 지위를 바라보는 아버지 슬하에 있었다. 마찬가지로 상당히 중요한 것은 이들 세 처녀 모두가 보기 드문 미인이라는 사실이었다. 그것은 벌써 스물다섯 살이 지난 맏딸 알렉산드라도 예외가 아니었다. 둘째는 스물세 살이었고, 막내 아글라야는 막 스무 살이 되었다. 특히 막내는 뛰어난 미인이라 사교계에서 비상한 관심을 끌기 시작했다. 하지만 이것이 전부가 아니었다. 세 처녀는 모두가 훌륭한 교육을 받은 데다, 지식과 재능이 특출 났다. 잘 알려져 있다시피 이들은 우애 또한 남다르게 강해 서로의 일도 잘 도와주었다. 두 언니가 집안의 우상 격인 막내를 위해 희생마저 불사한다는 소문까지 나돌고 있었다. 이들은 사교에 나서길 좋아하지 않을 뿐더러, 지나치게 겸손하기까지 했다. 그 누구도 이들이 오만하다고 나무랄 수 없었으나, 이들이 자부심이 강하고 자신들의 가치를 인정하고 있다는 사실은 알고 있었다. 첫째 언니는 음악가였고, 둘째는 훌륭한 화가였다. 그러나 이 사실에 대해서 오랫동안 아는 이가 거의 없었다. 최근 들어서야 그 사실이 우연히 알려지게 되었다. 한마디로 말해서, 이들에 관한 칭찬은 끝이 없다고나 할까. 그러나 이 처녀들을 못마땅하게 생각하는 사람들도 있었다. 세 아가씨가 독서를 지독스럽게 한다는 둥, 이들이 시집을 가려고 서두르지 않는다는 둥, 이들이 사교계의 어떤 그룹을 높이 보는 것 같으면서도 알고 보면 그렇지 않다는 둥의 험담이었다. 하지만 이 모든 게 선명하게 드러났기 때문에, 모두들 이 세 처녀의 아버지가 가지고 있는 성격, 그가 품고 있는 목적이나 희망 등을 알 수 있었다.

미쉬낀 공작이 장군의 집 초인종을 눌렀을 때는 이미 11시경이었다. 장군은 2층에 살고 있었다. 그는 가능한 한 검소하게 집 안을 꾸몄지만 그래도 자신의 지위에 걸맞게 살고 있었다. 제복을 입은 하인이 공작에게 문을 열어 주었다. 공작은 그의 차림새와 보따리를 번갈아 가며 처음부터 수상쩍게 쳐다보던 하인과 오랫동안 입씨름을 해야 했다. 그가 진짜로 미쉬낀 공작이고, 장군에게 긴요한 볼일이 있어 왔다는 말을 누차 확인시킨 다음에야, 석연치 않은 표정을 짓고 있던 하인은 서재 옆 응접실 앞에 있는 작은 대기실로 그를 데려가 아침마다 대기실을 지키면서 손님들의 내방 소식을 장군에게 전달해 주는 시종에게 인계했다. 40대쯤 되어 보이는 이 시종은 연미복을 입고 있었으며, 사려 깊은 표정을 짓고 있었다. 그는 장군의 전속 시종으로 손님 접대까지 맡고 있어서 자기가 꽤나 중요한 사람이라고 생각했다.

「응접실에서 기다리시지요. 보따리는 여기에 놓아두고요.」 시종은 여유 있게 자기의 안락의자에 앉으며, 두 손에 보따리를 들고 옆의 의자에 앉아 있는 공작을 놀라운 눈초리로 엄숙히 바라보며 말했다.

「괜찮으시다면」 공작이 말했다. 「여기서 당신과 함께 기다리는 게 낫겠는데요. 뭐 하러 나 혼자 거기에 있습니까?」

「대기실에 계시다니 당치도 않은 말씀입니다. 방문객이고 손님이신데. 장군을 만나러 오신 것 맞죠?」

시종은 그와 같은 차림새의 방문객이 아무래도 의심쩍은지 다시 한번 물어보기로 작정을 한 것이다.

「네, 용무가 있어서…….」 공작이 머뭇거리며 말을 꺼냈다.

「저는 손님에게 어떤 용무가 있는지 묻는 게 아닙니다. 제가 하는 일은 손님에 대해 보고를 드리는 겁니다. 하지만 말씀드렸듯이 비서를 통하지 않고는 손님에 대해 보고를 드릴 수가 없습니다.」

시종은 점점 더 강하게 의심을 하는 듯했다. 공작의 행색이 통상적인 방문객과는 사뭇 달랐기 때문이다. 장군은 자주, 거의 매일같이 일정한 시간대에 손님들을 〈업무상〉 접견하곤 했다. 이따금 그들 중에 아주 색다른 사람들마저 볼 수 있었다. 그러나 이러한 관행과 장군의 관대한 지시에도 불구하고 시종은 강한 의심을 품고 있었다. 그는 아무래도 보고하기 전에 비서와 상의를 해야 한다고 생각했다.

「손님께선 틀림없이…… 외국에서 오신 것 같은데요?」 그는 지나가듯 이렇게 물었다. 그러고는 말끝을 그만 얼버무리고 말았다. 아마 〈미쉬낀 공작이신가요?〉라고 물어보고 싶었을 것이다.

「네, 방금 기차에서 내렸어요. 내가 분명히 미쉬낀 공작이 맞느냐고 물어보려 했던 게지요? 예의상 그렇게 묻지 못한 것 같은데.」

「흠…….」 흠칫 놀란 시종이 목청을 가다듬었다.

「확실히 말하지만 나는 당신에게 거짓말을 하지 않았으니, 당신이 나에 대해 책임질 일이 없을 거요. 보따리를 들고 있는 내 모양새가 이렇다고 해서 놀랄 것은 하나도 없어요. 지금 나의 형편이 과히 좋지 못해서 그런 거니까요.」

「흠, 제가 걱정하는 것은 그게 아닙니다. 전 보고를 해야 할 의무가 있습니다. 그런데 비서가 나오려면 손님께서…… 다름 아니라 …… 제가 말씀드리고 싶은 것은…… 혹시 돈이 없어서 장군님을 만나 뵈려는 게 아니신지. 어떻게, 그렇지 않은가요?」

「아니에요. 그렇다면 완전히 안심해도 될 거요. 다른 일이 있어서 온 거니까.」

「죄송합니다. 저는 외견만 보고 그렇게 물어본 겁니다. 비서가 올 때까지 기다려 주십시오. 장군님께서는 지금 대령님과 면담 중이십니다. 조금 있으면 비서가 올 겁니다. 업무 담당을 하는…… 분이지요.」

「그런데 오래 기다려야 된다면 한 가지 청을 하고 싶은데요. 여기 어디서 담배를 피우면 안 되나요? 파이프와 담배는 가지고 있는데.」

「담배라고요?」 시종은 자기 귀를 의심하듯 경멸적이고 의혹에 찬 눈초리로 공작을 쳐다보았다. 「안 됩니다. 여기서 흡연을 하실 순 없습니다. 그런 생각을 하시다니 이건 수치스러운 일입니다. 허, 기가 막히는군요!」

「아, 난 이 방에서 피우겠다는 얘기가 아니오. 그런 건 나도 알고 있어요. 어디든 마땅한 장소를 알려 주면 거기로 나가서 피우고 싶다는 뜻이오. 이젠 담배에 인이 박였는데 세 시간 동안 피우질 못해서 그래요. 하지만 편한 대로 하시오. 남의 수도원에선 그곳의 법도를 따르라는 속담도 있는데…….」

「그런데 장군님께 손님을 어떻게 보고드려야 할까요?」 시종은 무심코 중얼거렸다. 「우선 손님께선 장군님을 찾아오신 방문객이시니까 이곳보다는 마땅히 응접실에 계셔야 합니다. 안 그러면 제가 야단을 맞습니다……. 그럼 손님께선 이 집에서 머무르실 작정입니까?」 그는 또 한번 보따리를 곁눈질해 보며 물었다. 그 보따리가 영 마음에 걸리는 모양이었다.

「아니오, 그럴 마음은 없습니다. 나보고 여기서 살라고 해도 그럴 생각은 없어요. 난 그저 인사를 드리러 왔을 뿐이지 다른 의도는 없습니다.」

「네? 인사를 드린다고요?」 놀란 시종은 더 한층 의심이 생겼다. 「아니, 처음에는 볼일이 있어서 왔다고 하셨잖아요?」

「거의 용무라고는 할 수 없지요! 정 그렇다면 나의 볼일이라는 걸 말해 주지요. 난 장군에게서 한 가지 조언을 듣고 싶어서 그런 거요. 하지만 보다 중요한 목적은 인사를 드리는 거지요. 왜냐하면 난 미쉬낀 공작이고 예빤친 장군 부인 역시 미쉬낀 가의 마지막 공작 부인이기 때문이오. 나하고 그분을 제외하면 이제 미쉬낀 공작 가문 출신의 사람은 한 사람도 없죠.」

「그럼 손님이 친척까지 되신다는 말입니까?」 이미 잔뜩 질려 있다시피 한 시종은 몸까지 부르르 떨었다.

「뭐, 친척이랄 것까지는 없어요. 그러나 갖다 붙이면 물론 친척이 될 수도 있고요. 그렇지만 너무 먼 촌수라 진짜 친척이라고는 할 수 없어요. 외국에 있을 때 공작 부인에게 편지를 한번 띄운 일이 있었지만 답장을 받지는 못했어요. 하지만 귀국했으니 연락이라도 하고 사는 게 도리라고 생각하오. 내가 왜 이런 말을 하느냐 하면 당신이 의심쩍어하기 때문이오. 아직도 안심하지 못하는 표정이 너무 역력해 보여요. 미쉬낀 공작이 찾아왔다고 보고하면, 나의 방문 목적이 무언지 아시게 될 거요. 나를 만나시겠다면 잘된 일이고, 설사 만나시지 않겠다고 하셔도 어쩌면 아주 잘된 일이 될 거요. 하지만 꼭 만나시려 할 거요. 공작 부인도 물론 자기 가문의 유일한 대표자를 보고 싶어하실 테니까요. 내가 듣기로는, 공작 부인은 자기 혈통을 몹시 자랑스럽게 여기고 계신다던데요.」

공작의 말은 지극히 평범해 보였다. 그러나 그의 말이 평범해 보이면 보일수록 실제로는 더욱더 부자연스럽게 들렸다. 그도 그럴 것이, 그러한 말을 하인들끼리 주고받았다면 꽤나 자연스러울 대화이겠지만 손님이 하인에게 그렇게 말한다는 것은 어쩐지 부자연스런 것이었다. 눈치 빠른 시종은 바로 그런 차이를 느끼지 않을 수 없었다. 하인들은 원래 주인들이 생각하는 것보다 훨씬 더 영리한 법이라 시종은 두 가지의 가능성을 머릿속에 떠올려 보았다. 이 공작이란 작자는 건달족이어서 궁한 차에 돈 좀 보태 달라고 사정하러 온 것이거나, 아니면 아무런 속셈이 없는 바보에 지나지 않는다. 똑똑하고 속셈이 있는 공작이라면 대기실에 앉아 있지도 않을 뿐더러 시종에게 자기의 용무를 얘기하지도 않았을 것이다. 어쨌든 시종으로서는 책임을 추궁당할 염려는 없지 않은가?

「하여튼 응접실에서 기다려 주시면 감사하겠습니다.」 시종은 더욱 집요하게 말했다.

「내가 응접실에 들어가 앉았다면 당신에게 이렇게 상세히 내 얘기도 안 해주었을 거요.」 공작이 활짝 웃기 시작했다. 「내 망토와 보따리를 보고 아직도 마음이 안 놓이는 모양이군요. 이젠 더 이상 비서를 기다릴 필요가 없을 테니, 직접 가서 보고를 하시오.」

「저는 비서를 통하지 않고 손님 같은 방문객을 안으로 모실 수가 없습니다. 게다가 조금 전에 장군께서 대령님과 면담하고 있는 동안 아무도 들여보내지 말라고 하셨습니다. 제가 보고를 안 해도 비서인 가브릴라 아르달리오니치가 오실 겁니다.」

「그분은 관리인가요?」

「가브릴라 아르달리오니치 말씀입니까? 아닙니다, 회사 사람입니다. 보따리는 여기에라도 놓아두시지요.」

「그러려고 하던 참이었어요. 이 망토를 벗어도 될까요?」

「물론입니다. 망토를 입으신 채로 장군님을 만나실 수는 없으니까요.」

공작은 일어나서 약간 성급하게 망토를 벗었다. 그러고 나니 공작은 낡았어도 제법 꼼꼼하고 맵시 있게 바느질한 양복 차림의 모습이 되었다. 조끼에서는 강철로 만든 가는 줄이 나와 있었고, 그 줄 끝에는 제네바 산 은시계가 달려 있었다.

시종은 생각했다. 공작이 비록 바보일지는 몰라도 장군의 시종 주제에 그러한 손님과 계속 입씨름을 벌인다는 것은 건방진 일이다. 물론 공작에게서 왜 그런지는 몰라도 호감을 느끼고 있는 것은 사실이었다. 그러나 다른 한편으로 공작에게 아주 괘씸한 마음이 들기도 했다.

「그런데 장군 부인은 언제 만날 수 있지요?」 공작은 다시 예전의 자리에 앉으며 물었다.

「그건 제 소관이 아닙니다. 손님에 따라 다릅니다. 양재사는 11시에도 들여보내게 합니다. 가브릴라 아르달리오니치 역시 남들보다 일찍 맞이하시는데, 때로는 조찬 중에도 불러들이십니다.」

「이곳에는 겨울에 방 안이 외국에서보다 훈훈하군요.」 공작이 말했다. 「바깥 날씨는 외국이 우리 나라보다 포근해요. 그런데 집 안은 안 그래요. 그래서 러시아 사람은 그런 외국 집에서 살 수가 없어요.」

「난방을 하지 않나요?」

「때긴 때는데, 집 안 구조가 달라요. 말하자면 창문이라든가 난로가 그래요.」

「흠! 오랫동안 외국에 계셨습니까?」

「4년 동안이나 있었어요. 하지만 난 시골에 있는 한 집에서만 있었어요.」

「우리 나라식 생활이 생소해졌겠네요?」

「그래요. 믿을지 모르겠지만, 러시아 어를 잊어버리지 않은 게 신기할 정도예요. 지금 당신과 말을 하면서도 〈아, 내가 참 러시아 어를 잘하네〉라고 생각해요. 그래서 아마 이렇게 말이 많은가 봐요. 사실 어제부터 러시아 어를 무척이나 하고 싶었다오.」

「흠! 하! 그런데 예전에 뻬쩨르부르그에 사신 적이 있습니까?」

(시종은 아무리 입을 다물고 있으려 해도, 이와 같이 점잖고 예의 바른 대화를 끊을래야 끊을 수가 없었다.)

「뻬쩨르부르그요? 살아 보진 못했어요. 단지 지나가는 길에 들러 봤을 뿐이오. 옛날에는 여기에 대해 아무것도 몰랐지요. 그런데 지금은 새로운 것들이 너무나 많이 생겨서 예전에 이곳을 알았던 사람도 새로 배워야 한다고들 하더군요. 특히 요즘은 러시아의 재판 제도[15]에 대해 많은 얘기를 하던데요.」

「흠……! 재판에 대해서 이러쿵저러쿵 말을 많이 하죠. 그런데 외국에서는 재판이 여기보다 공정합니까?」

「모르겠어요. 나는 우리 나라 재판 제도에 장점이 많다고 들었어요. 예를 들어 우리 나라에는 사형 선고가 없잖아요.」[16]

「그럼 외국에선 사형을 합니까?」

15 러시아 력으로 1864년 11월 24일에 사법부와 소송 절차가 대대적으로 개혁되었다. 계급적인 구(舊)재판 제도는 모든 사회 계층을 위한 일반적인 재판 제도로 바뀌었다. 개방된 공간에서 변호사들과 배심원들은 동정심을 갖고 선고문을 들려주었고, 신문에는 재판 제도의 개선에 대한 보고문들이 자주 보고되었다.

「네, 사형하는 걸 프랑스 리옹에서 봤어요.[17] 슈나이더 씨가 나를 그곳에 데리고 갔었어요.」

「교수형에 처합니까?」

「아니에요. 프랑스에서는 목을 잘라요.」

「그럼 사형수가 울부짖나요?」

「어떻게 그래요? 일순간에 벌어지는데. 사형수를 올려놓자마자 이만 한 작두 날이 기계 장치에 의해 떨어져요. 그 단두대를 기요틴이라고 부르는데 육중한 게 아주 힘이 세답니다……. 눈도 깜빡하기 전에 모가지가 떨어져 나가요. 물론 그때까지의 과정이 괴로울 겁니다. 사형 선고문이 공표되고, 사형 도구가 준비되고, 사형수는 포박되어 단두대 위로 올라가게 되지요. 보기만 해도 끔찍해요! 그런데도 군중들이 달려들지요. 심지어는 여자들까지도요. 여자들은 그런 것을 보는 것을 별로 탐탁지 않게 생각하는데도 말이에요.」

16 러시아에서 사형은 엘리자베따 여제의 칙령에 의해 1753~1754년에 폐지되었으나, 예까쩨리나 2세 섭정 시에 국가 및 군사 범죄, 그 밖의 몇몇 범죄 행위에 대해 최고형으로 다시 도입되었다. 특히 1860년대에는 사형이 자주 집행되었다. 도스또예프스끼가 국외로 떠나기 얼마 전인 1866년 9월 3일 뻬쩨르부르그의 스몰렌스끄 들판에서 까라꼬조프라는 사람이 교수형에 처해졌다. 러시아에는 사형 제도가 없고 외국에서만 사형 집행 장면을 보았다고 하는 미쉬낀의 주장은, 사형에 관한 미쉬낀의 견해에 대해 검열 당국이 개입할 소지를 없애기 위해 의도적으로 삽입한 것으로 보인다. 도스또예프스끼 자신도 M. B. 뻬뜨라셰프스끼(1821~1866)를 중심으로 한 공상적 사회주의 모임에 연루되어 1849년 총살형을 선고받았으나, 사형 집행 직전 가까스로 사면된 바 있다.

17 프랑스에서 형사범은 19세기 말까지 공개적인 사형에 처해졌다. 정치범에 대한 사형은 1848년에 없어졌다. 1870년 뚜르게네프는 「뜨로쁘만의 사형」이라는 보고서에서 공개적으로 단두대에서 사형이 집행되는 광경을 묘사했다. 이 보고서의 말미에서 그는 〈만약 나의 이야기가 몇몇 변호사들의 논리에도 불구하고 사형이 폐지되고 한편으로 그것의 공개성도 폐지되는 데 영향을 줄 수 있다면 나는 만족할 것이다〉라고 덧붙였다.

「그런 건 여자들이 볼 거리가 아니니까요.」

「물론이에요! 물론이에요! 그처럼 처참한 광경을……! 그때 본 사형수는 똑똑하고, 대담하고, 건장해 보이는 중년 남자였어요. 성이 르그로라고 했어요. 그런데 믿거나 말거나 할 문제지만, 그 사람은 단두대 위로 올라오더니 얼굴이 하얗게 질려서 울음을 터뜨리더군요. 정말 그럴 수가 있을까요? 정말 처참하지 않아요? 한데 누가 무섭다고 울겠어요? 어린애도 아니고 한번도 울어 보지 않았던 마흔다섯 살 먹은 어른이 무섭다고 울음을 터뜨렸다고는 생각지 않아요. 하지만 이 순간 당사자의 영혼 상태는 어떠했겠어요? 그의 영혼은 얼마나 경련을 일으켰겠어요? 그것은 그의 영혼에 대한 모독이지, 그 이상 아무것도 아니에요! 〈살인을 하지 말라!〉[18]는 말이 있듯이, 그가 사람을 죽였다고 해서 그를 꼭 죽여야만 됩니까? 아니에요, 그렇게 해서는 안 돼요. 나는 한 달 전에 그 광경을 목격했지만, 지금까지도 내 눈 앞에서 그 일이 어른거려요. 꿈을 꾼 것도 아마 다섯 번쯤 될 겁니다.」

공작은 이렇게 말하면서 차츰 활기를 띠기 시작했다. 그는 여전히 조용하게 말을 하고 있었지만, 그의 창백한 얼굴에는 가벼운 홍조가 나타났다. 시종은 공감한다는 표정으로 계속 공작이 하는 말을 열심히 듣고 있었다. 중간에서 대화가 끊어지길 바라지 않는 태도 같았다. 어쩌면 시종도 상상력이 풍부하여 나름대로의 주관을 가지고 있는지도 모르는 일이었다.

「모가지가 날아갈 때 고통이 적다는 것은 그나마 다행이군요.」 시종이 자신의 생각을 피력했다.

「하지만 문제는 안 그래요!」 공작이 흥분된 소리로 외쳤다. 「물론 남들도 다 당신처럼 생각해요. 또한 그런 이유에서 기요틴이란 기계도 고안된 겁니다. 하지만 그 당시에 내 머릿속엔 이런 생

18 구약 성서의 십계명 중 하나로(출애굽기 20장 13절), 신약 성서에도 여러 번 나온다.

각이 떠올랐어요. 이런 처형 방식보다 더 끔찍한 건 없지 않을까? 나의 이런 생각이 당신에게는 우스꽝스럽고 조야하게 들릴지도 모르겠군요. 하지만 달리 살펴보면 그런 생각이 저절로 떠올라요. 예를 들어, 고문이라는 걸 한번 생각해 보세요. 고문을 받게 되면 고통을 느끼고 상처를 받게 되지요. 다시 말해 육체적인 고통이지요. 하지만 그와 같은 고통은 영적인 괴로움을 앗아가게 해요. 죽을 때까지 상처를 통한 아픔만 느낄 뿐이지요. 그런데 가장 중요하고, 가장 심한 고통은 아마 육체적인 상처에 있지는 않을 겁니다. 그것은, 아마 당신도 아실 테지만, 한 시간 후에, 그 다음엔 10분 후에, 30초 후에, 그리고 지금 당장, 영혼이 육체에서 날아가 버리고 자기가 더 이상 인간이 아니라는 사실입니다. 중요한 것은 이런 것들이 모두 〈분명〉하다는 데 있어요. 가장 끔찍한 건 바로 그 확실성입니다. 작두 날 밑에 머리를 올려 두고 나서 그 작두 날이 모가지 위로 미끄러져 내려오는 4분의 1초보다 더 섬뜩한 순간이 어디 있겠어요. 이건 나의 상상이 아니에요. 이미 많은 사람들이 그런 말을 해왔어요. 나는 그런 말을 믿기 때문에 이렇게 직선적으로 나의 견해를 얘기해 주는 거요. 살인을 했다고 해서 사람을 죽이는 것은 그 범죄에 비해 너무도 가혹한 형벌이오. 선고문을 낭독하고 사형을 집행하는 것은 살인 강도 자체와는 비교도 안 될 정도로 가혹한 짓이오. 밤중에 숲속에서 강도의 칼에 맞아 살해당할 위기에 처해 있는 자는 마지막 순간까지 구원받을 수 있다는 희망을 가질 수 있어요. 그러한 희망을 가지는 예가 허다하지 않나요? 그런데 열 배나 편히 죽을 수 있는 이 마지막 희망을 〈분명히〉 빼앗아 가버린다는 얘기입니다. 바로 사형 선고가 그렇게 한다는 뜻이지요. 피할 수 있다는 희망이 분명히 없을 거라는 사실 속에 처참한 고통이 있는 겁니다. 이보다 더 심한 고통은 이 세상에 없어요. 전쟁터에 있는 병사를 끌고 와서 바로 대포 앞에다 세워 두고 그에게 대포를 쏘아 보려고 해

보세요. 그래도 병사는 희망을 버리지 않을 겁니다. 그런데 이 병사에게 사형 선고문을 〈분명하게〉 낭독해 보세요. 그 병사는 미쳐서 울부짖기 시작할 겁니다. 인간이 미치지 않고서도 그러한 고통을 참아 낼 수 있는 능력이 있다고 누가 말했지요? 무얼 하려고 그처럼 추악하고 불필요한 욕설을 내뱉었지요? 어쩌면 사형 선고를 받고 고통을 당한 뒤 〈가라, 너를 용서해 주겠다〉[19]는 말을 듣고 풀려 나온 사람이 있을지도 몰라요. 바로 그러한 사람은 상세히 얘기해 줄 수 있을 겁니다. 그러한 고통과 처참함에 대해서는 그리스도도 말했어요. 정말이지, 인간을 그렇게 대해서는 안 됩니다.」

시종은 이 모든 것을 공작처럼 표현할 수는 없었으나, 대충 중요한 것은 알아들었다. 유순해지기까지 한 그의 얼굴로 미루어 볼 때 분명 그러했다.

「만일 원하신다면,」 시종이 말을 꺼냈다. 「담배를 피우셔도 됩니다. 다만 빨리 피워 주셨으면 합니다. 갑자기 모셔 오라는 분부가 있을지도 모르니까요. 저기 층계 밑에 문이 보이시죠. 그 문으로 들어가시면 작은 골방이 있습니다. 거기서 피우실 수 있습니다. 단지 공기가 나쁘니까 통풍창을 활짝 열어 두십시오…….」

그러나 공작은 담배를 피우러 갈 여유가 없었다. 갑자기 대기실로 한 청년이 서류를 들고 나타났기 때문이다. 시종은 그의 외투를 벗겨 주기 시작했다. 청년은 곁눈질로 공작을 쳐다보았다.

「가브릴라 아르달리오니치,」[20] 시종은 자신감 있는 목소리로 아주 다정한 듯 말하기 시작했다. 「이분은 미쉬낀 공작이시고 사모님의 친척이신데, 기차를 타고 방금 외국에서 돌아오셨답니다.

19 이 말은 뻬뜨라셰프스끼 사건으로 사형대에 섰다가 사면받은 도스또예프스끼 자신의 경험을 재현한 것이라고 할 수 있다.

20 아르달리오니치는 부칭 아르달리오노비치의 약칭이다. 마찬가지로 표도로비치는 표도리치로, 니꼴라예비치는 니꼴라이치로 부른다.

손에 있는 보따리가 유일한…….」

공작은 그 다음 얘기를 듣지 못했다. 시종이 속삭이듯 말을 하기 시작했기 때문이다. 가브릴라는 주의 깊게 시종의 말을 들으며 호기심에 가득 찬 눈으로 공작을 흘끔거리며 보았다. 마침내 그는 말을 듣다 말고 황급히 공작에게 다가갔다.

「미쉬낀 공작 되십니까?」 그는 매우 상냥하고 깍듯한 말투로 물었다. 매우 잘생긴 청년이었다. 나이는 역시 스물여덟 살쯤 되어 보였다. 중키였지만 늘씬했고, 머리는 금발이었다. 현명하고 매우 아름다워 보이는 얼굴에는 나폴레옹 식 수염을 짧게 기르고[21] 있었다. 아주 상냥한 표정을 지어 보였음에도 불구하고 그의 미소만은 지나치게 미묘한 데가 있었다. 그가 웃고 있을 때 치아는 진주처럼 가지런히 드러났다. 그의 시선은 명랑하고 소박해 보이는 외모에 걸맞지 않게 무언가 지나치게 꿰뚫어 보려는 듯했다.

〈이 사람은 혼자 있을 때 전혀 다른 표정을 짓고 있음에 틀림없다. 게다가 생전 가야 웃지 않을지도 모른다.〉 공작은 속으로 이런 생각이 들었다.

공작은 자초지종을 설명했다. 그 내용은 이미 시종과 로고진에게 들려준 것과 거의 같았다. 그러는 사이에 가브릴라는 무언가를 기억해 낸 듯했다.

「혹시」 그는 물었다. 「1년 전쯤에, 아니면 그보다 못 되어서, 스위스로 기억하는데 거기서 엘리자베따 쁘로꼬피예브나 공작 부인에게 서신을 보내지 않으셨습니까?」

「네, 보냈어요.」

「그러시다면 장군 내외분이 알고 계시고 기억도 하실 겁니다. 장군 각하를 만나 보시겠습니까? 곧 보고를 드리겠습니다……. 손님은 금방 돌아가실 겁니다. 잠시 동안만 응접실에서 기다려

21 1852년 프랑스의 황제였던 나폴레옹 3세(1808~1873)는 짧은 수염을 길렀다.

주시지 않겠습니까? 아니, 손님을 왜 이런 곳으로 모셨나?」 그는 시종을 나무랐다.

「말씀을 드렸지만, 그냥 여기에 계시겠다고 하셔서…….」

이때 서재의 문이 갑자기 열리고 가방을 든 군인이 커다란 목소리로 인사말을 하며 그곳에서 나왔다.

「가냐,[22] 자네 거기 있나?」 서재에서 나는 소리였다. 「이리 좀 오게!」

가브릴라는 공작에게 목례한 후 서재로 급히 들어갔다.

2분 가량 지나자 서재 문이 다시 열리며 가브릴라 아르달리오니치의 또랑또랑하고 상냥한 목소리가 들렸다.

「공작, 어서 들어오십시오!」

3

이반 표도로비치 예빤친 장군은 서재 한가운데 서서 안으로 들어오는 공작을 비상한 호기심으로 바라보다 못해, 그에게로 두 발자국이나 다가섰다. 공작이 다가와서 인사를 했다.

「아하, 그러시오?」 장군이 대답했다. 「그래, 무슨 일이 있어 오셨소?」

「긴급한 일이 있어 온 건 아닙니다. 다만 제가 여기에 들른 것은 인사를 드리기 위해서입니다. 폐를 끼쳐 드리고 싶지는 않았지만, 장군님의 일정이나 형편도 몰라서……. 전 방금 기차에서 내렸습니다. 스위스에서 오는 길이지요…….」

장군은 자칫 웃음을 지으려다 말고 잠시 생각에 잠겼다. 그러고는 또 한번 무슨 생각을 해내고서는 눈을 가늘게 뜨고 자기를

22 가브릴라의 애칭.

찾아온 손님을 발끝부터 머리 꼭대기까지 훑어보았다. 그러고 나서 장군은 재빨리 의자를 가리키며 자기도 약간 비스듬히 앉았다. 그는 몹시 궁금한 듯이 공작에게로 몸을 돌렸다. 가브릴라는 서재 한쪽 구석에 놓인 책상 옆에 서서 서류를 정리하고 있었다.

「난 사람들과 사귈 만한 여유가 많지 않은 사람이오.」 장군이 말을 꺼냈다. 「한데 나한테 찾아온 목적이 있을 것 같아서…….」

「저도 그러리라고 예견했습니다만,」 공작이 그의 말을 가로막았다. 「장군님은 제가 이렇게 찾아온 것이 무슨 특별한 목적이 있어서라고 생각하시는 겁니까? 하지만 저는 인사를 드리는 것으로 족합니다. 그 이외에는 아무런 목적이 없습니다.」

「나 역시 이렇게 통성명을 하는 게 대단히 반갑소. 하지만 언제나 재미있는 일만 있는 게 아니오. 때로는 볼일이란 것도 생기게 마련이라오……. 게다가 난 아직 우리 사이에 공동 관심사가 있다고 보지는 않소……. 말하자면 이렇게 만나야 될 이유 같은 것 말이오…….」

「물론 그럴 이유는 없습니다. 그리고 공동 관심사도 별로 없고요. 제가 미쉬낀 공작이고 사모님께서 우리 가문 출신이라 하더라도 그게 우리가 만나 봐야 할 이유를 충족시켜 주는 것은 물론 아니니까요. 저는 그 사실을 잘 이해합니다만, 제가 온 이유는 바로 거기에 있습니다. 저는 4년 남짓 러시아에 없었습니다. 제가 출국을 하게 된 까닭은 제가 정상적이지 못했기 때문입니다. 그때는 아무것도 아는 게 없었지요. 하지만 지금은 더욱 아는 게 없습니다. 저는 좋은 사람들이 필요합니다. 그게 저의 용무라면 용무겠지만, 누굴 찾아봐야 좋을지 저는 도무지 아는 바가 없습니다. 그래서 이미 베를린에서 생각해 두었지요. 〈그분들이야말로 친척이나 다름없으니까 그분들부터 찾아봐야겠구나. 그분들이 좋은 사람들이라면 아마 우린 피차 적합한 사람일 거야.〉 실제로 저는 장군님 내외가 훌륭하신 분이라고 들었습니다.」

「대단히 고맙소.」 장군은 기가 차다는 표정을 지었다. 「그런데 숙소는 어디다 정했소?」

「아직, 아무 곳에도 정하지 않았습니다.」

「그럼 기차에서 내려 곧바로 우리 집을 찾은 거군요? 짐도 있소?」

「저에게 짐이라곤 속옷 가지가 들어 있는 작은 보따리 하나밖에 없습니다. 저는 항상 그걸 손에 들고 다닙니다. 오늘 저녁때까지는 방을 하나 잡을 수 있을 겁니다.」

「그럼 방을 하나 얻을 생각이오?」

「네, 물론이지요.」

「지금까지 말한 걸로 보아 나는 당신이 곧장 우리 집에서 머물 작정인 줄 생각하고 있었소.」

「그렇게 할 수도 있지만, 장군께서 그런 의사를 밝히지 않으시면 머무를 수 없습니다. 솔직히 말씀드리자면, 장군께서 저보고 여기에 머무르라고 권하신다 해도 저는 그럴 생각이 없습니다. 거절하는 데 별다른 이유는 없습니다만……, 성격 탓이라고 봅니다.」

「그러니까 내가 그렇게 권유하지도 않았고, 또 지금 권유하지 않는 게 오히려 다행이군요. 한데 공작, 분명히 하기 위해 한마디만 더 합시다. 우리가 친척이 된다는 말은 어불성설 같아요. 물론 그렇게 된다면 나로서는 아주 반가운 일이겠지만, 그러니…….」

「그러니 이제 자리에서 일어나 나가 달라는 말씀이시죠?」 공작은 의자에서 일어났다. 그는 자신에게 곤란한 상황이었음에도 불구하고, 아주 명랑하게 웃기까지 했다. 「바로 그래서인데요, 장군님! 저는 이곳 관습에 대해 아는 게 전혀 없었어요. 그리고 사람들이 어떻게 사는지도 몰랐습니다. 그렇지만 반드시 지금과 같은 결과가 빚어질 것이라는 생각을 해봤지요. 어쩌면 당연히 이렇게 되어야 하겠지요……. 전에도 제 편지에 역시 답장을 해주시지 않았으니까요. 안녕히 계십시오. 소란을 끼쳐 드려 죄송합니다.」

이 순간 공작의 눈빛은 무척이나 상냥해 보였고, 그의 미소 속에 불쾌한 기색이라곤 그림자조차 보이지 않았다. 장군은 갑자기 걸음을 멈추고 완전히 다른 시선으로 자신을 찾아온 손님을 바라보았다. 그의 눈초리는 일순간에 완전히 뒤바뀌었다.

「공작!」 장군은 거의 다른 사람이 된 듯이 부드럽게 불렀다. 「난 어쨌든 공작을 잘 모르오. 그러나 어쩌면 엘리자베따 쁘로꼬피예브나가 같은 가문의 사람을 만나 보고 싶어할지도……. 시간 여유가 되고, 원한다면…… 잠깐 기다리시오.」

「시간은 있습니다. 저의 시간이야말로 완전한 제 소유지요. (그러면서 공작은 부드럽고 둥근 자신의 털모자를 탁자 위에 놓았다.) 저는, 솔직히 말씀드리는 바이지만, 엘리자베따 쁘로꼬피예브나가 제 편지를 기억하고 계실 거라고 믿어 왔습니다. 조금 전 밖에서 기다릴 때 시종은 제가 금전적인 도움이나 받으러 온 줄 알고 있더군요. 장군께서 그러한 용무에 대해 철저히 지시를 해놓으신 것 같더군요. 하지만 전 그러기 위해서 온 것이 아니라 사람들과 사귀고 싶어서 온 거였습니다. 그래서 조금 전에는 제가 장군님을 귀찮게 굴지 않았나 하는 생각에 걱정이 되었습니다.」

「아하, 그랬군요 공작. 공작이 정말 그런 사람이라면 당신과 알고 지낸다는 것이 유쾌한 일이 될 거요. 한데 보다시피 나는 바쁜 몸이오. 난 지금도 책상에 앉아 뭔가를 훑어보고 서명을 한 뒤, 각하에게 가야 되오. 그리곤 근무지로 돌아가야 하오. 난 좋은 사람들을 만나길 좋아하지요. 한데…… 그건 그렇고, 공작은 훌륭하게 교육을 받은 것 같은데……. 지금 나이가 어떻게 됐소?」 장군은 환한 웃음을 띠고 말했다.

「스물여섯입니다.」

「오호! 난 그보다 훨씬 아래로 봤는데.」

「네, 얼굴이 앳되어 보인다는 말을 많이 듣습니다. 앞으로 장군께 누를 끼치지 않도록 하겠습니다. 곧 그리 될 겁니다. 저 자신도 그런 걸 좋아하지 않으니까요……. 제 생각에 장군님과 저는 생김새나 환경이 아주 다르고, 공통점도 별반 없어 보입니다. 하지만 그러한 생각은 그다지 설득력이 없습니다. 공통점이 없다고 여겨지는 것일 뿐이지, 실제로는 안 그런 경우가 많기 때문이지요. 그런 건 다 인간의 게으름에서 비롯되는 겁니다. 사람들은 눈에 보이는 대로 서로서로를 분류하기 때문에 아무것도 찾아내지 못하는 경우가 허다합니다. 제가 하는 말이 따분하기 짝이 없겠지요? 장군께선 어쩐지…….」

「한마디만 물어보겠소. 공작은 혹시 무슨 재산이라도 가지고 있는 게 있소? 아니면 계획하고 있는 일이 있는 거요? 미안하오, 이렇게…….」

「괜찮습니다. 전 장군께서 물어보신 요지를 존중하고 잘 이해하고 있습니다. 아직은 아무런 재산도 없고 아무런 일거리도 없는 상태입니다. 하지만 일을 해야겠지요. 지금 제가 가지고 있는 돈은 저를 치료해 주고 가르쳐 주신 슈나이더 교수께서 여행비로 주신 것입니다. 그 돈도 빠듯해서 이젠 몇 푼 남지 않았습니다. 사실 저에게 용무가 있다면 단 한 가지가 있는데, 저는 조언이 필요합니다. 하지만…….」

「당분간 무엇으로 살아갈 건지, 또 어떤 계획이 있는지 말해 보시오.」 장군이 말을 막았다.

「어떻게 해서든 일을 해볼까 합니다.」

「그건 철학자 같은 소리요. 그보다도 먹고 살아갈 양식을 벌 수 있는 무슨 재능이나 능력 같은 건 없소? 다시 한번, 미안하오…….」

「아니에요, 미안해 하실 건 없습니다. 저는 재능도 능력도 없는 사람입니다. 오히려 그 반대입니다. 저는 지병이 있어서 제대로 공부도 못한 처지입니다. 양식에 관한 한, 제 생각은…….」

장군은 다시 말을 막고 꼬치꼬치 이것저것 물어보기 시작했다. 공작은 이미 사람들에게 말했던 것을 다시 말해 주었다. 알고 보니 장군은 죽은 빠블리쉬체프에 관해 들은 바가 있었고 개인적으로 그를 알기까지 했었다. 공작은 빠블리쉬체프가 왜 자신의 교육에 관심을 가지고 있었는지는 설명할 수 없었다. 아마 그의 선친과의 옛정 때문이었는지도 모르는 일이었다. 공작이 아주 어렸을 때 양친이 사망했는데, 그 후 그는 줄곧 시골을 전전하며 자라왔다. 건강상 그에게는 시골의 신선한 공기가 필요했기 때문이었다. 빠블리쉬체프는 공작을 친척뻘이 되는 어느 늙은 여지주들에게 맡겼다. 공작을 위해 맨 처음에는 여자 가정교사가, 그 다음에는 남자 가정교사가 채용되었다. 공작은 그때 일을 생생히 기억하지만, 많은 점에서 분별력이 없던 때라 제대로 다 설명을 할 수 없다고 말했다. 그는 지병의 잦은 발작으로 인해 거의 완전히 백치가 되었다. (공작 스스로가 〈백치〉라고 말했다.) 언젠가 빠블리쉬체프가 베를린에서 스위스 인 의과 대학 교수 슈나이더를 만났던 얘기를 공작은 자세히 말해 주었다. 바로 그러한 병을 전공하는 슈나이더 교수는 스위스의 발레 주에 의료원을 가지고 있었다. 그는 공작과 같은 환자들을 냉수와 체조 요법으로 치료했으며, 백치와 정신병 환자를 고쳐 주었다. 동시에 그는 환자들을 가르치고 그들의 정신 발달 과정을 연구했다. 그런 연유에서 빠블리쉬체프는 약 5년 전에 공작을 스위스로 보냈고, 자신은 아무런 유언도 남기지 않고 2년 전에 돌연 사망했다. 슈나이더는 그 후에도 2년 남짓 공작을 맡아서 치료를 해왔지만 완치시키지는 못했다. 그러나 슈나이더 교수 덕분에 미쉬낀은 건강을 많이 회복했다. 슈나이더는 미쉬낀 공작이 원하기도 하고 본인에게도 어떤 사정이 생겨서 그를 러시아로 보내게 된 것이다.

장군은 몹시 놀라서 물었다.

「러시아에는 공작이 아는 사람이 정말로 아무도 없다는 얘기요, 단 한 사람도?」

「지금은 아무도 없어요. 하지만 희망은 있습니다……. 게다가 편지를 한 통 받은 것도 있고 해서…….」

「그렇다면」 장군이 편지에 대한 말을 다 듣기도 전에 말을 막았다. 「무엇이든 배워 놓은 게 있소? 그 지병 때문에 뭔가 일을 하는 데 지장이 있는 건 아니오? 말하자면 관청 같은 데서 손쉬운 일 정도 말이오?」

「아, 지장이 없을 겁니다. 일자리가 있다면 저로서는 한번 해보고 싶습니다. 제게 과연 어떤 능력이 있는지도 알아볼 겸해서요. 저는 4년 내내 공부를 했습니다만, 물론 정식으로 한 건 아닙니다. 교수님의 독자적 방법론에 따라서 했습니다. 덕분에 러시아 책을 많이 읽을 수 있었습니다.」

「러시아 책이라고? 그럼 실수 없이 글을 읽고 쓸 줄 안다는 말이오?」

「네, 그런 건 아주 자신 있어요.」

「아주 잘됐소. 필체는 어떻소?」

「필체는 아주 뛰어난 편입니다. 아마 거기에 저의 재능이 있는지도 모릅니다. 그 분야라면 저는 서예가라 해도 지나치지 않을 겁니다. 지금 당장 시범 삼아 아무 글이나 써보이겠습니다.」 공작은 열을 내어 말했다.

「그럼 써보시오. 그러잖아도 필체를 봐둘 필요가 있으니까……. 난 공작의 태도가 퍽 맘에 드오. 참으로 호감이 가오.」

「이 서재에는 꽤 멋진 필기구가 있군요. 연필들하며 깃털 펜, 고급 종이가 저렇게 많다니……. 장군님의 서재 또한 멋지군요! 저 풍경화의 경치는 제가 스위스에서 본 겁니다. 저건 화가가 직접 보고 그린 그림이 확실합니다. 이곳은 제가 가보기도 했죠. 우리 주에 있는 경치가 틀림없습니다.」

「그럴 가능성이 클 거요. 물론 그림 자체는 여기서 샀지만. 가냐, 공작에게 종이 좀 갖다 주게. 자, 여기 펜과 종이가 있으니 이 작은 책상에서 글을 써보시오. 이게 뭔가?」 장군은 가냐에게 얼굴을 돌렸다. 이때 가냐는 가방에서 대형 인물 사진을 꺼내 장군에게 건네주었다. 「아니, 나스따시야 필리뽀브나잖아! 이 사진은 그 여자가 자네에게 직접 보낸 건가? 직접?」 장군은 호기심에 찬 말투로 생기 있게 가냐에게 물었다.

「조금 전에 제가 축하차 들렀더니 주더군요. 오래전에 제가 부탁해 놓았습니다. 오늘 같은 날 제가 선물도 없이 빈손으로 찾아간 데 대한 빈정거림일지도 모르겠습니다.」 가브릴라는 이렇게 말하며 쓴웃음을 지었다.

「아냐, 그게 아냐.」 장군은 확신을 가지고 말했다. 「자넨 어떻게 그런 식으로 생각을 하나? 그런 일로 토라질 여자가 아냐……. 그 여잔 욕심꾸러기가 아니라고. 한데 자넨 그 여자에게 무얼 선물하려는가? 그러자면 몇 천 루블이 필요할 텐데! 그렇다고 초상화를 선사할 텐가? 그 여자가 자네 초상화를 요구하지는 않던가?」

「아, 요구하지도 않았고 결코 요구하지 않을지도 모릅니다. 장군님은 물론 오늘 저녁 파티를 기억하고 계시겠죠? 장군님은 특별 초청 손님입니다.」

「기억하지, 기억하고말고. 참석할 거네. 그거야 물론 그녀의 스물다섯 번째 생일인데 안 가면 되겠나? 흠……. 그런데, 가브릴라, 내 자네에게 털어놓네만 각오를 단단히 하고 있어야 해. 그 여자가 오늘 저녁에 가부간 확답을 하겠다고 나와 아파나시 이바노비치 또쯔끼에게 약속했네! 그러니까 각오하고 있으라고.」

가냐는 갑자기 당황하여 얼굴이 약간 창백해지기까지 했다.

「그 여자가 분명히 그런 말을 했습니까?」 묻는 그의 목소리는 떨고 있는 듯했다.

「그저께 약속을 했지. 우리 둘이서 집요하게 달려들어 약속을 받아 냈네. 자네한테만은 당분간 말하지 말라고 부탁하더군.」

장군은 가브릴라를 유심히 살펴보았다. 그는 가브릴라의 당황하는 모습이 꺼림칙했다.

「장군님도 기억하고 계시겠지만,」 가브릴라가 불안한 표정으로 더듬거리며 말했다. 「그 여자는 자기 자신이 생각을 정리할 때까지 저한테 자유롭게 결정할 수 있는 권한을 주었습니다. 그러니 아직까지는 저에게 결정권이 있습니다.」

「그럼 자네는 정말로…… 정말로…….」 장군은 흠칫 놀라서 말했다.

「전 아무 말도 하지 않았습니다.」

「이거 보게, 자넨 우리에게 어떻게 하겠다는 거야?」

「전 거절하는 게 아닙니다. 제가 표현을 그렇게 해서는 안 되는 건데요…….」

「물론 자네가 거절한대서야 되겠나!」 장군은 언짢은 표정을 감추지 않고 말했다. 「이봐, 문제는 자네가 거절하지 않는 게 다가 아니란 말야. 문제는 그 여자의 말을 받아들일 자네의 각오와 만족감과 기쁨에 있는 거네……. 그래 자네 집에서는 어떤가?」

「집이라뇨? 저희 가족들은 전적으로 제 의사를 존중합니다. 바보 짓하는 아버지만 빼놓고서요. 아버지는 완전히 타락해 버려, 저는 더 이상 말도 하지 않고 지내고 있습니다. 그래도 제가 아버지를 꽉 쥐고 있습니다. 어머니가 아니라면 내쫓아 버릴 수도 있습니다. 물론 어머니는 내내 울기만 하고, 여동생은 심술을 부리고 있어요. 하지만 저는 제 운명의 주인은 바로 저라고 딱 부러지게 말했습니다. 그래서 저는 가족들이 제 말을…… 듣기를 바라고 있지요. 어머니가 있는 데서 적어도 여동생에게는 이 모든 걸 못 박아 두었습니다.」

「그런데, 이보게, 나는 여전히 이해하지 못하는 게 한 가지 있네.」 장군은 어깨를 약간 움츠리고 두 손을 약간 벌린 채 깊은 생각에 젖은 듯 말했다. 「자네 어머니, 니나 알렉산드로브나가 얼마 전에, 자네도 기억하지, 날 찾아왔을 때 나한테 다녀가신 게 언젠지 기억하고 있나? 자네 어머니가 신음을 하며 한숨을 쉬기에, 〈무슨 일이지요?〉 하고 물었더니, 집안에 〈불명예스런 일〉이 닥쳤다는 듯이 대답하시더군. 도대체 뭐가 불명예스럽다는 건가? 누가 나스따시야 필리뽀브나를 욕하고 손가락질을 할 수 있단 말인가? 그 여자가 또쯔끼와 함께 있었다는 걸 가지고 그러는가? 하지만 그건 특별한 사정이 있어서 그랬던 거야! 자네 어머니는 〈그런 여자를 따님들에게 가까이하게 해서는 안 돼요!〉라고 했지만 그럴 필요가 없는 거라고. 가엾은 니나 알렉산드로브나! 그걸 이해하지 못하다니, 어째서 그럴까…….」

「자신의 처지를 이해하지 못한단 말입니까?」 가브릴라가 말을 잇지 못하는 장군을 거들었다. 「어머니는 이해하고 있으니, 화내지 말아 주세요. 저는 어머니 보고 남의 일에 끼어들지 말라고 신신당부를 해놨습니다. 그래도 이 순간까지 집안의 모든 일이 순탄하게 돌아가고 있습니다. 제가 마지막 결정을 내리지 않았거든요. 그런데 평지풍파가 일어날 겁니다. 제가 오늘 그 말을 마침내 해버린다면, 모든 게 다 드러날 테니까요.」

공작은 구석에서 글을 쓰며 이 모든 대화를 다 들었다. 그는 글을 쓰고 나서 장군이 있는 책상으로 다가와 종이를 건네주었다.

「이분이 나스따시야 필리뽀브나인가요?」 그는 사진을 호기심에 차서 유심히 바라보며 말했다. 「놀랄 만한 미인이군요!」 그는 격앙된 목소리로 덧붙였다. 사진 속에는 정말로 보기 드문 미인의 모습이 들어 있었다. 그녀는 극히 소박하고 우아한 패션의 실크 드레스를 입고 있었다. 짙은 아맛빛으로 보이는 머리는 집 안에 있을 때처럼 수수하게 빗겨져 있고, 두 눈은 깊고 까맸으며, 이마는 사색에 잠겨 있는 듯했다. 열정적인 얼굴 표정은 오만해 보이기까지 했다. 얼굴은 여윈 편이었으며 창백한 기가 있었다……. 가냐와 장군은 놀란 듯이 공작을 쳐다보았다…….

「나스따시야 필리뽀브나라고! 그럼 공작은 나스따시야 필리뽀브나를 알고 있단 말이오?」 장군이 물었다.

「네, 러시아에 온 지 기껏 하루밖에 안 됐지만 그와 같은 절세 미인에 대해서는 알고 있습니다.」 공작은 이렇게 대답하고는 로고진과 만났던 일과 그가 들려준 얘기를 모두 다 해주었다.

「그거 뜻밖의 소식인데!」 장군은 공작의 얘기를 신경을 곤두세워 다 듣고 나서는 또다시 불안해 하기 시작했고, 갈구하는 눈초리로 가냐를 바라보았다.

「그건 추태에 불과할 뿐입니다. 장사꾼의 아들이 그저 놀아 보고 싶어 그러는 거라고요. 그자에 대해 무언가 들은 게 있습니다.」 역시 약간 당황한 가브릴라가 투덜거리듯 말했다.

「나도 들은 게 있네.」 장군이 그의 말을 받았다. 「그 귀고리 사건이 있고 난 후에 나스따시야 필리뽀브나가 자초지종을 다 얘기해 주었다네. 이제 문제는 그게 아냐. 어쩌면 정말로 1백만 루블이 끼어들고 있는지도 몰라, 그리고…… 열정이. 추악한 열정 말이야, 그래, 벌써 그 악착 같은 열정의 냄새가 풍기고 있는 것 같아. 알다시피 그런 작자들이 무언가에 한번 미치면 눈에 보이는 게 없는 법이야! 흠……! 어떤 사건도 벌어지지 않으면 좋을 텐데!」 장군은 깊은 생각에 잠겨 말했다.

「1백만 루블이 겁이 납니까?」 가냐가 이를 드러내 보이며 웃었다.

「그럼 자넨 겁이 나지 않는단 말인가?」

「공작에게는 어떻게 보였습니까?」 가냐가 갑자기 공작에게 말을 했다. 「그자가 생각이 있는 사람 같았습니까, 아니면 그저 막무가내로 보였습니까? 공작의 개인적 견해로는 어떤가요?」

이러한 질문을 하는 가냐의 뇌리 속에 새롭고 특이한 생각이 반짝 떠올랐으며, 그것은 그의 눈 속에서도 초조하게 번득이고 있었다. 진정으로 내심 불안해 하고 있던 장군 역시 공작을 곁눈질하고 있었으나, 왠지 그에게서 많은 대답을 기대하지 않는 듯했다.

「어떻게 말해야 될지 모르겠군요.」 공작이 대답했다. 「정열적인 사람 같았어요, 병적일 정도로. 그 사람도 아직까지는 진짜 환자 같았어요. 만일 뻬쩨르부르그에 도착하자마자 술이라도 마구 퍼마시면 며칠 안 돼 병석에 눕기가 쉬울 거예요.」

「그래요? 공작에겐 그렇게 보였던 게요?」 장군이 공작의 말에 집착하고 있었다.

「네, 그랬습니다.」

「하지만 그러한 사건은 며칠 후가 아니라, 당장 오늘 저녁에라도 일어날 수 있습니다. 갑자기 무슨 일이 벌어질지 모릅니다.」 가냐가 장군을 바라보며 빙긋 웃었다.

「흠……! 물론이지……. 그렇게 되면 그 여자 머릿속에서 어떤 생각이 떠오르느냐가 문제지.」 장군이 말했다.

「장군님은 그 여자가 가끔 어떤 사람이 되는지 알고 계시죠?」

「어떤 사람이라니?」 장군은 몹시 기분이 상해서 또다시 버럭 소리를 질렀다. 「내 얘기를 잘 들어 보게, 가냐. 자네 오늘 그녀에게 자꾸 대들려고 하지 말고, 잘하려고 노력해 보게……. 말하자면 그녀의 마음에 들게끔 말이네……. 흠……! 그런데 자네, 입은 왜 그리 삐죽이는 건가? 가브릴라 군, 잘 들어 보게. 기왕에 말이 나왔으니 하는 말인데, 잘 들어 두게. 우리가 무엇 때문에 이렇게 법석을 떠는가? 이번 일에 얽힌 나의 이익으로 말하자면, 이미 보장된 거나 마찬가질세. 일이 어떤 식으로 결정되든 나는 그걸 잘 이용할 걸세. 또쯔끼도 이미 굳게 자기 길을 결정했네. 난 그걸 아주 확신하고 있어. 그러니까 내가 지금 바라는 것은 오직 자네의 이익뿐이네. 그래도 날 신뢰할 수 없는지 잘 생각해 보게. 더구나 자넨…… 자넨…… 그러니까, 똑똑한 사람이야. 난 자네한테 기대하고 있었어……. 그러니 이번 경우에는, 그게…… 그게…….」

「그게 제일 중요하다는 말씀이죠?」 가냐는 또다시 말을 잇지 못하는 장군을 거들어 주었다. 그는 입술을 움츠리며 더 이상 숨기고 싶지 않다는 듯이 날카로운 미소를 지었다. 그는 타오르는 눈으로 장군을 직시했는데, 마치 장군이 그 시선 속에 담긴 자신의 속마음을 다 읽어 주기를 바라는 것 같았다. 장군의 얼굴은 달아올라 붉으락푸르락했다.

「그래, 똑똑한 게 제일 중요해!」 장군은 날카롭게 가냐를 바라보며 응수했다. 「그런데 가브릴라 군, 자넨 우스운 데가 있어! 자넨 그 장사치의 아들이 나타난 걸 무슨 돌파구처럼 기뻐하고 있는 것 같네. 애초에 이 일은 현명하게 생각하고 나서 접근해야 했어. 서로가 이 일을 올바로 이해하고, 정직하게 처신하여 서로의 명예를 해치지 않도록 사전에 알려 줘야 했어. 그럴 만한 시간적 여유는 충분히 있었고, 지금도 충분히 남아 있네(장군은 눈썹을 높이 치켜 올렸다). 물론 몇 시간 되지 않는 여유지만……. 이해하겠나? 이해했느냐고? 정말로 자넨 원하는 건가 원하지 않는 건가? 원하지 않는다면 어서 말하게. 누구도 자네를 말리지 않을 걸세. 자네가 혹시 무슨 함정 같은 게 있다고 생각할는지 모르겠네만, 자네에게 강제로 올가미를 씌우는 따위는 없을 걸세.」

「저는 원합니다.」 가브릴라는 나직이 말했지만 매우 단호한 어조였다. 그는 눈을 내리깔고 침울한 표정으로 입을 다물었다.

장군은 몹시 흥분해서 자신의 말이 너무 지나쳤다고 후회하는 빛이 역력하기도 했지만 한편으론 흡족해 했다. 그는 갑자기 공작에게 몸을 돌렸다. 불안한 생각이 뇌리에 스쳤기 때문이다. 공작이 이 자리에 있었던 관계로 그들의 대화를 모두 들었을 거라는 생각에서였다. 그러나 장군은 일순간 안심을 했다. 공작의 표정을 보니 마음을 놓아도 될 것 같았다.

「야! 이거야말로 서예 교본이군! 그것도 보기 드문 서예 교본이야! 가냐, 이걸 보게, 얼마나 명필인가!」 장군은 공작이 건네준 글을 보고 탄성을 질렀다.

두꺼운 피지(皮紙)에 공작은 중세 러시아 어 필체로 다음과 같은 구절을 썼다.

〈겸손한 수도원장 빠프누찌[23]가 여기에 서명을 하다.〉

「이건,」 극히 흡족해진 공작이 신이 나서 설명을 했다. 「바로 이건 14세기경에 씌어진 수도원장의 서명 사본을 그대로 써본 겁니다. 우리 나라의 옛날 수도원장이나 대주교는 한결같이 달인의 명필로 서명을 남겼습니다. 그들의 서명에는 이따금 그들 나름대로의 취향과 노력의 흔적이 담겨 있습니다. 장군께서도 뽀고진[24] 필사본을 한 권 정도는 갖고 있지 않습니까? 여기다가는 다른 서체로 써보았습니다. 이건 지난 세기 프랑스 식 서체인데, 글씨가 둥글고 큼직합니다. 어떤 글자들은 다르게도 씁니다. 난잡해 보이는 일반 서기들의 서체인데 그들의 교본을 보고 쓴 겁니다. 마침 저에게 그 교본이 한 권 있었습니다. 어떻습니까? 못 봐줄 정도는 아니지요? 둥그렇게 쓴 이 d자와 a자를 보세요. 프랑스 식 필체를 러시아 글자로 옮겨 봤는데, 꽤 힘들었어요. 하지만 성공적입니다. 여기도 멋들어지고 독창적인 서체가 있습니다. 그 서체로 쓴 글입니다. 〈노력하면 모든 것을 극복한다.〉[25] 이 서체는 러시아 서기체, 아니 그보다 정확히 말한다면 러시아 군(軍) 서기체입니다. 높은 사람들에게 보내는 공문서는 검은 잉크를 사용한 바로 이 군 서기체로 씌어졌습니다. 그것 역시 둥그렇고 멋들어집니다. 이 서체가 검은색으로 씌어지고 있으나, 그 취향이 괄목할 만합니다. 서예가는 이와 같은 변형체를, 말하자면 서체를 변형시키려는 이와 같은 시도를 용납하려 하지 않을 겁니다. 특히 고리를 절반 정도로 끊어 버린 이런 글씨들이 그렇습니다. 하지만 보시다시피 그것도 하나의 특성이 됩니다. 자, 여기에 군인 정

23 이구멘 빠프누찌는 14세기에 꼬스뜨롬스끼 현, 추흘롬스끼 군에 위치한 비가 강의 상류에 있는 작은 꼬스뜨로마 수도원의 창립자이다.

24 M. F. 뽀고진(1800~1875)은 역사가이자 건축가로서 중세 러시아와 관련된 다수의 작품을 썼다.

25 겨울 궁전의 재건 이후 니꼴라이 1세의 명령에 따라 1838년 P. A. 끌레인미헬 백작의 명예 훈장 메달에 새겨 넣었던 말이다.

신이 드러나 보이지요. 재기가 한껏 날개를 펴고 사방으로 뻗어 가려고 하지만, 군복 깃이 그러한 움직임을 꽉 조여 매고 있습니다. 서체 속에 군인의 기강이 들어 있는 겁니다. 멋있지요? 얼마 전에 우연히 입수한 이 서체 교본을 보고 저는 깜짝 놀랐습니다. 그걸 어디서 구했는지 아십니까? 스위스에서였습니다! 그것은 단순하고 평범한, 아주 순수한 영국식 서체인데 이보다 더 세련된 서체는 없을 겁니다. 여기에 모든 매력이 있는 거지요. 그것은 서체 중의 진주입니다. 완결된 보석이지요. 하지만 그 변형도 있는데, 그건 또다시 변형된 프랑스 식입니다. 이 서체는 어느 프랑스 순회 판매원에게서 차용해 왔습니다. 앞의 영국식 서체와 똑같은데, 영국식보다는 검은 선이 약간 더 검기 때문에 빛의 균형이 깨져 버렸어요. 그런데 이 같은 변형이 제일 위험한 겁니다. 평범하지 않은 취향을 요구하기 때문이지요. 하지만 그런 요구가 충족되고 균형이 이루어진다면, 이 변형체는 그 무엇과도 비견될 수 없을 뿐더러, 거기에 반해 버리기까지 할 겁니다.」

「히야! 그렇게 섬세한 면까지 연구를 했구려.」 장군이 웃었다. 「공작은 단순한 서예가가 아니라 예술가로군요. 그렇지 않은가, 가냐?」

「놀랍습니다.」 가냐가 말했다. 「공작은 자신의 소명 의식까지 가지고 있습니다.」 그는 조롱기 섞인 웃음을 지었다.

「웃고 싶으면 웃게나. 하지만 거기에 성공의 길이 있지 않은가?」 장군이 말했다. 「공작, 당장 어떤 분께 드릴 글을 맡겨도 되겠소? 공작은 지금부터 한 달에 35루블씩 벌 수가 있소. 한데 벌써 12시 반이군.」 장군은 시계를 보며 이렇게 말을 마쳤다. 「공작, 용건부터 들어갑시다. 지금 서둘러 가야 할 데가 있어서, 아마 오늘은 못 보게 될 겁니다! 잠깐만 좀 앉으시오. 이미 언급한 대로 나는 공작을 자주 만나 줄 여유는 없지만, 진정으로 공작을 도와주고 싶소. 물론 대단한 도움이라고는 할 수 없고 가장 시급한 문제를 해결할 정도요. 관청에서 일자리를 하나 찾아 주겠소. 힘들진 않으나 매우 꼼꼼해야 되는 일이오. 그 다음은 내 젊은 친구 가브릴라 아르달리오니치 이볼긴하고 잘 사귀어 보시오. 이 사람의 어머니와 누이가 가구가 딸린 방 두세 칸을 비워, 믿을 만하다고 추천받는 사람들에게 세를 내주고 있소. 거기에는 식사와 하인도 포함되어 있소. 니나 알렉산드로브나는 나의 추천을 틀림없이 받아 줄 거요. 이 집은 공작에게 금은보화보다 더 요긴할 거요. 첫번째로 공작은 홀로 있게 되질 않고 가족의 품 안에서 살게 되기 때문이오. 처음부터 뻬쩨르부르그와 같은 도시 속에서 공작 홀로 살아가는 건 불가능하다고 보오. 가브릴라의 어머니 니나 알렉산드로브나와 누이동생 바르바라는 내가 지극히 존경하는 숙녀라오. 니나는 퇴역 장군 아르달리온 알렉산드로비치 이볼긴의 아내이기도 하오. 이볼긴 장군은 나와 군 생활을 함께 시작한 과거의 군 동료였소. 지금은 사정이 생겨서 교제를 끊고 있으나, 그렇다고 내가 그를 존경하지 않는 것은 아니오. 내가 공작에게 이 모든 것을 털어놓는 이유는, 내가 공작을 추천해 줌으로써 공작의 보증인이 되어 준다는 사실을 이해시키기 위해서요. 하숙비는 가장 적정한 수준이니까 곧 공작의 봉급으로 완전히 충당할 수 있을 거요. 사람이란 얼마만큼은 용돈이 꼭 필요한 법이오. 하나 내가 이렇게 말한다고 해서 기분 나빠 하지는 마시오. 공작은 용돈에 신경을 쓰지 않는 편이 좋을 거요. 한마디로 주머니 속에 아예 돈을 넣고 다니지 마시오. 내가 보기엔 공작이 그렇단 말이오. 그러나 지금 공작의 지갑은 텅텅 비었을 테니까, 우선 이 25루블을 받아 두길 바라오. 물론 나중에 그 돈을 계산하는 걸로 합시다. 말 그대로 공작이 성실하고 진지한 사람이라면 우리 사이에 어려운 일은 있을 수가 없을 거요. 내가 공작에게 이렇게 관심을 보인다는 것은, 내가 공작에게서 기대하는 바가 있기 때문이오. 그것은 차차 알게 될 거요. 보다시피 나는 공작을 이렇게 소탈하게 대하고 있소. 가냐, 자네도 내가 공작을 자네 집에다 유숙시키려 하는 데 이의가 없을 테지.」

「아, 없고말고요! 어머니도 무척 기뻐하실 겁니다…….」 가브릴라가 공손하고 친절하게 되받았다.

「자네 집에 방 한 칸이 더 있는 걸로 알고 있는데. 그 방을 쓰는 사람이 누구더라? 페르드……, 페르…….」

「페르디쉬첸꼬입니다.」

「아, 그렇지. 한데 난 그 페르디쉬첸꼬가 마음에 안 들어. 피둥피둥한 광대 같은 친구야. 나스따시야 필리뽀브나가 그런 자를 왜 치켜세우는지 모르겠어. 그자가 그 여자의 친척이라도 된단 말인가?」

「천만의 말씀입니다! 친척과는 거리가 멉니다.」

「그까짓 녀석은 그렇다고 치고, 그래 공작은 어떻소, 괜찮은 거요?」

「감사합니다. 장군께서는 저에게 과분한 친절을 베풀고 계십니다. 더구나 제가 부탁하지 않았는데도. 하지만 제가 거만해서 이 말씀을 드리는 건 아닙니다. 사실 저는 어디다 몸을 의지해야 할지 몰랐는데, 아까 로고진이 저를 자기 집으로 오라고 했습니다.」

「로고진이라고요? 아니, 그건 안 돼요. 아버지 같은 입장에서 충고하고 싶은데, 아니 그보다도 친구로서 충고하는 바이지만, 로고진 씨에 대해서는 잊어버리시오. 그리고 이번에 함께 살게 될 가족과 잘 지냈으면 하오.」

「장군께서 그렇게 친절을 보여 주신다면,」 공작이 말을 시작하려 했다. 「한 가지 상의드릴 일이 있습니다. 제가 통지를 하나 받았는데…….」

「아, 미안하오.」 장군이 말을 막았다. 「지금 단 1분도 지체할 수가 없어서 그러오. 리자베따[26] 쁘로꼬피예브나에게 공작에 대해 말해 주겠소. 그녀가 지금 당장 공작을 접견하길 원한다면(그렇게 되도록 설득해 보겠소), 이 기회를 이용해 아내의 마음에 들도록 노력해 보시오. 리자베따 쁘로꼬피예브나는 공작에게 많은 도움을 줄 거요. 두 사람은 같은 가문의 사람이잖소. 만약 아내가 지금 원하지 않는다면, 구태여 지금 만날 필요는 없고 다음 기회를 생각해 봅시다. 가냐, 자넨 이 계산서를 봐주게. 조금 아까 페도세예프와 같이 간신히 만들어 본 거라네. 이걸 포함시키는 걸 잊지 말게나…….」

장군은 밖으로 나갔다. 공작은 벌써 네 번째나 언급하려 했던 자신의 용건을 결국 묻어 두고 말았다. 가냐가 담배를 한 대 피우기 시작하며 공작에게도 권했다. 공작은 담배를 받았지만, 폐가 될까 봐 말을 하진 않고 서재를 둘러보기 시작했다. 그러나 가냐는 장군이 건네주고 간 숫자가 잔뜩 적힌 종잇장들을 거의 들여다보지 않았다. 그는 산만해 보였다. 공작은 가냐와 단둘이 남게 되자, 그의 미소, 시선, 생각에 젖은 모습이 더욱 부담스러워지기 시작했다. 가브릴라가 갑자기 공작에게 다가왔다. 이 순간 그는 몸을 굽혀 책상 위에 있는 나스따시야 필리뽀브나의 사진을 찬찬히 훑어보고 있었다.

「이 여자가 마음에 듭니까, 공작?」 그는 불쑥 이런 질문을 하며 공작을 뚫어지게 쳐다보았다. 이 말 속에는 심상치 않은 의도가 숨어 있는 것 같았다.

「기가 막힌 미모군요!」 공작이 대답했다. 「이 여자의 운명이 평탄하지는 않을 거라는 생각이 드는군요. 얼굴은 명랑한데, 매우 고생을 했던 것 같지 않아요? 두 눈이 그렇게 말해 주고 있어요. 여기 눈 아래의 뺨에 있는 광대뼈만 보아도 그래요. 자존심이 강해 보이는 얼굴이에요. 아주 자존심이 강해 보여요. 선한 여자인지 아닌지는 잘 모르겠어요. 선하기만 하다면 얼마나 좋겠어요!

26 엘리자베따의 애칭.

그렇다면 모든 게 잘될 텐데요!」

「〈공작〉은 이런 여자와 결혼하고 싶단 말입니까?」 가냐는 불같이 타오르는 눈으로 계속 공작을 응시하며 말했다.

「나는 그 어떤 여자와도 결혼할 수 없어요. 나는 건강한 사람이 아닙니다.」

「그런데 로고진은 결혼하고 싶어하지요? 어떻게 생각합니까?」

「물론 결혼하고 싶어할 겁니다. 그럴 기회만 주어진다면 내일이라도 당장 할 수 있을 거요. 결혼을 하고 1주일 후면 이 여자를 칼로 베어 버리려고 할 겁니다.」

공작이 이런 말을 하자마자 가브릴라가 갑자기 몸을 부르르 떨기 시작하여 공작은 외마디 소리를 지를 뻔했다.

「아니, 무슨 일입니까?」 공작은 상대방의 손을 잡았다.

「공작! 각하께서 공작을 장군 부인께 모시라는 분부입니다.」 그때 하인이 문 가에 나타나서 이렇게 알렸다. 미쉬낀 공작은 하인의 뒤를 쫓아 나갔다.

4

예빤친 장군의 세 딸은 활짝 피어나는 건강한 숙녀들이었다. 늘씬하게 키가 큰 이 아가씨들은 놀랄 만하게 발달한 어깨, 탄력적인 가슴, 거의 남자와 같이 강한 팔을 가지고 있었다. 물론 이들은 뛰어난 체력과 건강으로 인해 때로는 식욕이 넘쳐 났으며, 또한 그러한 식욕을 구태여 감추려 하지 않았다. 그들의 어머니이자 장군의 부인인 리자베따 쁘로꼬피예브나는 이따금 노골적으로 식욕을 드러내는 딸들을 흘겨보곤 했다. 딸들은 표면적으로 다소곳해 보였지만, 어머니의 의견은 자신이 이미 딸들 사이에서 누렸던 옛날의 권위를 잃은 지 오래였다. 급기야 세 딸이 공동으로 합의한 비밀 회의의 위력이 커가자, 장군 부인은 자기의 위신을 지키기 위해 딸들과 다투기보다는 그들에게 양보하는 편이 상책이라는 결론을 내리게 되었다. 사실, 그녀의 성격은 이성의 명령을 거역하는 경우가 허다했다. 리자베따 쁘로꼬피예브나는 해가 갈수록 변덕스러워지고 참을성을 잃어 갔으며, 심지어는 괴팍스러워지기까지 했다. 그러나 매우 순종적이고 길들여진 남편이 항상 옆에 있었기 때문에 쌓이고 쌓인 그녀의 스트레스는 흔히 남편이 뒤집어쓰곤 했다. 그러고 나면 가족의 화평이 다시 회복되고, 모든 것은 더할 나위 없이 순탄하게 돌아갔다.

그러나 장군 부인 자신도 식욕을 상실하지 않았다. 보통 12시 반이 되면 딸들과 함께 거의 정식에 버금가는 풍성한 아침 식사를 했다. 딸들은 이보다 일찍 정각 10시에 잠에서 깨어남과 동시에 잠자리에서 나오지 않은 채로 커피를 마시곤 했다. 그것은 즐거운 일과로 아예 굳어 버렸다. 12시 반이면 어머니의 방 근처에 있는 작은 식당에 식탁이 차려졌다. 때때로 시간이 나면 장군 자신도 가족의 이러한 아침 식사 자리에 나타나곤 했다. 식탁에는 차, 커피, 치즈, 꿀, 버터, 부인이 좋아하는 독특한 비스킷 말고도 커틀릿 등이 나왔고, 심지어는 뜨겁고 진한 고깃국까지 나왔다. 우리의 이야기가 시작된 이날 아침에도 온 가족이 식당에 모여 12시 반까지 오겠다고 한 장군을 기다리고 있었다. 만약 장군이 1분이라도 늦었다면 당장 그에게 사람을 보냈겠지만 그는 정시에 나타났다. 장군이 아내에게 인사를 하고 그녀의 손에 키스를 하러 다가갔을 때, 그는 아내의 얼굴에서 무언가 심상치 않은 것을 눈치 챘다. 장군은 어느 〈사건〉(그는 습관적으로 〈사건〉이라는 표현을 즐겨 썼다)으로 말미암아 오늘 이런 일이 벌어지리라는 것을 전날 밤에 이미 예감하고, 잠자리에 들어서도 걱정을 했음에도 또다시 겁이 났다. 딸들이 그에게 키스를 하려고 다가왔다. 딸들은 그에게 화를 내진 않았지만, 그들의 표정 역시 무언가 심상치 않았다. 사실, 장군은 몇 가지 마음에 걸리는 게 있어서 지나치게 의심하게 되었다. 그러나 장군은 아버지이자 능수 능란한 남편이었다. 그의 경험과 꾀는 즉각 그를 곤경에서 구해 주었다.

이 이야기의 명확성을 그리 해치지 않는다면, 우리는 지금까지 하던 말을 여기서 잠깐 중단하고 아예 처음부터 예빤친 장군 가족에 얽힌 여러 관계와 상황을 단도직입적으로 정확히 알고 넘어가도 될 것이다. 앞에서 언급한 대로, 장군은 정규 교육을 받지 못했고, 본인 스스로가 밝히듯이 〈독학자〉 출신이었으나, 경험 많은 남편에 능란한 아버지였다. 그런데 장군은 세 딸의 결혼을 서두르지 않겠다는 방침을 취하고 있었다. 말하자면 딸들의 마음까지 간섭하거나, 부모의 지나친 사랑으로 딸들을 행복하게 하려다 오히려 피곤하게 만들지는 않겠다는 의도였다. 사실 그러한 불상사는 과년한 딸을 가진 집안에서, 소위 아주 괜찮다는 집안에서까지 심심찮게 벌어진다. 그러한 예는 바로 코앞에서도 얼마든지 찾아낼 수가 있었다. 장군은 아내 리자베따 쁘로꼬피예브나까지 자신의 방침에 따르게끔 만들어 놓았다. 물론 그렇게 하는 일이 쉽지는 않았다. 결코 자연스러운 일이 아니었기 때문이다. 그러나 장군의 주장은 직접적인 사실에 근거를 두고 있었기에 매우 설득력이 있었다. 그는 딸들도 마음대로 하게 놔두면 자연스럽게, 결국에는 현명하게 결정을 하게 되리라고 강조했다. 그렇게 되면 일은 저절로 되게 마련이다. 왜냐하면 본인들 스스로가 변덕이나 쓸데없는 까다로움 따위에 얽매이지 않고 자발적으로 문제를 해결하려 할 것이기 때문이다. 이때 부모가 할 일은 이들이 엉뚱한 선택을 하거나 상궤에서 벗어나는 짓을 하지는 않는지 눈에 띄지 않게 조용히 지켜보는 일밖에 없을 것이며, 다음으로는 적당한 기회를 포착하여 전력을 다해 이들을 도와주고 온갖 영향력을 동원해 이들의 일이 성사되도록 해주면 되는 것이다. 한 가지 중요한 사실은, 해가 거듭될수록 장군의 재산과 사회적 지위가 기하 급수적으로 성장해 가는 것이었다. 그러니까 세월이 흐르면 흐를수록 신붓감으로서 딸들의 위치는 더욱더 유리해져 갔다. 그러나 이와 같은 기정 사실 가운데 또 하나의 사실이 추가되었다. 큰딸 알렉산드라가 거의(언제나 그러하듯이) 부지불식간에 25세를 넘겨 버린 것이었다. 때를 같이하여 상류 사회 출신에 훌륭한 연고를 가진 대부호 아파나시 이바노비치 또쯔끼가 오래전부터 품어 오던 자신의 결혼 의사를 또다시 밝혔다. 그는 쉰다섯 가량 되었고, 우아한 성품과 남다르게 세련된 취향을 가지고 있었다. 그의 결혼 조건은 까다로웠다. 미를 가늠하는 안목이 꽤나 높았기 때문이었다. 그는 언제부터인가 예빤친 장군과 각별하게 지내기 시작했다. 특히 어떤 금융 회사를 함께 만들고 난 뒤부터 두 사람의 관계는 더욱 친밀해졌고, 또쯔끼는 우정 어린 지도 편달을 바란다면서 그의 딸에게 청혼해도 되는지를 물어 왔다. 순탄하게 흘러가던 예빤친 장군 가족의 일상에 소용돌이가 일기 시작했다.

이미 말한 대로 딸 중에서 최고의 미인은 논쟁의 여지없이 막내 아글라야였다. 그러나 또쯔끼가 아주 지독한 이기주의자라 해도 아글라야만큼은 감히 자기가 넘볼 수 있는 상대가 아니라는 것쯤은 깨닫고 있었다. 어쩌면 약간 맹목적인 언니들의 사랑과 지나친 우애로 인해 이 일이 과장되어 있었는지도 모른다. 하지만 세 딸 중에서 아글라야의 운명은 그저 단순한 운명이 아니라, 지상에서 이루어 낼 수 있는 낙원의 이상(理想)으로 예정되어 있었다. 미래에 아글라야의 남편이 될 사람은 모든 면에서 완벽하고 성공적이어야 했다. 물론 부자여야 된다는 것은 말할 필요도 없었다. 언니들은 입 밖으로 꺼내지는 않았지만, 필요하다면 아글라야를 위해서 자신들은 희생할 수도 있다는 생각을 하고 있었다. 왜냐하면 아글라야 앞으로 마련될 지참금은 막대할 것이기 때문이다. 장군 부부는 두 언니의 의중을 알고 있었으므로, 또쯔끼가 조언을 요구해 왔을 때 적어도 이들 두 딸 중 하나는 부모의 희망을 거스르지 않으리라는 것에 대해 아무런 의심도 하지 않았다. 더욱이 지참금에 관한 한 또쯔끼는 염려할 바가 없었다. 장군은 자신의 독특한 처세관에 비추어 또쯔끼의 제안을 지극히 높이 평가했다. 또쯔끼 자신도 몇 가지 특수한 상황을 고려해 매우 신중하게 한 걸음씩 다가서서 문제의 실마리를 살펴보고 있었기에, 장군 부부도 딸들의 반응을 슬쩍 떠보았을 뿐이다. 이에 대한 딸들의 반응 역시 모호하기는 했으나, 적어도 안심이 될 만한 답은 얻었다. 장녀인 알렉산드라만큼은 거역하지 않을 것 같은 눈치였다. 알렉산드라는 강한 성격의 소유자였으나, 착하고 분별력이 있는 지극히 상냥한 처녀였다. 그녀라면 기꺼이 또쯔끼에게 시집갈 수 있었다. 그녀는 한번 약속을 하면 그것을 정직하게 지킬 줄 아는 사람이었다. 화려한 것을 싫어하는 그녀는 야단법석을 피우거나 갑작스레 변덕을 부리는 여자가 아니었다. 오히려 인생을 원만하고 안정되게 꾸려 나갈 줄 아는 여자였다. 그녀는 눈에 띄는 미인은 아니었으나, 괜찮은 용모의 소유자였다. 또쯔끼에게는 더할 나위 없는 짝이었다.

그러나 혼담은 여전히 뜬구름 잡듯 진행되어 갔다. 친구로서 또쯔끼와 장군 사이에는 어느 시기까지 공식적이고 최종적인 단안은 내리지 말자는 약정이 맺어져 있었다. 부모마저 딸들에게 이 문제를 여전히 노골적으로 털어놓지는 않았다. 이 일로 불협화음 같은 것이 시작되었다. 장군 부인이자 딸들의 어머니인 리자베따 쁘로꼬피예브나가 왜 그런지 불만을 표시하기 시작했는데, 그것은 대단히 중대한 일이었다. 그 까닭은 혼담에 장애가 되는 한 가지 미묘하고 난처한 사건이 벌어졌기 때문이었다. 그 사건으로 인해 모든 일이 돌이킬 수 없을 정도로 깨져 버릴 수도 있었다.

이 미묘하고 난처한 〈사건〉(또쯔끼의 표현을 빌리자면)은 이미 아주 오래전부터 시작되었다. 그때는 18년 전쯤이었다. 중부 러시아의 어느 한 군에 위치한 또쯔끼의 부유한 영지 옆에 가난한 소지주가 어려움을 겪고 있었다. 그는 많은 사람들의 입방아에 오르내릴 만큼 거듭된 실패로 유명해진 퇴역 장교였다. 가문으로 따지면 또쯔끼보다 훌륭한 귀족 집안 출신의 필리쁘 알렉산드로비치 바라쉬꼬프라는 사람이었다. 그는 온통 빚을 지고 저당 잡혀 거의 노예와 같은 중노동을 한 끝에 작지만 만족할 만한 자신의 가계를 꾸려 나갈 수 있었다. 그는 극히 미미한 성공에 크게 고무되었다. 새로운 희망에 가슴이 부풀어 있던 그는 주요한 채권자 한 사람을 만나 협상을 마무리 지으려고 며칠 예정으로 그가 살던 군 소재의 읍에 오게 되었다. 그가 읍에 온 지 사흘째 되던 날, 그의 집사가 얼굴에는 화상을 입고 수염은 그을린 채 말을 타고 시골에서 달려와 보고했다. 〈세습 영지가 불타 버렸습니다. 마님도 그만 불길에 화를 당하셨습니다. 하지만 자제분들은 무사합니다.〉 혹독한 운명의 〈시퍼런 멍〉에 이골이 나 있는 바라쉬꼬프도 이 날벼락 같은 사건은 견뎌 낼 수가 없었다. 그는 미쳐 버리고 말았으며, 그런 지 한 달 후에는 열병으로 세상을 떠났다. 타버린 영지는 집 없이 떠돌아다녀야 했던 농노들과 함께 채무 대금으로 매각되었다. 바라쉬꼬프의 여섯 살과 일곱 살 된 두 딸은 아파나시 이바노비치 또쯔끼가 너그러움을 베풀어 자신이 맡아서 양육해 주기로 했다. 바라쉬꼬프의 두 딸은 또쯔끼의 집사로 있는 퇴역 관리의 자녀들과 함께 자라났다. 독일인 출신의 이 집사에게는 많은 식구가 딸려 있었다. 얼마 되지 않아 바라쉬꼬프의 막내딸은 백일해로 죽고 언니 나스짜[27]만 남게 되었으며, 또쯔끼는 외국에서 사느라고 이들에 대해 까맣게 잊고 있었다. 5년쯤 후 언젠가 또쯔끼는 지나가는 길에 자신의 영지에 잠깐 들렀

27 나스따시야의 애칭.

다. 그는 영지에 사는 독일인 집사 가족 중에서 어여쁜 열두 살 가량의 여자아이를 우연히 목격했다. 활달하고 귀엽고 총명해 보이는 그 여자아이는, 미인을 가려내는 데에 일가견이 있는 또쯔끼의 안목에 비춰 볼 때 빼어난 미인이었다. 이때 또쯔끼는 영지에서 며칠 머물지 않았으나 철저한 지시를 내려놓고 떠났다. 그 뒤로 이 소녀의 교육은 현저하게 달라졌다. 여자 고등 교육에 관록이 붙은 명망 있는 스위스 부인이 가정교사로 초빙되었다. 가정교사는 박학해서 프랑스 어 이외에도 여러 가지 학문을 가르쳤다. 그녀가 가정교사로 시골집에 와서 살게 된 이후로 어린 나스따시야의 교육은 특별한 성격을 띠게 되었다. 정확히 4년 후에 그러한 교육이 끝나고 가정교사는 돌아갔다. 그 후, 또쯔끼의 지시와 위임을 받은 어느 부인이 나스짜를 그곳에서 멀리 떨어진 군에 있는 자기 집으로 데려갔다. 그 부인은 또쯔끼의 또 다른 영지에 이웃해서 살던 여지주였다. 이 조그만 영지에는 비록 작지만 방금 세워 놓은 새 목조 가옥이 있었다. 이 집은 유난히 세련되게 꾸며져 있었으며, 일부러 그러기라도 한 듯이 마을 이름도 〈환희〉였다. 여지주는 나스짜를 한적하고 작은 그 집으로 곧바로 데려왔다. 자식이 없는 과부 여지주도 이 집에서 기껏 1베르스따 떨어진 곳에서 살았기 때문에 아예 나스짜와 함께 이곳에서 살기로 작정을 했다. 나스짜에게는 살림살이를 총괄하는 노파와 젊고 경험 많은 하녀가 딸려 있었다. 집 안에는 악기들이 비치되어 있었고, 우아하게 꾸민 소녀용 서재, 그림, 목판화, 연필, 화필, 물감, 아주 영리한 발바리가 있었다. 2주일 후에는 아파나시 이바노비치 또쯔끼가 직접 이곳을 찾아오기까지 했다……. 이때를 계기로 해서 그는 초원의 오지에 있는 이 조그만 영지를 즐겨 찾기 시작했다. 매년 여름 그는 2개월, 아니면 3개월 동안이나 이곳에 머물렀다. 이렇게 해서 4년이라는 상당히 오랜 세월이 평온하고 행복하고 멋있고 우아하게 흘러갔다.

언젠가 또쯔끼가 이곳 〈환희〉 마을을 여름에 찾아왔다가 겨우 2주일 동안만 머무르고 돌아갔는데 그 후 넉 달이 지난 초겨울에 또쯔끼가 뻬쩨르부르그의 부유한 상류층 미인과 결혼한다는 소문이 돌았다. 아니 그보다도 나스짜의 귀에까지 그 소문이 흘러 들어갔다는 표현이 옳을 것이다. 한마디로 그가 매우 유리한 결혼을 한다는 얘기였다. 나중에 밝혀졌지만 그 소문은 세부적인 면에서는 신빙성이 없었다. 결혼은 단지 계획 중일 뿐이었으므로 그 성사 여부는 매우 불투명했다. 그러나 이때부터 나스따시야의 운명에는 엄청난 변화가 일기 시작했다. 그녀는 갑자기 보기 드문 결단력을 발휘하여 전혀 예기치 못했던 성격을 드러냈다. 그녀는 깊이 생각해 보지도 않고 느닷없이 자신의 시골집을 버리고 혈혈단신으로 뻬쩨르부르그의 또쯔끼를 찾아갔다. 또쯔끼는 깜짝 놀라 무슨 말을 하려고 했으나, 거의 첫마디부터 여태까지 성공적으로 구사해 왔던 음절, 목소리의 진폭, 유쾌하고 우아한 대화의 주제, 말의 논리 등 모든 것이 무용지물이라는 것을 깨달았다. 그의 맞은편에 앉아 있는 여자는 그가 지금까지 알아 왔고, 지난 7월까지만 해도 〈환희〉 마을에서 보았던 그런 여자가 전혀 아니었다.

이 새로운 여자는 첫째로, 범상치 않게 많은 것을 알고 이해하고 있었다. 그녀는 너무나 놀라울 정도로 많은 것을 알고 있어서 도대체 그와 같은 정보를 어떻게 찾아내어 그처럼 정확하게 해석해 낼 수 있을까 하는 의구심을 불러일으켰다. (그녀의 소녀용 서재에서 얻었을 리는 만무할 텐데!) 뿐만 아니라 그녀는 법률에 대해서도 제법 많은 것을 알고 있었으며, 이 세상의 모든 지식은 아닐지라도 적어도 이 세상에서 어떠한 일들이 진행되어 가고 있다는 사실 정도는 정확하게 알고 있었다. 둘째로, 그녀가 드러낸 성격이 예전과는 판이하다는 사실이다. 전에는 그녀는 수줍음을 많이 탔고, 여느 사춘기 여학생처럼 감정의 기복이 심해 어떤 때는 소녀다운 활달함과 순진함으로 매혹적이었으며, 어떤 때는 우울한 표정으로 깊은 생각에 잠겼다가는 이내 놀란 얼굴로 믿지 못하겠다는 듯이 울면서 불안해 하기도 했다.

그런데 지금은 아니었다. 지금 또쯔끼의 눈앞에는 예사롭지 못하고 예기치 못했던 존재가 깔깔거리며, 표독스러운 익살로 그의 심장을 찔러 대고 있었다. 그녀는, 맨 처음 또쯔끼를 봤을 때부터 그에 대해 가장 심한 경멸과 구역질이 날 만큼의 혐오 이외에는 아무런 감정도 가슴속에 품어 본 적이 없었노라고 단도직입적으로 털어놓았다. 이 새 여인은, 지금 당장 또쯔끼가 어떤 여자와 결혼하든 상관없지만, 그녀가 그를 찾아온 것은 지금의 혼사를 훼방 놓기 위해서라고 선언했다. 이렇게 혼사를 망쳐 버리게 하려는 것은 그가 미워서라기보다, 그저 그렇게 하고 싶은 생각이 들어서라고 말했다. 그런 생각이 들면 마땅히 그렇게 해야 한다는 것이 그녀의 논리였다. 〈흥, 단지 당신을 마음껏 비웃으려고 그래요. 이제 난 그렇게 비웃고 싶은 생각이 들었다고요.〉

최소한 그녀는 자신의 의사를 그렇게나마 표현했다. 어쩌면 자기 마음속에 있는 모든 것을 다 털어놓지는 않았을지도 모른다. 그러나 새로운 모습의 나스따시야 필리뽀브나가 깔깔 웃으며 이 모든 것을 말하는 동안, 또쯔끼는 머릿속으로 이 모든 사건을 이리저리 정리해 보며 산만해졌던 몇 가지 자신의 생각을 정리해 보려고 애썼다. 이러한 심사숙고는 꽤나 오랫동안 계속되었다. 그는 이 문제에 몰두하여 2주일 동안이나 단안을 내리기 위해 고심을 했다. 마침내 2주일 후 그는 단안을 내리게 되었다. 문제는 또쯔끼가 이미 50세가 다 되었을 뿐더러, 든든한 사회적 지위를 확보해 놓은 가장 안정된 상태에 있었다는 점이다. 그는 사교계나 사람들 사이에서 아주 오래전부터 탄탄대로를 걸어온 인물이었다. 그는 최고 상류층의 다른 어떤 인사와 마찬가지로 그가 누리는 평온과 안락과 자기 자신을 이 세상에서 가장 사랑하고 높이 평가했다. 그가 평생 동안 쌓아 올려 이처럼 아름다운 모양새를 갖춘 것에서 무엇이든 조금이라도 이탈하거나 동요하는 것은 용납되지 않았다. 게다가 오랜 연륜과 사물에 대한 깊은 시각은 또쯔끼에게 신속하고 정확한 진단을 내리게 했다. 즉 그가 지금 상대하고 있는 여자는 보통내기가 아니라는 결론이었다. 그 여자는 엄포를 놓으면 그걸 직접 실행에 옮기는 여장부였으며, 특히 그 무엇에도 구애받지 않고 그 무엇도 존중하지 않는 성미였기 때문에, 그녀를 금전으로 회유하는 것도 불가능했다. 그녀가 그렇게 된 이면에는 무언가 다른 것이 숨어 있음에 틀림없었다. 그것은 마음속에 응어리진 울화 같은 것으로, 알 수 없는 이유 때문에 누군가에 대해 느끼는 연애 소설 같은 분노와 완전히 상궤를 벗어난 지독한 경멸감과 같은 것이었다. 체통 있는 사람이 그러한 감정의 희생자가 된다는 것은 우스꽝스럽고 용납될 수 없는 것이었다. 물론 또쯔끼 정도의 부와 연줄이 있다면 그와 같은 불쾌한 일을 모면하기 위해 죄질이 높지 않은 작은 음모를 꾸밀 수도 있었다. 게다가 나스따시야 필리뽀브나가 법적 대응을 한다해도 또쯔끼에게 해를 끼칠 수는 없었고, 대단한 추문을 일으킬 수도 없었다. 그가 언제나 그녀의 행동을 아주 쉽게 통제할 수 있었기 때문이다. 하지만 그것은 나스따시야가 그와 비슷한 경우에 보통 사람들이 하는 것처럼 상궤에서 지나치게 벗어나지 않게 처신하고자 할 때만 그렇다는 얘기다. 이 점에서 또쯔끼의 시각이 정확했음이 밝혀졌다. 그의 결론에 따르면, 나스따시야는 그에게 법적으로 아무런 해를 끼칠 수 없다는 걸 스스로 잘 알고 있으나 그녀의 머릿속과…… 그녀의 이글거리는 눈 속에선 아주 엉뚱한 것을 품고 있다는 것이었다. 나스따시야는 아무것도 존중하지 않았다. 그 무엇보다도 그녀는 자신을 존중하지 않았다(그녀는 이미 오래전부터 그녀 자신을 존중하지 않았으며, 그녀의 감정은 물불을 가리지 않을 만큼 심각한 상태에 이르렀다. 회의론자이자

세속적 냉소주의자인 또쯔끼가 이러한 사실을 추측해 내어 믿을 수 있게 되기까지는 대단한 지혜와 통찰력이 필요했다). 나스따시야는 짐승같이 혐오스러운 이 사내를 실컷 욕되게 할 수만 있다면, 시베리아에 유형을 가는 한이 있더라도 자신을 처절하게 파멸시킬 준비가 되어 있었다. 또쯔끼는 그가 약간은 겁쟁이라는 것을 숨겨 본 적이 없었다. 좋게 말하면 그는 상당히 보수적이었다. 예를 들어, 자기가 결혼식장에서 살해당하거나 몰상식하고 우스꽝스럽고 엉뚱한 사건이 벌어질 것을 예견할 수 있다면 그는 분명히 잔뜩 겁먹었을 것이다. 그러나 만인이 보는 데서 얼굴에 침 세례를 받는 것이나 피 흘리며 살해당하는 것보다 그 사건의 부자연스럽고 불쾌한 점에 그는 더 놀랄 것이다. 그런데 나스따시야는 바로 그런 점에 대해 아직 언급을 하진 않았으나 그의 약점이 무엇인지 잘 알고 있었고, 또쯔끼는 이 사실을 간과하지 않았다. 사실상 결혼식은 단지 의중에만 있었기에 또쯔끼는 나스따시야와 타협을 하고 양보를 했다.

그가 이렇게 결심을 내리게 된 데는 또 하나의 사정이 있었다. 상상도 못 하리만치 나스따시야의 용모가 변해 버린 것이었다. 전에는 나스따시야가 그저 꽤 괜찮아 보이는 아가씨였는데, 지금은 어떤가……. 또쯔끼는 오랫동안 자신이 원망스러울 뿐이었다. 그는 그녀를 4년 동안이나 보아 왔으나 그녀의 참된 모습을 보지 못했던 것이다. 물론 내면적으로 갑작스레 대변혁이 일어났다는 사실도 많은 것을 의미했다. 하지만 그도 과거 어느 한순간 그녀의 눈을 바라보고 있노라면 이따금 이상한 생각이 떠오르곤 했던 일을 기억하고 있었다. 마치 그 눈 속에 깊고 신비로운 암흑이 예견되었던 듯싶었다. 그녀의 눈빛은 수수께끼를 던져 주는 것 같았다. 또쯔끼는 지난 2년 동안 나스따시야의 얼굴빛이 변할 때마다 놀라곤 했던 일이 자주 있었다. 나스따시야의 얼굴이 지독하게 창백해질 때마다 그녀는 이상스럽게도 더욱 아름다워 보였다.

한참 잘 나갈 때 바람을 피워 보았던 신사라면 누구나 다 그러하듯이, 또쯔끼도 맨 처음에는 값싸게 그의 수중으로 들어온 생명 없는 이 영혼을 경멸적으로 바라보았으나, 최근 들어서는 그러한 자신의 생각에 약간 의혹을 품기 시작했다. 어쨌든 그는 이미 지난봄부터 나스따시야를 다른 군에 근무하는 꽤 괜찮아 보이는 관리에게 지참금을 주어서 조속한 시일 내에 멋지게 시집보내려고 결심한 바가 있었다. (오, 나스따시야가 그 따위 생각에 얼마나 적의를 품고 조소를 보내고 있는 줄 아는가!) 그러나 새롭게 발견한 나스따시야의 아름다움에 넋이 나간 또쯔끼는 이 여인을 새로운 방향으로 이용해 먹을 수 있다는 생각에까지 도달했다. 그는 나스따시야를 뻬쩨르부르그로 이주시켜 거기서 사치스런 생활에 길들일 작정이었다. 한쪽이 안 되면 다른 쪽으로 수를 써본다는 것이다. 나스따시야를 호사스럽게 치장시켜 상류 사회의 허세를 사게 할 속셈이었다. 또쯔끼라는 사람은 이 방면에서 자자한 그 자신의 명성을 매우 존중해 왔다.

그러한 뻬쩨르부르그의 생활이 벌써 5년이나 지났으니, 그사이에 많은 것이 자리를 잡아 간 것은 당연했다. 하지만 또쯔끼의 사정은 그다지 신통치가 못했다. 한번 주눅이 들고 나서부터는 도무지 마음이 놓이지 않는 것이 제일 고약했다. 그는 두려웠다. 그 자신도 이유를 알지 못했지만 그는 나스따시야 필리뽀브나가 두려웠다. 처음 2년 동안 그는 나스따시야 쪽에서 먼저 결혼을 원하면서도 부질없는 자존심 때문에 입을 꼭 다물고 그가 청혼해 올 때까지 집요하게 기다리고 있는 것은 아닐까 하는 생각을 해 보았다. 부질없는 자존심이 아닐까, 또쯔끼는 이맛살을 찌푸리며 무거운 생각에 젖곤 했었다. 그러나 우연한 기회에 그는 한편으로는 크게 놀라고, 다른 한편으로는 섭섭한 마음을 금치 못하면서(사람의 마음이란 다 그런가 보다!), 자신이 먼저 청혼을 한다 하더라도 나스따시야는 그 청혼을 받아들이지 않을 거라는 확신을 했다. 왜 그렇게 생각하게 되었는지는 그 자신도 오랫동안 깨닫지 못했다. 단 한 가지 거기에 대한 해석은 해볼 수 있다. 〈환상을 꿈꾸는 모욕당한 여인〉의 자존심이 극치에 달해, 생각지도 않던 사회적 지위를 얻어 부귀영화를 영원히 누리느니 청혼을 거절함으로써 조소를 던지는 편이 훨씬 후련할 것이라고 생각하고 있는 게 아니냐는 해석이다. 무엇보다 심각한 것은, 이 상황에서 나스따시야가 상당한 우위를 차지하고 있었다는 사실이다. 더구나 그녀는 자신의 이재(理財)에는 초연했다. 누가 그녀에게 평생 편안히 먹고 지낼 금전을 주겠다고 해도 그것을 받아들이지 않았고, 안락한 생활을 누리면서도 매우 검소하게 살았으며 5년 동안 거의 아무것도 모아 놓지 않았다. 아파나시 이바노비치 또쯔끼는 자신에게 얽매여 있는 사슬을 끊기 위해 아주 교활한 수단을 써먹으려 했다. 그는 여자의 마음을 사로잡게 하기에 가장 이상적인 대상들을 통해 그녀를 꾀어 보려는 시도를 본인이 눈치 채지 않도록 교묘하게 해보았다. 그러나 이상의 화신들인 공작, 근위기병, 외교관, 시인, 소설가, 심지어는 사회주의자도 나스따시야에게는 아무런 인상도 주지 못했다. 마치 그녀에게는 심장 대신 돌멩이가 들어앉아 있고, 감정이란 감정은 죄다 말라비틀어져 버린 듯했다. 그녀는 집 안에서 홀로 시간을 보내길 즐겼다. 책을 읽고 공부도 했으며 음악 듣는 것을 좋아했다. 사람들과의 교제도 뜸한 편이었다. 기껏 그녀가 만나는 사람들이라곤 우스꽝스런 가난한 관리 부인들이었고, 두 명의 무명 여배우와 몇몇 노파들을 아는 정도였다. 그녀는 식구가 많이 딸린 신망 있는 어느 선생의 가족을 무척 좋아했다. 그쪽에서도 그녀를 매우 좋아했고 그녀가 놀러 오면 반가이 맞아 주었다. 저녁마다 그녀를 자주 찾아오는 지기들은 대여섯 명이 전부였다. 또쯔끼는 거의 매일같이 정확히 찾아왔다. 최근 들어서는 예빤친 장군이 어렵사리 나스따시야와 인사를 나누게 되었다. 그런데 거의 같은 때에 페르디쉬첸꼬라는 젊은 관리는 아주 수월하게 나스따시야와 사귀게 되었다. 페르디쉬첸꼬는 그다지 단정해 보이지 않는 뚱뚱한 익살꾼으로, 자신을 명랑한 애주가라고 믿고 있었다. 나스따시야는 쁘찌찐이라는 괴팍한 청년과도 아는 사이였다. 그는 겸손하고, 정확하고, 반듯하게 생겼고, 밑바닥 출신으로 고리대금업을 하고 있었다. 나스따시야는 그러다가 마침내 가브릴라 아르달리오노비치와 알게 된 것이다……. 그러나 이들 모두는 나스따시야에게 이상한 명성을 안겨 주는 것으로 끝났다. 모두들 그녀가 아름답다는 것은 알고 있었지만, 오로지 그러한 사실이 전부일 뿐이었다. 아무도 그녀와의 관계에서 이렇다 할 자랑거리를 내놓지 못했고, 그녀와의 관계가 진척되고 있다는 말을 전혀 할 수 없었다. 그녀가 지니고 있는 그러한 명성, 교양, 세련된 매너, 기지는 또쯔끼로 하여금 그가 오래전부터 설계해 오던 계획을 이행케 하는 데 결정적인 구실을 했다. 바로 이때가 예빤친 장군 자신이 이 일에 적극적으로 개입하기 시작한 순간이었다.

또쯔끼가 친구로서 예빤친 장군에게 친근하게 조언을 부탁했을 때였다. 물론 예빤친 장군의 딸에게 청혼하는 문제에 관해서였다. 이때 또쯔끼는 아주 고상하게 모든 것을 낱낱이 다 고백했다. 그는 자유를 얻기 위해 앞으로 그 어떤 수단도 불사하겠다는 의지를 천명했다. 그리고 나스따시야가 직접 나서서 이젠 그를 평온히 내버려 두겠다고 약속해도 그는 마음이 편치 않을 것이며, 그에게는 몇 마디의 말보다 완벽한 보장이 필요하다고 털어놓았다. 두 사람은 이리저리 곰곰이 생각한 끝에 이 일을 함께 풀어 나가기로 결론을 지었다. 처음에는 가장 부드러운 방법을 써 보기로 했다. 말하자면 〈심금을 울리자〉는 것이었다. 두 사람은 나스따시야를 찾아갔다. 또쯔끼는 자신의 사정이 참을 수 없을 정도로 처참하다고 단도직입적으로 밝히고, 이 모든 것이 자기 탓이라고 말했다. 그는 그녀에 대한 자신의 최초의 행동에 대해서는 뉘우칠 것이 없다고 솔직히 말했다. 자기는 원래 못 말리는 호색한이어서 자제력이 없었기 때문이라고 변명했다. 그러나 지금 그는 결혼하고 싶으며, 최고로 품격 있는 이 결혼의 성패는 그녀의 손에 달려 있어서, 한마디로 그는 그녀의 고결한 마음씨에 모든 희망을 걸고 있다고 했다. 그 다음에는 예빤친 장군이 장인이 될 사람의 자격으로 말하기 시작했다. 그는 감정보다는 이성에 호소하는 어투로 나스따시야가 또쯔끼의 운명을 결정할 권리를 가졌다는 사실을 전적으로 시인한다고 했다. 그는 특유의 겸손함으로 그의 딸의 운명, 어쩌면 나머지 두 딸의 운명까지 이제는 나스따시야의 결정에 달려 있다고 은근히 암시했다. 나스따시야가 〈내가 어떻게 했으면 좋겠어요?〉라고 묻자 또쯔끼는 예전의 단도직입적인 태도로 그녀에게 고백했다. 그것은 이미 5년 전에 너무 기겁을 한 터라 나스따시야 스스로가 누구하고든 결혼하기 전까지는 안심할 수 없다는 내용이었다. 나스따시야에게 결혼을 하라는 그의 권유는 나름대로의 근거가 있다고 덧붙이면서, 그렇지 않으면 그의 말은 헛소리에 불과하다고 했다. 그가 그렇게 생각하는 근거에 대해 그는 잘 알고 있었다. 나스따시야도 이미 알고 지내는 사이로 그녀의 집을 출입하는 명문 가문 출신의 가브릴라 아르달리오니치 이볼긴이라는 청년을 두고 하는 말이었다. 그는 이미 오래전부터 모든 열정을 바쳐 그녀를 사랑해 왔고, 물론 그녀에게서 호감을 산다는 한 가지 희망만으로도 목숨의 절반을 바칠 각오가 되어 있다는 것이었다. 가브릴라 아르달리오니치는 오래전에 청년다운 순수한 마음으로 허심탄회하게 이러한 고백을 또쯔끼에게 직접 한 바가 있었으며, 이 젊은이를 후원해 주는 예빤친 장군도 이미 이러한 사실을 알고 있었다. 그러니 또쯔끼의 말이 맞는다면, 나스따시야 자신도 그 청년의 사랑을 익히 알고 있었을 것이다. 그래서인지 또쯔끼의 눈에는 나스따시야가 청년의 사랑을 겸허하게 바라보고 있는 것처럼 비쳐졌다. 물론 그가 이런 말을 한다는 것은 굉장히 어려웠다. 나스따시야가 보기에 또쯔끼는 자신만의 삶을 꾸리려는 욕심과 이기심을 가진 남자다. 그런 또쯔끼가 그녀의 행복을 기원한다는 사실을 조금이나마 알았더라면, 그녀는 오래전부터 그녀의 고독을 착잡하고 괴롭기까지 한 심정으로 바라보던 그를 이해해 주었을 것이다. 그녀의 고독 속에는 사랑과 가정이 있다면 멋지게 회생되어 새로운 삶의 목적을 얻을 수 있을 것이라는 인생의 전환에 대한 불신과 형언키 어려운 암흑만이 남아 있었다. 거기에는 아마 찬란할지도 모르는 재능이 사장되고 자신의 슬픔만을 기꺼이 즐기려 하는, 한마디로 말해 상식이나 그녀의 고결한 마음씨와 어울리지 않는 모종의 낭만밖에 없었다. 이런 말을 하기가 그 무엇보다 어려웠다는 점을 다시 한번 되풀이하고 나서, 또쯔끼는 그가 그녀의 미래를 보장하려는 진실된 소망에서 그녀에게 7만 5천 루블이라는 금액을 희사하겠다고 약속한다면 나스따시야가 그의 제안을 경멸적으로 받아들이지만은 않을 거라는 희망을 갖게 되었다. 그는 덧붙여서, 그 7만 5천 루블이라는 돈은 이미 유언장에 그녀의 몫으로 지정해 놓은 것이라고 했다. 한마디로 말해, 그 돈은 결코 어떤 처사에 대한 보상금이 아니며, 그런 마당에 무엇으로든 양심의 가책과 그와 비슷한 모든 부담을 덜어 보고자 하는 그의 인간적 소망을 왜 수용하고 용서해 주지 못하느냐고 했다. 또쯔끼는 청산유수로 오랫동안 말을 했다. 그러고는 매우 호기심을 끌 만한 말을 살짝 덧붙였다. 그는 7만 5천 루블에 대해서 이제서야 처음으로 발설하는 바이지만, 여기에 대해서는 바로 곁에 앉아 있는 예빤친 장군조차 모르고 있다고 말했다. 한마디로 〈아무도〉 몰랐다는 얘기였다.

나스따시야 필리뽀브나의 대답은 두 남자를 놀라게 했다.

그녀의 말투에는 예전의 조소, 예전의 적의와 증오, 생각만 하면 지금도 또쯔끼의 등에 소름이 돋는 예전의 깔깔거림이 싹 가셔 있었다. 뿐만 아니라, 오히려 그녀는 마침내 누군가와 친구처럼 허심탄회하게 말을 할 수 있게 된 것을 기뻐했다. 그녀는 오래전부터 친구로서의 조언을 바라 왔는데 단지 자존심 때문에 그렇게 하지 못했다고 고백했다. 그러나 지금은 해방이 되었으니 더 바랄 나위가 없노라고 말했다. 처음에 그녀는 씁쓸한 미소를 띠었으나 나중에는 쾌활하게 웃으면서 예전의 분노는 더 있을 수 없는 일이라고 말했다. 사물을 바라보는 시각을 부분적으로나마 바꾼 지가 이미 오래되었고, 가슴속은 변하지 않았을지 모르지만 대단히 많은 것을 과거지사로 돌릴 필요성을 느끼지 않을 수가 없다며, 이미 엎질러진 것은 엎질러진 것이고 이미 지나간 것은 지나간 것인데, 또쯔끼가 아직까지도 겁에 잔뜩 질려 있는 것을 보면 이상스럽기까지 하다고 털어놓았다. 그녀는 예빤친 장군에게 말머리를 돌려 깊은 존경이 서린 표정으로 말했다. 그녀는 익히 오래전부터 그의 딸들에 관해 많은 것을 들어 왔으며 그들을 진심으로 존경한다고 말했다. 그녀는 예빤친의 딸들을 위해 도와줄 게 있다면 영광스럽고 자랑스럽기 그지없을 거라는 생각을 피력했다. 사실 그녀는 지금 매우 답답하고 심심하던 차였다. 그래서 또쯔끼는 그녀가 무엇을 바라고 있는지 눈치 챌 수 있었다. 그녀는 새로운 목적을 인식하고 비록 사랑이 아닌 가정을 통해서나마 자신을 회생시키길 원하고 있는 것이다. 그러나 가브릴라 아르달리오노비치 이볼긴에 대해서 그녀는 아무것도 말할 수 없었다. 가브릴라가 그녀를 사랑하는 것은 사실 같았다. 그녀는 가브릴라가 그녀를 진정으로 사랑한다는 것을 확신할 수 있다면 그를 사랑할 수도 있을 거라고 느꼈다. 하지만 그가 성실하다 하더라도 너무 젊은 게 흠이었다. 그래서 결정을 내리기가 곤란했다. 무엇보다 그녀의 마음을 끄는 것은 가브릴라가 혼자 일을 함으로써 온 가족을 부양하고 있다는 사실이었다. 그녀가 듣기로 정력적이고 자부심이 강한 가브릴라는 온갖 난관을 무릅쓰면서도 미래에 대한 야심을 버리지 않는 청년이었다. 또한 가브릴라의 어머니

니나 알렉산드로브나 이볼기나도 최고로 존경받는 훌륭한 부인이고, 가브릴라의 누이 바르바라는 정력적이고 아주 뛰어난 아가씨라는 말을 들었다. 나스따시야는 바르바라에 관해 쁘찌찐에게 많은 것을 들었다. 그녀는 이들 모녀가 꿋꿋하게 불행을 이겨 내고 있다는 말도 들었다. 때문에 그녀는 이들 모녀와 무척이나 사귀어 보고 싶었으나, 막상 그녀가 이들 가족에게서 환대를 받을 수 있을까 하는 문제가 마음에 걸렸다. 한마디로 그녀는 가브릴라와의 결혼 가능성에 아무런 이의를 달지 않았으나, 거기에 대해 아직 충분한 생각을 해보지 않았기 때문에 자신에게 대답을 재촉하지 말아 달라고 했다. 7만 5천 루블 건에 관해서는 또쯔끼가 힘들여서 말을 꺼내지 않았어도 괜찮았다. 그녀 스스로가 돈의 가치를 알고 있었기에, 물론 그 돈을 가져가겠다고 했다. 그녀는 가브릴라뿐만 아니라 예빤친 장군까지 그 돈에 대해 아무것도 모르게 했던 또쯔끼의 용의주도함에 감사를 표시했다. 하지만 가브릴라까지 이 사실을 모르게 할 필요가 있었을까? 그녀는 가브릴라의 집안으로 들어간다 해도 그 돈에 대해 부끄러워해야 할 아무런 이유가 없다고 말했다. 그리고 어떠한 일이 있더라도 그녀는 아무에게도 용서를 빌 마음이 없으니, 사전에 이 점을 알아주길 바란다는 태도였다. 아마도 그녀는 가브릴라나 그의 가족이 그녀에 대해 조금이라도 언짢은 생각을 가지고 있지 않다는 것을 확신할 때까지 가브릴라에게 시집가지 않을 것이다. 어쨌든 그녀는 자기가 아무 잘못도 하지 않았다고 생각했으며, 그녀가 어떤 연유에서 5년 내내 뻬쩨르부르그에서 살았고, 또쯔끼와는 어떤 관계를 맺고 있는지, 그녀가 얼마나 많은 재산을 축적해 놓았는지에 대해 가브릴라가 알아주었으면 했다. 궁극적으로 그녀가 돈을 받는다면 그것은 그녀의 의사와는 무관하게 더럽혀진 순결에 대한 대가가 아니라 일그러진 운명에 대한 보상금으로서였다.

이 모든 것을 밝히면서 그녀는 몹시 상기되어 흥분마저 가라앉히지 못했다(그것은 지극히 당연한 일이었다). 예빤친 장군은 매우 흡족해 하며, 모든 일이 순조롭게 결말지어졌다고 생각했다. 하지만 크게 혼이 난 적이 있던 또쯔끼는 지금도 꽃송이 아래 뱀들이 숨어 있지나 않을까 하며 마음을 놓지 못하고 있었다.[28] 어쨌든 교섭이 시작되었다. 두 친구의 작전이 걸려 있는 현안, 즉 나스따시야 필리뽀브나의 마음을 가브릴라에게 쏠게 해주려는 가능성이 조금씩조금씩 드러나고 정당화되기 시작하자, 또쯔끼마저 이 일이 성사될 수 있다는 희망을 이따금 가지게 되었다. 그러는 사이에 나스따시야 필리뽀브나는 가브릴라와 이야기를 나누었다. 하지만 그녀는 말을 거의 하지 못했다. 그녀의 순진 무구함 때문에 그랬는지도 모른다. 하지만 그녀는 가브릴라의 사랑을 받아들였다. 반면에 그 무엇에도 속박당하고 싶지 않다고 입버릇처럼 말했으며, 결혼 직전까지는(결혼이 성사된다면), 더 나아가 결혼하는 마지막 순간까지도 〈아니오〉라고 할 권리를 가지고 있겠노라고 했다. 그와 똑같은 권리를 가브릴라에게도 부여했다. 얼마 안 돼서 가브릴라는 자연스런 기회를 통해 분명히 알게 되었지만, 나스따시야 필리뽀브나는 이미 그의 가족이 이 결혼과 그녀 개인에 대해 석연치 않게 생각하고 있어 그의 집안에서 자주 시비가 벌어지고 있다는 것을 훤히 알고 있었다. 나스따시야 필리뽀브나는 이 문제에 대해 아무 말도 입 밖에 내지 않았으나, 가브릴라는 매일같이 그녀가 말을 꺼내기를 기다렸다. 이 혼담과 교섭에 얽힌 여러 가지 사연과 이야깃거리를 말하자면 끝도 없겠지만, 우리가 너무나 앞서 가고 있지 않나 하는 느낌이다. 더욱이 어떤 이야기는 뚜렷하지 않은 풍문으로 떠돌기도 했다. 예를 들어, 또쯔끼는 어디서 알아냈는지, 나스따시야가 예빤친의 딸들과

28 이 구절은 1841년 러시아와 전 유럽 연극 극장의 시문학 잡지였던 『팡탱*Fantin*』에 실렸던, M. N. 까뜨꼬바가 번역한 셰익스피어의 비극 『로미오와 줄리엣』에서 인용한 것임.

뭔가 비밀스런 교제를 하고 있다는 등의 소문을 듣고 있었는데, 이것은 전혀 근거가 없는 것이었다. 그러나 다른 소문은 또쯔끼도 믿을 수밖에 없었는데, 그는 이 소문을 끔찍하게 두려워했다. 그러한 소문의 진상은 이러했다. 가브릴라가 결혼하려는 것은 오로지 돈 때문이고, 그는 속이 검고, 욕심이 많고, 참을성이 없고, 시기심이 강하고, 턱없이 자존심이 센 사람인데, 나스따시야는 이미 그에 대해 속속들이 알고 있다는 것이었다. 가브릴라는 정말로 처음에는 나스따시야를 열정적으로 자기 여자로 만들려고 애태웠으나, 두 친구가 양쪽에서 타오르기 시작한 열정을 이용하여 나스따시야를 그의 법적 아내로 맞아들이게끔 매수하려고 하자, 그는 나스따시야를 악몽처럼 증오하기 시작했다. 가브릴라의 마음속에는 열정과 증오가 교차하고 있어서, 그는 고심 끝에 마침내 이 〈불결한 여인〉과 결혼할 것을 승낙했지만, 내심 그녀에게 이 모든 것을 철저하게 복수하여, 그의 표현 그대로 〈혼내 주고 말리라〉는 맹세를 했다. 나스따시야는 이 모든 것을 알고 있는 듯했고 비밀리에 모종의 조치를 준비하는 듯했다. 또쯔끼는 예빤친 장군에게조차 자신의 불안감을 털어놓지 못할 정도로 겁에 질려 있는 듯했다. 그러나 약한 자가 으레 그렇듯, 그는 새로이 고무되어 재빨리 기운을 회복하는 순간들도 있었다. 예컨대 나스따시야가 이들 두 친구에게 생일 저녁 파티 때 최종적인 답을 주겠다고 약속했을 때는 아주 신이 났던 것이다. 그런데 사람들에게서 가장 존경받는 예빤친 장군에 관해 도무지 믿어지지 않는 아주 요상한 소문이 애석하게도 점점 사실로 판명이 나고 있었다.

그것은 얼핏 들으면 완전히 뜬소문 같았다. 도무지 믿어지지 않겠지만, 존경받을 지긋한 나이의 예빤친 장군이 명석한 사리 판단과 풍부한 인생 경험 등에도 불구하고 나스따시야에게 현혹되었다는 얘긴데, 그 현혹의 정도가 순간적인 이끌림이 아니라 거의 열정에 가깝다고 했다. 그렇게 함으로써 그가 무엇을 기대하고 있었는지는 상상이 가지 않았다. 어쩌면 가브릴라로부터 직접적인 협조까지 기대했는지도 모른다. 또쯔끼는 만의 하나라도 그럴 가능성이 있을 거라는 의혹이 생겼다. 장군과 가브릴라 사이에 상호 교감하는 묵계에 가까운 것이 있을 거라는 의혹이었다. 게다가 열정의 노예가 된 인간은 아무리 나이가 들었더라도 완전히 눈이 멀어 도저히 이루어질 수 없는 것에도 희망을 품는 법이다. 그뿐이랴? 아무리 지혜로운 자라도 이성을 잃으면 어리석은 아이처럼 유치하게 행동하게 마련이다. 잘 알려진 사실이었지만, 장군은 나스따시야의 생일 선물로 엄청나게 비싼 놀라운 진주 목걸이를 장만해 놓았다. 그는 나스따시야가 욕심이 없는 여자라는 사실을 알면서도 이 선물에 어떤 반응을 보일지 매우 궁금하게 여겼다. 나스따시야의 생일 전날 그는 열병에라도 걸린 듯했지만 그런 자신을 교묘히 감추었다. 예빤친 장군 부인도 바로 그 진주 목걸이에 관한 소문을 들었다. 사실 리자베따 쁘로꼬피예브나는 이미 오래전부터 남편의 바람기에 시달려 왔기 때문에, 이제는 그러한 소문에도 어느 정도 무감각해져 있었다. 하지만 이번만은 눈감아 주기가 불가능했다. 부인은 진주 목걸이 소문에 촉각을 곤두세웠다. 장군은 부인의 낌새를 사전에 감지했다. 이미 전날 저녁에도 비꼬는 듯한 말을 들은 바가 있었으므로 돈의 행방을 어떻게 변명해야 할지 고민을 했다. 그런 이유에서 우리의 이야기가 시작된 그날 아침, 장군은 식구들과 함께 식사하기를 무척이나 꺼렸던 것이다. 그는 이미 공작이 오기 전에도 일이 있다는 핑계로 식사를 피해 보려 했다. 장군에게 피한다는 말은 이따금 도망친다는 말과 통할 때가 있었다. 그는 이날 하루만이라도 특히 이날 저녁만이라도 무사히 보내고 싶었다. 그런데 때마침 공작이 갑작스레 찾아온 것이었다. 〈이 사람이야말로 하느님이 보내 주신 거다!〉 장군은 부인한테 가며 혼잣말로 중얼거렸다.

5

장군 부인은 친정 가문을 자랑스럽게 여기고 있었다. 그런데 가문의 마지막 자손인 미쉬낀 공작이 거지나 다름없는 가엾은 백치에다 남에게 구걸이나 하며 살아가야 할 정도의 인물이란 소식을 느닷없이 듣는다면 그녀의 심정이 어떠하겠는가. 장군의 계략은 바로 적중했다. 그는 일순간 부인의 관심을 진주 목걸이에서 어떻게 해서든 엉뚱한 쪽으로 돌리려 했다.

장군 부인은 극한 상황에서는 보통 눈을 크게 치켜뜨고 몸을 약간 뒤로 젖힌 후 한마디 말도 없이 멍하니 앞만 바라보았다. 남편과 동년배인 그녀는 훤칠하게 큰 키에 약간 여윈 몸매를 하고 있었다. 그녀의 검은 머리는 이제 희끗거렸지만 숱은 여전히 많았다. 약간 휘어진 매부리코에 노란빛을 띤 뺨은 쏙 들어가 있었으며 얇은 입술은 안을 향하고 있었다. 이마는 높았으나 좁았다. 상당히 큰 잿빛 눈은 이따금 전혀 예기치 못한 표정을 지었다. 언젠가 그녀는 자신의 눈빛이 무척이나 매력적이라고 믿었던 약점을 가지고 있었지만, 그러한 믿음은 지금도 지워지지 않은 채로 남아 있었다.

「만나 보라니오? 그 사람을 지금 당장 만나란 말이에요?」 장군 부인은 있는 힘을 다해 눈을 크게 치켜뜨고 앞에서 부산을 떠는 남편을 바라보았다.

「아, 당신만 괜찮다면야 허물없이 만나 볼 수 있을 것 같아서 그러는 거요.」 장군이 황급히 말을 얼버무렸다. 「완전히 어린앤데 뭘 그러오. 아주 불쌍해 보이더군. 무슨 병이 있어서 가끔 발작도 일으킨다고 해요. 방금 스위스에서 돌아와, 열차에서 내리자마자 이곳으로 왔대요. 옷도 독일식으로 입었는지 아주 이상하오. 게다가 한 푼도 없다더군. 거의 울려고 해요. 그래서 25루블을 적선하고, 우리 관청의 서기 자리를 하나 얻어 줄까 하오. 우리 아가씨들, 너희들은 그 사람한테 식사 대접을 하도록 해라. 배고파 보이더구나…….」

「당신은 사람을 놀라게 하는군요.」 부인은 여전히 놀란 표정으로 말했다. 「배고프다느니 발작이니 하는 게 다 뭐예요? 어떤 발작을 말하는 거예요?」

「아니, 그 발작을 자주 한다고는 하지 않았소. 게다가 그 사람은 거의 어린애지만 교육은 잘 받은 것 같소. 그런데 숙녀님들 Mesdames.」 그는 다시 딸들을 돌아보며 말했다. 「그 남자가 어떤 재능이 있는지 너희들이 그 사람을 시험해 봤으면 좋겠다.」

「시 — 험 — 해 — 보 — 라 — 고요?」 장군 부인이 말을 길게 끌며, 소스라치게 놀라 또다시 휘둥그레진 눈으로 딸들과 남편을 번갈아 보았다.

「아아, 별다른 뜻이 있어서가 아니오……. 당신 좋을 대로 하구려. 난 그저 별 뜻 없이 허물없이 지내 보려고 그랬던 거요. 그렇게 되면 좋은 일이 아니겠소?」

「스위스에서 온 사람을 우리와 허물없이 지내게 한다고요?」

「스위스에서 왔다고 해서 안 될 게 없잖소. 당신 좋을 대로 하라니까. 나는 그저 당신과 성씨가 같아서 친척일 수도 있다는 생각에서 그랬고, 그 다음엔 당장 집도 절도 없는 신세가 하도 딱해서 그랬던 거요. 난 당신이 퍽 관심을 쏟으리라고까지 생각했었소. 어쨌든 같은 집안 출신이잖소?」

「지당한 말씀이에요, 엄마. 허물없이 지낼 수 있다잖아요. 게다가 먼 길을 왔으니 시장할 거예요. 더욱이 오갈 데 없는 처지라면 식사쯤이야 대접할 수 있잖아요.」 큰딸 알렉산드라가 말했다.

「그런 데다 완전한 아이라니까. 같이 술래잡기를 해도 괜찮을 거야.」

「술래잡기를요? 아니, 어떻게 한단 말이에요?」

「어휴, 그만두세요, 엄마.」 아글라야가 안됐다는 듯이 끼어들었다.

둘째 딸 아젤라이다는 잘 웃는 편이라 그만 웃음을 터뜨리고 말았다.

「그 사람을 불러요, 아빠. 엄마가 승낙을 했으니까요.」 아글라야가 제멋대로 결정을 했다. 장군은 초인종을 눌러서 공작을 들여보내라고 했다.

「하지만 그 사람이 식탁에 앉으면 반드시 목에 냅킨을 두르게 해야 하니까.」 장군 부인이 지시를 내렸다. 「표도르를 부르든가, 마브라에게 그 사람 뒤에 지켜 서서 식사 시중을 들게 해요. 발작이 혹시 일어나면 얌전하게 있을지 모르겠어요. 몸을 심하게 움직이지 않을는지요?」

「그 반대요. 아주 점잖게 교육받은 사람이오. 몸가짐도 세련됐고. 다만 지나치게 순진한 구석이 이따금 있어서 그렇지만. 아, 마침 들어오는군. 자, 소개하겠소. 가문 최후의 생존자 미쉬낀 공작이오. 어쩌면 친척일지도 모르니 반갑게 맞아 주구려. 공작, 이제 아침 식사를 함께하려 하니 자리에 앉읍시다……. 한데 나는 서둘러 갈 데가 있으니 실례하겠소…….」

「당신이 어딜 서둘러 가려는지 다 알고 있어요.」 장군 부인이 엄숙하게 말했다.

「이러다간 늦겠소. 난 빨리 서둘러야 하오! 아가씨들, 너희들은 공작에게 앨범을 갖다 주려무나. 거기다 공작이 글을 써주면 멋있을 거다. 이분은 보기 드문 명필가야. 놀라운 재능이다. 고서체로 공작이 나에게 〈겸손한 수도원장 빠프누찌가 여기에 서명을 하다〉라는 글을 써주었다……. 그럼, 안녕.」

「빠프누찌? 수도원장? 잠깐 멈춰 봐요. 빠프누찌가 대체 어쨌다는 거예요?」 장군 부인이 달아나는 남편을 향해 끈질기게 짜증내듯이, 불안함마저 감도는 목소리로 외쳤다.

「여보, 그건 옛날에 살았던 수도원장이오. 근데 난 지금 백작한테 가는 중이오. 오래전부터 날 기다리고 있어서. 게다가 내가 먼저 약속 시간을 정해 놓았단 말이오……. 자, 공작, 또 봅시다!」

장군은 발걸음을 급히 재촉하며 멀어져 갔다.

「난 저이가 어떤 백작 나리한테 가는지 다 알고 있다고!」 리자베따 쁘로꼬피예브나가 날카롭게 외치며 신경질적으로 공작에게 눈을 돌렸다. 「뭐라고 하더라!」 그녀는 성미가 날카로워진 듯했으나 무엇을 생각해 내려고 애쓰며 말을 꺼냈다. 「그게 뭐더라? 아, 그렇지! 그래, 무슨 수도원장이라고?」

「어머니!」 알렉산드라가 말을 막으려 했으며, 아글라야는 웃느라 발을 구르기까지 했다.

「알렉산드라, 다소곳해 봐라.」 장군 부인은 큰딸에게 무안을 주듯 말했다. 「나도 알고 싶어서 그러는 거예요. 공작, 여기 이 맞은편 소파에 앉으세요. 아니, 좀 더 햇빛이 드는 이쪽으로 가까이 오세요. 그래야 얼굴이 보이니까요. 근데 어떤 수도원장이에요?」

「빠프누찌 수도원장입니다.」 공작은 신중하고 진지하게 말했다.

「빠프누찌라고요? 그거 참 재미난데요. 그가 어쨌다는 거지요?」

장군 부인은 공작에게서 잠시도 눈을 떼지 않고 숨이 넘어갈 듯 날카로운 어조로 조급하게 물어보았다. 공작이 대답을 할 때면 그 한 마디 한 마디에 고개를 끄덕였다.

「빠프누찌 수도원장은 14세기 사람입니다.」 공작이 설명을 시작했다. 「그는 오늘날의 꼬스뜨로마 군에 있는 볼가 강 연안의 수도원을 관장했습니다. 그는 성자 같은 생활로 유명했고, 킵차크 한국(汗國)[29]에 가서 따따르 인의 행정을 도와주었고, 어느 국가 문서에 서명을 했습니다. 저는 그 사본을 보고 그 필적이 너무 마음에 들어, 그 필적을 습득해 버렸습니다. 장군께서 제 필체를 보

29 14세기부터 15세기까지 러시아를 지배했던 몽골 제국.

고 일자리를 마련해 주시겠다고 해서, 다양한 필체로 몇 가지 문구를 써보았는데, 그 중 빠프누찌 수도원장의 친필 〈겸손한 수도원장 빠프누찌가 여기에 서명을 하다〉를 그대로 옮겨 보았습니다. 장군께서 제 필체가 무척 마음에 드시는지 방금 그것을 떠올리신 겁니다.」

「아글라야!」 장군 부인이 막내딸에게 말했다. 「잘 기억해 둬라. 아니 차라리 메모를 해둬라. 안 그러면 항상 잊어버리니까. 한데 난 훨씬 재미난 건 줄 알았어요. 그 서명은 어디에 있지요?」

「아마, 장군 서재의 책상 위에 있을 겁니다.」

「그럼 그걸 곧 가져오라고 해야겠군요.」

「괜찮으시다면 다시 한번 써드릴 수도 있습니다.」

「그렇게 해요, 어머니. 그리고 지금은 아침을 들어요. 우린 배가 고파요.」 알렉산드라가 말했다.

「그래.」 장군 부인도 따랐다. 「공작, 갑시다. 상당히 시장하시죠?」

「네, 지금 무척 시장합니다. 대단히 고맙습니다.」

「공작께서는 아주 예의가 바르셔서 참 좋습니다. 공작은 다른 사람들이 말하는 괴팍한 분이 아니군요. 식탁으로 가시지요. 여기 내 맞은편에 앉으세요.」 부인은 식당으로 들어와서 공작을 자리에 앉히며 손수 배려를 해주었다. 「이래야 내가 똑바로 쳐다볼 수 있어요. 알렉산드라와 아젤라이다는 공작의 시중을 들어 주렴. 이 분은 듣던 바와는 달리 전혀 환자가 아니잖니? 냅킨은 필요 없을지도 모르겠다……. 공작은 식사 때 목에 냅킨을 두르나요?」

「옛날에 한 일곱 살 적에는 목에 둘렀던 것 같아요. 그런데 지금은 보통 무릎 위에 올려 두고 식사를 하지요.」

「그래야지요. 그럼 발작은요?」

「발작이라고요?」 공작은 약간 놀란 빛을 띠었다. 「요즘에 발작이 일어나는 경우는 매우 드뭅니다. 그런데 잘은 모르겠지만, 이곳의 기후가 저에게 해로울 거라고 하더군요.」

「이분은 말씀을 아주 잘하시는구나.」 시종일관 공작의 말에 고개를 끄덕이던 장군 부인이 딸들에게 말했다. 「이러시리라곤 생각도 못했지. 그러니까 여태껏 들은 말은 모조리 헛소리에 거짓말이었어. 언제나 그렇다니까. 어서 드세요, 공작. 그리고 어디서 태어나시고 교육을 받으셨는지 얘길 좀 해주세요. 모든 게 궁금해요. 공작은 무척이나 재미있는 분이시군요.」

공작은 고맙다는 말을 하고 나서 맛있게 식사를 하며 이날 아침부터 누차 했던 말을 또다시 되풀이했다. 장군 부인은 점점 흡족한 표정을 지었다. 딸들도 역시 주의 깊게 공작의 말을 들었다. 친척 관계도 거론되었다. 알고 보니 공작은 가문의 계보를 아주 상세하게 알고 있었다. 그러나 아무리 따져 보아도 그와 장군 부인 사이에는 거의 아무런 혈연 관계가 성립되지 않았다. 양쪽 집안의 조부모 사이에 먼 친척 관계가 맺어질 수 있는 가능성은 있었다. 그러나 이 무미건조한 대화가 부인의 마음에는 퍽 들었던 모양이었다. 그녀는 자기의 친정 계보에 관해 속 시원하게 얘기해 본 적이 없었기 때문이다. 그래서 그녀는 몹시 신이 난 나머지 식탁에서 벌떡 일어났다.

「자, 그러면 우리 회의실로 갑시다.」 부인이 제안을 했다. 「커피는 그리로 가져올 거예요. 우리 집엔 가족들 공동의 방이 있어요.」 그녀는 공작을 데리고 나가며 공작에게 말했다. 「사실 그곳은 나의 응접실이에요. 우린 거기 모여 앉아 각자 자기 일을 해요. 여기에 있는 맏딸 알렉산드라는 피아노를 치고, 독서를 하거나 수를 놓기도 하지요. 아젤라이다는 풍경화나 초상화를 그립니다만 한번도 완성시키지 못했어요. 그리고 아글라야는 앉아서 아무것도 하지 않아요. 나 역시 손에 일거리를 잡아도 제대로 일이 되지 않아요. 바로 여기예요. 공작, 여기 벽난로 쪽으로 앉아서 얘기를 해주세요. 확실하게 모든 걸 알아 두었다가 벨로꼰스끼 공작 부인을 보면, 공작에 관해 그 할머니에게 죄다 말해 주겠어요. 사람들이 모두 공작에게 관심을 갖게 되길 원해요. 자, 어서 시작하시지요.」

「어머니, 그러시면 얘기를 하기가 너무 이상해지잖아요.」 아젤라이다가 말했다. 그녀는 화가(畫架)를 똑바로 세우고 붓과 팔레트를 집어 든 후, 오래전에 시작한 동판화를 본뜬 풍경화를 다시 그리려던 참이었다. 알렉산드라와 아글라야는 팔짱을 끼고 조그만 소파에 함께 앉아 공작의 이야기를 들을 준비를 했다. 공작은 자기에게로 모든 시선이 쏠려 있음을 눈치 챘다.

「나보고 그런 식으로 말하라고 하면 난 못할 것 같아요.」 아글라야가 한마디했다.

「아니, 뭐가 어때서 그러니? 뭐가 이상하다고 그래? 이분이 얘기를 못 하실 이유가 뭐니? 혀가 있는데. 난 이분이 어떻게 얘길 하는지 듣고 싶구나. 그러니 아무 얘기나 해보세요. 스위스는 어땠어요? 첫인상은 좋았나요? 자 봐라, 이제 시작하실 거야, 아주 멋지게 시작하실 거다. 멋지게 말이야.」

「강한 인상을 받았어요…….」 공작이 말문을 열었다.

「봐라, 내 말대로지.」 리자베따 쁘로꼬피예브나가 딸들을 향해 조급하게 말을 했다.

「얘기를 계속하시게 해요.」 알렉산드라가 어머니를 제지하고는, 아글라야에게 귓속말을 했다. 「공작은 전혀 백치가 아냐. 대단한 협잡꾼 같아.」

「그럴지도 몰라. 나도 아까부터 그렇게 생각했어.」 아글라야가 대답했다. 「저렇게 능청을 떠는 게 속물 같아. 그런데 무얼 얻어내려고 능청을 떠는 걸까?」

「첫인상은 아주 강렬했습니다.」 공작이 되풀이했다. 「러시아를 떠나 독일의 여러 도시들을 지날 때 나는 그 도시들을 그저 말없이 바라보기만 했지요. 거기에 대해 물어보았던 말조차 생각나지 않았지요. 그때 나는 심하고 고통스런 발작을 몇 번 일으키고 난 뒤였지요. 항상 그렇지만 나는 병이 악화되고 발작이 몇 번쯤 되풀이되면 멍한 상태가 되어 기억력을 완전히 상실합니다. 그런데 머리는 제대로 활동을 합니다. 하지만 논리적 사상의 흐름은 차단되는 것 같아요. 두 가지나 세 가지 이상의 사상을 순리적으로 연결시킬 수가 없었습니다. 내가 보기에 그렇단 말입니다. 발작이 잠잠해지면 난 지금처럼 다시 건강해지고 원기를 회복합니다. 지금도 기억하지만, 그럴 때 내 마음은 참을 수 없이 우울합니다. 울고 싶을 정도이니까요. 나는 줄곧 놀라고 불안해 했어요. 〈낯설었던〉 그 모든 게 나에게 무섭게 작용했던 거였어요. 난 그걸 깨달았지요. 낯설다는 것이 나를 죽도록 압박했어요. 그런데 나는 그러한 암흑 속에서 완전히 깨어나게 됐는데, 지금도 기억하지만, 스위스로 막 들어서던 저녁, 바젤 시에서였지요. 도시 장터에서 들리는 당나귀의 비명이 나를 잠에서 깨웠습니다. 나는 당나귀 때문에 몹시 놀랐지만, 왜 그런지 그 당나귀가 귀여워 보였어요. 그와 동시에 내 머릿속의 모든 것이 맑은 하늘처럼 활짝 개었지요.」

「당나귀라고요? 거참, 이상하네.」 장군 부인이 한마디했다. 「하지만 이상할 게 하나도 없어요. 우리라도 당나귀를 좋아할 수 있으니까요.」[30] 부인은 킥킥거리는 딸들을 나무라는 듯이 쏘아보며 말했다. 「그건 신화에도 나와요. 어서 얘기를 계속하시지요, 공작.」

「그때부터 난 당나귀를 사랑하게 됐어요. 그건 내게 있어서 어떤 동정심이라고 할까요. 나는 그것들에 대해 이것저것 물어보았지요. 예전에는 그것들을 한번도 본 적이 없었으니까요. 그때 당나귀는 가장 유용한 짐승이라는 것을 확신하게 됐어요. 왜냐하면 당나귀는 일도 잘하고, 힘도 세고, 참을성 많고, 값도 싸고, 또 타

30 고대 로마의 저술가 아풀레이우스의 『황금의 당나귀』라는 소설 주제의 모티프로 보인다.

고 다닐 수도 있기 때문이지요. 이 당나귀 때문에 갑자기 스위스 전체가 사랑스러워졌고, 예전의 울적함도 사라져 버렸습니다.」

「그 모든 게 다 이상하군요. 하지만 당나귀 얘기는 이제 그만두고, 다른 쪽으로 화제를 돌려 보지요. 아글라야, 넌 뭐가 우습다고 그러는 거니? 그리고 너, 아젤라이다는 왜 그래? 공작이 당나귀 얘기를 멋지게 해주셨잖아. 공작은 직접 당나귀를 보셨는데 넌 뭘 보기나 했니? 넌 외국에 나갔다 온 적도 없잖아.」

「난 당나귀를 봤어요.」 아젤라이다가 말했다.

「난 들은 적이 있어요.」 아글라야가 맞받았다. 세 딸은 또다시 웃기 시작했다. 공작도 그들과 함께 웃기 시작했다.

「그렇게 하면 결례다.」 장군 부인이 훈계를 했다. 「얘들을 용서해 주세요, 공작. 얘들은 이래 봬도 착하답니다. 난 얘들과 매일같이 싸움을 하지만, 얘들을 사랑해요. 얘들은 철부지들이라 생각하는 게 가벼운 데다 장난기가 많답니다.」

「왜 안 그렇겠어요.」 공작이 웃으며 말했다. 「나도 따님들 입장이라면 똑같았을 거예요. 어쨌든 나는 당나귀 편입니다. 당나귀는 착하고 유익한 동물입니다.」

「공작은 착하신가요? 난 그저 호기심이 생겨서 묻는 거예요.」 장군 부인이 물었다.

모두들 또다시 웃음을 터뜨렸다.

「그놈의 당나귀가 또 튀어나왔네. 난 당나귀를 두고 한 말이 아니었는데!」 장군 부인이 소리쳤다. 「내 말을 믿어 주세요, 공작. 내가 이렇게 말한 건 별다른 뜻이 있어서가 아니라…….」

「특별한 뜻이 없단 말이죠? 물론, 부인의 말씀을 믿지요.」

공작은 계속 웃고 있었다.

「공작이 웃으시니까 아주 좋군요. 공작은 보통 선량한 분이 아니신가 봐요.」 장군 부인이 말했다.

「때론 착하지 않습니다.」 공작이 대답했다.

「그런데 나는 착해요.」 장군 부인이 불쑥 끼어들었다. 「원하신다면 난 언제나 착한 사람으로 남아 있을 수 있어요. 그게 나의 유일한 약점이에요. 사실 언제나 착할 필요는 없는 거잖아요. 난 자주 저 애들하고 남편에게 화를 내요. 특히 남편에게요. 하지만 고약하게도 내가 화를 낼 때가 내가 가장 착할 때지요. 나는 조금 전 공작이 오시기 전에 화를 벌컥 내며, 아무것도 이해하지 못하고 이해할 수 없는 척했어요. 난 그럴 때가 종종 있어요. 꼭 어린애 같지요. 그러니까 아글라야가 나에게 훈계를 하질 않겠어요. 고맙다, 아글라야. 하지만 모든 게 쓸데없는 짓이에요. 난 보기보다 똑똑해요. 뭐 애들은 그렇게 보고 싶어하지 않지만, 난 나름대로의 개성도 있고 남들 앞에서 그리 수줍어하지도 않아요. 이건 나쁜 생각을 가지고 하는 말이 아니에요. 아글라야, 이리 와서 나에게 키스를 해주렴. 음, 그래 너무 부드럽구나.」 그녀는 아글라야가 자신의 입술과 손에 다정하게 키스를 하자 그렇게 말했다. 「계속하세요, 공작. 당나귀보다 더 재미나는 걸 생각해 보세요.」

「난 어떻게 그렇게 곧바로 얘기를 할 수 있는지 아직도 이해를 못 하겠어요.」 아젤라이다가 끼어들었다. 「나 같으면 무슨 얘기를 해야 할지 종잡을 수 없었을 거예요.」

「공작은 안 그래. 아주 현명한 분이시니까. 너보다는 적어도 10배, 아니 어쩌면 12배나 현명하실 거다. 후에 너도 그걸 느끼게 될 거다. 애들에게 어서 증명을 해주세요, 공작. 어서 계속하세요. 이젠 당나귀 얘기는 제쳐 두고요. 그래, 외국에서 당나귀 말고 무얼 보셨나요?」

「그렇지만 당나귀 얘기도 재미있었어요.」 알렉산드라가 말했다. 「공작은 자신의 병적 사건을 아주 흥미롭게 얘기해 주셨어요. 그분은 한 가지 외부 충격으로 모든 것을 좋아하게 되었어요. 사람들이 정신이 나갔다 다시 회복되는 과정을 보면 참 재미나요. 특히 그것이 급작스럽게 이루어질 때면 더 그래요.」

「정말 그러니? 정말야?」 장군 부인이 탄성을 질렀다. 「이제 보니 너도 더러는 똑똑할 때가 있구나. 그래, 이젠 그만들 웃어라. 스위스의 자연을 얘기하다 마셨지요, 공작? 그래 어떻게 되었나요?」

「우리는 루체른에 도착했고, 나는 호숫가에 가보게 되었지요. 호수가 너무 아름답다는 생각이 들었어요. 그런데 지독하게 괴로웠어요.」 공작이 말했다.

「왜 그랬지요?」 알렉산드라가 물었다.

「모르겠어요. 난 항상 그러한 자연을 볼 때면 처음에는 괴롭고 불안해요. 좋기도 하고 불안하기도 하고, 하기야 그때는 아직 병중이었으니까요.」

「그보다 난 외국 구경을 한번 해봤으면 좋겠어요.」 아젤라이다가 말했다. 「우린 언제 외국에 나가게 될지 모르겠네. 그러잖아도 나는 2년 동안 그림의 주제를 못 찾고 있는데. 〈동과 남이 오래전에 묘사되었고……〉[31] 나에게 그림의 주제를 찾아 주세요, 공작.」

「난 그림에 대해 문외한인데요. 보고 그리면 될 것 같은데.」

「난 볼 줄을 몰라요.」

「아니, 무슨 수수께끼를 푸는 거야? 무슨 소린지 모르겠네!」 장군 부인이 끼어들었다. 「어떻게 볼 줄을 모른다는 거니? 두 눈이 있는데 보면 되잖아! 여기서 볼 줄을 모르면 외국에서도 마찬가지 아니니? 공작이 보셨던 것을 얘기해 주시는 편이 차라리 낫겠네요.」

「그래요, 그게 낫겠어요.」 아젤라이다가 거들었다. 「공작이야말로 외국에서 보는 법을 배우셨으니까.」

「모르겠어요. 난 그곳에서 단지 건강만 회복했을 뿐이니까요. 내가 보는 법을 배웠는지는 모르겠어요. 어쨌든 난 거의 모든 시

31 M. Iu. 레르몬또프의 「언론인, 독자 그리고 작가」라는 시의 한 구절을 부정확하게 인용한 것임.

간 동안 행복했습니다.」

「행복이라고요? 공작은 행복해지는 법도 아세요?」 아글라야가 외쳤다. 「그런데 어떻게 보는 법을 배우지 못했다고 하시는 거지요? 우리에게 그 비결들을 가르쳐 주세요.」

「가르쳐 주세요. 부탁이에요.」 아젤라이다가 웃었다.

「아무것도 가르쳐 드릴 수가 없는데요.」 공작이 빙그레 웃었다. 「나는 외국에 있는 동안 그 스위스 시골에서 거의 모든 시간을 보냈어요. 가까운 곳이라도 나가 본 적이 없어요. 그런데 내가 무얼 가르쳐 드릴 수 있겠습니까? 처음엔 그저 지루하지 않고 건강이 빨리 회복되어 간다는 것으로 좋았습니다. 그런데 차츰 하루하루가 소중해지는 거였어요. 시간이 흐를수록 그 소중함이 내 마음속에 와닿는 거였지요. 나는 아주 흡족한 상태에서 잠자리에 들었고, 더욱 행복해져서는 자리에서 일어났습니다. 그렇게 된 까닭을 모두 다 얘기하는 것은 아주 어렵습니다.」

「아무데도 가고 싶지 않았다니, 아무데도 가고 싶은 마음이 들지 않았단 말인가요?」 알렉산드라가 물었다.

「처음에, 맨 처음에는 어딘가 가보고 싶었으나, 큰 불안에 빠지고 말았지요. 난 시종일관 어떻게 살아야 할지에 대해 생각했고, 내 운명을 시험해 보고 싶었어요. 특히 불안할 때는요. 내가 사는 곳에는 그리 크지 않은 폭포가 있었는데, 하얗게 거품을 내며 높은 산에서 가느다란 실오라기처럼 소리를 내며 수직으로 떨어졌지요. 폭포는 높은 데서 떨어졌지만 상당히 낮아 보였고 — 한 반 베르스따쯤 떨어져 있었는데도 — 50보면 닿을 수 있을 것 같았지요. 나는 밤마다 폭포의 소음을 즐겼습니다. 그런데 가끔 그럴 때마다 불안이 찾아왔어요. 그리고 이따금 한낮에 산에 올라가 소나무 숲 — 송진이 많은 노송들이었어요 — 주위에 서 있을 때에도 찾아왔어요. 벼랑 위로는 폐허가 되다시피 한 중세의 낡은 성이 있었지요. 거기서 우리 마을은 까마득히 내려다보였습니다. 태양은 화려하게 빛나고, 하늘은 푸르렀고, 무서운 정적이 흘렀지요. 바로 그럴 때면 나는 어디론가 떠나 보고 싶은 마음이 생겼어요. 만약 거기서 똑바로 계속 걸어 나가 오랫동안 가다가 하늘과 땅이 맞닿는 지평선 너머에 도달한다면 거기에서 모든 수수께끼가 한번에 확 풀리고, 우리가 이승에서 누리는 삶보다 천 배나 강렬하고 소란스런 새로운 삶을 볼 것 같았어요. 나는 나폴리 같은 대도시를 꿈꾸어 왔었지요. 그곳은 온통 궁전과 요란한 소음과 활기 찬 삶으로 꽉 차 있을 거라고 생각했어요……. 그렇게 꿈꾸어 본 적이 적지 않았습니다. 그 후에 나는 감옥에서도 거대한 삶을 영위할 수 있을 거라는 생각을 하게 되었지요.」

「바로 그 멋진 생각은 내가 열두 살 때 『선문집(選文集)』에서 읽어 본 적이 있어요.」 아글라야가 말했다.

「그건 모두가 철학이에요. 공작은 철학자로서 우리를 가르치러 오신 거예요.」 아젤라이다가 나섰다.

「그럴지도 모르지요.」 공작이 미소를 지었다. 「난 정말로 철학자일지도 몰라요. 누가 압니까? 사실 나는 가르치고 싶은 생각이 있습니다……. 정말로 그럴 수도 있으니까요.」

「그러니까 공작의 철학은 에블람삐야 니꼴라예브나의 철학과 똑같군요.」 아글라야가 또다시 말을 꺼냈다. 「그 여자는 어느 관리의 미망인인데 우리 집에 식객처럼 드나들어요. 그 여자의 인생 과제는 어떻게 하면 돈을 덜 들이고 값싸게 살 수 있는가 하는 거예요. 아끼며 살기 위해서 푼돈을 가지고도 따지고 든답니다. 한데 그 여잔 돈도 있어요. 엄살을 떨고 있는 거라고요. 공작이 말한 감옥에서의 거대한 삶도 그와 똑같은 거예요. 어쩌면 4년 동안 행복하게 살았다는 시골에서의 삶도 마찬가지겠지요. 그런 삶을 위해 나폴리까지 파신 거예요. 그것도 몇 푼의 이자를 붙여서 판 게 아닐까요.」

「감옥 생활에 관해서는 동감하지 않을 수 없습니다.」 공작이 말했다. 「나는 12년 간 감옥에 갇혀 있었던 사람의 말을 들은 적이 있어요. 그는 나의 교수님한테 치료를 받던 환자였습니다. 그는 가끔 간질로 발작을 했고, 때로는 불안을 못 이겨 울부짖으며 자살까지 시도한 적이 있습니다. 그의 감옥 생활은 확실히 말해서 우울하기 짝이 없는 것이었지만, 푼돈을 위한 생활은 아니었습니다. 이 사람의 지기(知己)란 천장의 거미와 철창 밖에 자라는 나무 한 그루가 전부였습니다. 그러나 작년에 만났던 다른 사람에 대해 이야기를 해주는 편이 더 낫겠군요. 아주 이상스런 사건이 있었지요. 이상스럽다는 것은 그런 사건이 매우 드물게 일어나기 때문이랍니다. 그 사람은 다른 죄수들과 함께 사형대 위로 끌려가서 정치범으로 총살형을 받는다는 선고문을 들었습니다. 그런데 20분쯤 후에 사면령이 내려져 그보다 감형된 형량을 선고받게 되었지요.[32] 그러나 그 사람은 이 두 개의 선고 사이에, 즉 20분 아니면 적어도 15분 동안 〈나는 몇 분 후면 죽을 것이다〉라는 의심할 수 없는 확실성에 사로잡혀 있었던 거지요. 그가 가끔가다 그 당시의 인상을 떠올리곤 했는데 그 얘기를 난 무척이나 듣고 싶었어요. 그래서 나는 몇 번씩 그에게 꼬치꼬치 되묻곤 했어요. 그는 마치 어제 일처럼 모든 걸 생생하게 기억하고 있었습니다. 그 몇 분 동안의 어느 한순간도 결코 잊을 수가 없다고 했어요. 세 개의 기둥이 구경꾼들과 병사들 곁에 있는 처형대에서 스무 발자국쯤 떨어진 곳에 세워져 있었습니다. 죄수들이 여러 명 되어서였지요. 처음엔 세 명의 죄수를 그 기둥으로 끌고 가서 거기다 묶었습니다. 그리고 옷자락이 긴 흰 가운 같은 사형복을 입히고, 총이 보이지 않도록 흰 벙거지를 눈 위까지 눌러씌웠지요. 그러고 나서 각 기둥의 정면에 서너 명의 병사가 한 조를 이루어 정렬을 했습니다. 내가 아는 그 죄수는 앞에서 여덟 번째로

32 이 말 역시 뻬뜨라셰프스끼 사건으로 사형대에 섰다가 사면받은 도스또예프스끼 자신의 경험을 재현한 것이라 할 수 있다.

서 있었고, 세 번째 처형을 기다리고 있었지요. 신부가 십자가를 들고 모든 죄수들 앞을 돌아다녔습니다. 그에게 목숨이 붙어 있을 시간은 5분 정도밖에 없었던 거지요. 이 5분이 그에게 있어서는 무한대의 시간이고 엄청난 재산처럼 여겨졌다고 그는 술회했어요. 그는 이 5분 동안 많은 삶을 살 수 있을 것 같은 느낌이 들어서 그게 마지막 순간이라는 생각은 하지도 못했다고 했습니다. 그는 남아 있는 5분 동안에 해야 될 일을 정리했던 거지요. 우선 동료들과의 작별에 2분을 할당하고, 마지막으로 자기 자신을 성찰해 보는 데 2분, 그리고 나머지 시간은 마지막으로 주변을 둘러보는 데 할당했답니다. 그는 이 세 가지 결정을 시간에 맞춰 그대로 실행에 옮겼던 일을 아직도 생생히 기억하고 있어요. 그는 스물일곱 살이란 건강하고 혈기 왕성한 나이에 죽어 가야 했던 것입니다. 그는 동료들과 작별을 고하며 그 중 한 사람에게 아주 엉뚱한 질문을 던지고 어떤 대답이 나올까 매우 궁금해 하기까지 했다고 말했습니다. 동료들과 작별을 고한 뒤, 자기 자신에 대해 생각해 보는 2분이 찾아왔지요. 그는 이미 자신이 무엇을 생각할지 알고 있었답니다. 그는 어떻게 이런 일이 벌어졌는지를 가능한 한 빨리 그리고 선명하게 그려 보고 싶었던 겁니다. 나는 지금 존재하며 살고 있다. 하지만 3분 후면 무언가 다른 존재로 변할 것이다. 그 존재가 생명체인지 비생명체인지는 모른다. 생명체라면 도대체 어떤 존재가 될까? 그리고 어디에서 살게 될까? 그는 이 모든 것을 2분 동안에 다 생각해 보려 했던 것입니다! 멀지 않은 곳에 교회가 있었고, 그 교회의 황금빛 용마루는 태양빛에 이글거렸습니다. 그는 눈부시게 이글거리는 그 교회 꼭대기를 뚫어져라 쳐다보았다고 했습니다. 그 빛에서 시선을 뗄 수 없었지요. 그는 〈저 빛이야말로 나의 새로운 자연이다. 3분 후에 나는 저 빛과 융합될 것이다〉라고 생각했습니다. 앞으로 다가올 새로운 것에 대한 혐오감과 불투명성은 실로 무섭기 짝이 없었던 게지요.

그렇지만 이 순간 그에게 가장 괴로웠던 것은 〈만약에 이대로 죽지 않는다면 어떻게 되나?〉 하는 생각이 끊임없이 머릿속에서 떠오르는 것이었습니다. 〈만약 내가 죽지 않는다면 어떻게 될까? 만약 생명을 다시 찾는다면……. 그것이 영원이 아닐까! 그럼 이 모든 것이 나의 것이 된다! 그때 나는 매 순간을 1세기로 연장시켜 아무것도 잃지 않고, 1분 1초라도 정확히 계산해 두어 결코 헛되이 낭비하지 않으리라!〉 결국 그의 이러한 상념은 독한 마음으로 변하여, 차라리 한순간이라도 빨리 총살을 시켜 주었으면 하는 바람이 생겨났다고 술회했습니다.」

공작은 갑자기 말을 멈췄다. 모두들 그의 입에서 무슨 말이 나올지, 어떠한 결론이 나올지 기다리고 있었다.

「다 끝난 건가요?」 아글라야가 물었다.

「네? 네, 끝났어요.」 공작이 잠시 생각에 잠겼다가 대답했다.

「그래, 어떤 목적으로 이 얘기를 하신 거지요?」

「그냥……. 얘기를 하다 보니 생각이 나서였지요…….」

「좀 엉뚱하신 데가 있군요.」 알렉산드라가 한마디했다. 「공작은 아마도, 단 한순간일지라도 한두 푼으론 값을 매길 수 없는 법이며, 때로는 5분이 그 어떤 보물보다 더욱 소중할 수 있다는 점을 강조하고 싶었던가 봐요. 훌륭한 생각이에요. 하지만 공작에게 그와 같은 열정적 얘기를 들려준 그 사람은 감형 처분을 받고 〈영원한 삶〉을 선사받지 않았나요? 글쎄, 그 사람은 이 엄청난 부를 어떻게 처리했을까요? 매 순간 정확히 계산하며 살았나요?」

「아, 아니 그렇지 않았습니다. 그러잖아도 내가 이미 거기에 대해 물어보았지요. 그 사람 말은, 전혀 그렇지 않았다고 합니다. 너무나 많은 순간과 시간을 잃고 살았답니다.」

「여하튼 공작한텐 좋은 경험이 된 셈이고 〈시간을 정확하게 계산을 하며〉 산다는 것은 실제로 불가능한 일이군요. 이유야 어찌 되었든 간에 불가능한 게 아닙니까?」

「어찌 되었든 불가능한 거지요.」 공작이 되받아서 말했다. 「나한테도 그런 것 같아요……. 하지만 역시 믿어지지 않는군요…….」

「그렇다면 공작이 누구보다 현명하게 산다는 말인가요?」 아글라야가 말했다.

「네, 때론 그렇다는 생각이 듭니다.」

「지금도 그런가요?」

「음…… 그래요.」 공작은 여전히 잔잔하고 수줍은 미소를 띤 채 아글라야를 바라보며 말했다. 말을 끝마치자마자 그는 활짝 웃으며 명랑한 시선으로 그녀를 다시 쳐다보았다.

「아주 겸손하시군요!」 아글라야는 거의 신경질적으로 말했다.

「하지만 여러분들은 대담하십니다. 이렇게들 태연히 웃고만 계시니. 난 그 얘기를 들으며 보통 놀라지 않았습니다. 얘기를 듣고 난 후에는 꿈에서까지 바로 그 5분이 나타났을 정도였어요…….」

그는 궁금한 듯이 다시 한번 심각한 눈초리로 장군 부인과 딸들을 둘러보았다.

「여러분들은 나에게 무언가 화를 내고 있는 거죠?」 공작은 망설이는 듯하면서도 딸들의 눈을 똑바로 쳐다보며 물었다.

「왜 화를 낸다고 생각하지요?」 세 아가씨들은 짐짓 놀란 표정으로 되물었다.

「내가 외람되게 가르친다고 해서…….」

모두들 까르르 웃었다.

「화가 난다 해도 참아 주시길 바랍니다.」 공작이 말했다. 「난 다른 사람들보다 조금 살았고 누구보다도 인생이란 것을 이해하지 못합니다. 그러니 간혹 가다 아주 이상한 소리를 할 때가 있습니다…….」

그는 당황하는 빛을 감추지 못했다.

「만약 당신이 행복했다고 말한다면 아마 이것은 조금 살았다는 것이 아니라 더 많이 살았다는 것을 뜻할 거예요. 그런데 뭐 하러 점잔을 빼며 용서를 빌지요?」 아글라야가 따지듯이 근엄하게 말했다. 「공작이 우리를 가르친다고 하는 점에 대해서는 걱정하지 않아도 돼요. 그렇다고 해서 거드름을 피우시진 않았으니까요. 공작 같은 은둔주의자라면 1백 년이라도 행복하게 살 수 있을 거예요. 사형 집행이든, 손가락 하나를 보든, 그 어디서든 훌륭한 사상을 끌어내어 그것으로 만족을 얻을 수 있는 분이니까요. 그런 식으로 살아가면 되겠지요.」

「너는 뭘 그리 삐딱하게 보는지 이해를 못하겠구나.」 오랫동안 말하는 사람들의 얼굴을 지켜보던 장군 부인이 마침내 입을 열었다. 「그리고 너희들이 대체 무슨 말을 하는지도 모르겠다. 손가락이니 뭐니, 무슨 쓸데없는 소리냐? 공작이 좀 슬프게 말해서 그렇지 훌륭한 말씀이다. 너는 왜 공작의 사기를 떨어뜨리려는 거냐? 공작이 맨 처음에는 웃으면서 얘기를 시작하셨는데 지금은 아주 풀이 죽으셨잖니.」

「아무것도 아니에요, 어머니. 공작이 사형 집행을 보지 못한 것은 유감이에요. 한 가지 물어보고 싶은 게 있는데……」

「사형 집행을 본 적이 있어요.」 공작이 대답했다.

「보셨다고요?」 아글라야가 소리쳤다. 「진작에 눈치 챘어야 했는데! 그렇다면 모든 게 다 풀리네요. 만약 보셨다면 줄곧 행복하게 지냈다는 말을 못 하실 텐데요. 안 그런가요?」

「정말로 그 스위스의 촌에서 사람들을 처형했나요?」 아젤라이다가 물었다.

「난 리옹에서 봤습니다. 슈나이더 교수님이 날 그곳에 데려다 주셨지요. 우리가 도착하자마자 집행이 있었습니다.」

「그래, 만족하셨나요? 교훈이 될 만한 것도, 유익한 것도 많았나요?」 아글라야가 물어보았다.

「전혀 마음에 들지 않았습니다. 그걸 본 후에 약간 앓기까지 했어요. 고백하지만 나는 그 광경을 꼼짝도 못하고 쳐다봤습니다.

눈을 잠시도 떼지 못했어요.」

「나라도 눈을 떼지 못했을 거예요.」

「그곳에서는 여자가 그런 걸 보러 다니는 것을 썩 탐탁지 않게 생각합니다. 신문에서까지 이를 구경 나온 여자들에 대해서 쓰곤 하지요.」

「그렇다면, 그건 여성이 관여할 일이 아니라는 말씀인데 그건 오로지 남성 소관의 일이란 뜻인가요? 그걸 얘기하고, 어쩌면 정당화하려는 거 아닌가요? 그 논리에 축하를 보내요. 공작도 물론 그렇게 생각하고 있는 거죠?」

「사형 집행에 대해 얘기해 주세요.」 아젤라이다가 끼어들었다.

「지금은 도무지 얘기하고 싶지가 않군요…….」 공작이 이맛살을 찌푸리며 난처한 표정을 지었다.

「우리들에게 얘기를 해주시기가 아까운 모양이죠?」 아글라야가 꼬집어 말했다.

「아닙니다. 난 이 사형 집행에 대해 벌써 얘기했기 때문입니다.」

「누구에게 얘길 하셨나요?」

「아까 밖에서 기다리고 있을 때 시종에게…….」

「어떤 시종에게요?」 사방에서 한 목소리로 물었다.

「대기실에 앉아 있는 머리가 희끗희끗하고 얼굴이 붉은 시종입니다. 나는 예빤친 장군을 만나기 위해 거기에 앉아 있었지요.」

「이상하군.」 장군 부인이 말했다.

「공작은 민주주의자니까.」 아글라야가 말을 잘랐다. 「알렉세이한테 얘길 해주셨다면 우리에게도 해주실 수 있는 거 아니에요?」

「난 꼭 들어 보고 싶어.」 아젤라이다도 거들었다.

「사실 조금 전에……」 공작은 약간 활기가 되살아나서 아젤라이다에게 말했다(그는 기운을 되찾고 매우 빨리 남의 말에 감복하는 듯했다). 「나에게 그림의 주제를 물어보았을 때 정말로 한 가지 생각이 떠올랐어요. 사형수가 단두대 위에 올라서서 목에 작두 날이 떨어질 때까지 기다리고 있는 얼굴 표정을 그리는 겁니다.」

「얼굴을 그리라고요? 얼굴 하나만요?」 아젤라이다가 물었다. 「괴상한 주제군요. 그래 가지고서 그림다운 그림이 될까요?」

「안 될 이유가 있습니까?」 공작이 열을 내며 주장했다. 「나는 얼마 전 바젤에서 그런 그림 한 점을 보았습니다. 무척이나 그 그림에 대해 얘기하고 싶군요……, 기회가 있을 때 얘기해 드리겠습니다……. 너무나 놀라운 그림이었지요.」

「나중에 그 그림에 대해 꼭 얘기해 주세요.」 아젤라이다가 말했다. 「지금은 우선 사형수를 그리는 것에 대해 자세히 설명해 보세요. 머릿속에 상상하고 있는 그대로를 전할 수 있죠? 그 얼굴을 어떻게 그리죠? 얼굴 하나만요? 그게 대체 어떤 얼굴이죠?」

「그것은 정확히 죽기 1분 전의 모습입니다.」 공작은 회상에 젖어 나머지 모든 것을 잊어버린 채 마치 기다렸다는 듯이 말문을 열었다. 「그 사형수가 층계를 다 올라가 단두대에 발을 내디딘 바로 그 순간, 그는 내가 있는 쪽을 바라보았지요. 그때 나는 그의 얼굴을 보고 모든 걸 이해하게 됐습니다……. 하지만 이걸 어떻게 다 말로 표현하겠습니까? 나는 댁이나 그 누구든 그 광경을 그렸으면 하는 마음이 굴뚝 같습니다. 댁이 그리신다면 더할 나위 없이 좋을 겁니다! 그때 나는 이러한 그림이 매우 유익할 거라고 생각했지요. 그러나 그 그림을 그리기 위해서는 이전에 있었던 모든 일을 낱낱이 다 알아야 할 필요가 있습니다. 그 사형수는 감옥에 있으면서 처형일이 아직도 일주일이나 더 남아 있을 거라고 생각했지요. 그는 일반적인 절차를 염두에 두고, 사형 집행 서류가 돌아오려면 1주일은 걸릴 거라고 계산했지요. 그런데 갑자기 어떤 사건으로 인해 집행 기간이 단축되었던 겁니다. 아침 5시, 그는 잠을 자고 있었어요. 때는 10월 말이어서 5시쯤이면 아직 날씨가 컴컴하고 어두웠지요. 형무소장이 간수와 함께 조용히 들어와 조심스럽게 그의 어깨를 툭툭 치자, 그는 몸을 약간 일으켜 팔꿈치로 몸을 받쳤습니다. 그는 불빛을 본 순간 짤막하게 말했습니다. 〈무슨 일이오?〉 〈10시에 사형 집행을 한다.〉 그는 잠이 덜 깨 귀를 의심하며, 서류상으로는 1주일 후인데 벌써부터 왜 그러느냐고 입씨름을 벌였지요. 그런데 정신이 완전히 들고 나서부터는 아무 말도 하려 하지 않고 입을 다물어 버렸어요. 들리는 바로는, 그는 〈어쨌든 이렇게 느닷없이 집행을 한다니 괴롭군……〉이라고 말하고 나선 줄곧 아무 말도 하지 않았다고 하더군요. 그리고 서너 시간 동안 흔히 하는 절차를 밟았어요. 신부를 만나 보고, 포도주와 커피와 쇠고기가 나오는 아침을 든든히 먹었어요. 사실 그런 아침을 준다는 것은 조롱이 아니고 뭐겠습니까? 이 얼마나 잔인한 일입니까. 게다가 그 순진한 사람들은 순수한 마음에서 그러한 행동을 하며 그게 박애 정신이라고 확신했던 겁니다. 그 다음에는 몸단장을 시켰던 게지요. 죄수에게 몸단장이 대체 무슨 소용입니까? 그리고 마침내 그를 시내에 있는 형장으로 데려간 겁니다. 형장까지 끌려가는 동안은 남아 있는 시간이 무한할 거라는 생각을 했을 것 같아요. 그는 길을 가며 이렇게 생각했을 겁니다. 〈사형까지는 오래 걸릴 것이다. 아직도 거리를 세 군데나 지나가야 된다. 그동안 난 살아 있다. 이 거리를 지나가면 다음 거리가 또 남아 있다. 그리고 오른편에 빵 가게가 있는 거리가 또 하나 있다……. 그 빵 가게까지 가려면 아직도 얼마간 더 가야 한다!〉 주변엔 군중이 운집해 있었고, 그들의 외침, 소음, 수만의 얼굴, 수만의 눈이 한데 엉겨 있었지요. 그 모든 것을 참아 내야 했지만 가장 힘든 것은, 〈수많은 저 군중 중에서 아무도 처형당하는 이가 없고, 나만 홀로 처형을 당하는구나!〉 하는 생각이었지요. 여기까지가 모두 서론입니다. 단두대에는 조그만 계단이 설치되어 있었습니다. 그는 그 계단 앞에 이르자 갑자기 울음을 터뜨렸습니다. 그는 아주 건장하고 남자다운 사내였는데, 대단한 악당이었다고들 말하더군요. 시종일관 그의 곁에는 신부가 따라다녔습니다. 함께 수레까지 타고 왔을 정도니까요. 신부는 뭐라고 계속 말을 했지만, 그 사형수는 무슨 말을 하는지 거의 듣는 것 같지 않았어요. 아무리 들으려 한다 해도 세 마디째부터는 무슨 말인지 이해하지 못했을 겁니다. 누구든 다 그렇지 않겠습니까? 마침내 그는 계단을 올라가기 시작했어요. 그때 그의 발은 묶여 있어서 조금씩밖에 발을 뗄 수가 없었습니다. 신부는 — 그는 틀림없이 현명한 사람일 거예요 — 말을 멈추고 그에게 십자가에 키스하게 했습니다. 계단 밑에서 사형수의 얼굴은 무척 창백해 보였어요. 그런데 단두대에 올라갔을 때 그의 얼굴은 더욱 창백해져서 마치 백지장 같았어요. 아마 두 다리의 힘이 모두 빠져 나무처럼 뻣뻣해지고, 목이 눌려 구역질이 날 지경이었는지도 모르죠. 여러분은 지독하게 놀란다거나 무서워서 오싹하는 순간에, 정신은 말짱한데 몸이 전혀 말을 듣지 않는 경우를 겪어 봤나요? 예를 들면, 머리 위로 내려앉는 것같이 죽음이 불가피한 상황에서는 누구든 제자리에 털썩 주저앉아 눈을 감고 날 잡아가라 하고 모든 걸 포기할 겁니다. 이와 같이 약한 마음이 일기 시작했을 때 신부는 재빨리 그 사형수의 입에다 말없이 십자가를 갖다 댔습니다. 사각의 작은 은제 십자가였지요. 신부는 매 순간 그것을 갖다 댔습니다. 그는 십자가가 입술에 닿을 때마다 눈을 뜨고 몇 초 동안 기운을 차린 듯이 발을 옮겼어요. 그는 탐욕스럽게 십자가에 키스를 해댔습니다. 그는 비상 시를 위해 무언가를 움켜잡아 비축해 놓듯이 성급하게 키스를 했지요. 그렇지만 이러한 순간에 종교적인 감화를 받은 것 같지는 않았어요. 이렇게 해서 기요틴의 작두 날까지 온 겁니다……. 이상한 건 이러한 순간에 인간은 기절할 만도 한데 그런 경우가 드물다는 겁니다. 기절은커녕 정신이 기가 막히게 말짱해지고, 마치 작동 중인 기계처럼 강하게, 강하게 머리가 움직이는 것 같습니다. 내 상상이지만, 끝도 없는 여러 가지 생각들이, 어쩌면 우스꽝스럽기도 하고 이런 상황과 아무 상관도 없는 엉뚱한 생각들이 서로 맞부딪치면서 떠오르지 않았나 생각해 봅니다. 말하자면, 〈저 사람이 날 쳐다보고 있구나. 그런데 이마에 사마귀가 붙어 있군. 여기 이 형리의 아랫단추가 녹이 슬어 있는데……〉 하는 식이죠. 왜냐하면 또 한편으로는 모든 걸 알고 기억하고 있다는 거였습니다. 도무지 잊어버릴 수 없는 점이 있기 때문입니다. 그것 때문에 기절할 수도 없고, 모든 것이 그 점 주위에서 빙빙 돌고 있지요. 머리가 이미 칼날 밑에 눕혀져, 무엇이 닥칠까 그 결과를 빤히 알고 있는데, 갑자기 자기의 머리 위로 쇳덩이가 미끄러져 내려오는 소리를 듣는 최후의 4분의 1초가 어떠할지 생각해 보세요! 그 소리는 반드시 들릴 것입니다. 나라도 단두대 밑에 있다면 그 소리를 의식적으로라도 들으려 할 거고 듣게 될 겁니다! 어쩌면 그 순간이 10분의 1초에 불과할지도 모릅니다. 그러나 여하튼 그 소리는 반드시 듣게 됩니다. 그리고 한번 상상해 보세요. 지금까지도 왈가왈부하지만, 머리가 떨어져 나간 후 1초 정도는 자기 목이 날아갔다는 것을 의식할 수 있다는 것이 얼마나 해괴합니까. 만약 그것이 5초 정도라면 어떻게 될까요? 층계의 맨 위의 단만 가까이 명확히 보이게끔 단두대를 그려 보세요. 사형수는 백지장처럼 하얀 얼굴로 마지막 계단을 밟고 있고, 신부가 내민 십자가에 새파랗게 질린 입술을 탐욕스럽게 내밀고, 두 눈은 〈모든 걸 다 알고 있다〉는 듯이 십자가를 바라보고 있는 겁니다. 그림의 핵심은 십자가와 머리입니다. 신부의 얼굴, 형리, 두 명의 형리보, 아래쪽에 보이는 몇몇 머리와 눈, 이 모든 것은 배경의 액세서리로 안개에 싸인 듯 그려도 됩니다……. 이것이 상상해 본 모습입니다.」

공작은 말문을 닫고 모두를 쳐다보았다.

「듣고 보니 전혀 은둔주의자 같지 않군.」 알렉산드라가 혼잣말을 했다.

「그럼 이제는 사랑에 빠졌던 얘기를 해주세요.」 아젤라이다가 말했다.

공작은 놀란 눈으로 그녀를 바라보았다.

「내 말 뜻은,」 하고 아젤라이다가 서두르듯이 말했다. 「바젤 시에서 보았다는 그림 얘기도 있겠지만, 지금은 공작의 사랑 이야기를 듣고 싶다는 거예요. 시치미 떼지 마세요. 누굴 사랑해 본 적 있잖아요. 게다가 이제 그런 얘기를 하시면, 철학자라는 생각이 안 들 거예요.」

「말을 마치자마자 자신이 했던 말을 부끄러워하시는군요.」 아글라야가 불쑥 말을 꺼냈다. 「왜 그러시는 거죠?」

「이젠 별 어리석은 소릴 다 하는구나.」 장군 부인이 화난 듯이 아글라야를 쳐다보며 말을 막 았다.

「그다지 현명한 말 같지 않아.」 알렉산드라가 한마디 거들었다.

「아글라야의 말을 진지하게 생각하지 마세요, 공작.」 장군 부인이 말했다. 「재는 괜히 짓궂게 구느라고 그렇게 말한 거예요. 저 애가 나처럼 우둔하게 교육받지 않았는데도 그래요. 이 아이들이 공작을 괴롭힌다고는 생각하지 말아 주세요. 무슨 속셈이 있는지는 모르지만, 이 애들은 벌써 공작을 좋아하고 있어요. 나는 이 아이들 얼굴만 봐도 알 수 있어요.」

「나도 따님들의 얼굴을 알고 있습니다.」 공작은 특히 힘주어 말했다.

「어떻게 알고 있단 말인가요?」 아젤라이다가 호기심에 차서 물어보았다.

「우리 얼굴에 대해 무엇을 알고 있지요?」 나머지 두 딸도 호기심이 생겼다.

그러나 공작은 대답을 하지 않고 심각한 표정을 짓고 있었다. 모두들 그가 대답하기를 기다렸다.

「나중에 말씀드리겠습니다.」 공작은 나직한 목소리로 심각하게 말했다.

「공작께서는 우리의 관심을 완전하게 끌고 싶어하는군요.」 아글라야가 소리쳤다. 「대단히 거드름을 피우시는군요.」

「그럼 좋아요.」 아젤라이다가 또다시 재촉을 했다. 「만약 공작이 사람들의 얼굴을 그렇게 잘 아신다면 틀림없이 연애도 하셨을 거예요. 어때요, 내 말이 맞지요. 어서 얘길 해주세요.」

「난 사랑을 해본 적이 없습니다.」 공작은 마찬가지로 나직한 목소리로 심각하게 대답했다. 「나는…… 연애 때문에 행복했던 게 아닙니다.」

「그럼 무엇 때문이었죠?」

「좋습니다. 그럼 얘기를 해드리죠.」 공작은 깊은 명상에 잠긴 사람처럼 말했다.

6

「여러분들은 지금 나를,」 공작이 말문을 열었다. 「대단한 호기심을 가지고 바라보고 있습니다. 내가 그 호기심을 충족시켜 주지 못하면 화를 내실지도 모릅니다. 아니, 농담이에요.」 그는 곧 웃음을 지어 보였다. 「거기에는 모두 아이들만 있었습니다. 나는 줄곧 이 아이들하고만 지냈지요. 한 무리나 되는 아이들은 마을의 초등학교에 다니고 있었어요. 내가 그 아이들을 가르쳤던 건 아닙니다. 그 일은 쥘 티보라는 학교 선생님이 담당했지요. 나도 어쩌면 그 아이들을 가르쳤는지 모르지만, 그보다는 그 아이들과 함께 지냈다고 하는 편이 더 정확한 표현일 겁니다. 내가 거기 있던 4년은 그런 식으로 지나갔습니다. 나에게 다른 것은 필요 없었습니다. 나는 아이들에게 모든 것을 숨기지 않고 다 말하고 지냈습니다. 그들의 아버지나 친척들은 시종 나에게 화를 냈지요. 아이들이 나 없이는 못 견뎌 하며 언제나 내 주위를 맴돌고 있었으니까요. 학교 선생님은 그렇게 해서 결국은 나의 첫번째 적이 되었지요. 아이들로 인해 나에겐 많은 적들이 생겨났습니다. 급기야는 슈나이더 교수까지 나에게 싫은 소리를 하게 되었어요. 그들이 무얼 그리 두려워했느냐고요? 아이들에게는 모든 것을 다 말해도 됩니다. 그러나 언제나 나에게 충격적이었던 것은 어른들이 아이들을 형편없이 모르고 있다는 사실이었지요. 심지어는 친부모까지 자기 자식들을 잘 모르고 있었으니까요. 아이들이 어리다고 해서, 아니면 아직 알기에 이르다고 해서 그들에게 무언가를 숨길 필요는 없습니다. 그건 매우 서글프고 불행한 태도입니다! 아이들은 모든 것을 이해하고 있기 때문에, 심지어는 부모들이 애들은 너무 어려서 아무것도 이해하지 못한다고 생각하는 것까지도 훌륭히 알아챕니다. 어른들은 잘 모르겠지만, 아이들은 아주 곤란한 상황에서조차 지극히 중요한 조언을 해줄 수 있습니다. 오, 이 착하고 어린 새가 꾸밈 없이 행복한 눈망울로 당신을 바라보는데, 이 어린 새를 속인다는 것은 부끄러운 짓입니다! 내가 아이들을 어린 새라고 부르는 이유는 이 세상에서 어린 새만큼 착한 게 없기 때문이지요. 어쨌든, 마을 사람들이 모두 나를 싫어했던 주요한 까닭은 어떤 사건 때문이었습니다……. 그런데 티보는 한마디로 나를 시기했습니다. 그는 아이들이 내가 가르치는 것은 모두 이해하는데 자기가 가르치는 것은 거의 이해하지 못하는 데 대해서 처음에는 고개를 저으며 놀라기만 할 따름이었는데, 내가 그에게 우리는 아이들에게 아무것도 가르쳐 줄 수 없으며 오히려 우리가 아이들에게서 배워야 한다는 말을 하고 난 뒤부터는 나를 조소하기 시작했습니다. 그도 아이들과 함께 생활하고 있었는데 어떻게 나를 시기하고, 중상할 수 있었을까요? 영혼의 병은 아이들을 통해 치유될 수 있습니다……. 슈나이더 교수의 병원에는 불행한 환자가 한 사람 있었습니다. 아무리 불행하다 하더라도 그의 불행을 쫓아가지는 못할 겁니다. 그는 정신 착란으로 입원해 있었지요. 그러나 내가 보기에 그는 미친 사람이 아니었어요. 그는 지독하게 괴로워하고 있었을 뿐이었습니다. 그게 바로 그의 병의 전부였지요. 그런데 나의 아이들에게 그 환자가 얼마나 소중한 존재가 되었는지 여러분이 안다면……. 하지만 이 환자에 대해선 다음에 얘기하는 게 낫겠어요. 지금은 그 모든 사건의 전모를 얘기해 주겠어요. 아이들은 맨 처음에 날 좋아하지 않았지요. 난 어른인 데다가 언제나 꾸물거리는 느림보였으니까요. 게다가 나 스스로도 인정하지만 난 멍청한 데가 있었고, 더욱이 외국인이었어요. 아이들은 처음에 나를 보고 비웃었죠. 그리고 내가 마리에게 키스하는 걸 보고 나에게 돌멩이까지 던지기 시작했어요. 난 단 한 번밖에 그녀에게 키스를 하지 않았는데……. 그렇게들 웃지 마세요.」 공작은 아가씨들이 킥킥거리자 성급하게 웃음을 막았다. 「사랑해서 키스를 한 건 절대로 아니었어요. 마리가 얼마나 불행한 아가씨인지 안다면 여러분도 나처럼 그 아가씨를 가엾게 여길 겁니다. 그녀는 같은 마을에서 살았지요. 그녀의 어머니는 아주 나이 많은 노파였고, 그들 모녀에겐 두 개의 창문이 난 아주 낡은 작은 집이 있었습니다. 그 노파는 마을 당국의 허가를 받아 한쪽 창문을 떼어 내고 그 창문을 통해 빨랫줄이니 실, 담배, 비누와 같이 자질구레한 물건들을 팔아 간신히 연명하고 있었습니다. 그 노파는 환자였고, 두 다리가 부어 올라 줄곧 앉아 있어야 했지요. 마리는 그 노파의 딸로서 스무 살쯤 된 허약하고 몸이 마른 처녀였어요. 그녀는 오래전부터 폐병을 앓아 왔지만, 매일같이 집집마다 돌아다니며 힘든 일을 맡아 했습니다. 그녀는 남의 집 청소를 해주고, 옷을 빨아 주고, 마당을 쓸어 주고, 가축을 몰아넣는 일을 했지요. 어느 떠돌이 프랑스 상인이 그녀를 유혹하여 데려갔다가 일주일 후에 그녀를 홀로 길 위에 팽개쳐 놓고 도망간 적도 있었지요. 그녀는 온통 누더기가 되어 더러워진 옷을 입고 다 떨어진 나막신을 끌며 거지 꼴로 돌아왔습니다. 그녀는 일주일 내내 걸어왔고, 들판에서 노숙을 하다가 심하게 감기에 걸렸지요. 다리는 상처투성이였고, 두 손은 부르터 있었으며 풀잎에 마구 베어져 있었습니다. 그러잖아도 그녀는 원래 아름다운 편이 아니었어요. 소리 없이 반짝이는 두 눈만이 착하고 결백해 보였을 뿐입니다. 아주 말이 없는 여자였지요. 언젠가 한번은 일을 하면서 느닷없이 노래를 부르기 시작해 모두들 깜짝 놀라 웃기 시작했던 일이 있었답니다. 〈마리가 노래를 다 부르다니! 이럴 수가! 마리가 노래를 불렀어!〉 그녀는 몹시 당황해서 그 다음부터는 영원히 입을 다물어 버렸던 거지요. 그때까지 그녀는 귀여움을 받았지만, 그녀가 병이 들어 남루한 모습으로 돌아왔을 때에는 아무도 그녀에게 동정심을 베풀지 않았어요. 너무나 잔인한 사람들이었어요! 그들은 너무나 가혹한 생각을 가지고 있었던 거예요! 어머니가 제일 먼저 그녀를 미움과 경멸로 맞이했어요. 〈이 어미를 이렇게 망신시키다니!〉 제일 먼저 그녀를 수치의 구덩이로 몰고 간 사람은 그녀의 어머니였습니다. 마을 사람들은 마리가 돌아왔다는 소식을 듣고, 남녀노소 불문하고 모두들 마리를 보러 그 노파의 집으로 급히 몰려들었지요. 마리는 다 찢어진 옷을 입어 거의 몸이 드러난 채 노파의 발 밑에 엎드려 울고 있었습니다. 사람들이 모여들자 그녀는 흐트러진 머리로 얼굴을 가리고 바닥에 엎드렸습니다. 사람들은 둥그렇게 원을 그린 채 파충류를 보듯 그녀를 내려다보았어요. 노인들은 그녀를 나무라고 욕을 했으며, 젊은이들은 비웃기조차 했고, 부인들은 경멸 어린 욕설을 퍼부으며 그녀를 꾸짖고, 마치 거미를 바라보듯 그녀를 쳐다보았습니다. 그녀의 어머니는 이 모든 것을 허용했고, 그녀 자신은 그냥 앉은 채로 머리를 끄덕이며 수긍을 했지요. 어머니는 병이 악화되어 거의 죽어 가는 상황이었어요. 노파는 결국 두 달 후에 죽고 말았습니다. 노파는 자기가 죽는다는 사실을 알고 있었으나 죽는 날까지 딸을 용서할 생각을 하지 않았습니다. 그리고 딸과는 단 한 마디도 하지 않았을 뿐더러, 잠잘 때는 딸을 건초 더미로 내쫓았고, 음식도 거의 먹이지 않았어요. 노파는 다리가 아파서 자주 더운 물로 찜질을 해줘야 했는데, 마리가 매일 어머니의 다리를 씻겨 주고 돌보아 주었습니다. 노파는 말없이 딸의 병간호를 다 받으면서도 그녀에게 따뜻한 말 한마디 건네지 않았습니다. 마리는 이 모든 것을 다 참아 냈지요. 나중에 그녀와 알고 나서 느낀 바였지만, 그녀는 모든 것을 당연하게 받아들였고, 자신을 가장 미천한 존재로 여겼던 겁니다. 노파가 완전히 자리에 눕자 동네 할머니들이 노파를 돌봐 주려고 교대로 찾아왔습니다. 그 마을에서는 그게 관례가 되어 있었지요. 그때 마리는 아무것도 얻어먹지 못하는 신세가 되었습니다. 마을 사람들은 그녀를 문전 박대하며, 여전히 아무런 품팔이 자리도 주지 않았던 거예요. 모두들 한결같이 그녀에게 침을 뱉었던 겁니다. 심지어 남자들은 그녀를 여자로 봐주지도 않았고, 그녀에게 심한 상소리를 해댔지요. 간혹 가다가는, 물론 보기 드문 경우였지만, 사람들은 일요일에 만취하여 마리를 향해 장난으로 동전을 던지기도 했어요. 그러면 그녀는 말없이 그것을 줍곤 했습니다. 그녀는 그때 벌써 기침을 하며 피를 토해 내기 시작했어요. 마침내 그녀의 누더기 옷은 완전히 해져서, 그걸 걸치고 마을을 돌아다니기가 창피할 정도가 되었지요. 더구나 그녀는 집에 돌아온 날부터 맨발로 나다녔어요. 그럴 때면 한 40명이나 되는 아이들의 무리가 그녀를 놀려대기 시작하고 그녀에게 흙을 뿌리기까지 했습니다. 그녀는 목장에 찾아가 소를 치게 해달라고 부탁을 해보았지만 일언지하에 거절당했습니다. 그녀는 하는 수 없이 허락도 받지 않고 소 떼와 함께 하루 종일 집 밖으로 나다녔어요. 그녀가 좋은 일을 많이 해주었다는 것을 알고, 목동은 그녀를 내쫓지 않고 때로는 그녀에게 먹다 남은 점심이나 치즈와 빵 같은 것을 주었습니다. 그는 이러한 행위를 아주 대단한 적선이라고 여겼지요. 노파가 죽자 교회의 목사는 공개적으로 마리에게 모욕을 주었습니다. 마리는 여느 때와 같이 누더기를 걸치고 어머니의 관 뒤에 서서 울고 있었고, 사람들은 그녀가 어떻게 울고, 어떻게 관을 쫓아가는지 궁금해서 많이 모였어요. 그 당시에 목사는 아직 젊은 분이었는데 위대한 목회자가 되어 보겠다는 야심을 가지고 있었지요. 그는 마리를 가리키며 모든 사람에게 보란 듯이 말했어요. 〈이 존경스런 부인의 죽음을 불러일으킨 장본인이 바로 여기에 있습니다!〉 — 노파가 이미 2년 전부터 병을 앓아 온 사실로 미루어 볼 때 그 말은 거짓입니다 — 〈여기 이 여자가 여러분 앞에 얼굴을 들지 못하고 서 있습니다. 이 여인이 이렇게 된 것은 하늘의 뜻입니다. 보시다시피 이 여인은 맨발에 누더기를 걸치고 있습니다. 이것이야말로 선행을 잃은 자들의 본보기입니다! 도대체 이 여인이 누구입니까? 바로 돌아가신 분의 딸입니다!〉 그 목사의 설교는 바로 그런 식이었어요. 한번 상상해 보세요. 모두들 그 비열한 말을 듣고 만족스러워하는 거였어요. 그런데 이때 이상한 일이 벌어졌지요. 아이들이 끼어든 겁니다. 왜냐하면 그때 아이들은 이미 모두 다 내 편에 서서 마리를 사랑하기 시작했기 때문이었습니다. 사실 그전에 있었던 일인데, 나는 평소에 마리에게 무언가를 해주고 싶었습니다. 그녀에겐 돈이 몹시 궁했지만, 나는 돈이라곤 한 푼도 가져 본 적이 없었어요. 내게 있는 것이라곤 작은 다이아몬드 핀밖에 없어서 난 그걸 어느 고물상에 팔았습니다. 그 고물상은 이 마을 저 마을 돌아다니며 헌 옷을 팔고 사고 하던 사람이었습니다. 그는 나에게 8프랑을 주었지만 그 다이아몬드 핀은 40프랑은 족히 나가는 것이었지요. 나는 오랫동안 마리와 단둘이 만날 기회를 찾다가, 마침내 어느 날 산으로 통하는 지름길에 있는 울타리 곁의 나무 뒤에서 만나게 되었습니다. 그때 나는 그녀에게 8프랑을 주며 아껴 쓰라고 말했습니다. 왜냐하면 나에겐 돈이 더 이상 나올 데가 없었기 때문이었지요. 그 다음에는 그녀에게 키스를 해주며, 내가 무슨 나쁜 의도가 있어서 이러한 행동을 하는 게 아니라고 말했어요. 그리고 내가 그녀에게 키스를 하는 것은 그녀를 사랑해서가 아니라 동정해서이고, 애초부터 나는 그녀가 조금도 죄를 지었다고 생각하지 않으며, 다만 불행한 여인이라는 생각만 하고 있다고 말했어요. 나는 모든 사람들 앞에서 죄 지은 사람처럼 미천하게 굴지 말라고 확신을 시켜 주며 위로해 주고 싶었어요. 그러나 그녀는 이해를 못 했던 것 같아요. 지금에서야 느낀 바이지만, 마리는 시종일관 거의 침묵을 지키며 내 앞에 서서 고개를 푹 수그리고 무척이나 수치스러워했어요. 나의 말이 끝나자 그녀는 내 손에 키스를 했고, 나 또한 그녀의 손을 잡고 거기다 키스를 하려 하니까 그녀가 손을 얼른 빼더군요. 이때 갑자기 아이들이 우리를 보았던 겁니다. 거의 한 무리가 되어 나타났지요. 나중에 안 일이었지만, 아이들은 처음부터 내 뒤를 줄곧 밟아 왔던 거였어요. 아이들은 휘파람을 불고 손바닥을 치며 웃어 댔습니다. 마리는 대뜸 도망을 치더군요. 내가 무슨 말을 꺼내려고 하자 아이들이 나에게 돌을 던지기 시작했어요. 그날 온 마을 사람들이 이 일을 알게 되었고 모든 것을 또다시 마리에게 덮어씌웠어요. 사람들은 그녀를 더욱더 싫어하기 시작했지요. 심지어는 그녀에게 벌을 주자는 말까지 나돌았습니다. 그러나 다행히 그쯤으로 일이 끝나 버렸습니다. 그 대신 아이들은 그녀가 가는 길을 막아서기도 하고, 예전보다 더욱 심하게 놀리고, 오물을 던지고, 그녀를 쫓아내기도 했습니다. 아이들에게서 도망칠 때면 그녀는 워낙 가슴이 약했던지라 헉헉거렸습니다. 아이들은 그녀를 뒤쫓아 가며 목청껏 욕을 해댔습니다. 언젠가 나는 그런 아이들에게 뛰어들어 싸움을 하려 한 적도 있었어요. 그 다음에 나는 아이들에게 내 힘이 닿는 대로 매일같이 설득하기 시작했어요. 아이들은 여전히 욕지거리를 해댔지만 간혹 가다가는 잠자코 내 말을 듣기도 했지요. 나는 아이들에게 마리가 무척이나 불행한 사람이라는 것을 얘기해 주었어요. 그러자 아이들은 곧 욕설을 멈추고, 말없이 마리를 비껴 가기 시작했지요. 우리는 조금씩조금씩 대화를 해나가기 시작했고, 나는 아이들에게 아무것도 숨기지 않고 모든 것을 다 얘기해 주었습니다. 아이들은 커다란 호기심을 가지고 귀를 기울였으며 곧 마리를 불쌍히 여기기 시작했지요. 어떤 아이들은 그녀와 만나면 상냥하게 인사까지 했어요. 거기서는 아는 사람이건 모르는 사람이건 마주치게 되면 고개 숙여 〈안녕하세요〉 하고 말합니다. 상상컨대, 마리는 무척 놀랐던 겁니다. 한번은 두 여자아이가 먹을 것을 얻어서 마리에게 가져다 주고는 나에게 와서 얘기를 해주었어요. 그 아이들은 마리가 눈물을 흘렸고 자기네들은 그녀를 무척이나 사랑하게 될 것 같다고 말했어요. 곧 이어 모두들 정말 그녀를 사랑하기 시작했고, 동시에 나까지 사랑하게 된 겁니다. 아이들은 자주 나에게 찾아와 이것저것 얘기해 달라고 청했어요. 아이들이 나의 이야기를 듣고 싶어했던 걸 보면 내가 훌륭한 이야기꾼이었던 모양이에요. 나중에는 오로지 그들에게 얘기를 해주기 위해 공부를 하고 독서를 했습니다. 그 후 3년 내내 나는 그들에게 얘기를 해주었지요. 훗날 슈나이더를 포함해서 모두들 나를 비난했죠. 내가 아이들에게 아무것도 숨기지 않고 어른들 대하듯이 그들에게 할 말 안 할 말 다 털어놓는다는 거였어요. 그래서 이렇게 대답했지요. 아이들에게 거짓말하는 것은 수치스러운 일이다, 아이들은 어른들이 아무리 숨기려 해도 어차피 모든 걸 다 알아낸다, 그리고 자기네들끼리 알아내면 나쁜 방향으로 해석을 하지만 내가 알려 주면 그럴 염려가 없다, 모두들 자기가 아이였을 때를 회상해 보라. 그러나 사람들은 내 말에 수긍을 하지 않았어요……. 나는 마리의 어머니가 죽기 2주일 전에 그녀에게 키스를 했습니다. 그래서 목사가 장례식에서 설교를 했을 때 아이들은 이미 모두 내 편이었지요.

나는 즉각적으로 아이들에게 목사의 처사를 설명해 주었습니다. 모두들 목사에게 분노했고, 어떤 아이들은 돌로 유리창을 깨기까지 했어요. 나는 그들을 말렸습니다. 그건 어리석은 행동이었기 때문이지요. 그러나 마을 사람들은 즉시 그 사건을 알아내고, 아이들을 망쳐 놓았다고 나를 비난하기 시작했어요. 그리고 사람들은 아이들이 마리를 사랑하고 있다는 사실을 알자 보통 놀라는 것이 아니었어요. 그러나 마리는 이미 행복을 느끼고 있었어요. 어른들은 아이들에게 마리를 만나는 것을 금지했으나, 아이들은 몰래 무리를 지어 마을에서 반 베르스따 떨어진 먼 곳까지 가서 그녀를 만나곤 했습니다. 아이들은 그녀에게 먹을 것을 갖다 주었고, 그 중 어떤 아이들은 그녀를 포옹하고 키스를 해주며 〈당신을 사랑해요, 마리Je vous aime, Marie!〉라고 말해 주려고 일부러 달려왔다간 이내 뒤도 안 보고 쏜살같이 되돌아가는 거였어요. 마리는 갑작스런 행복에 미칠 것만 같았지요. 그녀는 꿈에도 그런 행복을 느껴 본 적이 없었어요. 그녀는 부끄럽기도 하고 기쁘기도 했습니다. 그런데 중요한 것은, 특히 여자아이들이 그랬는데, 그녀한테 찾아가서 내가 그녀를 사랑하고 그녀에 대해 아주 많은 얘기를 해준다고 전했던 거예요. 아이들은 그녀에게, 내가 모든 걸 얘기해 줘서 그들이 지금 그녀를 좋아하고 가엾게 여기며, 앞으로도 그렇게 할 거라고 말했습니다. 그러고 나서 아이들은 나에게 뛰어와서 환희에 넘치는 호들갑스런 얼굴로 말을 했지요. 그들이 방금 마리를 만났는데 마리가 나에게 고개 숙여 인사를 했다는 거였어요. 저녁마다 나는 폭포가 있는 곳으로 나갔어요. 거기에는 마을 쪽에서 완전히 가려진 장소가 한 군데 있었지요. 주변에는 포플러 나무가 자랐는데 아이들은 그곳으로 나를 보러 밤마다 모여들었습니다. 어떤 아이들은 부모 몰래 찾아오기도 했어요. 아이들은 마리에 대한 나의 사랑을 무척이나 즐기려 했던 것 같았어요. 내가 그곳에 살고 있는 동안 아이들을 속였던 적은 바로 그때 단 한 번이었어요. 나는 아이들에게 〈나는 마리를 조금도 사랑하지 않는다. 나는 사랑에 빠진 게 아니라 그녀를 가엾이 여기고 있는 것이다〉라고 말을 할 수가 없었습니다. 모든 것으로 미루어 볼 때 아이들은 그들이 상상하고 있는 것과 자기들이 멋대로 결정한 것 이상을 원했기 때문입니다. 그래서 나는 입을 다물고 그들이 추측하는 것과 같은 표정을 짓고 있었지요. 이 어린 마음씨들이 얼마나 섬세하고 다정했는지! 그들의 착한 레옹이 마리를 사랑하고 있는데, 마리가 누추하기 짝이 없는 옷차림에 신발조차 없다는 사실이 말도 안 된다고 생각했어요. 그 뒤 무슨 일이 있었는지 상상이 되세요? 아이들은 마리에게 나막신과 양말과 속옷, 심지어는 어떤 드레스까지 구해다 주었어요. 아이들이 어떻게 그런 머리를 쓸 수 있었는지 이해가 안 갈 정도였어요. 모두들 한마음이 되어 힘을 합친 결과였지요. 내가 그들에게 이게 어찌 된 영문이냐고 꼬치꼬치 묻자 그들은 그저 싱긋 웃기만 했고, 여자아이들은 손뼉을 치며 나에게 키스를 했습니다. 나 역시 이따금 사람들 몰래 마리를 만나러 가곤 했지요. 그러나 그녀의 병세는 악화되어 제대로 걷지도 못할 정도가 되었고, 마침내는 목동일을 제대로 봐주지 못하게 되었습니다. 그래도 아침이면 가축들과 함께 목초지로 나오긴 했습니다. 그녀는 목초지로 나와선 한 귀퉁이에 앉아 있곤 했지요. 그녀는 가파른 바위가 위로 돌출해 있는 곳에서 가장 후미진 곳에 앉아 있었어요. 아무에게도 보이지 않는 그곳에서 그녀는 아침부터 가축이 우리로 들어가는 무렵까지 거의 하루 종일 꼼짝도 않고 앉아 있었어요. 그녀는 폐병으로 인해 몸이 너무 쇠약해져서, 머리를 바위에 기대고 눈을 감고 앉아 힘겹게 숨을 쉬며 졸고 있었습니다. 그녀의 얼굴은 해골처럼 핼쑥했고, 이마와 정수리에는 식은땀이 줄줄 흘렀어요. 내가 그녀를 본 모습은 언제나 그러했어요. 나는 잠깐 동안만 그녀를 만나 보러 가곤 했지요. 나 역시 사람들에게 노출되는 것을 꺼렸기 때문이에요. 내가 나타나기만 하면 마리는 몸을 부르르 떨며 두 눈을 번쩍 뜨고 나의 손에 키스를 하러 달려왔습니다. 나는 그것을 마다하지 않았어요. 이것이 그녀의 행복이었기 때문입니다. 내가 앉아 있는 동안 그녀는 내내 몸을 부르르 떨며 흐느껴 울었어요. 사실 그녀는 수차례나 무슨 말을 꺼냈지만 나는 그게 무슨 말인지 이해하기가 힘들었어요. 그녀는 미친 사람처럼 흥분과 기쁨으로 몹시 떨고 있었어요. 이따금 나는 아이들과 함께 가기도 했습니다. 그럴 때면 아이들은 우리들에게서 약간 떨어져서 망을 보기 시작했어요. 아이들은 그러한 행동에 상당한 보람을 느끼는 것처럼 보였어요. 우리가 떠나면 마리는 또다시 홀로 남아 머리를 바위에 기대고 두 눈을 감은 채 여느 때와 마찬가지로 마치 꿈을 꾸고 있는 사람처럼 꼼짝도 않고 앉아 있었어요. 어느 날 아침 그녀는 더 이상 가축을 돌보러 밖으로 나올 수가 없어서 텅 빈 자기 집에 남아 있게 되었지요. 아이들은 곧 이 사실을 알아내고, 거의 모두가 그녀에게 병문안을 갔습니다. 그녀는 쓸쓸히 자리에 누워 있었어요. 아이들만이 교대로 그녀를 이틀 동안 돌보아 주었어요. 그런데 마을 사람들이 마리가 정말로 죽어 간다는 소식을 듣고 나서는 할머니들이 찾아와서 간병을 시작했어요. 마을 사람들도 마리를 불쌍히 여기기 시작했던 것 같아요. 어른들은 더 이상 아이들을 제지하거나 나무라지 않았지요. 마리는 계속 잠에 취해 몽롱한 상태에 잠겨 있었어요. 그녀는 무섭게 기침을 했지요. 할머니들은 아이들을 내보냈으나, 아이들은 창문 밑으로 다가와 잠깐이나마 〈안녕, 우리의 착한 마리 Bonjour, notre bonne Marie!〉라고 했지요. 마리는 아이들을 보고 그들의 인사말을 듣는 순간 기운이 나서, 할머니들의 만류에도 불구하고 팔꿈치로 힘겹게 몸을 일으켜 그들에게 고개를 끄덕이며 고마움을 표시했어요. 아이들은 여느 때처럼 음식을 가져왔으나 마리는 거의 아무것도 먹지 못했습니다. 그 아이들 덕분에 그녀가 거의 행복하게 죽었다고 나는 단언하는 바입니다. 그녀는 죽는 순간까지 자신을 커다란 죄인으로 간주했기 때문에 아이들의 사과를 받아들인 것 같았어요. 그리고 자신의 끔찍한 불행을 잊어버렸지요. 아이들은 작은 새들처럼 그녀의 창가에서 날개를 파닥거리며 매일 아침 그녀에게 외쳤습니다. 〈우리는 널 사랑해, 마리Nous t'aimons, Marie.〉 그녀는 생각보다 아주 빨리 죽었어요. 나는 훨씬 더 오래 살 줄 알았지요. 그녀가 죽기 전날 석양 무렵에 나는 그녀를 찾아갔어요. 그녀는 나를 알아보는 것 같았고, 나는 마지막으로 그녀의 손을 꼭 쥐었습니다. 그녀의 손은 비참할 정도로 뼈만 앙상했어요. 그런데 다음날 저녁 사람들이 오더니 마리가 죽었다고 말해 주는 거였어요. 이때는 더 이상 아이들을 제지할 수가 없었어요. 그들은 마리의 관을 꽃으로 장식했고, 그녀의 머리에는 화환을 걸어 주었어요. 교회 목사는 더 이상 죽은 자를 욕하지 않았어요. 그녀의 장례식에는 별로 사람이 없었어요. 다만 호기심에 찬 사람들이 몇 명 왔을 뿐이었지요. 그러나 관을 내갈 때는 아이들이 자기네들이 직접 운구하려고 한꺼번에 달려들었습니다. 아이들이 힘에 부치자 어른들이 도와주었고, 나머지 아이들은 관 뒤를 따라오며 엉엉 울었지요. 그 이후부터 마리의 초라한 무덤은 아이들의 영원한 숭배지가 되었습니다. 아이들은 매년 무덤가에 꽃을 꺾어다 놓았고, 주변에는 장미꽃을 심었어요. 그러나 장례식 이후로 온 마을 사람들이 아이들 일 때문에 나를 구박하기 시작했어요. 제일 앞장서서 나를 몰아붙였던 사람은 목사와 초등학교 교사였지요. 아이들에게는 나를 만나는 것조차 금지되었고, 슈나이더 교수는 이를 감시하는 임무를 맡았습니다. 그러나 우리들은 여전히 만났고, 멀리서 서로 신호를 해가며 의사 전달을 했지요. 아이들은 나에게 자신들의 글을 적은 쪽지들을 보내왔어요. 나중에 모든 일이 원만하게 끝이 났지만, 그 당시에는 아주 재미있었어요. 나는 오히려 그러한 구박 덕분에 아이들과 더욱 가까워졌어요. 그곳에 있던 마지막 해에 나는 마침내 티보 선생과 목사와 화해를 하게 되었지요. 그런데 슈나이더 교수는 나와 많은 얘기를 주고받으면서 아이들에게 적용하는 나의 〈방법론〉에 대해 — 이것을 그는 해롭다고 말했어요 — 반대 의사를 표시했어요. 나에게 무슨 방법론이 있단 말인가요? 마침내 슈나이더 교수는 자기의 생각을 말해 주었는데, 아주 이상한 생각이었어요. 바로 스위스를 떠나기 직전이었지요. 그는 내가 완전한 어린애, 즉 진짜 어린애라는 거였어요. 나는 키와 얼굴만 어른을 닮았지, 정신적인 성장이나 성격, 어쩌면 지능까지도 어른이 아니며 내가 예순 살까지 산다 해도 이 상태로 그대로 남아 있을 거라고 자신했어요. 나는 한참 웃었지요. 물론 그의 말은 틀렸어요. 내가 무슨 어린애입니까? 그러나 한 가지 맞는 말은, 사실 난 어른들과 함께 있는 걸 별로 좋아하지 않는다는 거예요. 오래전부터 난 그들을 좋아하지 않았어요. 그들은 사랑할 줄 모르기 때문이지요. 어른들이 나에게 무슨 말을 하든, 그들이 나를 아무리 다정하게 대한다 하더라도, 나는 그들하고 있는 게 웬일인지 답답했어요. 나는 한시 바삐 그런 자리를 빠져나가 동무들에게 갈 수 있다면 너무나 기쁠 거라고 생각했지요. 물론 나의 동무들이란 언제나 아이들이었어요. 그러나 내가 아이들을 좋아하는 까닭은 내가 아이라서가 아니라, 아이들에게 내 마음이 저절로 끌려가기 때문입니다. 내가 그 마을에 살기 시작했을 때였지요. 나는 혼자서 쏘다니다 이따금 정오 무렵 학교 수업을 마치고 소란스럽게 떠들며 책 보따리와 석판을 들고 교실에서 뛰어나오는 아이들과 마주친 적이 있었어요. 아이들은 장난을 치며 깔깔대고 자기네들끼리 뭐라고 떠들어대곤 했어요. 그럴 때면 내 영혼은 온통 그 아이들에게 갑자기 빨려 들어가는 거였어요. 왜 그런지 모르겠지만, 나는 그들을 만날 때면 비상한 힘이 솟아 행복감을 느꼈어요. 나는 멈춰 서서, 어른거리며 뛰어가는 그들의 작은 다리며, 함께 달려가는 소년 소녀들, 그들의 웃음과 눈물을 바라보며(많은 아이들이 학교가 파하고 집으로 가는 도중에 싸움을 해서 울음을 터뜨리고는, 또다시 화해를 하고 놀기 시작하곤 했죠.) 행복감에 웃음을 지었고, 그럴 때마다 내 모든 우울함도 떨쳐 버렸습니다. 그 후 3년 내내 나는 사람들이 우수에 젖어 슬퍼하는 까닭을 도무지 이해할 수가 없게 되었지요. 나의 운명은 온통 아이들을 위해 예정되어 있었던 겁니다. 나는 그 마을을 떠날 의향이 전혀 없었고, 언젠가 이곳 러시아로 돌아오리라는 생각조차 들지 않았어요. 나는 항상 그곳에만 있게 될 줄 알았어요. 하지만 슈나이더 교수가 더 이상 나를 부양할 여유가 없다는 걸 알게 되었고, 그가 나를 급히 재촉하여 떠나보내야 할 중요한 문제가 생겼지요. 나는 그게 무슨 일인지, 누구와 함께 그 문제를 상의해야 될지 알아봐야겠습니다. 어쩌면 나의 운명이 돌변해 버릴지 모르겠지만, 그것은 중요한 게 아닙니다. 중요한 것은 이미 나의 모든 삶이 바뀌어 버렸다는 것입니다. 나는 그곳에 많은 것을, 지나치게 많은 것을 남겨 두고 왔어요. 이제 모든 게 사라져 버렸어요. 나는 열차 안에서 생각했지요. 〈이제 나는 속세로 간다. 나는 아마 그 세계에 대해 무지할지도 모른다. 하지만 새로운 삶이 찾아온 거다.〉 나는 정직하고 확고하게 나의 일을 이행할 것을 다짐했어요. 사람들과 함께 지낸다는 것은 아마 지루하고 힘들 거라고 생각하고, 우선은 그들 모두에게 공손하고 솔직해야겠다고 마음먹었어요. 아무도 나에게 그 이상의 것을 요구하지는 않을 거라는 생각에서였지요. 어쩌면 여기서도 나를 어린애 취급할지도 모릅니다. 하지만 상관없어요! 게다가 무슨 이유에서인지 모두들 나를 백치로 여기고 있어요. 사실 언젠가 나는 병 때문에 백치와 흡사해 보였던 적이 있었지요. 그런데 지금 내가 무슨 백치란 말인가요? 사람들이 나를 백치로 여기고 있는 것까지 본인 스스로 알고 있는데 말입니다. 난 사람들 속으로 들어갈 때 이렇게 생각합니다. 〈사람들은 나를 백치로 여기고 있지만 나는 현명한 인간이다. 저들이 그걸 깨닫지 못하고 있는 거다…….〉 자주 그런 생각이 들었지요. 베를린에서 스위스 아이들이 벌써부터 나를 못 잊어 보내기 시작한 작은 편지들을 받았을 때, 내가 그들을 얼마나 사랑했었는지 그제서야 깨달았어요. 첫번째 편지를 받았을 때는 너무나 괴로웠어요! 그들은 나를 떠나보내며 무척이나 슬퍼했던 거예요! 그들은 이미 한 달 전부터 전송 준비를 했지요. 〈레옹이 떠나간대, 레옹이 영원히 떠나간대Léon s'en va, Léon s'en va pour toujours!〉 우리는 저녁마다 예전처럼 폭포수 곁에 모여, 우리의 이별을 아쉬워했어요. 가끔은 전과 마찬가지로 쾌활하게 지내기도 했습니다. 단지 밤이 깊어 헤어질 때가 되면 그들은 여느 때와는 달리 나를 힘차고 뜨겁게 껴안았어요. 어떤 아이들은 남몰래 나에게 다가와서 아무도 보지 않게 나를 껴안고 키스를 했어요. 드디어 내가 그곳을 떠나는 날 모든 아이들은 무리를 지어 역까지 나를 배웅해 주었어요. 철도역은 우리 마을에서 한 1베르스따 떨어진 곳에 있었지요. 그들은 억지로 울음을 참으려고 했으나, 많은 아이들이 참지 못하고 그만 엉엉 소리 내어 울기 시작했어요. 특히 여자아이들이 더 그랬지요. 우리는 늦지 않으려고 서둘렀습니다. 그런데 무리 속에서 아이 하나가 갑자기 내게로 뛰어나와 나를 껴안고는 키스를 하는 것이 아니겠어요. 그래서 우리 일행은 그 자리에 멈춰 서야 했죠. 아이들은 서두르며 가고 있었지만 그 아이의 작별 인사가 끝날 때까지 멈춰 서서 기다려 주었어요. 내가 열차에 타고 나서 열차가 움직이자 아이들은 모두가 〈만세!〉라고 외치며 열차가 완전히 사라질 때까지 한참 동안 그 자리에 서 있었습니다. 나 역시 그쪽을 바라보았지요……. 그런데 내가 아까 여기에 들어왔을 때 여러분의 사랑스런 얼굴을 보았습니다. 요즈음 나는 사람들의 얼굴을 똑바로 쳐다보곤 합니다. 그리고 여러분이 하시는 말을 처음으로 들었을 때, 아이들과 헤어진 이래 처음으로 나는 마음이 가벼워졌습니다. 어쩌면 나는 행복한 사람 축에 낀다는 생각이 조금 전에 들었어요. 첫눈에 호감이 가는 사람을 만나기가 그리 쉬운 일이 아니지만, 나는 기차에서 내리자마자 여러분을 만났으니까요. 자신의 감정을 모든 사람들에게 말한다는 것이 얼마나 창피스런 일인지 잘 알고 있지만, 솔직히 말씀드려서 여러분에게는 창피하다는 생각이 들지 않는군요. 나는 사교성이 없어서 어쩌면 이 댁에 오랫동안 오지 않을지도 모릅니다. 그렇다고 오해는 하지 마세요. 내가 부인과 숙녀분들을 대수롭지 않게 생각해서 그러는 게 아니니까요. 또한 내가 기분이 상해서 그렇다는 생각도 하지 마세요. 아가씨들의 얼굴을 본 내 소감을 물었지요? 흔쾌히 대답해 드리겠습니다. 아젤라이다, 당신의 얼굴은 너무나 행복해 보여요. 세 자매 중에서 가장 호감이 가요. 게다가 아주 예쁘게 생겼어요. 사람들이 당신의 얼굴을 보면 〈저 여자의 얼굴은 착한 누이의 모습 그대로야〉라는 소리를 할 겁니다. 당신은 평범하고 명랑하게 다가가면서도, 곧 사람의 속마음을 알아낼 줄 아는 분입니다. 내게 당신의 얼굴은 그렇게 보였어요. 알렉산드라, 당신의 얼굴 역시 아름답고 아주 다정해 보여요. 그러나 당신에겐 보이지 않는 슬픔이 있는 것 같아요. 당신은 분명히 아주 선한 영혼을 가지고 있으면서도, 당신 자신은 즐겁지 않은 거예요. 당신의 얼굴 어딘가에는 드레스덴에 있는 홀바인의 마돈나[33]처럼 그늘이 드리워져 있어요. 이게 당신의 얼굴에 대한 나의 평입니다. 어떻습니까? 정확한가요? 조금 전에 나보고 잘 알아맞히는 사람이라고 하셨지요. 그럼 이제는 리자베따 쁘로꼬피예브나, 부인의 얼굴입니다.」 그는 갑자기 장군 부인에게 말을 돌렸다. 「부인은 모든 면에서,

33 독일 화가 한스 홀바인(1497~1543)의 원화 「시장 야콥 마이어의 가족과 함께한 마돈나」를 말한다. 도스또예프스끼는 드레스덴의 화랑에서 네덜란드의 화가가 그린 이 그림의 복제화를 보았다.

좋고 나쁜 점을 통틀어 이렇게 연세가 들었음에도 불구하고 완전한 어린아이입니다. 이건 그저 그렇게 보이는 게 아니라 확실히 그렇습니다. 이렇게 말한다고 해서 저에게 화를 내시는 건 아니겠지요? 제가 어떤 사람들을 어린아이 같다고 하시는지 아시지요? 제가 여러분의 얼굴에 대해 심심풀이로 이렇게 솔직히 말한다고는 생각하지 마세요. 그런 건 절대로 아닙니다! 어쩌면, 거기에 대해 제 나름대로의 생각이 있는지도 모릅니다.」

7

공작이 말문을 닫자, 모두들, 심지어 아글라야마저도 그를 기분좋게 바라보았다. 특히 리자베따 쁘로꼬피예브나가 더욱 그러했다.

「이렇게 해서 시험이 끝났군요!」 부인이 소리쳤다. 「이런, 사랑스런 아가씨들, 너희들은 공작을 가엾은 아이처럼 보호해 줄 생각이었지? 오히려 공작이 자주 찾아올 수는 없지만 우리와의 교제를 허락하신 셈이다. 우리는 바보 같았어. 하지만 나는 기쁘다. 누구보다도 바보 노릇을 한 사람은 너희 아버지 이반 표도로비치야. 브라보, 공작. 조금 전에 공작을 시험해 보라는 권유를 받았어요. 한데 공작이 내 얼굴에 대해 내리신 평가는 모두가 사실이에요. 나는 어린아이이기 때문에 그걸 알아요. 나는 공작이 그렇게 말씀하시기 전부터 그걸 알고 있었어요. 공작은 나의 생각을 한마디로 표현하셨던 거예요. 공작의 성격은 완전히 나하고 들어맞는다고 봐요. 너무 기뻐요. 우리는 꼭 쌍둥이 같아요. 다만 공작은 남자고 나는 여자인 데다가 스위스에 가보지 못한 게 다를 뿐이에요.」

「어머니, 그렇게 서두르지 마세요.」 아글라야가 말했다. 「이분은 자기대로 생각이 있어서 그렇게 말했다고 하지 않아요.」

「맞아요, 맞아.」 다른 아가씨들이 웃었다.
「얘들아, 놀리지 말아라. 이분은 이미 너희들 머리 꼭대기 위에 앉아 계실지 모른다. 아마 나중에 알게 될 거다. 하지만 공작, 어째서 아글라야에 대해서는 아무 말도 하지 않으셨지요? 아글라야가 궁금해 하고 있어요. 그리고 나도요.」
「난 지금 할 말이 아무것도 없어요. 다음에 말씀드리겠습니다.」
「왜지요? 너무 튀기 때문인가요?」
「네, 그래요. 너무 두드러져요. 아글라야, 당신은 기가 막힌 미인입니다. 당신은 너무 아름다워서 쳐다보기조차 두려울 정도입니다.」
「그것뿐인가요? 다른 특징은 없나요?」 장군 부인이 성화를 했다.
「아름다움은 판단하기 어려워요. 나는 아직 준비가 되지 않았어요. 아름다움이란 수수께끼예요.」
「그럼 공작은 아글라야에게 수수께끼를 내준 셈이군요.」 아젤라이다가 말했다. 「아글라야, 한번 풀어 봐라. 하지만 얘는 예쁘죠, 공작? 정말 예쁘죠?」
「기가 막혀요!」 공작은 반한 듯이 아글라야를 쳐다보며 열을 내어 말했다. 「비록 얼굴은 다르지만, 거의 나스따시야 필리뽀브나 같아요!」
이 말을 듣고 모두들 깜짝 놀라 서로서로 얼굴을 쳐다보았다.
「누 ― 구 ― 라 ― 고 ― 요?」 장군 부인이 길게 말을 뽑았다. 「나스따시야 필리뽀브나라고요? 나스따시야를 어디서 보았지요? 어떤 나스따시야 필리뽀브나를 말씀하시는 건가요?」
「아까 가브릴라 아르달리오노비치가 예빤친 장군에게 나스따시야의 사진을 보여 주었어요.」
「아니, 그이에게 사진을 가져다 주었다고요?」
「보여 준 겁니다. 나스따시야가 오늘 가브릴라에게 자기의 사진을 선물했답니다. 그래서 가브릴라가 그걸 보여 주러 가져온 거였습니다.」

「그걸 보고 싶어요!」 장군 부인이 소리쳤다.「그 사진이 어디 있지요? 만일 가브릴라가 선물로 받았다면 그걸 가지고 있을 테고, 그는 아직까지 서재에 틀림없이 있을 거예요. 그는 수요일마다 꼭 일을 하러 와서 오후 4시 이전에는 돌아가 본 적이 없는 사람이에요. 어서 가브릴라를 불러와라! 아냐, 내가 아무리 그 사진을 보고 싶다고 해도 난리를 피울 정도는 아니지. 공작, 부탁이지만, 서재에 가셔서 그 사진을 이리로 가져와 주시지 않겠어요? 한번 보고 돌려주겠다고 말씀하세요.」

「좋은 사람이야, 하지만 지나치게 순진해.」 공작이 나가자 아젤라이다가 평을 했다.

「그래, 너무 지나칠 만큼.」 알렉산드라가 거들었다.「그래서 약간은 우스꽝스럽기도 해.」

아젤라이다와 알렉산드라는 마음속에 있는 말을 다 털어놓지 않는 듯했다.

「그렇지만 우리들의 얼굴 얘기를 할 때는 딴판이던데.」 아글라야가 말했다.「모두에게 아첨을 잘 떨었어. 어머니한테까지도 말야.」

「그렇게 비꼬지 마라!」 장군 부인이 외쳤다.「그분이 아첨을 한 게 아니라 내가 넋이 나간 게다.」

「넌 그 사람이 기묘한 사람이라고 생각하니?」 아젤라이다가 물었다.

「내가 보기에 그 사람은 결코 단순한 사람이 아냐.」

「또 시작이구나!」 장군 부인이 신경질을 냈다.「내 생각엔 너희들이 그분보다 더 우스꽝스럽구나. 단순해 보이지만 가장 고상하게 속이 가득 찬 분이시다. 꼭 나처럼 말이다.」

〈물론 내가 사진 얘기를 꺼낸 게 잘못이었어.〉 공작은 서재로 가면서 일종의 가책을 느끼며 혼잣말을 했다. 〈하지만 그렇게 말해 버린 게 잘됐는지도 몰라…….〉 그에게는 아직 명료하지는 않지만 한 가지 이상한 생각이 들기도 했다.

가브릴라 아르달리오노비치는 아직까지 서재에 앉아서 서류를 뒤적이고 있었다. 분명히 그는 빈둥거리며 월급만 축내고 있는 것 같지는 않았다. 공작은 사진을 잠깐만 빌려 달라고 부탁을 하고, 장군 가족이 그 사진이 여기 있다는 것에 대해 알게 된 경위를 설명해 주었다. 가브릴라는 그 얘기를 듣고 몹시 당황했다.

「아 — 아니! 뭘 하러 그렇게 떠벌리고 다니는 거요?」 그가 화난 목소리로 말했다. 「아무것도 모르는 주제에……, 백치 같으니!」 그는 혼잣말로 중얼거렸다.

「죄송합니다. 아무 생각 없이 말을 하다 보니…… 무심코 튀어나왔어요. 나는 그저 아글라야가 나스따시야 필리뽀브나만큼 아름답다는 말을 했을 뿐이었지요.」

가냐는 좀 더 상세하게 얘기를 해보라고 했다. 공작은 자초지종을 말했다. 가냐는 다시 조롱기 섞인 눈초리로 그를 쳐다보았다.

「나스따시야 필리뽀브나가 저런 친구한테까지 기억되다니…….」 그는 중얼거리다 말고 생각에 잠겼다.

그는 불안해 하는 게 틀림없었다. 공작은 사진에 대해 상기시켰다.

「이봐요, 공작.」 가냐가 갑자기 묘안이 떠오른 듯 말했다. 「당신한테 한 가지 큰 부탁이 있어요……. 하지만 잘 모르겠군요…….」

그는 당황하며 말을 끝마치지 못했다. 그는 무슨 결심을 하는 것 같았는데 몹시 망설이는 듯했다. 공작은 조용히 기다렸다. 가냐는 다시 한번 눈치를 살피듯이 공작을 유심히 바라보았다.

「공작,」 그가 다시 말문을 열었다. 「지금 저곳의 여자들은 나에게…… 나야말로 아무런 죄가 없는…… 아주 이상하고 우스운 사건 때문에…… 한마디로, 이건 불필요한 말이지만…… 약간 나에게 화가 나 있는 것 같아요. 그래서 부르지 않으면 난 당분간 그곳에 들어가지 않으려 하고 있어요. 그런데 난 지금 아글라야 이바노브나 양과 꼭 할 말이 있어요. 만약을 대비해 몇 마디 적어 놓았어요(그의 손 안에는 조그맣게 접힌 쪽지가 있었다). 그런데 어떻게 전달할지 모르겠어요. 공작이 아글라야 이바노브나 양에게 그걸 전해 주지 않으시겠어요? 그런데 아글라야 이바노브나 양한테만 전해 줘야 돼요. 다른 사람은 모르게 해야 합니다. 그렇다고 여기에 커다란 비밀이 들어 있는 건 아닙니다. 어때요…… 전해 주겠어요?」

「별로 내키지가 않는데요.」 공작이 대답했다.

「아, 공작, 그건 나에게 정말 절박한 일이오!」 가냐가 사정을 했다. 「그녀는 대답해 줄 겁니다……. 얼마나 급하면 이러겠소. 내가 누구에게 이런 부탁을 하겠어요……? 이건 매우 중요한 일입니다……. 나에겐 너무나도 중요해요…….」

가냐는 공작이 말을 들어주지 않을까 봐 몹시 조바심을 내며, 애원하듯 그의 눈을 쳐다봤다.

「정 그렇다면 전해 주겠어요.」

「하지만 아무도 모르게 해주셔야 됩니다.」 생기가 돈은 가브릴라가 간청을 했다. 「공작, 난 공작의 약속을 믿을 거요, 알겠지요?」

「아무에게도 보여 주지 않겠어요.」 공작이 말했다.

「이 전갈은 봉해지지 않았소만…….」 안절부절못하던 가냐가 이렇게 말을 하다 당황한 나머지 말을 더듬었다.

「아, 읽어 보지 않을 테니 걱정 말아요.」 공작은 아무 일도 아니라는 듯 대답하고는 사진을 들고 서재에서 나갔다.

가냐는 홀로 남아 머리를 쥐어뜯고 있었다.

「그녀가 한마디만 하면 나는…… 나는 끝장이다……!」

그는 무슨 일이 벌어질까 봐 크게 동요한 나머지 더 이상 서류를 잡지 못하고 이 구석 저 구석 서재 안을 서성이기 시작했다.

공작은 생각에 잠긴 채 걸었다. 그러한 심부름을 맡은 게 영 탐탁지 않았다. 가냐가 아글라야에게 쪽지를 썼다는 사실 역시 기분 나쁜 충격을 주었다. 그러다가 응접실로 통하는 방을 두 개 지났을 때, 그는 무슨 생각이 떠올랐는지 갑자기 발길을 멈췄다. 그는 주위를 둘러보고 밝은 창문가로 다가가 나스따시야 필리뽀브나의 사진을 들여다보기 시작했다.

그는 이 사진 속에서 아까부터 그에게 충격을 주었던 무언가 숨겨진 것을 찾아내려는 듯했다. 아까 받았던 인상이 거의 지워지지 않고 남아 있었기에, 그는 서둘러서 무언가를 새로이 확인하고 싶었다. 보기 드문 미모와 다른 무엇으로 인해 그녀의 얼굴은 한층 더 강한 힘으로 그를 놀라게 했다. 그 얼굴에는 거만한 기품과 거의 증오에 가까운 경멸의 빛이 서려 있는 동시에, 남을 쉽게 믿을 듯한, 놀랄 정도의 순박한 무언가가 배어 있었다. 이 대조적인 모습은 보는 사람으로 하여금 연민의 정까지 불러일으키게 했다. 그 현란한 아름다움은 참을 수 없을 정도였다. 창백한 얼굴, 푹 파인 듯한 두 뺨, 불타는 눈동자에서 우러나오는 아름다움은 특별한 아름다움이었다. 공작은 1분 동안 그녀의 얼굴을 들여다보다가 갑자기 정신이 드는 듯 주위를 둘러보고는 사진을 황급히 입술에 갖다 대고 키스를 했다. 1분 후에 그는 응접실로 들어갔다. 그의 얼굴은 아주 평온해 보였다.

그가 식당 안으로 발을 들여놓자마자(응접실까지는 아직도 방 하나를 더 가야 했다), 그는 방에서 나오는 아글라야와 문턱에서 부딪칠 뻔했다. 그녀는 혼자였다.

「가브릴라 아르달리오노비치가 당신에게 전해 달라고 부탁했습니다.」 공작은 쪽지를 전해 주며 말했다.

아글라야는 멈춰 서서 쪽지를 받아 쥐고는 이상한 눈초리로 공작을 빤히 바라보았다. 그녀의 시선에는 당황한 빛이 전혀 없었다. 다만 놀라워하는 기색이 잠시 스쳐 지나갔을 뿐이었다. 이 일이 순전히 공작 때문이라고 생각했는지, 아글라야의 눈초리는 공작에게 해명을 해보라고 요구하고 있었다. 그가 어떻게 가냐와 함께 이 일에 개입되었는가? 그녀의 눈은 침착하고 거만하게 그를 내려다보고 있었다. 이들은 서로 마주보며 2, 3초 간 서 있었다. 마침내 그녀는 조소 같은 것을 살짝 띠더니 이내 가볍게 미소짓고 옆으로 지나갔다.

장군 부인은 얼마 동안 아무 말 없이 약간은 무시하는 눈빛으로 나스따시야의 사진을 들여다보았다. 그녀는 사진을 든 손을 유난히 길게 뻗어 보고 있었다.

「그래, 아름답구나.」 마침내 장군 부인이 말문을 열었다. 「대단히 아름다워. 나는 이 여자를 두 번이나 보았지만, 두 번 다 먼발치에서만 봤지. 그래, 이런 미인을 높이 보시나요?」 그녀는 갑자기 공작에게 물었다.

「네……, 그런 미인을요.」 공작은 무언가 생기 있는 말투로 대답했다.

「바로 이런 여자를 좋아한다고요?」

「네, 바로 그런 여자를요.」

「왜지요?」

「이 얼굴에는…… 많은 고뇌가 담겨 있어요…….」 공작은 질문에 답하는 것이 아니라 혼잣말을 하듯이 무심코 말했다.

「하지만 공작이 잘못 짚었을 거예요.」 장군 부인은 이렇게 단언하고 거만한 제스처로 사진을 탁자 위로 내던졌다.

알렉산드라가 그것을 집어 들자, 아젤라이다가 다가왔다. 두 자매는 사진을 살펴보기 시작했다. 이때 아글라야가 다시 응접실로 되돌아왔다.

「아, 대단한 힘이야!」 아젤라이다가 언니의 어깨 너머로 열심히 사진을 들여다보며 갑자기 소리쳤다.

「어디에? 어떤 힘이 있다고 그러니?」 장군 부인 리자베따 쁘로꼬피예브나가 날카롭게 물었다.

「저런 미모는 힘이야!」 아젤라이다가 열띤 소리로 말했다. 「저런 미모라면 이 세상을 전복시킬 수 있어!」

그녀는 생각에 잠겨 자신의 이젤이 있는 곳으로 다가갔다. 아글라야도 언뜻 사진을 보았다. 그녀는 눈살을 찌푸리며 아랫입술을 내밀고, 팔짱을 낀 채 옆으로 가서 앉았다.

장군 부인이 초인종을 눌렀다.

「가브릴라 아르달리오노비치를 여기로 데려와. 그 사람은 서재에 있다.」 그녀는 들어온 하인에게 지시를 했다.

「어머니!」 알렉산드라가 의미심장하게 외쳤다.

「그에게 두어 마디 할 게 있어 그런다. 잠깐이면 된단다!」 장군 부인은 딸의 제지를 물리치고 단호하게 말했다. 그녀는 화가 나 있는 게 분명했다. 「공작, 우리 집에서는 모든 게 비밀이랍니다. 보시다시피, 모든 게 비밀이라고요! 그것도 하나의 에티켓이라나. 어리석은 짓이죠. 그 안에 최상의 솔직성과 선명성과 투명성이 있다는 거예요. 지금 혼담이 오가고 있는데, 난 그 혼담이 영 마음에 들지 않아요…….」

「어머니, 무엇 하러 그런 말씀까지?」 알렉산드라가 또다시 어머니의 말을 급히 가로막았다.

「왜 그러는 거니? 너는 그 혼처가 괜찮다는 거니? 공작이 들으시면 어때서 그래. 이제 우리는 친구 사인데. 적어도 나와는 친구 사이란다. 하느님은 착한 인간을 찾으시는 거야. 결코 음흉하고 변덕이 심한 인간을 찾으시는 게 아니란다. 특히 오늘은 이랬다, 내일은 저랬다 하는 변덕쟁이는 필요 없다. 알겠니? 공작, 우리 애들은 내가 괴팍하다고 해요. 하지만 난 사리 분별력이 있는 사람이에요. 뭐니뭐니 해도 마음씨가 제일이에요. 나머지 것은 다 쓸데없는 거예요. 물론 지성도 필요할지 몰라요. 어쩌면 가장 중요한 것일 수도 있어요. 아글라야, 너 왜 웃니? 내가 엉뚱한 말을 하고 있기라도 한 거냐? 가슴은 있으나 머리가 없는 바보는, 머리는 있으나 가슴이 없는 바보와 똑같은 법이다. 옛말이 진리다. 나는 가슴은 있고 머리가 없는 바보고, 너는 머리는 있으나 가슴이 없는 바보야. 그래서 우리 둘은 불행하기도 하고 고통을 받기도 하는 거다.」

「어머니가 왜 불행하시다는 거죠?」 좌중에서 유일하게 명랑한 기분을 잃지 않고 있던 아젤라이다가 참다 못해 물었다.

「첫째로, 많이 배웠다는 딸들 덕분이지.」 장군 부인이 잘라 말했다. 「그 사실 하나만으로도 충분하니까, 나머지 것에 대해서는 길게 왈가왈부할 필요가 없을 거다. 말 많은 것은 딱 질색이다. 아글라야는 일단 제외하고 머리 좋은 너희 둘이, 말을 많이 해서 어떻게 되나 보자. 그리고 존경하는 알렉산드라 양, 당신의 존경하는 신사분과 행복하게 될까요……? 아……!」 그녀는 응접실로 들어오는 가냐를 보고 소리쳤다. 「저기 또 한 분의 혼인 동맹자가 들어오시는군. 안녕하세요?」 그녀는 가냐의 인사에 대답을 하면서도 앉으라는 소리는 하지 않았다. 「결혼하신다면서요?」

「결혼을요……? 무슨 말씀이신지……? 어떤 결혼이지요?」 가브릴라 아르달리오노비치는 어리둥절해서 중얼거렸다. 그는 몹시 당황했다.

「장가를 가시나요? 내가 이런 표현을 써서 물어보는 게 낫다는 얘긴가요?」

「아 — 아닙니다……. 전 그게…… 아니에요.」 가브릴라는 거짓말을 했다. 그리고 수치심으로 얼굴이 빨개졌다. 그는 옆에 앉아 있는 아글라야를 얼핏 보고, 재빨리 시선을 피했다. 아글라야는 냉담하고 침착하게 그가 당황하는 모습을 눈을 떼지 않고 지켜보았다.

「아니라고요? 지금 아니라고 말했나요?」 물러설 줄 모르는 리자베따 쁘로꼬피예브나가 집요하게 다그쳤다. 「좋아요. 당신이 오늘, 수요일 아침에 나의 질문에 아니라고 대답했다는 사실을 기억하고 있겠어요. 오늘이 무슨 요일이지? 수요일이지?」

「그럴 거예요, 어머니.」 아젤라이다가 대답했다.

「요일은 항상 잊어 먹게 마련이다. 오늘이 며칠이지?」

「27일입니다.」 가냐가 대답했다.

「27일이라고요? 어떤 면에선 좋은 날인데요. 그럼 이만 실례하겠어요. 아마 당신도 하실 일이 많을 텐데. 난 지금 옷을 갈아입고 나가야 해요. 여기 당신의 사진을 가져가세요. 불행한 어머니 니나에게 내 안부를 전해 주세요. 자, 공작, 다음에 뵙겠어요. 자주 들르세요. 난 지금 공작 얘기를 하러 일부러 벨로꼰스끼 부인한테 갈 거예요. 나는 하느님이 나를 위해 스위스에서 뻬쩨르부르그로 공작을 보내 주신 거라고 믿어요. 공작에게 다른 일도 있겠지만, 중요한 것은 나를 위해 오셨다는 거예요. 하느님이 그걸 염두에 두셨던 거예요. 얘들아, 안녕. 알렉산드라는 내 방으로 좀 오너라.」

장군 부인이 나갔다. 가냐는 얼빠진 사람처럼 멍하니 있다가, 사나운 표정을 지으며 탁자에서 사진을 집었다. 그러고는 일그러진 미소를 지으며 공작에게 말했다.

「공작, 난 지금 집으로 가겠어요. 만약 우리 집에서 지내겠다는 생각을 바꾸지 않았다면, 함께 갑시다. 우리 집 주소도 모르잖소?」

「잠깐만요, 공작.」 아글라야가 의자에서 벌떡 일어나며 말했다. 「내 앨범에다 글을 써주셔야죠. 아빠가 공작은 명필가라고 하셨어요. 앨범을 가져올게요…….」

아글라야가 응접실에서 나갔다.

「안녕히 계세요, 공작. 나도 나가 봐야겠어요.」 아젤라이다가 말했다.

그녀는 공작의 손을 꽉 잡고 악수를 했다. 그리고 상냥하고 다정스럽게 그에게 미소를 짓고, 가냐는 거들떠보지도 않은 채 나갔다.

「당신이군요.」 가브릴라는 모두 다 나가자마자 공작에게 이를 갈며 대들었다. 「내가 결혼한다고 당신이 떠벌렸군요. 창피한 줄도 모르는 수다쟁이로군요!」 그는 나직한 목소리로 뇌까렸다. 그는 분노에 찬 얼굴로 사납게 눈을 부라리고 있었다.

「분명히 말씀드리지만 잘못 알고 계십니다.」 공작은 침착하고 공손하게 말했다. 「나는 당신이 결혼한다는 사실을 몰랐어요.」

「아까 이반 표도로비치 장군이 오늘 저녁 나스따시야 네 집에서 모든 게 다 결정될 거라는 말을 듣고, 당신이 이 말을 전한 거잖소! 거짓말 마시오! 그들이 어떻게 알아냈겠소? 빌어먹을, 당신 말고 대체 누가 고자질을 했단 말이오? 방금 이 집 노파가 나에게 빈정대지 않았소?」

「그런 걸 가지고 빈정거린다고 생각하면 누가 말했는지 당신이 더 잘 알 텐데요. 어쨌든 난 단 한 마디도 하지 않았어요.」

「쪽지는 전해 주었나요? 답장은 없었소?」 가냐는 황급히 공작의 말을 막았다. 그러나 이 순간 아글라야가 들어와서, 공작은 미처 대답을 하지 못했다.

「여기 있어요, 공작.」 아글라야가 작은 탁자에 앨범을 놓고 말했다. 「아무 페이지나 펼쳐서 무슨 말이든 써주세요. 여기 펜이 있어요. 그것도 새것으로 가져왔어요. 철필(鐵筆)인데 괜찮겠어요? 내가 듣기론 서예는 철필로 안 된다고 하던데.」

그녀는 공작과 말하느라고 거기에 가냐가 있다는 사실을 알아차리지 못하는 것 같았다. 공작이 펜을 가다듬고 페이지를 찾으며 글을 쓸 준비를 하는 동안, 가냐가 벽난로로 다가왔다. 공작의 오른쪽으로 아글라야가 서 있었다. 그는 간간이 끊어지는 목소리로 들릴 듯 말 듯 떨면서 그녀의 귀에 대고 말했다.

「딱 한마디만, 더도 말고 딱 한마디 당신 말이면, 나는 구원받을 거요.」

공작은 얼른 고개를 돌려 두 사람을 바라보았다. 가냐의 얼굴에는 강한 절망의 빛이 역력했다. 그는 미처 생각도 하지 않고 다급하게 말해 버린 듯했다. 아글라야는 아까 공작을 보았을 때처럼, 놀라움을 드러내지 않고 차분하게 그를 몇 초 동안 바라보았다. 그녀의 이런 태도, 지금까지 들은 것을 도무지 납득하지 못하겠다는 그녀의 표정은 가냐에게 있어서 가장 심한 경멸보다도 가혹했다.

「무엇을 써드릴까요?」 공작이 물었다.

「지금 불러 드릴게요.」 아글라야가 공작 쪽을 돌아보며 말했다. 「준비되었나요? 쓰세요, 〈나는 흥정에 끼어들지 않는다〉. 이제 날짜와 달을 밑에다 쓰세요. 그럼 보여 주세요.」

공작은 그녀에게 앨범을 넘겨주었다.

「기가 막히군요! 놀라운 솜씨예요! 당신의 필체는 정말 훌륭하군요. 고마워요. 안녕히 가세요, 공작……. 잠깐만요!」 그녀는 갑자기 무슨 생각이 떠올랐는지 공작을 불러 세웠다. 「같이 좀 잠깐 가세요. 기념으로 선사할 게 있으니까요.」

공작은 그녀 뒤를 쫓아갔다. 그러나 식당으로 들어가자 아글라야는 곧 멈춰 섰다.

「이걸 읽어 보세요.」 그녀는 가브릴라의 쪽지를 건네주며 말했다.

공작은 쪽지를 받아 들고 영문을 몰라 아글라야를 바라보았다.

「당신이 이걸 읽지 않았다는 것을 알아요. 그래 가지곤 그 사람의 심부름을 할 수 없어요. 난 당신이 이걸 다 읽어 보길 바라고 있어요.」

쪽지는 급히 쓴 흔적이 뚜렷했다.

오늘 나의 운명이 결정됩니다. 어떤 의미인지 아시지요? 오늘 나는 돌이킬 수 없는 약속을 해야 됩니다. 나는 당신에게서 동정을 구할 권리도 없고, 그 어떤 희망도 감히 바랄 수 없습니다. 그러나 언젠가 한마디, 딱 한마디를 하셨지요. 그 한마디가 내 인생의 어두운 밤을 밝혀 주었고, 나에게는 등대가 되어 주었습니다. 지금 나에게 그 말 한마디만 더 해주시면 나를 파멸에서 구원해 주실 겁니다! 〈모든 걸 끝내 버리세요〉라는 한마디면 됩니다. 그러면 오늘 당장 모든 걸 단념하겠어요. 당신이 그 한마디를 해주시기는 어렵지 않을 겁니다. 그 말 속에서 나에 대한 당신의 동정과 연민의 표시만을 찾겠습니다. 다만 〈그것뿐〉입니다! 더 이상 아무것도 없습니다. 〈아무것〉도 바라지 않겠습니다! 감히 그 밖의 기대 같은 것은 갖지 않겠습니다. 나는 그럴 가치가 없으니까요. 하지만 당신이 한마디를 해주시면 나는 새로이 나의 빈곤을 받아들이고, 기꺼이 현재의 절망적 처지를 견뎌 내겠습니다. 나는 투쟁을 감수하고, 거기에 기뻐할 것이며, 새로운 힘을 가지고 그 속에서 부활할 겁니다!

나에게 연민의 말 한마디만 보내 주십시오! (오로지 연민의 말만, 맹세하겠습니다!) 파멸에서 벗어나려고 안간힘을 쓰는, 절망의 늪에 빠진 자의 뻔뻔함에 화를 내지 말아 주십시오.

G. I.

「이 사람은,」 공작이 쪽지를 다 읽자 아글라야가 날카롭게 말했다. 「〈모든 걸 끝내 버리세요〉라는 말이 나한테 아무런 해를 끼치지 않고, 절대로 나를 구속하지 않을 거라고 확신하고 있어요. 그래서 보시다시피 이 쪽지로 그것을 보증하려는 거예요. 한번 보세요, 그가 얼마나 유치하게 자기가 하려는 말을 강조하고 있는지, 그리고 그의 속마음이 얼마나 유치하게 드러나고 있는지를. 그가 내 말에 아무런 기대도 하지 않고 자기 일에 대해 아무런 언급도 없으면, 정말 나에게 완전히 아무것도 바라지 않고 모든 걸 끝내 버린다면, 난 그 사람에 대한 태도를 바꾸고 어쩌면 그의 친구가 될 수도 있을 거예요. 그는 이 사실을 분명히 알고 있어요. 하지만 그는 지저분한 인간이에요. 그는 알고 있으면서도 결심을 하지 않는 거예요. 그는 알고 있으면서도 보장을 요구하고 있어요. 그는 남을 신뢰할 만한 능력이 없는 거예요. 그는 10만 루블 대신에 나에 대한 희망을 확인해 두길 원하는 거예요. 그가 쪽지에 쓴 말이 있지요, 마치 그의 인생을 밝게 비춰 줬다고 쓴 거 말이에요. 그건 새빨간 거짓말이에요. 내가 언젠가 그 사람에게 지나가는 말로 동정한다는 말을 한 적은 있었어요. 하지만 그 사람은 후안무치하게 뻔뻔해요. 내 얘기를 듣는 순간 희망이 있을 거라는 생각을 했던 거예요. 난 그걸 즉각적으로 눈치 챘어요. 그때부터 그 사람은 나를 낚으려고 했던 거였고, 지금도 날 붙잡으려고 하는 거예요. 자, 이젠 됐어요. 우리 집에서 나가시는 즉시 그 사람에게 이 쪽지를 돌려주세요. 물론 나가시기 전에는 안 돼요.」

「그에게 뭐라고 대답하지요?」

「물론, 아무런 대답도 필요 없어요. 이게 가장 좋은 대답이에요. 그런데 당신은 그 사람 집에서 하숙하실 건가요?」

「아까 아버님이 나에게 추천을 해주셨습니다.」 공작이 대답했다.

「미리 귀띔을 해드리는 건데요, 그 사람을 조심하세요. 그 사람은 당신이 자기가 준 쪽지를 되돌려 주면 당신을 용서하려 들지 않을 거예요.」

아글라야는 공작과 가볍게 악수를 하고 나갔다. 그녀는 얼굴을 심각하게 찌푸리고 있었다. 그녀는 미소도 띠지 않은 채 작별의 표시로 고개만 끄덕였다.

「잠깐만요, 보따리를 가져올 테니.」 공작이 가냐에게 말했다. 「같이 나가시지요.」

가냐는 초조해서 발을 굴렀다. 그의 얼굴에는 분노로 인해 검은빛이 감돌았다. 마침내 두 사람은 밖으로 나왔다. 공작은 보따리를 안고 있었다.

「답장은? 답장은요?」 가냐가 그에게 다그쳐 물었다. 「그녀가 무슨 말을 했지요? 쪽지를 안 주던가요?」

공작은 조용히 그에게 쪽지를 내주었다. 가냐는 기가 막혔다.

「아니, 이럴 수가! 이건 내가 준 쪽지잖아!」 그는 소리쳤다. 「이걸 전해 주지 않고 도로 갖고 오다니! 오, 이러리라곤 상상도 못 했네! 오, 빌 — 어 — 먹 — 을…… 어쩐지 그녀가 아까부터 아무것도 이해하지 못하는 눈치였어! 아니, 어떻게, 어떻게 그걸 전해 주지 않을 수가 있어. 에잇, 빌 — 어 — 먹을…….」

「미안해요, 하지만 난 정확히 당신의 쪽지를 전달해 주었어요. 그것도 받자마자 당신이 부탁한 대로 그대로. 그런데 아글라야 양이 다시 와서 그것을 되돌려 주라고 말했어요.」

「언제? 언제 그런 거요?」

「내가 앨범에 글을 써주자마자 그녀가 나를 잠깐 보자고 했어요. 혹시 그 소리를 듣지 못했나요? 나를 식당으로 불러내어 거기서 이 쪽지를 주며 그걸 읽어 보라고 한 후 되돌려 주라고 했어요.」

「읽어 보라고 그 — 랬 — 다 — 고?」 가브릴라는 목청껏 소리치다시피했다. 「읽어 보라고 했다고요? 그래서 읽었소?」

그는 도로 한가운데서 몸이 마비된 듯 멈춰 섰다. 얼마나 놀랐는지 입이 저절로 벌어질 정도였다.

「네, 조금 전에 읽었어요.」

「그녀가 직접 당신에게 읽으라고 했다고요? 직접?」

「직접 그랬어요. 믿으세요. 그러지 않았다면 나는 읽지 않았을 거요.」

가냐는 1분 동안 침묵을 지키며 고통스럽게 무언가를 생각해 내고 있었다. 그가 마침내 언성을 높였다.

「그럴 리가 없소! 당신에게 읽으라고 할 수는 없소! 거짓말이오! 당신 마음대로 읽은 거요!」

「사실이라고 그랬잖아요.」 공작이 여전히 동요하지 않는 침착한 목소리로 대답했다. 「믿으세요, 당신이 이 일로 이렇게 불쾌해하니까 안타깝기 그지없군요.」

「하지만 무턱대고 읽어 보라고만 하진 않았을 것 아니오? 뭐라고 응답을 해주진 않았소?」

「물론 했지요.」

「그렇다면 바로 말하지 않고 뭘 하는 거요? 아, 제길……!」

가브릴라는 두 번이나 덧신을 신은 오른발로 도로를 찼다.

「내가 다 읽자마자 그녀는 당신이 자기를 낚으려 한다고 말했어요. 그리고 당신이 그녀에게서 희망을 얻어 내고, 그 희망을 통해 손해 보지 않고 10만 루블에 대한 다른 희망을 끊어 버리려 하는데, 이것은 결국 그녀를 욕되게 하는 거라고 말했어요. 만약 당신이 그녀와 흥정을 하지 않고 스스로 모든 걸 끝내 버리고, 그녀에게 사전에 아무런 보장을 요구하지 않는다면, 그녀는 당신의 친구가 될 수 있다고 했어요. 이게 내가 들은 전부예요. 아, 그리고 내가 그 쪽지를 다시 받고 나서 대답 같은 건 없느냐고 물어보니까, 무응답이 가장 중요한 대답이라고 그랬어요. 그래요, 이게 전부예요. 내가 그녀의 표현을 똑같이 재현하지 못했다면 용서하세요. 나는 내가 이해한 대로 전한 거니까요.」

억제할 수 없는 분노가 가냐를 사로잡아, 거의 광적으로 폭발했다.

〈아! 그랬단 말이지!〉 그는 이를 악물었다. 〈그렇다면 내 쪽지를 차라리 창밖으로 던져 버리지 않고! 아! 흥정을 하지 않겠다고! 나는 흥정을 해야겠어! 두고 보자! 그리 만만치 않을걸……. 두고 보자고! 내가 그 콧대를 꺾어 버리고 말 테니까……!〉

그는 얼굴을 일그러뜨렸다. 얼굴이 창백해지고 입에는 거품이 일었다. 그는 주먹으로 위협하는 시늉을 했다. 이렇게 그들은 몇 발자국 걸었다. 그는 방 안에 혼자 있기라도 한 듯 공작 따위는 안중에도 없다는 식이었다. 왜냐하면 공작을 최하의 인간으로 여기고 있었기 때문이다. 그러나 문득 무슨 생각을 하더니 제정신으로 돌아온 듯했다.

「그런데 어떻게 해서,」 그는 갑자기 공작에게 말을 걸었다. 「어떻게 했길래 당신은(이 백치야! — 그는 혼잣소리로 덧붙였다) 처음 만난 지 두 시간 만에 그런 신임을 받을 수가 있게 된 거요? 어떻게 그렇게 된 거요?」

그의 모든 고통 속에는 질투가 넘쳐 나기 시작했다. 갑자기 그의 가슴속으로 질투심이 파고들었던 것이다.

「그걸 어떻게 설명해야 될지 모르겠군요.」 공작이 대답했다.

가냐는 사납게 공작을 바라보았다.

「그 여자가 당신을 식당으로 불러냈다는 것은 자신이 신임을 한다는 의미 아니오? 실제로 그녀가 당신에게 무언가를 선물하려고 한 건 아니잖소?」

「그녀의 말을 달리 해석할 방법이 없군요.」

「그럼 왜 그래야 했단 말이오? 빌어먹을! 당신이 무슨 짓을 했기에! 뭐가 맘에 들어서?」 그는 극히 안절부절못했다. 이때 그의 마음속은 뒤죽박죽 엉켜 끓어오르고 있어서, 그는 마음속의 생각을 제대로 추스릴 수가 없었다. 「내 말을 들어 보시오. 당신이 그 집에서 했던 말을 모두 다 빼먹지 말고 처음부터 기억해 내어 다시 차근차근 말해 줄 수 없겠소? 말 속에서 무언가를 눈치 챈 것은 없소? 뭐 특별히 기억 나는 게 없소?」

「얘기해 줄 수 있어요.」 공작이 대답했다. 「내가 그곳으로 들어가 서로 인사를 나눈 처음 순간부터 우리는 스위스에 대해 말을 하기 시작했어요.」

「그 빌어먹을 스위스, 좋아요!」

「그 다음에는 사형 집행에 관해서였어요…….」

「사형 집행이라고요?」

「네, 어떤 얘기를 하다가…… 그들에게 그곳에서 3년 동안 살았던 얘기며, 어느 불쌍한 마을 여자에 얽힌 얘기를 해주었지요…….」

「어느 불쌍한 마을 여자라고, 제기랄! 그래서요?」 가냐가 재촉했다.

「그 다음에는 슈나이더 교수님이 나의 성격에 대해 평한 것 하며, 나를 억지로…….」

「슈나이더 따위는 집어치우쇼! 그런 사람의 평이 뭐가 중요해! 그 다음 얘길 해보쇼!」

「그 다음에는 어떤 말끝에 얼굴에 관해서, 말하자면 얼굴의 표정에 관해 화제가 나왔어요. 그래서 아글라야 양이 나스따시야 필리뽀브나처럼 아름답게 생겼다고 했지요. 그런 말을 하다 그 사진에 대해 얘기가 나온 거였어요…….」

「그런데 아까 서재에서 오갔던 말을 한 건 아니오? 했소, 안 했소?」

「되풀이해 말하지만, 하지 않았어요.」

「그럼 어떻게, 제기랄……. 아글라야가 그 편지를 노파에게 보여 주지는 않았소?」

「거기에 대해서는 전적으로 보장할 수 있어요. 나는 계속 거기에 있었는데 그녀는 보여 줄 시간이 없었어요.」

「아니면 당신이 눈치 채지 못했을는지도 모르잖소……. 오! 이 못 말리는 백치. 자기가 본 것도 얘기할 줄을 모르잖아.」 가브릴라는 완전히 정신이 나간 듯 뇌까렸다.

그는 욕설을 퍼부어도 상대방에게서 아무런 반응이 나오지 않자, 보통 사람들이 항상 그러하듯, 조금씩조금씩 자제력을 완전히 상실해 가고 있었다. 이대로 조금만 더 그대로 내버려 두면 상대방 얼굴에 침이라도 뱉을 지경으로 그는 울화가 치밀고 있었다. 울화가 치밀다 보니 그는 공작의 존재를 제대로 파악하지 못하고 있었다. 안 그러면 그가 그렇게도 냉대하는 〈백치〉가 무언가를 지나치게 민첩하고 섬세하게 이해하고, 또 그것을 기막히게 잘 전달할 줄 안다는 사실을 오래전에 눈치 챘을 것이다. 그러나 갑자기 예기치 않은 일이 벌어졌다.

「한 가지 말해 둘 게 있어요, 가브릴라 아르달리오노비치.」 공작이 갑자기 말했다. 「예전에 나는 정말로 건강이 안 좋아 거의 백치에 가까웠던 때가 있었지요. 그러나 오래전에 건강을 되찾아 지금은 정상이에요. 그런데도 면전에서 나를 백치라고 부르니까 기분이 좀 언짢군요. 당신이 시도한 일이 제대로 되지 않아서 그랬다는 점을 염두에 둔다면 이해할 수도 있지만, 당신은 화를 내면서 벌써 두 번씩이나 나에게 욕설을 퍼부었어요. 나는 그런 걸 원치 않아요. 특히 당신처럼 초면일 때는 더욱 그렇지요. 우린, 지금 사거리에 와 있으니 여기서 헤어지는 편이 낫겠군요. 당신은 집을 향해 오른쪽으로 가세요, 나는 왼쪽으로 갈 테니. 내게 25루블이 있으니 난 여관 방을 하나 얻을 수 있을 거요.」

가냐는 몹시 당황해 했다. 창피해서 얼굴이 빨개지기까지 했다.

「용서하십시오, 공작.」 그는 지금까지의 욕설조의 어조를 지극히 공손한 어조로 바꾸면서 성급하게 소리쳤다. 「제발 용서하십시오! 보시다시피 내가 얼마나 큰 곤경에 빠져 있습니까? 아직 당신은 거의 아무것도 이해하지 못하고 있습니다. 하지만 모든 걸 아시게 된다면, 조금이라도 날 용서하실 겁니다. 물론 난 용서받을 수 없는 인간이지만…….」

「오, 아니에요. 난 그렇게까지 사과를 받고 싶지는 않아요.」 공작이 서둘러 대답했다. 「당신이 너무나 기분이 상한 나머지 그렇게 욕했다는 걸 압니다. 그러면 당신 집으로 함께 가지요. 나는 좋습니다…….」

〈안 돼, 이 친구를 이런 식으로 놓아 두어서는 안 돼.〉 가브릴라는 길을 걸으면서도 공작을 아니꼬운 눈초리로 훑어보며 속으로 생각했다. 〈이 협잡꾼은 나에게서 모든 걸 파내고 나서, 갑자기 가면을 벗었어……. 이건 뭔가 있는 거야. 어디 두고 보자! 모든 게 다 밝혀질 거야. 모든 게 다! 그것도 오늘 내로!〉

그들은 어느새 집 앞에 와 있었다.

8

가브릴라의 아파트는 3층에 있었고, 그곳까지는 매우 깨끗하고 환하고 널따란 층계가 이어져 있었다. 그의 아파트는 여섯 내지 일곱 개의 크고 작은 매우 평범한 방으로 이루어져 있지만, 2천 루블의 연봉을 받는 공무원에게는 약간 과한 집이었다. 이 아파트는 일하는 사람을 두고 하숙을 칠 목적으로 가브릴라와 그의 가족이 두 달 전쯤에 얻은 것이다. 가브릴라 자신은 그렇게 하는 것이 상당히 못마땅했지만, 어머니 니나와 여동생 바르바라가 자기네들도 약간이나마 집안의 수입을 늘리는 데 유용한 사람이 되고 싶다고 우겨서 어쩔 수 없었다. 가냐는 이맛살을 찌푸리며 하숙 치는 일이 추하게 보인다고 투덜댔다. 여기로 이사 오고 나서 그는 — 어떤 면에서 밝은 장래가 약속된 청년으로 통하는 — 사교계에 모습을 나타내는 것을 창피해 하는 것 같았다. 운명에 대한 이 모든 양보와 다른 사람들 틈바구니 속에서 좁게 살아야 된다는 것은 그에게 깊은 정신적 상처를 주었다. 언제부터인가 그는 사소한 일을 가지고도 터무니없이 마구 짜증을 부리기 시작했다. 그가 일시적으로나마 양보를 하고 인내를 하겠다고 동의했던 이유는, 빠른 시간 내에 이 모든 것을 변화시키고 개선하기로 결심을 했기 때문이다. 그런데 바로 그 변화와 노력의 결과는 적지 않은 과제를 던져 주고 있었다. 그 과제를 해결하기 위해서는 예전의 모든 것을 합한 것보다 더욱 고통스럽고 번잡스러울 수 있는 해결책을 써야 되는 것이었다.

아파트는 현관에서 곧바로 이어진 복도로 양분되고 있었다. 복도의 한편에는 방 세 개가 있었는데, 거기에는 〈특별히 추천〉받은 하숙인들이 살았다. 또 그 복도 끄트머리에는 부엌과 맞붙은 매우 협소한 방이 하나 있었다. 거기에는 이 집의 가장인 퇴역 장군 이볼긴이 널따란 소파를 침대 겸용으로 쓰며 살고 있었다. 바깥으로 나가려면 반드시 부엌으로 빠져 뒷계단을 오르내려야 했다. 이 좁은 방은 가브릴라 아르달리오노비치의 열세 살 된 동생 꼴랴도 함께 쓰고 있었다. 중학생인 꼴랴 역시 아버지와 함께 이 비좁음을 참아 가며 공부를 하고, 작고 낡아 빠진 소파에서 구멍이 숭숭 뚫린 홑이불을 두르고 잠을 자야 했다. 그리고 그가 맡은 보다 중요한 일은 여기서 아버지를 시중들고 감시하는 것이었다. 아버지는 더욱더 많은 보호와 감시를 받지 않으면 안 될 상황이었다. 공작은 세 개의 방 중에서 중간 것을 쓰게 되었다. 오른쪽에 있는 제일 큰 방은 페르디쉬첸꼬가 썼고, 왼쪽 세 번째 방은 아직 비어 있었다. 그러나 가냐는 공작을 제일 먼저 가족이 쓰는 방 쪽으로 데리고 갔다. 가족이 쓰는 방은 필요할 때 식당으로 쓸 수 있는 홀과 거실과 작은 방으로 이루어져 있었다. 거실은 아침에만 거실이지 저녁때는 가냐의 서재와 침실로 사용되었고, 작은 방은 어머니 니나와 바르바라가 쓰는 침실로 항시 잠겨 있었다. 한마디로 이 아파트 내의 모든 것은 협소하고 옹색했다. 가냐는 마음속으로 이를 악물고 있었다. 그는 어머니에게는 공손하고 또 그렇게 하려고 노력하고 있었지만, 누구든지 이 집에 발을 들여놓는 순간 가냐가 집안의 커다란 폭군이라는 사실을 눈치 챌 수 있었다.

니나는 거실에 홀로 있지 않았다. 그녀 곁에는 바르바라가 앉아 있었다. 모녀는 뜨개질을 하거나 놀러 온 쁘찌찐과 얘기를 나누고 있었다. 니나는 50세쯤 되어 보였다. 그녀의 얼굴은 여위었고, 눈 밑에는 검은 반점이 많이 돋아 있었다. 병색이 있어 보이는 그녀는 우울한 모습이었으나 상당히 호감이 가는 얼굴과 시선을 지니고 있었다. 첫마디에 벌써 성실한 인품이 밴 진지한 성격이 드러났다. 몹시 슬퍼 보이는 표정에도 불구하고 그녀에게는 강직함과 결단력마저 느껴졌다. 그녀는 옷을 매우 검소하게 입고 있었는데 보통 노인들이 입는 우중충한 옷차림이었다. 그러나 그녀의 몸가짐이나 말씨와 매너를 보면 상류 사회 출신의 부인이라는 것을 알아차릴 수 있었다.

바르바라는 중키에 스물세 살쯤 되어 보이는 처녀였다. 호리호리한 몸매에, 얼굴은 뛰어나게 아름답다고는 할 수 없으나 열정을 불러일으킬 정도로 사람의 마음을 끄는 모종의 비밀을 간직하고 있는 듯했다. 그녀는 어머니를 무척이나 닮았다. 성장(盛裝)을 하기 싫어하는 점까지도 어머니와 똑같아 옷차림이 검소했다. 잿빛 눈동자의 표정은 간혹 매우 명랑하고 상냥하게 보일 수 있었지만, 심각하고 슬퍼 보일 때가 더 많았다. 그런 표정이 때로는 지나치다 싶을 때가 있었는데, 요즘 들어서는 특히 더 그러했다. 강직함과 결단력은 얼굴에도 나타나 있었다. 그러나 그녀의 강직함은 어머니보다도 더욱 정력적이고 진취적으로 보였다. 바르바라의 성격은 불 같아서 가끔은 오빠조차 그 불 같은 성미를 두려워할 정도였다. 지금 손님으로 와 있는 이반 뻬뜨로비치 쁘찌찐도 그러한 성미에 겁을 먹고 있었다. 쁘찌찐은 서른이 채 되지 않은 청년으로, 검소하면서도 세련되게 옷을 차려입고 있었다. 그의 처신은 호감이 갔지만, 왜 그런지 지나치게 점잔을 빼고 있는 것 같았다. 검붉은 턱수염은 그가 관청 업무를 보는 사람이 아니라는 것을 말해 주고 있었다.[34] 그는 재치 있게 대화를 할 줄 알았으나, 대체로 말수가 적은 편이었다. 대체로 그는 유쾌한 인상을 주었다. 그는 바르바라에게 관심을 가지고 있었고, 자신의 감정

34 니꼴라이 1세의 명령으로 1837년 4월 2일부터 모든 관리들(군인을 제외한)에게는 수염과 턱수염을 기르는 것이 금지되었다.

을 숨기지 않았다. 바르바라는 쁘찌찐을 친구처럼 대해 주었다. 하지만 그녀는 그가 물어보는 어떤 질문에 대해서는 대답을 회피하려 했고, 아예 그런 질문을 반기지 않았다. 그렇다고 해서 쁘찌찐이 의기소침해 하지는 않았다. 니나는 그에게 상냥했다. 요즘 들어서는 그를 상당히 믿고 의지했다. 하지만 쁘찌찐이 본업으로 고리대금업을 하고 있다는 것은 잘 알려진 사실이었다. 그는 가냐에게 극히 친절하게 대해 주었다.

가브릴라는 어머니 니나에게 공작에 대해 자세하게, 하지만 건성으로 소개를 했다(그는 어머니에게 매우 무뚝뚝하게 인사를 했으며, 여동생에게는 인사조차 하지 않고 쁘찌찐을 방 안에서 어디론가 데려갔다). 니나는 공작에게 몇 마디 상냥한 말을 해주고, 문으로 들어선 꼴랴에게 공작을 중간 방으로 안내하라고 했다. 꼴랴는 명랑했다. 얼굴이 아주 귀염성이 있어 보이는 그는 남의 말을 잘 믿는 순진한 소년이었다.

「짐은 어디에 있어요?」 그는 공작을 방으로 안내하면서 물었다.

「보따리가 하나 있는데, 그걸 현관에다 놓아두었다.」

「그럼 지금 가서 가져오겠어요. 우리 집에 하인이라곤 식모와 마뜨료나가 전부예요. 제가 일을 도와주고 있죠. 바르바라 누나가 하인들을 감독하고 있는데, 매일 화만 내요. 가브릴라 형이 그러는데, 아저씨는 오늘 스위스에서 오셨다면서요?」

「그래.」

「스위스는 좋은가요?」

「아주 좋지.」

「산들도 있어요?」

「있지.」

「금방 보따리를 이리로 끌고 올게요.」

바르바라가 들어왔다.

「마뜨료나가 곧 시트를 깔아 줄 거예요. 트렁크가 있나요?」

「아니에요. 조그만 보따리가 있어요. 니꼴라이가 현관으로 가지러 갔어요.」

「아무런 보따리도 없던데요. 요 조그만 보따리밖에 없어요. 어디다 두신 거죠?」 니꼴라이가 다시 방으로 돌아오며 물었다.

「이것 이외에는 아무것도 없단다.」 공작이 자기 보따리를 받아 들며 목소리를 높여 말했다.

「아 — 아! 저는 페르디쉬첸꼬가 집어 간 줄 알았어요.」

「바보 같은 소리 작작 해라!」 바르바라가 동생에게 쏘아붙였다. 방금 공작에게 공손하고 조용한 어조로 말했던 바르바라가 이번엔 엄한 목소리로 말했다.

「이 바보야Chère babette! 나한테 좀 다정하게 해줄 수 없어? 난 쁘찌찐이 아니잖아.」 니꼴라이가 누나한테 말했다.

「꼴랴, 너 같은 애는 아직까지 매로 다스려야 돼. 넌 그만큼 우둔하단 말이다. 공작, 뭐든지 필요하시면 마뜨료나에게 부탁하세요. 점심은 4시 반에 합니다.[35] 우리들하고 함께 하셔도 좋고, 방 안에서 혼자 하셔도 됩니다. 편하신 대로 하세요. 가자, 니꼴라이, 그만 방해하고.」

「그래 가자고, 누가 감히 거역하겠어!」

그들은 방에서 나오며 가브릴라와 마주쳤다.

「아버지 집에 계시냐?」 가브릴라가 니꼴라이에게 물었다. 그는 니꼴라이가 그렇다고 대답하자 귀에다 대고 뭐라고 소곤거렸다.

니꼴라이는 고개를 끄덕이고는 바르바라의 뒤를 따라 나갔다.

「공작, 잠깐 할 말이 있어서 왔습니다. 부탁이라면 부탁이랄 수 있는데, 제발 들어주세요. 그렇게 부담이 되지 않는다면 나와 아글라야 사이에 있었던 일은 여기서 함부로 말하지 마시고, 또 앞으로 여기서 생기는 일을 저쪽에 가서 말하지 않았으면 좋겠습니다. 여

35 러시아의 식사 시간은 서유럽의 식사 시간처럼 고정되어 있지 않다(스페인은 예외). 식당에서는 〈만찬〉을 하루 중 아무 시간에나 들 수 있었다.

기엔 그리 보기 좋지 않은 일이 많이 일어나니까요. 제기랄…… 적어도 오늘만이라도 자제를 해주십시오.」

「한 가지 확신을 드리지만, 나는 당신이 생각하는 것처럼 수다쟁이가 아니에요.」 공작은 가브릴라의 주의에 짜증이 난 듯이 말했다. 두 사람의 관계는 점점 악화되어 가고 있었다.

「어쨌든, 나는 당신 때문에 오늘 보통 혼이 난 게 아니었으니까요. 제발 부탁합니다.」

「이것 봐요, 가브릴라. 대체 내가 무슨 잘못을 저질렀다는 거요? 사진 얘기를 꺼내지 말라는 법이라도 있나요? 나한테 그런 얘길 하지 말라는 부탁도 하지 않았잖아요?」

「흠, 볼썽사나운 방이군.」 가브릴라가 주위를 경멸적으로 둘러보며 한마디했다. 「방도 컴컴한데 창문이 마당 쪽으로 나 있다니. 여러 면에서 당신은 별로 안 좋을 때 온 거요……. 하기야 이건 내 일이 아니지, 하숙을 치는 건 내가 아니니까.」

이때 쁘찌찐이 얼굴을 내밀고 가브릴라를 불렀다. 가브릴라는 공작을 남겨 두고 총총히 밖으로 나갔다. 가브릴라는 무슨 말인가를 하려고 망설이면서도 말을 꺼내기를 주저하고 있던 차였다. 그러다가 당황스러웠는지 괜히 방을 가지고 트집 잡았던 것이다.

공작이 세수를 하고 몸단장을 마치자마자 다시 문이 열리더니 처음 보는 사람이 모습을 드러냈다.

서른 살 가량의 사나이였다. 큰 키에 어깨가 벌어지고, 곱슬거리는 붉은색 머리카락에 불그스레한 얼굴이 유난히 크고 살이 찐 사람이었다. 그의 입술은 두툼했고, 코는 낮고 넓적했으며, 조그맣고 게슴츠레한 눈은 조소의 빛을 띤 채 쉴 새 없이 깜박거리고 있었다. 전체적으로 뻔뻔스런 인상을 주고 있었으며 옷차림도 꾀죄죄했다.

그는 처음엔 고개를 들이밀 수 있을 정도로만 문을 열고서 5초가량 방 안을 살펴보더니, 이내 문이 활짝 열리자 그의 모습이 문턱에서 확연히 드러났다. 그러나 손님은 선뜻 들어오지 않고 계속 문턱에서 눈을 가늘게 뜨고 공작을 살펴보았다. 그러고 나서 그는 문을 닫고 다가와 의자에 앉으면서 공작의 손을 꼭 잡은 채 자기 옆에 있는 소파에 앉혔다.

「페르디쉬첸꼬입니다.」 그는 공작의 얼굴을 찬찬히, 그러면서도 질문을 하듯이 들여다보며 말했다.

「그런데 무슨 일이지요?」 공작이 터져 나오는 웃음을 억누르며 말했다.

「여기 사는 사람입니다.」 페르디쉬첸꼬가 여전히 공작을 훑어보며 말했다.

「통성명하고 싶으신가요?」

「아 — 아니!」 손님은 머리털을 움켜쥐고 한숨을 쉰 후 반대편 구석을 쳐다보기 시작했다. 「돈 가진 게 있나요?」 그가 공작을 쳐다보며 갑자기 물었다.

「조금 있어요.」

「정확히 얼마지요?」

「25루블요.」

「보여 주세요.」

공작은 조끼 주머니에서 25루블짜리 지폐를 꺼내 페르디쉬첸꼬에게 건네주었다. 페르디쉬첸꼬는 돈을 펴서 들여다보다가 뒤집어서 불빛에 갖다 댔다.

「거참, 이상한데요.」 그는 생각에 잠긴 듯이 말했다. 「돈이 왜 이렇게 암갈색이 됐을까요? 이 25루블짜리 지폐는 어떤 때는 지독하게 암갈색으로 변해 버린다니까요. 그런데 어떤 건 반대로 색깔이 완전히 바래 버리는 것도 있어요. 자, 가져가세요.」

공작은 돈을 다시 받았다. 페르디쉬첸꼬는 의자에서 일어났다.

「나는 당신에게 미리 주의를 주러 왔어요. 첫째로, 나에게 돈을 빌려 주지 마세요. 내가 돈을 꼭 빌려 달라고 할 테니까요.」

「좋아요.」

「여기서 하숙비를 내고 살 예정인가요?」

「그래요.」

「난 안 그래요. 고맙습니다. 나는 바로 오른쪽 첫번째 방에서 삽니다. 내가 거기 있는 걸 보셨지요? 내 방에 가능하면 자주 오시지 않는 게 좋아요. 내가 이리로 놀러 올게요. 이볼긴 장군은 만나 보셨나요?」

「아니오.」

「그럼 그 양반에 대해 얘기를 들었나요?」

「물론 못 들었어요.」

「그럼 직접 만나기도 하고 또 어떤 사람인지 들어 보게도 될 겁니다. 그 양반은 나한테까지 돈을 빌려 달라고 하는 분입니다! 일종의 경고입니다Avis au lecteur. 안녕히 계세요. 그런데 페르디쉬첸꼬라는 성을 가지고 과연 살아갈 수 있나요? 네?」

「왜 못 산다는 거요?」

「안녕히 계세요.」

그는 문 쪽으로 갔다. 공작이 나중에 안 일이었지만, 이 사나이는 기발하고 유쾌한 익살로 모든 사람들을 놀래 주는 것을 자신의 의무쯤으로 여기고 있었다. 그러나 어찌 된 영문인지 한번도 뜻대로 목적을 달성한 적은 없었다. 어떤 사람들에게는 오히려 그러한 시도가 불쾌하게 비춰졌다. 때문에 그는 풀이 죽기도 했지만, 자신의 의무를 포기하려고는 하지 않았다. 문턱에서 그는 방으로 들어오는 사나이와 부딪치고 나서야 제정신이 난 듯했다. 그는 공작에게 초면인 손님을 방 안으로 들여보내고, 몇 번씩이나 주의를 하라는 듯이 그에게 눈을 깜박여 보이면서, 여전히 자신만만하게 걸어 나갔다.

새로 나타난 손님은 키가 크고 쉰다섯 가량 혹은 그보다 더 나이가 들어 보이는 피둥피둥 살이 찐 남자였다. 검붉은 색이 도는 퉁퉁한 얼굴은 살이 축 늘어져 있었고, 회색 구레나룻과 콧수염이 나 있었으며, 눈은 툭 불거져 있었다. 궁핍하고, 초라하고, 심지어 꾀죄죄해 보이는 무언가가 없다면 풍채가 꽤나 좋아 보였을 듯했다. 그는 팔꿈치가 거의 해지다시피 한 낡은 프록코트를 입고 있었다. 속옷도 기름때에 절어 있어서 집 안에서 그대로 입고 다니는 것처럼 보였다. 그에게 가까이 다가가면 보드까 냄새가 풍겼다. 그러나 태도는 상대방을 자신의 품위로 놀라게 해주려는 듯 의도적으로 당당하게 보이려 했다. 이 남자는 서두르지 않고 상냥한 미소를 머금은 채 공작에게 다가왔다. 그는 살며시 공작의 손을 잡아 자신의 손에 감싸 쥐고, 낯익은 모습을 찾아내려는 듯 잠시 동안 그의 얼굴을 빤히 들여다보았다.

「그 남자야! 그 남자!」 그는 조용하지만 당당한 목소리로 말했다. 「너무 똑같아! 아까부터 귀에 익은 소중한 이름이 되풀이되는 것을 듣고 돌이킬 수 없는 과거를 상기했소……. 댁이 미쉬낀 공작이오?」

「네, 맞습니다.」

「난 이볼긴 장군이오. 퇴역한 불우한 인간이오. 댁의 이름과 부칭을 물어봐도 괜찮겠소?」

「레프 니꼴라예비치 미쉬낀입니다.」[36]

「그래, 맞아! 내 친구의 아들이야. 어린 시절의 단짝이라 할 수 있는 니꼴라이 뻬뜨로비치의 아들이 아니오?」

「우리 아버지는 니꼴라이 르보비치였습니다.」

「맞아, 부칭이 르보비치였어.」 장군이 고쳐 말했다. 그러나 그는 서두르지 않고 마치 무심코 잘못 말했을 뿐 아무것도 잊지 않은 양 매우 자신 있게 말했다. 그는 자리에 앉으며 공작의 손을

36 러시아의 인명(人名)은 이름, 부칭(父稱), 성(性)의 순으로 되어 있어 이름만 들으면 그 아버지가 누구인지 알 수 있다. 부칭은 끝 음절이 변형되어 남자의 이름은 〈- 예비치〉, 여자의 이름은 〈- 예브나〉가 된다.

붙잡아 옆에 앉혔다. 「내가 댁을 이 손으로 안고 다녔다오.」
「정말이세요?」 공작이 물었다. 「저희 아버지는 돌아가신 지가 벌써 20년이 되었어요.」
「맞아요. 20년이오. 20년하고도 3개월 전이었소. 우리는 함께 학교를 다녔지. 나는 학교를 마치고 곧장 군(軍)에 갔소…….」
「저희 아버지도 군에 계셨습니다. 바실리꼬프스끼 연대 소위였지요.」
「벨로미르스끼 연대였소. 하기야 벨로미르스끼 연대는 죽기 전날 전속되었지. 나는 거기서 그의 명복을 빌어 주었소. 댁의 어머니는…….」
장군은 슬픈 추억에 잠기듯 하던 말을 멈췄다.
「네, 어머니 역시 반년 만에 감기에 걸려 돌아가셨어요.」 공작이 말했다.
「감기 때문이 아니었소. 감기 때문이 아니라오. 이 노인의 말을 믿으시오. 난 그 자리에 있으면서, 장례까지 치러 주었소. 감기 때문이 아니라, 남편의 죽음을 애도하다 그렇게 된 거요. 공작 부인도 생각이 나는구려! 젊었던 때였지! 댁의 어머니 때문에 나는 공작과 어린 시절부터 친구로 지내 왔으면서도 서로 결투까지 할 뻔했소.」
공작은 미심쩍은 듯이 듣기 시작했다.
「나는 댁의 어머니가 아직 약혼녀였을 때 열렬한 사랑에 빠졌었소. 내 친구의 약혼녀였지요. 공작은 그걸 알아채고 깜짝 놀랐소. 어느 날 아침 공작이 6시가 넘어 나를 찾아와 깨우는 게 아니겠소? 나는 크게 놀라 옷을 입었소. 우리 둘은 침묵을 지키고 있었고, 나는 모든 걸 눈치 챘소. 공작은 주머니에서 권총 두 자루를 꺼냈고, 우리는 증인 없이 손수건 한 장 정도의 거리를 두고 총을 쏘게 됐소. 5분이면 우리 둘 중의 하나가 저승에 가는데 무슨 증인이 필요했겠소? 총을 장전하고, 손수건을 펴놓은 채 권총으로 상대방의 심장을 겨누며 서로의 얼굴을 바라보았소. 그런데 두 사람의 얼굴에서 갑자기 눈물이 우박처럼 쏟아지고, 손이 부들부들 떨리기 시작했던 거요. 두 사람이 거의 동시에 말이오! 물론 두 사람은 자연스럽게 포옹을 하게 되었소. 그리고 둘은 서로 아량을 베풀듯 우기기 시작했소. 공작이 먼저 소리쳤지요. 〈이 여자는 네 거다!〉 나도 응수를 했소. 〈아냐, 네 거다!〉 한마디로…… 그러니까…… 당신 우리 집에서 하숙을 할 거요?」

「네, 당분간 기거할 것 같아요.」 공작이 더듬거리듯 말했다.

「공작님, 엄마가 잠깐 오시래요.」 꼴랴가 얼굴을 내밀고 소리쳤다. 공작은 자리에서 일어나 나가려고 했으나, 장군이 오른손을 공작의 어깨 위에 얹으며 다시 그를 다정하게 소파에 앉혔다.

「댁의 아버지 친구로서 미리 말해 둘 게 한 가지 있소.」 장군이 말했다. 「직접 보다시피, 나는 비극적 사고로 인해 고통을 받은 사람이오. 그것도 매우 억울하게 말이오! 정말 억울하게도 말이오! 니나는 보기 드문 여자요! 바르바라 역시 보기 드문 딸이오! 어쩔 수 없는 사정 때문에 우리가 하숙을 치게 되었소. 정말로 보기 좋게 망한 거요! 나도 총독쯤은 족히 될 수 있었는데 말이오……! 하지만 댁이 온 걸 언제나 기쁘게 생각하오. 그런데 우리 집에는 한 가지 비극이 있소.」

공작은 호기심에 차서 궁금한 듯 바라보았다.

「지금 혼담이 오가고 있는데, 아주 보기 드문 혼담이라오. 모호하기 짝이 없는 여인과 앞으로 시종 무관이 될 수 있는 청년과의 혼담이라오. 그런 여자를 내 딸이 있고, 내 아내가 있는 집으로 끌어들인다니! 하지만 내가 살아 숨 쉬는 동안 그 여자는 못 들어올 거요! 내가 문지방에 누울 테니 차라리 날 밟고 지나가라지……! 난 지금 가냐와는 말 한마디 않고, 마주칠까 봐 피하기까지 하고 있소. 내가 댁에게 일부러 미리 알려 주지만, 우리 집에서 하숙을 하게 되면 보지 말라고 해도 저절로 다 알게 될 거요. 하지만 댁은 내 친구의 아들이니까 내가 기대해 봄직도 하오…….」

「공작, 거실로 와주지 않겠어요?」 니나 알렉산드로브나가 직접 방으로 찾아와서 말했다.

「여보, 상상할 수 있겠어? 알고 보니 내가 공작을 이 손으로 얼러 준 적이 있었어!」 장군이 소리쳤다.

니나 알렉산드로브나는 나무라듯이 장군을 바라보았고, 공작에게서는 무엇인가를 캐내려는 것 같았다. 그러나 아무 말도 하지 않았다. 공작은 그녀 뒤를 쫓아갔다. 그러나 거실로 들어가 앉자, 니나 알렉산드로브나가 매우 서두르듯이 소곤대는 목소리로 무엇인가를 공작에게 전해 주려는데 장군이 느닷없이 거실에 나타났다. 니나 알렉산드로브나는 하려던 말을 멈추고, 화가 치민 듯 뜨개질거리로 얼굴을 돌렸다. 장군은 아내가 화가 났음을 알아챈 모양이었으나, 계속 기분이 좋아 어찌할 줄을 모르고 있었다.

「내 친구의 아들이야!」 그는 니나 알렉산드로브나를 바라보며 소리쳤다. 「너무 뜻밖이야! 난 오래전에 새까맣게 잊어 먹고 있었는데 말이야. 한데 당신, 죽은 니꼴라이 르보비치 미쉬낀을 기억 못하오? 뜨베리에서 한번 본 적이 있잖소?」

「니꼴라이 르보비치는 기억 나지 않아요. 그분이 공작의 아버지신가요?」 그녀가 공작에게 물었다.

「그렇습니다. 하지만 아버지는 뜨베리가 아니라 엘리사베뜨그라드에서 돌아가신 걸로 알고 있어요.」 공작이 소심하게 장군을 보며 말했다.

「뜨베리에서요.」 장군은 확실하게 말했다. 「죽기 직전에 뜨베리로 전근되었소. 그때가 병이 악화되기 직전이었소. 댁은 그때 너무 어렸으니까 전근인지, 여행인지 기억해 내지 못할 거요. 빠블리쉬체프가 매우 뛰어난 사람이기는 하지만 실수를 할 수도 있어요.」

「빠블리쉬체프도 아세요?」

「아주 보기 드문 사람이오. 하지만 난 직접 보았고 임종시에 명복을 빌어 주었던 사람이오…….」

「아버지는 재판 중에 돌아가시지 않았나요? 무슨 일 때문에 재판이 벌어졌는지는 도무지 알 길이 없지만, 아버지는 병원에서 임종하셨어요.」 공작이 다시 말했다.

「오, 그건 꼴빠꼬프 사병 사건과 관련된 재판이었소. 의문의 여지없이 공작의 무죄가 입증될 수 있었을 텐데.」

「그래요? 그럼 사건의 전모를 아시겠네요?」 공작은 비상한 호기심을 드러내며 물었다.

「알다마다요!」 이볼긴 장군이 소리 질렀다. 「재판은 아무런 결정도 내리지 못하고 해산되었소. 불가해한 사건이었소! 그 사건은 불가사의하다고까지 말할 수 있었소. 중대장 라리오노프 2등 대위가 죽어 가고 있어서, 공작이 임시로 그 대리직을 맡았소. 거기까진 좋았소. 그런데 사병 중에 꼴빠꼬프란 자가 동료의 구두를 훔쳐다가 그 돈으로 술을 마신 사건이 발생했소. 그것도 좋았소. 공작은 꼴빠꼬프를 붙잡아 호되게 꾸짖은 다음 곤장을 치겠다고 위협했소. 그런데 꼭 알아 둬야 할 것은 그 도둑질이 상사와 하사가 있는 데서 일어났다는 거요. 거기까지도 좋았소. 그러고 나서 꼴빠꼬프는 막사로 들어가 자기 침상에 누운 뒤 15분 후에 죽어 버렸소. 그것까지도 좋았소. 하지만 너무나 예기치 않았던, 일어날 수 없는 사건이 벌어졌던 거요. 어쨌든 꼴빠꼬프의 장례를 치러 주었지요. 공작은 이에 대해 보고를 하고, 중대원 명부에서 그의 이름을 삭제했소. 최대한으로 사건을 잘 처리했다고 봐요. 그러나 정확히 6개월 뒤, 여단 검열 때 사병 꼴빠꼬프가 그동안 아무 일도 없었던 양 버젓이 노보제믈랸스끼 보병 연대 2여단 3중대원[37]으로 나타났던 거요. 그것도 똑같은 사단, 똑같은 여단에 말이오!」

37 A. S. 그리보에도프의 『지혜의 슬픔』에서 차용해 온 것으로, 장군의 이야기의 공상적인 면을 강조하고 있다. 그가 일했던 연대의 이름일 수도 있다.

「아니, 그럴 수가!」 공작은 놀라서 자기도 모르게 소리쳤다.

「그렇게 될 수가 없어요. 그건 착각이에요!」 갑자기 니나 알렉산드로브나가 우수 띤 눈빛으로 공작을 바라보며 말했다. 「남편이 잘못 알고 있는 거예요Mon mari se trompe.」

「여보, 잘못 알고 있다고 말하기는 쉽지만, 그와 비슷한 사건에 직접 부딪혀 보오! 모두들 오리무중이었소qu'on se trompe. 나도 제일 먼저 잘못 안 거요라고 말했다고. 하지만 불행하게도 나는 그 사건의 목격자로 위원회에도 참석했어. 출석한 사람들은 모두들 그자가 반년 전에 의례적인 사열을 받으며 북소리에 맞춰 매장된 꼴빠꼬프 사병이 틀림없다고 증언을 했어. 정말로 희한하고 있을 수 없는 사건이었지. 나도 동의하지만 말이야…….」

「아버지, 점심을 차려 놨어요.」 바르바라가 방으로 들어오며 목소리를 높여 말했다.

「아, 그거 참 좋구나! 그러잖아도 배가 고프던 참이었는데……. 하지만 그 사건은 심리학적 차원에서도 볼 수 있어요…….」

「수프가 식어요.」 바르바라가 다시 참지 못하고 재촉했다.

「간다, 간다.」 장군이 방에서 나오며 뇌까렸다. 〈아무리 조사를 해봐도…….〉 복도에서는 아직까지 장군의 이러한 말소리가 들렸다.

「우리 집에서 사시려면 우리 아르달리온 알렉산드로비치 이볼긴을 용서해 주셔야 할 겁니다.」 니나 알렉산드로브나가 공작에게 말했다. 「하지만 그 양반은 공작에게 그다지 폐를 끼치지는 않을 거예요. 그 양반은 혼자서 식사를 하시니까. 모든 사람들에게는 나름대로의 단점과 나름대로의…… 특성이 있는 거니까요. 어쩌면 남에게 손가락질당하는 사람들보다 손가락질하는 사람들에게 흠이 더 많을 수도 있잖아요. 한 가지만 특히 부탁하겠어요. 만약 우리 저 양반이 하숙비 건에 대해 뭐라고 하시면, 나에게 다 지불했다고만 하세요. 물론 그 양반에게 주셔도 셈은 똑같겠지만, 단 한 가지 정확을 기하기 위해서 부탁해요……. 그게 뭐니, 바르바라?」

바르바라는 방으로 들어와 있었다. 그녀는 어머니에게 말없이 나스따시야 필리뽀브나의 사진을 내주었다. 니나 알렉산드로브나는 부르르 떨며 처음에는 흠칫 놀라워하다가 나중에는 불쾌한 감정에 사로잡혀 한동안 그 사진을 살펴보았다. 마침내 니나 알렉산드로브나는 어디서 났는지 궁금하다는 듯이 바르바라를 쳐다보았다.

「오늘 오빠한테 직접 선물로 준 모양이에요.」 바르바라가 말했다. 「오늘 저녁에 모든 게 결정되나 봐요.」

「오늘 저녁이라고!」 니나 알렉산드로브나는 절망 섞인 빛을 감추지 못하고 속삭이듯 말했다. 「어쩌겠니? 더 이상 아무런 의심도 희망도 남아 있지 않은 거구나. 그녀는 이 사진으로 모든 의향을 밝혔으니……. 그래 그 애가 너에게 직접 보여 주더냐?」 그녀는 놀라움을 감추지 못하고 덧붙였다.

「다 아시겠지만, 오빠하고 저는 한 달 내내 거의 한마디도 하지 않았어요. 쁘찌찐이 다 얘기해 주었어요. 이 사진은 오빠 책상 옆 바닥에 떨어져 뒹굴고 있는 것을 내가 주워 왔어요.」

「공작.」 갑자기 니나 알렉산드로브나가 공작을 보며 말을 했다. 「한 가지 물어보고 싶은 게 있어요. 그래서 이 방으로 오시라고 한 거지만, 우리 아들을 안 지가 오래되셨나요? 그 애가 말하기로는 공작이 오늘 어디선가 도착하셨다고 하던데요.」

공작은 거두절미하고 자신의 신상에 대해 간단히 설명해 주었다. 니나 알렉산드로브나와 바르바라는 주의 깊게 공작의 말을 들었다.

「가브릴라 아르달리오노비치가 숨기고 있는 것을 알아내려고 캐묻는 게 아니랍니다.」 니나 알렉산드로브나가 변명했다. 「이 점에 대해서는 오해하지 말았으면 해요. 그 애가 나에게 직접 털어놓지 못할 게 있다면, 나 역시 굳이 그 애 몰래 그걸 알아내고 싶지는 않아요. 더군다나 아까 가냐가 공작이 있는 데서도 그랬고 없는 데서도 그랬지만, 내가 공작에 대해서 뭘 물어보니까 〈그 사람은 다 알고 있으니, 너무 체면 차릴 것 없어요!〉 하더라고요. 그게 무슨 뜻이죠? 내가 알고 싶은 건 공작이 어느 정도나…….」

가냐와 쁘찌찐이 갑자기 들어왔다. 니나 알렉산드로브나는 하던 말을 멈췄다. 공작은 그녀 곁의 의자에 앉은 채로 있었고, 바르바라는 한쪽으로 비켜났다. 나스따시야 필리뽀브나의 사진이 가장 잘 보이는 곳에, 바로 니나 알렉산드로브나가 일하는 조그만 탁자 위에 있었다. 가냐는 그것을 보고 눈살을 찌푸렸다. 그는 기분이 상한 표정으로 그것을 집어 방 한쪽 구석에 있는 자기 책상 위에다 던졌다.

「오늘이냐, 가냐?」 니나 알렉산드로브나가 갑자기 물었다.

「뭐가 오늘이에요?」 가냐는 몸을 떨듯 하다가 갑자기 공작에게 대들었다. 「내 이럴 줄 알았어, 젠장! 그거 혹시 무슨 병 아니오? 입 좀 다물고 있지 못하겠소? 무슨 말인지 몰라요? 공작…….」

「그건 내 탓이오, 가냐. 다른 사람 탓할 게 아니라.」 쁘찌찐이 끼어들었다.

가브릴라는 무슨 영문인지 몰라 그를 쳐다보았다.

「하지만 이 편이 더 낫소. 게다가 한쪽에서는 벌써 일이 다 끝났소.」 쁘찌찐이 중얼거리며 옆으로 비켜나서 책상머리에 앉았다. 그는 주머니에서 연필로 가득 적어 놓은 종이를 꺼내 그것을 찬찬히 들여다보기 시작했다. 가브릴라는 시무룩한 표정으로 서서 한바탕 소란을 기다리고 있었다. 그는 공작에게 사과할 생각도 하지 않고 있었다.

「만약 모든 게 다 끝났다면, 물론 이반 뻬뜨로비치 쁘찌찐의 말이 맞다.」 니나 알렉산드로브나가 말했다. 「그렇게 인상 쓰지 마라. 그리고 노여워하지도 마라, 가냐. 네가 말하고 싶어하지 않는 것을 꼬치꼬치 캐묻지 않겠다. 너한테 확실하게 말해 두겠는데, 나는 이제 포기 상태다. 제발 걱정일랑 하지 말아라.」

그녀는 뜨개질거리에서 눈을 떼지 않은 채 평온한 듯, 정말로 평온하게 말했다. 가냐는 놀랐으나, 신중하게 침묵을 지키며 어머니가 보다 분명하게 말해 주기를 기다리는 듯 그녀를 빤히 쳐다보았다. 가정은 아직까지 그에게 커다란 몫을 차지하고 있었다. 니나 알렉산드로브나는 아들의 신중함을 눈치 채고 씁쓸히 덧붙였다.

「너는 여전히 의심을 하며 이 어미의 말을 믿지 않고 있구나. 걱정하지 마라. 적어도 나만은 전과 같이 눈물을 흘린다거나 애원을 한다거나 하는 일은 없을 거다. 나는 네가 행복하기만 하면 된다. 너도 그건 알겠지. 나는 운명에 굴복했지만 내 마음은 언제나 너에게 가 있단다. 우리가 함께 살든 떨어져 살든 말이다. 물론 나는 내가 한 말에만 책임진다. 너는 누이한테도 똑같은 것을 요구할 수는 없다…….」

「아, 또 재야!」 가냐는 조소와 증오가 섞인 눈빛으로 누이동생을 바라보며 소리쳤다. 「어머니! 내가 이미 약속한 바 있지만 다시 한번 맹세하겠어요. 내가 여기 살아 있는 동안 누구도 어머니에게 감히 무례하게 굴지 못할 거예요. 그가 화제에 오른다 해도 나는 누구에 관해서든, 나는 어머니에 대한 최대한의 존경심을 잃지 않을 거예요. 또 그 누가 우리 집 문턱을 넘어온다 하더라도요…….」

가냐는 희열에 넘쳐서 타협하자는 태도로 다정하게 어머니를 바라보았다.

「너도 알다시피 나는 나에 대해서는 아무것도 두려울 게 없다, 가냐. 나는 지금까지 나 때문에 걱정하고 고민해 온 게 아니다. 오늘 모든 게 다 끝난다고 들었다. 무엇이 끝난단 말이냐?」

「오늘 저녁에 그 여자가 자기 집에서, 결혼에 대한 자신의 입장을 발표한다고 했어요.」 가냐가 대답했다.

「우리는 거의 3주일째 이것에 관한 얘기를 회피해 왔다. 그게 차라리 더 좋았다. 그러나 지금 모든 것이 다 끝난 마당이니, 딱 한 가지만 묻고 싶구나. 네가 그 여자를 사랑하지 않는데, 어떻게 그 여자가 너에게 동의를 할 수 있으며, 자기의 사진까지 선사할 수 있는 거냐? 설마 네가 그런…… 그런…… 여자를…….」

「그래요, 남자 경험이 있는 여자란 말인가요?」

「차마 그렇게 표현은 못하겠구나. 어떻게 네가 그렇게까지 그 여자의 눈을 속일 수 있었던 거냐?」

이런 식으로 물어보는 말투에는 심상치 않은 분노가 배어 있었다. 가냐는 잠시 서서 1분 간 생각을 하고 난 후 조소를 띤 채로 말했다.

「어머니, 이 문제에 푹 빠지셨군요. 또다시 참지 못하시다니. 우리 집에서는 모든 게 언제나 이런 식으로 시작되어 폭발되곤 하지요. 어머닌 꼬치꼬치 캐묻지도 않고 따지지도 않는다고 하셨잖아요. 그런데 그렇게 되어 버렸네요! 차라리 그만두는 게 낫겠어요. 그만 얘기하지요. 어머니가 그렇게 하자고 먼저 의사를 밝혔으니까요……. 나는 어떠한 일이 있어도 어머니를 홀로 남겨두지 않겠어요. 다른 사람이라면 저런 누이동생 때문에 벌써 줄행랑을 놓았을 겁니다. 지금 날 어떻게 쳐다보고 있는지 한번 보세요! 자, 이걸로 얘기를 끝마치죠! 난 참으로 기뻐했었는데……. 그런데 어머닌 내가 왜 나스따시야 필리뽀브나를 기만하고 있다고 생각하세요? 바르바라는 자기 멋대로 하라고 하세요. 이젠 진절머리가 났으니까요!」

가냐는 한 마디 한 마디 할 때마다 열을 내며 방 안을 마구 왔다 갔다 했다. 그러한 대화는 가족들 모두의 아픈 곳을 건드리곤 했다.

「그 여자가 우리 집에 들어오면 나는 여기서 나가 버리겠다고 말했어요. 나 역시 말한 대로 할 거예요.」 바르바라가 말했다.

「저 고집 좀 봐!」 가냐는 버럭 소리를 질렀다. 「저 고집 때문에 시집을 못 가는 거라고! 그런데 뭘 나한테 식식거려? 그런 건 다 소용없어, 알았니? 그래, 네 약속을 마음대로 지켜 봐. 이제 너한테 질렸어. 이런! 공작, 마침내 우릴 남겨 두실 모양이군요!」 그는 공작이 자리에서 일어나는 것을 보고 소리쳤다.

가냐의 목소리에는 울화가 배어 있었다. 그것은 정도가 너무 심하여 그것을 즐기지 않고는 못 배기는 성격의 울화였다. 거기에는 아무런 구속도 없이 무한으로 뻗어 가는 돌아올 수 없는 쾌락마저 느껴졌다. 공작은 문에서 대답을 하려고 고개를 돌렸으나, 그에게 모욕을 가한 자의 병적인 얼굴에서 폭발 일보 직전의 상황을 읽어 내고, 다시 고개를 돌려 거실 밖으로 조용히 나갔다. 몇 분 후 그는 거실에서 들려오는 소리를 통해, 자신이 나온 뒤 대화가 더욱 소란스러워지고 노골적으로 진행되어 가고 있다는 것을 알 수 있었다.

그는 자기 방으로 가기 위해 홀을 거쳐 현관으로 갔다. 층계로 나가는 출구 옆을 지날 때 그는 누군가가 문 뒤에서 있는 힘을 다해 초인종을 누르려고 애쓰고 있는 것을 목격했다. 초인종은 어디가 망가졌는지 들릴 듯 말 듯 가늘게 떨리고 있을 뿐 소리가 나지 않았다. 공작은 빗장을 벗기고 문을 열어 주었다. 그리고 깜짝 놀라 뒤로 물러서며 온몸을 떨었다. 나스따시야 필리뽀브나가 눈앞에 서 있었던 것이다. 그는 사진을 보았기 때문에 그녀를 즉시 알아보았다. 그녀는 화가 난 두 눈을 번뜩이며 그를 쳐다보았다. 그리고 어깨로 그를 밀쳐 내고 재빨리 현관으로 들어갔다. 그녀는 털코트를 벗어던지며 화가 난 듯한 소리로 말했다.

「초인종을 제때 고치지 못할 만큼 게으르면 사람이 문을 두드릴 때 현관에 앉아 있기라도 할 것이지. 아니 거기다 코트까지 떨어뜨리다니, 팔푼이 같으니라고!」

코트는 정말로 바닥에 떨어져 있었다. 나스따시야는 공작이 코트를 벗겨 줄 때까지 기다리지 못하고 그것을 직접 벗어 뒤도 안 보고 공작에게 던졌으나, 공작이 미처 받지 못한 것이다.

「당신 같은 사람은 내쫓아야 해. 빨리 가서 내가 왔다고 보고나 해.」

공작은 무슨 말인가를 하고 싶었으나, 너무나 당황해서 아무 말도 못하고 바닥에서 코트를 집어 들고 거실로 들어갔다.

「아니, 이제는 코트를 들고 가네! 코트는 왜 들고 가는 거야? 하하하! 당신 정신 나간 거야 뭐야?」

공작은 뒤돌아 멍하니 그녀를 바라보았다. 그녀가 웃기 시작하자 그도 빙긋이 웃었다. 그러나 여전히 혀가 움직이지 않았다. 그가 그녀에게 문을 열어 준 순간 그의 얼굴은 창백했지만, 지금은 갑자기 빨개졌다.

「아니, 이게 웬 백치야?」 나스따시야가 그에게 발을 구르곤 화가 치밀어 소리쳤다. 「아니, 어디로 가는 거야? 누구라고 보고할 거야, 대체?」

「나스따시야 필리뽀브나라고요.」 공작이 중얼거리듯 말했다.

「어떻게 내 이름을 아는 거지?」 그녀는 재빠르게 물어보았다. 「난 당신을 전혀 본 적이 없는데! 어서 가서 보고해. 안에선 왜 이리 떠들썩한가?」

「언쟁 중이에요.」 공작은 이렇게 대답을 하고 거실로 들어갔다.

그는 정말이지 결정적인 순간에 거실로 들어갔다. 니나 알렉산드로브나는 〈모든 것에 동의한다〉고 한 자신의 말을 완전히 망각한 채 바르바라 편을 들고 있었다. 바르바라 곁에는 쁘찌찐이 서 있었다. 이미 그의 손에는 글씨가 빽빽하게 적혀 있던 종잇조각이 없었다. 바르바라는 고분고분하게 넘어가지 않았다. 고분고분한 성격의 아가씨가 아니었다. 그러나 그녀의 오빠 또한 말을 한 마디씩 꺼낼 때마다 점점 거칠어지며 예의와 인내를 잃어 갔다. 그러면 바르바라는 하던 말을 멈추고 오빠를 조롱하듯 뚫어지게 쳐다보았다. 이러한 작전이야말로 오빠의 마지막 자제력을 잃게 하는 데 효과적이라는 것을 그녀는 알고 있었다. 바로 그러한 순간 공작이 거실로 들어서며 외쳤다.

「나스따시야 필리뽀브나가 왔습니다!」

9

방 안은 쥐죽은 듯이 조용해졌다. 모두들 영문을 몰라 하며 공작을 쳐다보았다. 그의 말을 믿고 싶지 않았던 것이다. 가브릴라는 너무 놀란 나머지 온몸이 마비되었다.

이런 순간에 나스따시야의 방문은, 특히 이런 순간에 그녀가 찾아온 것은 모두에게 극히 어색하고 떨떠름한 돌발사였다. 우선 나스따시야가 처음으로 이 집을 찾아온 것만 해도 그렇다. 지금까지 나스따시야는 가브릴라와 대화를 할 때 그의 가족과 사귀고 싶다는 바람조차 언급하지 않을 정도로 거만했었고, 최근 들어서는 그의 가족에 대해서 마치 그들이 이 세상에 존재하지도 않는 것처럼 한번도 거론하지 않았었다. 가브릴라는 그처럼 껄끄러운 대화를 하지 않게 되어서 한편으로 기뻤지만, 마음 한구석에서는 그녀의 거만한 태도를 못마땅하게 생각했다. 어찌 되었든 그는 나스따시야가 자기 가족에게 조소와 독설을 퍼붓는 데 그칠 것이라고 생각했지, 직접 집으로 찾아오리라고는 상상조차 하지 못했다. 그는 나스따시야가 이 혼담에 관해 집에서 어떻게 생각하고, 식구들이 어떤 시선으로 그녀를 바라보는지 다 알고 있을 거라고 추측했다. 그런 그녀가 바로 지금, 자기 사진을 선물로 준 직후에, 그리고 자기 생일에, 자신이 그의 운명을 결정하겠다고 약속한 날에 방문했다는 것은 바로 그러한 결정 자체를 의미하는 것이었다.

사람들은 계속해서 공작을 어이없는 표정으로 바라보았다. 나스따시야 필리뽀브나는 방 안으로 들어오며 공작을 살짝 떼밀었다.

「드디어 들어왔네요……. 무얼 하려고 그런 고장 난 초인종을 매달아 두었지요?」 그녀는 허둥대며 달려온 가브릴라에게 한 손을 내밀며 명랑하게 말했다. 「아니, 어째서 넋이 나간 얼굴이에요? 나를 소개해 주세요…….」

완전히 넋이 나간 가냐는 제일 먼저 그녀를 바랴에게 소개했다. 두 여자는 악수를 하기 전에 어색한 시선을 교환했다. 나스따시야는 웃음 지으며 명랑한 척했으나, 바랴는 가장하지 않고 시무룩하게 바라보았다. 심지어는 예의상으로라도 입가에 띠어야 할 미소의 기미조차 보이지 않았다. 가냐는 기절할 것만 같았다. 이제는 애원을 해봤자 소용도 없었고 그럴 여유도 없었다. 그는 바랴에게 위협적인 눈짓을 했다. 바랴는 그 눈짓을 보고 이 순간이 그녀의 오빠에게 의미심장한 순간이라는 것을 눈치 챘다. 이때 바랴는 오빠에게 양보를 해야겠다는 생각으로 나스따시야 필리뽀브나에게 간신히 미소를 보냈다. (이들 오누이는 아직까지 가족으로서 서로 사랑하고 있었다.) 이러한 분위기를 약간 누그러뜨린 당사자는 어머니 니나 알렉산드로브나였다. 가냐는 당황한 나머지 어머니를 누이동생 다음에 소개시켰고, 어머니로 하여금 먼저 나스따시야에게 다가가게 했다. 그러나 니나가 자신의 〈남다른 만족감〉에 대해 말을 하려 하자, 나스따시야는 그녀의 말을 다 듣지도 않고 얼른 가냐 쪽을 돌아보았다. 그리고 창문 옆의 한구석에 있는 조그만 소파에 앉으며(앉으란 소리도 없었는데) 큰 소리로 말했다.

「당신의 서재는 어디 있죠? 그리고 또…… 하숙인들은요? 하숙을 치고 있지 않나요?」

가냐는 얼굴이 빨개져서 뭐라고 더듬거리며 대답했다. 그러나 나스따시야가 즉시 덧붙였다.

「하숙인들을 어디에 머무르게 하는 거지요? 서재도 없나요?

그런데 하숙 치는 건 돈은 되나요?」 그녀는 갑자기 니나에게 말꼬리를 돌렸다.

「약간 분주한 편이에요.」 니나가 대답했다. 「물론 남는 게 있어야지요. 하지만 우리는 그저…….」

그러나 나스따시야는 다시 또 니나의 말을 다 듣지도 않고 가냐를 바라보며 웃는 소리로 외쳤다.

「얼굴이 왜 그 모양이에요? 아이고, 하느님 맙소사! 지금 그 얼굴이 뭐예요?」

그녀의 웃음이 한바탕 계속되었다. 가냐의 얼굴은 정말로 일그러져 있었다. 기둥처럼 굳어 버린 그의 모습과 겁쟁이처럼 당황한 우스꽝스런 모습은 곧 사라졌으나, 그의 얼굴은 무서울 정도로 창백해졌다. 입술은 경련으로 비뚤어지기 시작했다. 그는 계속해서 웃는 여자 손님의 얼굴을 조용하고 멍청한 시선으로 끝까지 유심히 바라보고 있었다.

거기에는 또 한 명의 관찰자가 있었다. 그 역시 나스따시야를 본 순간 온몸이 마비되어 꼼짝 않고 서 있었다. 하지만 그는 거실 문 옆에서 장승처럼 뻣뻣이 서 있으면서도 가냐의 얼굴이 창백해지며 무섭게 변하는 것을 알아차릴 수 있었다. 이 관찰자는 공작이었다. 그는 놀라움에 자기도 모르게 앞으로 걸어 나왔다.

「물 좀 마시세요.」 그는 가냐에게 속삭였다. 「그리고 그런 식으로 쳐다보지 마세요…….」

분명히 공작은 아무런 계산이나 생각 없이 그냥 입에서 나오는 대로 말했다. 그러나 그의 말은 대단한 반작용을 불러일으켰다. 가냐는 공작에게 쌓였던 분을 쏟아 놓는 것 같았다. 그는 공작의 어깨를 붙잡고 말로 표현할 수 없을 정도로 복수와 증오가 쌓인 눈초리로 조용히 바라보았다. 같이 있던 사람들이 동요하기 시작했다. 니나 알렉산드로브나는 작게나마 소리까지 질렀다. 쁘찌찐도 걱정이 되어 앞으로 걸어 나왔다. 문 가에 있었던 꼴랴와 페르디쉬첸꼬는 깜짝 놀라 그 자리에서 꼼짝도 못하고 서 있었다. 바랴 혼자만이 여전히 의심쩍은 눈으로 주의 깊게 세세히 관찰하고 있었다. 그녀는 앉지 않고 어머니 곁에서 팔짱을 끼고 서 있었다.

그러나 가냐는 그러한 동작을 취한 순간 제정신이 들어 신경질적으로 껄껄대며 웃기 시작했다. 그는 완전히 정신이 들었다.

「아니, 공작이 의사라도 된단 말이오?」 가브릴라는 가능하면 명랑하고 마음이 넓은 사람처럼 보이려고 애쓰며 말했다. 「허허, 깜짝 놀랐잖소. 나스따시야 필리뽀브나, 이분을 소개하겠습니다. 이분은 오늘 아침 알게 되었지만 아주 소중한 사람입니다.」

나스따시야는 무슨 영문인지 모른 채 공작을 바라보았다.

「공작이라고요? 이분이 공작이에요? 아니, 이런 낭패가! 나는 조금 전에 문간에서 이분을 하인으로 착각하고 내가 온 걸 알리라고 했어요! 호 — 호 — 호!」

「걱정 마세요, 걱정 마세요!」 페르디쉬첸꼬가 성급히 다가오며 말했다. 그는 사람들이 웃음을 터뜨리기 시작하자 기뻐했다. 「그럴 수도 있어요. 사실이 아니라면se non è vero…….」[38]

「하마터면 욕을 할 뻔했어요. 공작, 용서하세요. 페르디쉬첸꼬, 당신은 어떻게 이런 시간에 여기에 있는 거지요? 난 적어도 여기서 당신만은 안 만날 거라고 생각했는데. 누구예요? 어떤 공작이지요? 미쉬낀인가요?」 그녀는 여전히 공작의 어깨를 붙잡고 있는, 그를 소개했던 가브릴라에게 다시 물었다.

「우리 집에서 하숙하는 분입니다.」 가브릴라가 되풀이했다.

사람들은 공작을 무슨 희귀한 존재(이 부자연스런 상황에서 벗어나는 데 좋은 구실이 되는)로 생각하는 게 분명했고, 그래서 거의 그를 나스따시야 필리뽀브나에게 떠밀다시피 했다. 그리고 공작은 뒤에서, 아마 페르디쉬첸꼬 같았는데, 자신에 대해 〈백치〉라

38 Se non è vero, è ben trovato라는 이탈리아 어의 앞부분으로 〈사실이 아니라면 잘 꾸며진 이야기〉라는 뜻이다.

고 나스따시야에게 속삭이는 것을 분명히 들었다.

「아까 내가 그렇게 형편없는 실수를 했는데도 왜 가만히 계셨던 거지요?」 나스따시야가 거리낌 없는 태도로 머리끝에서 발끝까지 공작을 훑어보며 말했다. 그녀는 보나마나 웃지 않을 수 없는 멍청한 대답이 나올 것이라고 생각하며, 공작의 대답을 조급하게 기다리고 있었다.

「너무 뜻밖에 당신을 보게 되어서 무척 놀랐습니다…….」 공작이 중얼거리듯 말했다.

「당신은 나를 어떻게 알아볼 수 있었지요? 이전에 나를 본 적이 있으신가요? 나도 어디선가 당신을 본 적이 있었나요? 그리고 아까부터 왜 그렇게 장승처럼 꼼짝 않고 제자리에 서 있는지 묻지 않을 수 없군요. 내게 무슨 장승으로 만드는 능력이라도 있는 건가요?」

「자, 어서!」 페르디쉬첸꼬가 공작에게 얼굴을 찡그리며 재촉했다. 「자, 어서요! 나라면 저런 질문에 할 말이 굉장히 많을 텐데! 이러다간 바보 소릴 듣겠어요!」

「내가 당신이라면 말을 많이 할 거요.」 공작이 페르디쉬첸꼬를 보고 웃으며 말했다. 「아까 나는 사진에 있는 당신 얼굴을 보고 무척 놀랐어요.」 그리고 그는 나스따시야를 바라보며 계속했다. 「그 후에 나는 예빤친 장군과 당신에 관해 말을 했어요……. 그리고 오늘 새벽에, 미처 뻬쩨르부르그에 들어오기도 전에 기차 안에서 당신에 관한 얘기를 빠르펜 로고진에게 들었어요……. 그리고 좀 전에 내가 문을 열어 주던 순간에도 역시 당신에 대해서 생각하고 있었어요. 그런데 바로 당신이 불쑥 나타난 겁니다.」

「그런데 내가 나스따시야 필리뽀브나라는 걸 어떻게 알았죠?」

「사진을 보고서요…….」

「그리고요?」

「내가 상상했던 모습과 똑같았어요……. 나 역시 어디선가 당신을 본 적이 있는 듯했어요.」

「어디서지요? 어디에서요?」

「나는 당신의 눈을 어디선가 분명히 보았어요……. 하지만 그럴 리가 없어요! 나는 그저…… 나는 여기 온 적이 한번도 없었으니까요. 어쩌면 꿈속에서…….」

「나 원 참, 공작도!」 페르디쉬첸꼬가 외쳤다. 「아니에요, 아까 사실이 아니라면se non è vero이라고 한 말은 취소합니다. 그런데…… 그런데…… 지금 한 말은 공작이 너무나 순진 무구해서 나온 거라고요!」 그는 유감스러운 말투로 덧붙였다.

공작은 그다지 침착하지 못한 목소리로 자주 숨을 돌리며 중간중간 말을 멈췄다간 몇 마디씩 했다. 그는 온통 흥분의 도가니에 싸여 있었다. 나스따시야는 호기심 어린 눈으로 그를 쳐다보았다. 그러나 더 이상 웃지는 않았다. 바로 이 순간 공작과 나스따시야를 에워싼 사람들 틈새로 처음 듣는 쩌렁쩌렁한 목소리가 갑자기 들려왔다. 그 목소리는 사람들을 둘로 갈라놓았다. 나스따시야 앞으로 이 집안의 가장인 이볼긴 장군이 나타난 것이다. 그는 프록코트와 깨끗한 셔츠를 입고 있었고, 수염까지 염색을 했다.

가브릴라는 더 이상 참을 수가 없었다.

자존심이 강하고, 의구심과 우울증에 시달릴 정도로 허영심이 많은 가브릴라는, 최근 두 달 동안 약간이라도 자신을 고상하고 귀한 존재처럼 보이게 할 구실을 찾는 데 혈안이 되어 있었다. 하지만 그쪽 방면에서는 아직 풋내기에 지나지 않아 끝까지 견뎌내지 못할 것이라고 생각했다. 결국 그는 자포자기한 심정으로 자기가 독재자로 군림하는 집에서 마음껏 횡포나 부려야겠다고 결심했지만, 마지막까지 자기에게 확실한 답을 주지 않은 나스따시야 앞에서는 감히 그런 행동을 보여 주지 못했던 것이다. 나스따시야는 그를 무참히 굴복시키고 인정사정없이 그의 우위에 서 있었다. 가브릴라는 그녀가 자기를 두고 〈참을성 없는 거렁뱅이〉

라고 했다는 말을 전해 듣고 훗날 그 말에 대한 대가를 치러 주겠다고 온갖 맹세를 다 했지만, 만사를 원만하게 해결해야 된다는 공상을 이따금 홀로 해보곤 했다. 그는 이제 또 하나의 고배를 마셔야 했다. 그것도 바로 이 순간에! 이 허영심 많은 인간이 겪어야 하는 또 하나의 전례 없는, 가장 무시무시한 고통은 자기 가족을 호도해야 하는 고문이었다. 그러한 고문을 다름 아닌 자기 집에서 직접 겪어야 하는 것이었다. 〈도대체 그러한 고통을 겪으면 거기에 상응하는 보상을 받을 수는 있을까?〉 가브릴라의 머릿속에서 이런 생각이 스쳐 지나갔다.

지난 두 달 동안 밤마다 악몽이 되어 그를 괴롭혀 오고, 간담을 서늘케 하고, 수치로 얼굴을 뜨겁게 했던 것이 바로 이 순간에 현실로 나타난 것이었다. 마침내 그의 아버지와 나스따시야의 상봉이 이루어진 것이다. 그는 가끔 불안하고 초조하게 결혼식장에 참석한 장군의 모습을 상상해 보았다. 그러나 그 고통스런 상상을 끝까지 펼칠 수가 없어서, 번번이 중도에서 포기해 버리고 말았다. 어쩌면 그가 불행을 지나치게 과장하고 있는지도 몰랐다. 그러나 허영에 찬 사람들이란 항상 그런 생각을 하게 마련이다. 이 두 달 동안 그는 안 해본 생각이 없었다. 무슨 일이 있더라도 일시적이나마 아버지를 어디에다 꼼짝 못하게 가둬 두거나, 가능하면 아예 뻬쩨르부르그에서 쫓아 버리는 생각도. 어머니가 찬성하든 말든 거기에 상관하지 말고. 10분 전에 나스따시야가 방 안으로 들어왔을 때 그는 너무나 놀라고 어이가 없어서 아버지 아르달리온 알렉산드로비치 이볼긴이 이 장소에 나타나리라곤 생각조차 하지 못했다. 그래서 아무런 조치도 취해 놓지 못했다. 그런데 모두들 참석한 이 자리에 이볼긴 장군이 프록코트까지 입고 위풍당당하게 나타난 것이다. 그것도 나스따시야 필리뽀브나가 〈그와 그의 가족들에게 조소를 보내려고 찾아온 순간에〉. (가냐는 틀림없이 그러리라고 생각했다.) 사실 나스따시야의 방문이 이러한 목적을 띠지 않는다면, 무슨 목적이 따로 있겠는가? 어머니와 누이동생과 친해지기 위해서, 아니면 가족에게 모욕을 주기 위해서? 그러나 양쪽으로 갈라선 사람들의 모습을 염두에 두면 의심의 여지가 없었다. 어머니와 누이동생은 한껏 무시당한 표정으로 한쪽에 앉아 있었고 나스따시야 필리뽀브나는 그런 사람들이 자기와 함께 한 방에 있다는 사실조차 까맣게 잊어버린 듯 행동했다……. 만약 그녀가 그런 식으로 행동을 한다면, 거기에는 목적이 있는 것이리라!

페르디쉬첸꼬는 장군을 붙잡고 나스따시야에게 데려갔다.

「아르달리온 알렉산드로비치 이볼긴입니다.」 장군은 상체를 구부리고 미소를 지으며 위엄 있는 목소리로 말했다. 「불운한 노병이지만, 이처럼 매력적인 분을 맞아들일 희망에 차 있는 행복한 가장이지요…….」

그는 말을 채 끝마치지 못했다. 페르디쉬첸꼬가 재빨리 그의 뒤에다 의자를 들이밀었다. 점심을 먹고 난 뒤에 하체가 약간 약해진 장군은 털썩 의자에 주저앉았다. 아니 그렇다기보다 의자 위로 엉덩방아를 찧었다고 하는 편이 옳을 것이다. 그는 나스따시야의 정면에 앉아서, 얼굴의 근육을 유쾌하게 움직이며, 보란 듯이 천천히 그녀의 손가락을 자기의 입술에 갖다 댔다. 한마디로 장군은 쉽사리 당황하지 않는 사람이었다. 장군의 외모는 약간 단정치 못한 데가 있었지만 아직까지는 고상해 보였고, 그 자신도 이것을 잘 알고 있었다. 예전에 그는 대단한 상류층 사교계를 출입한 적이 있었다. 그가 그러한 사교계에서 최종적으로 축출된 것은 불과 2, 3년 전의 일이었다. 그때부터 장군은 자제력을 완전히 잃고 술에 빠져 들게 되었다. 그러나 의젓하고 세련된 매너는 지금까지도 남아 있었다. 나스따시야는 아르달리온 이볼긴이 나타나자 무척이나 기뻐했다. 그녀는 물론 장군에 대해 소문으로 이미 잘 알고 있었던 바였다.

「내가 들은 바로는 우리 아들이…….」 아르달리온 알렉산드로비치가 말을 시작하다 말았다.

「네, 장군님의 아들이 그래요! 아버님 역시 훌륭하신 분이군요! 왜 저희 집엔 한번도 오지 않으셨죠? 장군님 스스로 숨으신 건가요? 아니면 아들이 아버지를 숨기는 건가요? 장군님이라면 누구의 눈치도 볼 필요 없이 저희 집에 오셔도 좋아요.」

「19세기의 자식들과 그의 부모들은…….」 장군이 또다시 말을 하려다 말았다.

「나스따시야 양! 아르달리온 알렉산드로비치를 잠깐 내보내 주시겠어요. 그를 찾고 있어요.」 니나 알렉산드로브나가 큰 소리로 말했다.

「내보내 달라고요? 미안해요. 난 장군님에 대해서 많은 걸 들어서 오래전부터 만나 뵙고 싶었어요. 이분에게 무슨 용건이 있나요? 이분은 지금 퇴역하지 않았나요? 장군님, 나를 두고 가지 마세요. 떠나지 않으실 거지요?」

「약속할게요. 저 양반은 당신에게 돌아올 거예요. 하지만 지금은 휴식이 필요해요.」

「아르달리온 알렉산드로비치 장군님, 휴식을 하셔야 된다고들 하는데요!」 나스따시야는 장난감을 뺏긴 응석받이처럼 몹시 못마땅한 듯 인상을 찌푸리며 소리쳤다. 장군은 자신의 입장을 더욱 우스꽝스럽게 만들려고 했다.

「여보, 여보!」 그는 위엄 있게 아내를 바라보며 나무라듯이 말하고 나서는 가슴에다 손을 얹었다.

「어머니, 여기서 나가시지 않겠어요?」 바랴가 큰 소리로 물었다.

「아니다, 바랴. 나는 끝까지 여기에 앉아 있겠다.」

나스따시야는 모녀간의 문답을 뻔히 들었음에도 불구하고, 오히려 그 때문에 더 한층 명랑해지는 듯했다. 그녀는 또다시 장군에게 질문 세례를 했다. 5분 후에 장군은 가장 위풍당당한 태도로 주위 사람들의 웃음에 아랑곳하지 않고 웅변조로 말을 했다.

꼴랴가 공작의 옷자락을 잡아당겼다.

「아버지를 좀 어디론가 데려가실 수 없을까요? 제발 좀 그렇게 해주세요!」 이 가엾은 소년의 눈에서는 분노의 눈물방울들이 번쩍이고 있었다. 「아, 정말 가브릴라 형도 못돼 먹었어!」 그는 혼잣말로 중얼댔다.

「이반 표도로비치 예빤친 장군과 나는 정말로 아주 친한 사이였어요.」 장군은 나스따시야의 질문에 술술 대답했다. 「나하고 그 사람하고, 고인이 된 레프 니꼴라예비치 미쉬낀은 오늘 내가 그의 아들을 20년 만에 상봉하여 포옹을 했지만, 우리 세 사람은 뗄 수 없는 관계였어요. 말하자면 아토스, 포르토스, 아라미스 삼총사였어요. 하지만 한 사람은 중상모략과 총탄에 쓰러져 무덤 속에 있고, 지금 여러분 앞에 있는 사람은 중상모략과 총탄에 대항해 아직까지 싸우고 있지요…….」

「총탄과 싸운다고요?」 나스따시야가 탄성을 질렀다.

「그것들은 여기 내 가슴에 박혀 있어요. 까르스 전투[39]에서 맞은 거지요. 날씨가 좋지 않을 때면 아직도 거기가 아파 와요. 하지만 그 밖의 다른 면에서 나는 철학자로서 생활하고 있답니다. 한가로이 거닐며 산책을 하고, 단골 카페에서 마치 일거리를 접어 둔 부르주아처럼 장기를 두고, 「앵데팡당스Indépendance」[40]를 읽기도 하지요. 그러나 우리의 포르토스인 예빤친과는 3년 전 기차 안에서 벌어진 발바리 사건으로 인해 완전히 결별했어요.」

「발바리요? 그게 도대체 뭐지요?」 나스따시야는 비상한 호기심이 발동해서 물었다. 「기차 안에서라고 했지요?」 그녀는 짚이

39 크림 전쟁(1853~1856) 당시 여러 달 동안 러시아 군대가 포위당했던 터키의 북동쪽에 있는 요새 도시.

40 1830년부터 1937년까지 브뤼셀에서 간행되었던 「앵데팡당스 벨주」를 가리킨다. 이 신문은 서유럽의 정치적이고 사회적인 사건들을 광범위하게 다루고 있었다. 도스또예프스끼는 『백치』를 집필하는 동안 이 신문을 구독했었다. 〈벨기에의 독립〉이라는 뜻이다.

는 게 있는 것처럼 말했다.

「기가 차서 새삼스레 되풀이할 가치도 없는 사건이지요. 벨로꼰스끼 공작 부인의 가정교사인 슈미트 부인 때문에 일어난 일인데……. 되풀이할 가치도 없습니다.」

「그래도 얘기를 해주세요!」 나스따시야가 들떠서 보챘다.

「나 역시 들어 보지 못했는데요!」 페르디쉬첸꼬가 거들었다.

「그건 뉴스거리 같은데요C'est du nouveau.」

「여보!」 니나의 간청하는 듯한 목소리가 들려왔다.

「아버지, 부르시잖아요!」 꼴랴가 소리쳤다.

「우습지도 않은 사건이었소. 두어 마디면 끝나요.」 장군이 득의양양하게 시작했다. 「2년 전이었어요. 아니, 2년이 채 안 됐는지도 몰라요. 새로운 어떤 철로가 개통된 직후였지요. 나는 (이미 민간복을 입고 있는 몸이었지만) 내 업무를 인수인계하는 극히 중대한 일로 일등석 표를 사가지고 기차 안으로 들어가 앉아 시가를 피우고 있었지요. 다시 말하자면 계속해서 시가를 피우고 있었습니다. 그전에 이미 담뱃불을 붙였기 때문이에요. 내가 탄 좌석 칸에서 혼자 피우고 있었지요. 거기는 금연 구역은 아니었지만 흡연이 허락되지 않았고, 보통 승객에 따라 절반 정도만 용납되었어요. 창문은 열려 있었어요. 그런데 기적이 울리기 전에 발바리를 데리고 온 두 명의 부인이 난데없이 내 맞은편에 나타났던 거예요. 기차를 놓칠 뻔하다 간신히 탄 사람들이었어요. 한 여자는 밝은 하늘색의 화려한 옷을 입고 있었고, 보다 수수하게 차려 입은 다른 여자는 검은 실크 옷에 목도리를 두르고 있었어요. 밉상들은 아니었지만 거만스런 눈초리로 영어를 하고 있었지요. 나는 물론 아무 상관도 하지 않고 시가를 피웠어요. 시가 불을 끌까 말까 생각을 안 해본 바도 아니지만, 창문이 열려 있어서 계속 창문에 대고 피워 댔지요. 옅은 하늘색 옷을 입은 부인의 무릎에 앉아 있는 발바리는 내 한 주먹 안에 들어올 정도로 조그만 놈이었는데, 까만 털에 발만큼은 흰색을 띤 희귀종이었어요. 거기다 무늬가 새겨진 은목걸이까지 걸고 있었지만 나하고는 무관했지요. 그러나 부인들은 시가 때문에 화가 나 있는 것 같았어요. 그 중 한 명은 거북이 등뼈로 만든 오페라글라스를 끼고 노려보고 있었지요. 그것 역시 나하고 관계 없는 일이었어요. 그렇다고 나한테 무슨 말을 한 건 아니니까요! 담뱃불을 꺼달라고 한다든가, 사전에 주의를 준다든가, 부탁을 할 수도 있는 문제였죠. 혀는 그렇게 말하라고 있는 거 아니오? 그런데 시종 침묵을 지키다가, 사전에 한마디 말도 없이, 정말로 단 한 마디도 없이, 마치 정신이 완전히 나간 양, 옅은 하늘색 옷의 부인이 내 손에서 시가를 낚아채서 창밖으로 던져 버리는 게 아니겠소. 기차는 달려갔고, 나는 팔푼이처럼 그녀를 쳐다보았지요. 그 부인은 거칠었어요. 아주 조야한 집안 출신의 거친 여자였지요. 한데 통통하게 살이 찌고 키가 크고 얼굴이 (지나칠 정도로) 불그스레한 이 금발의 여인은 눈에 불을 켜고 나를 노려보았어요. 나는 아무 말 하지 않고, 남달리 공손하게, 완벽한 예절을 갖추고, 그야말로 가장 세련된 예절을 갖추고, 두 손가락을 발바리에 갖다 댄 후 살며시 발바리의 목덜미를 집어 올려 방금 시가를 버린 창문 밖으로 내던져 버렸지요. 뭐! 부인은 비명을 질렀지만 열차는 계속 달려가기만 할 뿐이었어요…….」

「장군님도 아주 독하시군요!」 나스따시야는 어린아이처럼 깔깔대고 손뼉을 치며 소리쳤다.

「브라보, 브라보!」 뻬르디쉬첸꼬가 소리쳤다. 장군의 등장을 몹시 못마땅하게 여겼던 쁘찌찐도 빙긋 웃었다. 심지어는 니꼴라이까지 웃기 시작하며 〈브라보〉를 외쳤다.

「내가 못할 짓을 했나요. 내가 그렇게 한 것은 천 번 만 번 잘한 짓이었어요.」 득의양양한 장군이 열을 내며 말했다. 「만약 객차 안이 금연 구역이라면, 개들은 더 오래전부터 출입 금지시켜야 했어요.」

「아버지, 브라보!」 니꼴라이가 신이 나서 소리쳤다. 「잘하셨어요! 나라도 반드시 그렇게 했을 거예요!」

「그런데 부인은 어떻게 됐나요?」 나스따시야가 참지 못하고 물었다.

「부인요? 일이 아주 형편없이 꼬이게 됐지요.」 장군은 인상을 찌푸리며 계속 말을 이어 나갔다. 「그 여자는 어떻게 한다는 말 한마디, 예고 한마디 없이 내 뺨을 후려갈겼어요! 야만적인 집안 출신의 거친 여자였지요!」

「장군님은 어떻게 하셨나요?」

장군은 눈을 내리깔고, 눈썹을 치켜 올리고, 어깨를 들어올리고, 입술을 꽉 물더니, 두 손을 벌리고 침묵을 지키다가 갑자기 말을 내뱉었다.

「나도 반사적으로 후려갈겼어요!」

「아프게 갈겼나요?」

「그다지 아프게 하지는 않았어요! 소동은 벌어졌으나 아프게 하지는 않았어요. 나는 딱 한 번 휘둘렀어요. 단지 손만 휘두르려고 했어요. 그러나 마가 끼었는지 일이 틀어져 버렸어요. 알고 보니 그 옆은 하늘색 옷을 입은 부인은 영국 여자였는데, 벨로꼰스끼 공작 부인 집의 가정교사도 되고 집안 친구도 되었지요. 그리고 검은 옷을 입고 있는 여자와 벨로꼰스끼 공작 집안과의 관계는 온 천하가 다 아는 사실이지요. 공작의 딸들은 발바리가 죽었다는 소식을 듣고 기절을 하고, 눈물을 흘리며 장례를 치러 준다고 난리를 쳤어요. 여섯 명의 딸과 한 명의 영국 여자가 대성 통곡을 하는데 세상의 종말이 온 것 같았어요. 물론 나는 사과를 하러 찾아가기도 하고, 용서를 빌어 보기도 하고, 서신을 보내기도 했지만 편지고 뭐고 간에 받아 주지 않았어요. 그러다 보니 예빤친 장군과 불화가 생겨났고, 결국엔 멀어지게 된 겁니다!」

「그런데 어떻게 된 일이지요?」 나스따시야가 갑자기 물었다.

「나는 〈앵데팡당스〉를 구독해 보는데 5, 6일 전에 거기서 똑같은 기사를 읽었어요! 정말로 똑같은 이야기였어요! 그건 라인 지방을 달리는 어느 기차 안에서 영국 여인과 프랑스 남자 사이에서 벌어진 사건인데, 시가를 빼앗아 던진 것도 똑같고, 발바리를 창밖으로 던진 것도 똑같고, 그 결말도 똑같았어요. 심지어는 옅은 하늘색까지도 똑같아요!」

장군의 얼굴이 새빨간 홍당무가 되었다. 니꼴라이도 얼굴이 빨개져서 자기 머리를 움켜쥐었다. 쁘찌찐은 재빨리 고개를 돌렸다. 다만 페르디쉬첸꼬 혼자만이 여전히 깔깔대고 있었다. 가브릴라의 반응은 말하나마나였다. 그는 시종일관 뻣뻣하게 서서 도저히 참을 수 없는 말 못 할 고통을 삭히느라고 애를 쓰고 있었다.

「여러분에게 확실히 해두는 바이지만,」 장군이 중얼거리듯 말했다. 「내게 똑같은 사건이 벌어졌었습니다…….」

「정말로 그런 불미스런 일이 우리 아버지와 벨로꼰스끼 공작 부인네 가정교사 슈미트 부인 사이에 있었어요.」 니꼴라이가 소리쳤다. 「내가 기억하고 있어요.」

「뭐라고요! 정말로 그렇게 똑같은 일이? 어떻게 유럽 대륙의 양극단에서 옅은 하늘색 옷을 비롯해 모든 게 그처럼 똑같은 사건이 벌어질 수가 있단 말인가요?」 나스따시야가 무자비하게 다그쳤다. 「내가 여러분에게 〈앵데팡당스〉지를 보내 주겠어요.」

「그러나 구별해야 할 게 하나 있어요.」 장군은 여전히 지지 않고 말했다. 「난 이 사건을 2년 전에 먼저 겪었어요……!」

「아, 그게 차이점이군요!」

나스따시야는 히스테리를 부리듯 깔깔거렸다.

「아버지, 한 말씀 드릴 게 있으니 잠깐만 나오시지요.」 가브릴라가 무의식적으로 이볼긴 장군의 어깨를 붙잡고, 괴로워서 덜덜 떨리는 소리로 말했다. 그의 눈에는 끝없는 증오심이 불타오르고 있었다.

바로 이 순간에 현관으로부터 요란한 초인종소리가 울렸다. 마치 초인종을 깨뜨려 버릴 듯한 기세였다. 누군가의 심상치 않은 방문이 예감되었다. 니꼴라이가 문을 열어 주러 뛰어갔다.

10

갑자기 현관에서 시끌벅적한 소리가 들려왔다. 거실에서 추측하기로는 서너 사람이 마당에서 집 안쪽으로 들어와 있고, 그 외의 사람들이 계속해서 더 들어오는 소리였다. 떠들썩하게 말하며 고함치는 소리가 들려왔다. 현관 문 앞에 나 있는 계단에서 사람들이 웅성거리며 고함을 치고 있었다. 아마 문이 열리지 않아서 그러는 것 같았다. 누가 행차를 했는지 무척이나 이상했다. 모두들 상대방 얼굴만을 쳐다보았다. 결국 가브릴라가 뛰어나가 보았으나, 이미 홀 안으로 서너 명의 장정이 들어와 있었다.

「아, 바로 여기 있구나, 이 유다 같은 자식이!」 공작의 귀에 익은 고함소리였다. 「잘 있었냐? 가브릴라. 이 치사한 자식아!」

「그래 맞아요, 이 치가 틀림없어요!」 또 다른 목소리가 거들었다.

의심의 여지가 없었다. 로고진과 레베제프의 목소리가 분명했다.

가브릴라는 온몸이 마비된 사람처럼 거실 문턱에 멈춰 섰다. 그는 열두어 명 정도의 사람들이 빠르펜 로고진의 뒤를 따라 꾸역꾸역 홀 안으로 들어오는 것을 그대로 내버려 둔 채, 그저 묵묵히 바라보고만 있었다. 로고진 일행은 각양각색이었다. 뿐만 아니라 무식하기 짝이 없어 보였다. 어떤 자들은 그냥 길거리를 나다니듯 코트도 벗지 않고 신발을 신은 채로 들어왔다. 술에 만취한 자는 없었으나, 가볍게 한잔씩 했는지 들떠 보였다. 모두들 안으로 들어가기에 앞서 상대방의 눈치를 살피며 서로 먼저 들어가라고 떼밀고 있었다. 아마 혼자서 성큼 들어갈 용기가 나지 않는 모양이었다. 로고진조차도 일당들 맨 앞에서 몸을 사리며 걸어 들어왔다. 하지만 그에겐 무슨 꿍꿍이속이 있는 것 같았고, 그것 때문인지 침울하고 초조해 보였다. 나머지 사람들은 그저 엑스트라가 아니면 로고진을 지원해 주기 위한 오합지졸에 불과했다. 그들 중에는 레베제프 말고도 고수머리 잘료제프도 끼여 있었다. 그는 현관에다 털외투를 벗어 던지고 자못 거들먹거리는 태도로 걸어 들어왔다. 그리고 두세 명의, 키가 12베르쇼끄[41]나 되는 사내들이 뒤따라 들어왔다. 군인 외투 같은 걸 걸친 자가 있는가 하면, 그칠 줄 모르고 히죽거리고 있는 뚱뚱한 땅딸보가 있었고, 역시 지독하게 뚱뚱한 데다가 몹시 침울하고 과묵하게 생긴 자도 있었다. 그자는 자기 주먹을 과신하고 있음이 분명해 보였다. 그리고 의과 대학생과 겉치레에 신경을 쓴 폴란드 인도 있었다. 층계에서 안을 들여다보고 있었으나 들어올 생각을 하지 못하고 있는 어떤 두 여자도 있었다. 니꼴라이는 그 여자들의 코앞에서 문을 쾅 닫아 버리고, 빗장을 채웠다.

「가브릴라, 잘 있었냐? 이 치사한 놈아, 여기 빠르펜 로고진이 오실 줄 몰랐느냐?」 로고진은 거실까지 가서도 가브릴라를 바라보며 이렇게 되풀이했다. 그러나 이 순간 그는 거실 안에 나스따시야가 앉아 있는 모습을 보았다. 로고진은 그녀를 보고 보통 놀란 게 아니었다. 여기서 그녀와 마주치게 되리라곤 꿈에서조차 생각하지 못했기 때문이다. 그는 얼굴이 창백해지다 못해 입술까지 새파랗게 질렸다. 「그러고 보니 정말이로구나!」 그는 적이 낙심한 듯 혼잣말로 뇌까렸다. 「끝장이구나……! 하지만 좋다…….

41 베르쇼끄는 1881년에 채택된 키를 재는 단위. 통상적으로 키를 말할 때는 베르쇼끄에 2아르신을 더한다. 1베르쇼끄는 4.445cm, 1아르신은 71.21cm이다. 따라서 12베르쇼끄는 196cm 정도의 신장을 말한다.

지금 나한테 당해 봐라!」 그는 갑자기 이를 악물었다. 그리고 치밀어 오르는 분노의 눈빛으로 가브릴라를 쳐다보았다. 「어디…… 어휴, 이걸 그냥……!」

그는 질식할 듯 숨을 헐떡이며 제대로 말을 이어 나가지 못했다. 그는 기계적으로 거실 안쪽으로 걸어 들어가다, 문턱을 넘는 순간 갑자기 니나 부인과 바르바라를 보자 지독한 흥분에도 불구하고 약간 당황한 듯 발을 멈췄다. 그림자처럼 붙어 다니는 레베제프가 그를 따라 거실로 들어왔다. 그는 이미 거나하게 취해 있었다. 그 뒤를 이어 의대생과 미스터 주먹, 좌우로 고개를 조아리는 잘료제프가 들어왔고, 땅딸보가 사람들을 비집고 맨 마지막으로 들어왔다. 거실 안에 부인들이 있다는 사실을 의식했는지 그들은 약간 언동을 자제했다. 부인들이 방해가 된 모양이었다. 그러나 여기까지는 앞으로 있을 소동의 전초에 불과하다……. 일단 시작되면 그 어떤 부인네도 안중에 없을 것이다.

「아니? 공작, 당신이 여기에 있다니?」 로고진은 매우 뜻밖이라는 듯이 무심코 말했다. 「아직까지 각반은 붙들어맨 채로 있구먼, 제 — 기랄!」 그는 곧 공작에 대해서는 까맣게 잊어버리고는 한숨을 쉬더니 시선을 다시 나스따시야에게로 옮겼다. 그러면서 그는 자석에 딸려 가듯 계속 나스따시야 쪽으로 몸을 움직였다.

나스따시야 역시 불안한 표정이었지만 무슨 일이 벌어질까 하는 호기심으로 불청객들을 바라보았다.

가브릴라가 마침내 제정신을 차렸다.

「한데 이게 도대체 어찌 된 영문입니까?」 그는 이들 불청객들을 똑바로 쏘아보며, 특히 로고진 쪽을 향해 큰 소리로 말했다. 「당신들은 물론 여기가 마구간이 아니라는 걸 알고들 있겠지요? 여기 나의 어머니와 누이가 있어요…….」

「어머니와 누이가 있는 것은 아네.」 로고진이 이빨 사이로 내뱉듯이 말했다.

「어머니와 누이라는 것은 알고 있네.」 레베제프가 분위기를 유도하기 위해 거들었다.

미스터 주먹은 마침내 때가 왔다고 판단했는지 소리를 버럭 질렀다.

「어찌 되었든 간에!」 가브릴라가 참지 못하고 목소리를 거세게 높였다. 「우선 모두들 홀로 나가 주시기 바랍니다. 그러고 나서 무슨 영문인지 들어 봅시다…….」

「무슨 영문은 무슨 영문이야!」 로고진이 자리에 꼿꼿하게 선 채 사납게 이를 갈았다. 「이 로고진을 몰라보겠니?」

「글쎄, 어디서 본 듯한데…….」

「이것 봐라, 어디서 본 듯하다고? 불과 석 달 전에 내가 카드놀이에서 너한테 아버지 돈 2백 루블을 잃었고, 그것 때문에 우리 영감이 돌아가셨는데 날 못 알아보겠다고? 네가 나를 끌어들이고 끄니프 녀석한테 속임수를 쓰게 하여 돈을 따먹고는 날 몰라보겠다고 하는 거냐? 저기 있는 쁘찌찐이 그 증인이다! 너는 내가 주머니에서 은화 세 개만 보여 주면 발가벗고 바실리예프스끼섬까지 뛰어갈 놈이다! 너는 그런 작자야. 그게 너의 속성이라고! 그렇기 때문에 내가 너를 돈으로 매수하러 여기 온 거다. 내가 이런 장화를 신고 왔다고 해서 신경 쓸 거 없어! 난 돈이 많단 말이다. 너를 산 채로 몽땅 사버리고 말 테다……. 그리고 당신들을 모두 사버리고 싶다! 모든 걸 사버릴 거다!」 로고진은 술이 점점 취해 가는 듯 열을 올리며 말했다. 「나스따시야 필리뽀브나! 날 내쫓지 마시고, 딱 한마디만 해주시오. 이 치하고 결혼할 건가요? 아니면 안 할 건가요?」

로고진은 얼빠진 사람처럼, 그러나 사형 언도를 받아 더 이상 잃을 게 없어서 아무것도 무서워하지 않는 사람처럼 용기 있게 질문을 했다. 죽을 것만 같은 갈망에 젖어 그는 대답을 기다렸다.

나스따시야는 조소 띤 거만한 눈초리로 그를 뜯어보다, 바르바라와 니나 알렉산드로브나 그리고 가브릴라에게 차례로 시선을 던진 후 갑자기 어조를 바꿔 말했다.
「절대로 안 해요. 그런데 그게 당신하고 무슨 상관이죠? 도대체 무슨 속셈으로 그렇게 물어볼 생각을 했느냔 말이에요?」 그녀는 다소 놀란 표정을 지으며 조용한 어조로 진지하게 대답했다.
「안 한다고요? 안 한다고 그랬어!」 로고진이 기뻐 날뛸 듯이 함성을 질렀다. 「안 한다고 그랬어요? 한데 내가 듣기로는……. 아! 한데, 나스따시야, 당신이 가브릴라 녀석과 약혼을 했다고 들었어요! 그 따위 녀석과? 그게 가당키나 하단 말이오?(그 치들한테 말하는 거요!) 하여튼 이 친구가 물러서도록 1백 루블로, 아니 1천 루블로, 그것도 모자란다면 3천 루블로 매수하겠소. 이 치가 신혼 첫날밤 신부를 나에게 고스란히 남겨 두고 도망칠 수 있게끔 말이오. 야, 가브릴라, 이 더러운 놈아! 잠자코 3천 루블을 받는 편이 좋을 거다! 자, 이 돈을 받아라! 내가 여기 온 것은 너한테 영수증을 받아 두기 위해서다. 난 한번 산다면 사는 사람이다!」
「여기서 꺼져 버려. 넌 취했어!」 가브릴라가 얼굴을 붉으락푸르락하며 소리 질렀다.
그가 소리를 지르자마자 갑자기 몇 사람의 목소리가 일시에 터져 나왔다. 오래전부터 이러한 기회를 노려 왔던 로고진 일당이었다. 레베제프는 로고진의 귀에 대고 무슨 말인지 열심히 속삭였다.
「맞아! 네 말이 맞아!」 로고진이 대답했다. 「주정뱅이치고는 제법인데! 될 대로 되라지. 나스따시야 필리뽀브나!」 그는 팔푼이처럼 겁을 집어먹고 그녀를 바라보다가 갑자기 기운이 생겼는지 무례할 정도로 용기를 내어 소리쳤다. 「여기 1만 8천 루블을 받으시오! 자, 여기 있소! 앞으로도 더 가져오겠소!」 그는 하얀 종이에 싼 후 열십자 형의 끈으로 묶어 놓은 돈 다발을 나스따시야 앞의 탁자 위로 던졌다.

그러나 그는 마음먹은 대로 대담하게 끝을 맺지 못했다.

「아니, 그게 아니고…….」 레베제프는 돈의 액수가 너무 큰 나머지 기겁을 한 표정으로 다시 한번 그에게 귓속말을 했다. 그보다 훨씬 적은 액수를 줘보라고 한 모양이었다.

「넌 빠져. 너 같은 멍청이는 뭐가 어떻게 돌아가는지 몰라. 하긴 나도 너 같은 멍청이인지도 모르지!」 로고진은 눈에 불을 켜기 시작한 나스따시야의 모습을 보자 갑자기 정신을 차리고 몸을 떨었다. 「이런! 네놈 말을 따랐다가 바보 짓만 한 것 같구나.」 그는 매우 후회하듯 덧붙였다.

나스따시야는 로고진의 다소곳해진 얼굴을 보자 갑자기 웃음을 터뜨렸다.

「내게 1만 8천 루블을 준다고? 상것의 본성이 드러나는군!」 그녀는 갑자기 원색적인 어투로 로고진을 쏘아붙이며 집에서 나가려는 듯이 자리에서 일어났다. 가브릴라는 시종일관 가슴을 조이며 이 모든 광경을 지켜보았다.

「그럼 4만 루블 드리겠소. 1만 8천 루블이 아니라, 4만 루블!」 로고진이 소리쳤다. 「쁘찌찐과 비스꾸쁘가 7시까지 4만 루블을 가져다 주기로 약속했소. 4만! 그 돈을 몽땅 탁자 위에 갖다 바치겠소.」

사태는 걷잡을 수 없을 정도로 추악하게 바뀌어 갔으나, 나스따시야는 계속 웃기만 할 뿐 집에서 나가지 않았다. 마치 이러한 사태를 오랫동안 끌고 가려는 듯했다. 니나 알렉산드로브나와 바르바라도 자리에서 일어나 앞으로 무슨 일이 닥칠지 두려워하며 숨을 죽인 채 사태의 추이를 지켜보고 있었다. 바르바라의 눈은 무섭게 빛나고 있었다. 그러나 이 사건은 니나 알렉산드로브나에게는 고통스럽게 작용했다. 그녀는 금세 기절이라도 할 듯 몸을 후들거리고 있었다.

「그렇다면 10만 루블이오! 오늘 내로 10만 루블을 주겠소! 쁘찌찐, 구해 주게. 자네도 덕을 볼 거야!」

「자네, 정신 나갔나?」 쁘찌찐이 재빨리 로고진에게로 다가와 그의 손을 붙잡으며 속삭였다. 「자넨 취했어. 이러다간 파출소로 끌려가겠네. 지금 여기가 어딘 줄 아나?」

「취한 김에 허풍을 떠는 거라고요.」 나스따시야가 약 올리기라도 하듯 말했다.

「난 허풍이 아니오. 돈을 가져올 거라고요! 저녁때까지요. 쁘찌찐, 도와주게. 이자는 마음대로 받아 가라고. 저녁때까지 10만 루블을 마련해 와. 이대로 물러서지 않는다는 걸 보여 주겠어!」 로고진은 갑자기 들떠서 생기를 띠기 시작했다.

「한데 이게 대체 무슨 꼴인가?」 잔뜩 화가 난 아르달리온 이볼긴 장군이 로고진 쪽으로 다가오며 느닷없이 근엄한 소리로 야단을 쳤다. 지금까지 침묵을 지키던 노인이 이렇게 갑작스레 야단 쳤다는 것이 오히려 우스꽝스러움만 더하게 했다. 웃음소리가 들렸다.

「이 양반은 어디서 나타난 거야? 갑시다, 영감님. 술이나 한잔 하자고요.」 로고진이 웃었다.

「아니, 이렇게 버르장머리가 없어도 되는 거야?」 니꼴라이가 수치심과 노여움으로 울먹이며 소리쳤다.

「여러분들 중에는 이 몰염치한 여자를 밖으로 끌어낼 사람이 정말로 한 명도 없단 말인가요?」 분노로 온몸을 부르르 떨고 있던 바르바라가 갑자기 고함을 질렀다.

「나를 두고 몰염치하다고 했나요?」 나스따시야는 상대방을 무시하듯 일부러 명랑한 말투로 받아넘겼다. 「그런 것도 모르고 오늘 우리 집 파티에 당신들을 초청하러 여기 온 걸 보면 나는 바보야! 가브릴라, 당신 누이가 날 어떻게 취급하고 있는지 들으셨죠?」

가브릴라는 뜻하지 않은 누이의 말에 마치 벼락이라도 맞은 양 그 자리에서 꼼짝하지 않고 잠시 동안 서 있었다. 그러나 나스따시야가 이 순간에 정말로 나가 버리려는 것을 보자 가브릴라는 미친 사람처럼 바르바라에게 달려들어 그녀의 팔을 사정없이 움켜잡았다.

「이게 대체 무슨 짓이냐?」 그는 그 자리에서 누이동생을 박살이라도 낼 듯한 기세로 노려보며 소리쳤다. 그는 완전히 이성을 잃어서 자기가 무슨 짓을 하는지도 몰랐다.

「무슨 짓이냐고? 날 어디로 끌고 가려는 거야? 그래, 저 여자가 어머니에게 모욕을 주고 우리 집을 더럽혔는데 사과하란 말도 하지 않아? 오빠, 이렇게 저열한 인간이었어?」 바르바라는 기세등등하여 가브릴라를 도전적으로 쳐다보며 소리쳤다.

잠시 동안 이들은 서로 얼굴을 맞댄 채 서 있었다. 가브릴라는 여전히 누이동생의 팔을 움켜쥐고 있었다. 바르바라는 온 힘을 다해 손을 홱 뿌리치려 했으나 힘에 부친다는 것을 알자, 갑자기 제정신을 잃고 오빠의 얼굴에다 침을 퉤 뱉었다.

「야, 대단한 아가씨야!」 나스따시야가 소리쳤다. 「브라보, 쁘찌찐, 축하해요.」

가브릴라는 눈앞이 깜깜해졌다. 그는 완전히 정신을 잃고 온 힘을 다해 누이동생을 향해 주먹을 내리쳤다. 주먹이 그녀의 얼굴에 와 닿는 순간 갑자기 누군가의 손이 허공에서 가브릴라의 팔을 저지했다.

가브릴라와 누이 사이로 공작이 끼어든 것이다.

「그만 하세요!」 그는 단호한 어투로 말했으나, 그의 몸은 지독한 심적 동요로 떨리고 있었다.

「너는 끝까지 내가 가는 길을 가로막고 있구나!」 가브릴라는 으르렁거리며 더 이상 분노를 이기지 못해 누이동생의 팔을 내동댕이치고 공작의 뺨을 힘껏 후려쳤다.

「아!」 니꼴라이가 깜짝 놀라 두 손을 맞부딪쳤다. 「아이고, 하느님 아버지!」

여기저기에서 경악하는 소리가 들려왔다. 공작의 얼굴이 창백해졌다. 그는 나무라는 듯한 이상한 눈초리로 가브릴라를 정면으로 응시했다. 그의 입술은 파르르 떨리며 무엇인가를 말할 듯 말 듯했으나, 매우 어색하고 이상한 미소로 일그러졌다.

「그래요, 나한테 그렇게 할 테면 해봐요……. 하지만 누이동생한테는 안 돼요!」 그는 가냘픈 소리로 말했다. 하지만 그는 더 이상 견딜 수가 없었든지 가브릴라를 그대로 남겨 두고 두 손으로 얼굴을 가린 채 한쪽 구석으로 걸어가 벽 쪽을 향해 간간이 이어지는 소리로 말했다.

「오, 이런 행위를 하다니 아주 부끄러울 겁니다!」

실제로 가브릴라는 쥐구멍이라도 찾고 싶은 심정으로 서 있었다. 니꼴라이가 공작에게 달려가 공작을 끌어안고 키스를 했다. 그 뒤를 이어 로고진, 바르바라, 쁘찌찐, 니나 알렉산드로브나, 그리고 모두들, 심지어는 이볼긴 영감까지 몰려들었다.

「괜찮아요, 아무렇지도 않아요!」 공작은 여전히 어색한 미소를 띠고 사방을 둘러보면서 중얼거렸다.

「후회할 거다!」 로고진이 외쳤다. 「수치스러울 거다, 가브릴라. 저런…… (그는 적절한 형용사를 찾지 못했다) 처녀를 모욕하다니! 공작, 자넨 괜찮은 친구야, 저자들을 포기하게. 무시해 버려. 나와 함께 가자고! 이 로고진이 자넬 얼마나 좋아하는지 알게 될 거네!」

나스따시야 역시 가브릴라의 행위와 공작의 대응에 몹시 충격을 받았다. 지금껏 보여 주었던 비웃음 섞인 미소와는 너무나 대조적인, 그녀의 창백하고 사색에 잠긴 듯한 평소의 얼굴에 새로운 동요의 빛이 역력하게 나타났다. 하지만 그녀는 그러한 모습을 겉으로 드러내고 싶지 않은 양 조소띤 모습을 보여주려고 애를 쓰고 있는 것 같았다.

「정말, 저이의 얼굴을 어디선가 보았어!」 그녀는 불현듯 자신이 조금 전에 가졌던 의문을 생각해 내곤, 아주 진지하게 말했다.

「당신은 부끄럽지도 않나요? 당신은 정말로 그런 사람이에요? 아니에요, 절대로 그럴 리가 없어요!」 공작은 나스따시야를 심히 나무라는 듯한 말투로 갑자기 소리쳤다.

나스따시야 필리뽀브나는 놀라기도 했고 우습기도 했다. 그리고 무엇인가 숨기고 있는 듯한 미소를 가브릴라에게 던진 후 거실 밖으로 나갔다. 그러나 현관까지 가기도 전에 그녀는 갑자기 뒤돌아 서서 니나 알렉산드로브나에게로 재빨리 다가와 그녀의 손을 잡고 그 손에다 자신의 입술을 갖다 댔다.

「난 사실 그런 여자가 아니에요. 저분이 잘 알아맞혔어요.」 그녀는 열을 내어 빨리 속삭였다. 그러고 나서 얼굴이 빨개져서 몸을 돌리곤 황급히 바깥으로 나갔다. 그녀가 너무나 서두르는 바람에 왜 되돌아왔는지 아무도 그 이유를 생각해 볼 겨를이 없었다. 다만 그녀가 니나 알렉산드로브나에게 무언가를 속삭이고 그녀의 손에 키스하는 것 같았다는 것만 보았을 뿐이었다. 그러나 바르바라만은 모든 것을 보고 들었으며, 놀랍다는 듯한 눈으로 그녀가 나가는 모습을 바라보았다.

가브릴라가 퍼뜩 정신이 들어 나스따시야 필리뽀브나를 전송해 주러 급히 뒤따라갔지만 그녀는 이미 바깥으로 나가고 난 뒤였다. 그는 계단에서 그녀를 따라잡았다.

「바래다줄 필요 없어요!」 그녀가 소리쳤다. 「안녕히 계세요. 저녁때 봐요! 꼭요, 알겠지요?」

그는 당황했고 돌아오면서 계속 생각에 잠겼다. 모호한 수수께끼가 그의 마음을 이전보다 더 심하게 압박하고 있었다. 공작에 대한 생각이 어른거렸다……. 그는 생각에 깊이 잠겨, 로고진 일당이 문 가에서 자신을 밀치기까지 하며 밖으로 먼저 나가려고 아우성치는 것도 보지 못할 뻔했다. 모두들 무언가에 대해 떠들썩하게 얘기를 하고 있었다. 로고진은 쁘찌찐과 함께 걸어 나오며 중대하고 긴급해 보이는 용건에 관해서 집요하게 다짐을 받아내려 하고 있었다.

「가브릴라, 네가 졌다.」 로고진이 가브릴라 옆을 지나치며 소리쳤다.

가브릴라는 불안한 시선으로 그들의 뒷모습을 바라보았다.

11

공작은 거실에서 나와 자기 방으로 들어갔다. 니꼴라이가 뛰어와 그를 위로했다. 이 가엾은 소년은 더 이상 공작과 떨어져서는 안 된다고 생각한 듯했다.

「이렇게 나오시길 잘하셨어요. 저기는 아까보다 더 지독한 난장판이 벌어질 거예요. 우리 집은 날마다 이 모양 이 꼴이에요. 이 모든 게 다 나스따시야 필리뽀브나 때문이에요.」

「꼴랴, 여기 자네 집에는 온갖 고통들이 첩첩이 쌓여 있어.」 공작이 입을 열었다.

「네, 맞아요. 우리 집에 관해서는 할 말이 없어요. 우리 식구들 모두 책임이 있죠. 그런데 나에게는 아주 가까운 친구가 있어요. 그 친구는 우리보다 더 불행해요. 누군지 소개시켜 드릴까요?」

「그래, 좋아. 자네 친구라고?」

「네, 거의 그래요. 다음에 모두 말씀드릴게요……. 그런데 나스따시야 필리뽀브나는 대단한 미인이던데요. 공작은 어떻게 생각하세요? 난 지금까지 그 여잘 한 번도 본 적이 없었어요. 굉장히 보고는 싶었는데요. 정말 눈이 부실 정도였어요. 만약 가브릴라가 사랑 때문에 결혼하려는 거라면, 나라면 가브릴라의 모든 걸 용서해 줄 수 있을 것 같아요. 그런데 형이 왜 돈을 받겠다는 건지, 그게 문제예요.」

「나도 자네 형이 별로 마음에 들지 않아.」

「물론 그러실 거예요! 아까도 그랬지만…… 제 얘길 들어 보시겠어요? 난 이따위 구구한 소릴 늘어놓는 건 딱 질색이에요. 예를 들어 어느 미치광이나 바보가, 아니면 미치광이인 척하는 악당이 빰을 때리면, 뺨을 맞은 사람은 평생 치욕을 안고 살면서 피로써 명예를 회복한다든가, 아니면 상대방이 무릎을 꿇고 빌어야만 그 불명예를 씻을 수 있을 거예요. 하지만 내 생각에 그건 실로 어리석고 독단적인 짓이에요. 레르몬또프의 희곡 『가면 무도회』[42]가 바로 이러한 입장에 근거했기 때문에 어리석은 작품이라고 생각해요. 다시 말해서 자연스럽지 못해요. 물론 레르몬또프가 그 작품을 쓴 건 거의 젊은 시절이었으니까요.」

「나는 자네 누나가 몹시 마음에 들어.」

「누나가 가브릴라의 얼굴에 침을 뱉다니, 어디서 그런 용기가 나왔는지 모르겠어요. 공작이 그렇게 침을 뱉지 않은 건 용기가 부족해서가 아니라는 걸 알아요. 아, 여기 누나가 오는군요. 호랑이도 제 말하면 온다더니, 누나가 올 줄 알았어요. 누난 단점도 있지만 고상한 사람이에요.」

「넌 뭐 하러 여기에 있니?」 바르바라는 제일 먼저 니꼴라이를 나무랐다. 「아버지한테 가봐라. 공작, 애가 귀찮게 굴지 않았나요?」

「전혀 안 그랬습니다. 오히려 그 반댑니다.」

「또 그 본성이 나왔군! 누나한텐 바로 이런 게 나쁜 점이에요. 그런데 난 아버지가 로고진과 함께 나가실 거라고 생각했는데. 아마 틀림없이 지금 나가고 계실 거야. 실제로 무슨 일이 있는지

42 『가면 무도회』는 M. Iu. 레르몬또프가 21세 때인 1835년에 발표한 작품이다.

가봐야겠어요.」 이런 말을 남기고 니꼴라이는 나갔다.

「다행히 어머니를 모시고 나가 침실에 눕혀 놓았어요. 그래서 아무 일도 벌어지지 않았어요. 가브릴라는 혼란스러운지 생각에 잠겨 있고요. 물론 생각해 봐야 될 게 있겠지요. 어떤 교훈을 받았는지 말이에요. 고맙다는 말씀을 전하기 위해 이렇게 찾아온 거예요. 그런데 한 가지 물어볼 게 있는데, 공작은 여태까지 나스따시야 필리뽀브나를 모르셨나요?」

「네, 몰랐어요.」

「그런데 어떻게 그 여자의 면전에서 〈그런 여자가 아니다〉라고 말씀을 하실 수가 있었지요? 제대로 보신 것 같아요. 실제로 그런 여자가 아닐지도 몰라요. 그런데 나는 그 여잘 이해할 수가 없어요! 물론 그 여자의 목적은 사람들에게 모욕을 주려는 게 분명하지만요. 난 전에도 그 여자에 관한 이상한 얘기를 많이 들었어요. 그 여자가 우리를 초대하려고 찾아왔다면, 어떻게 어머니한테 그렇게 대할 수가 있을까요? 쁘찌찐이 그 여자를 잘 알고 있지만 아까의 행위는 도무지 이해할 수 없다는 거예요. 그리고 로고진한테는 어땠었고요? 그 여자가 자신을 존중한다면, 앞으로 자신과 어떤 관계가 될지도 모르는 남자의 집에서 그런 식으로 말해선 안 되죠…….」

「괜찮아요!」 공작이 말하며 손을 내저었다.

「그런데 어떻게 그 여자가 공작의 말에 순종을 했을까요?」

「무슨 말에 순종했다는 겁니까?」

「공작이 그 여자에게 수치스럽지도 않느냐고 하시자 그 여자가 정반대로 돌변해 버렸잖아요. 굉장한 영향력을 끼치신 거예요.」 바르바라는 웃을 듯 말 듯하며 말했다.

문이 열리고 느닷없이 가브릴라가 들어왔다.

그는 바르바라를 보고도 주저함이 없이, 잠깐 문턱에 멈춰 섰다가 결연하게 공작 쪽으로 성큼 다가왔다.

「공작, 내가 비열했습니다. 나를 용서해 주십시오. 용서해 달라고요! 용서해 달란 말입니다!」 그는 갑자기 감정에 복받쳐 말했다. 그의 얼굴 표정에서 강한 고통의 빛이 엿보였다. 공작은 깜짝 놀라 즉각 대답을 하지 못했다. 「원하신다면 손에 키스를 하겠습니다.」 가브릴라가 성급하게 고집을 부렸다.

공작은 지극히 놀랐고 아무 말 없이 두 손으로 가브릴라를 껴안았다. 두 사람은 진심으로 서로서로에게 키스를 해주었다.

「나는 당신이 이런 행동을 하리라곤 전혀, 전혀 생각도 못했어요.」 마침내 공작이 가까스로 숨을 돌리며 말문을 열었다. 「나는 당신이······ 그런 데는 소질이 없다고 생각했어요.」

「용서를 빌 아량이 없다는 거지요? 나는 조금 전까지도 당신을 백치로 여겼어요! 하지만 당신은 남들이 전혀 볼 수 없는 것을 볼 수 있어요. 당신과는 말이 통할 수 있어요, 하지만 지금은 말을 안 하는 편이 좋아요!」

「여기 당신이 용서를 빌어야 할 사람이 또 한 분 있어요.」 공작은 바르바라를 가리키며 말했다.

「아니에요. 이 집안 식구들은 모두 나의 적입니다. 공작, 그동안 수많은 시도가 있었다는 걸 알아야 합니다. 우리 집에서는 진정으로 용서를 하지 않습니다!」 가브릴라는 열이 복받쳐 올랐다. 그는 바르바라에게서 몸을 돌렸다.

「아냐, 난 용서해요!」 바르바라가 불쑥 말했다.

「그러면 저녁때 나스따시야 필리뽀브나에게 갈 거니?」

「가라고 하면 갈 거예요. 하지만 이러한 상황에서 내가 그 여자 집에 갈 수 있는지 직접 판단해 보세요.」

「그 여자는 그런 여자가 아니다. 수수께끼 같은 행동을 의도적으로 하고 있는 거야.」 가브릴라가 씁쓸히 웃었다.

「나 자신도 그런 여자가 아니라는 것과 일부러 그렇게 보이려 했다는 것도 알아요. 한데, 그 여자가 오빠를 어떻게 여기고 있는지 보세요. 그 여자가 어머니 손에 키스한 것은 진심이에요. 속임수일지도 모르지만, 그렇지만 그 여잔 오빠를 비웃었어요! 그 대가는 7만 5천 루블로도 모자라요! 오빠에게는 고상한 감정의 소유자가 될 수 있는 여지가 있기에 말하는 거예요. 그러니까 오늘은 가지 마세요! 조심하라고요! 이 일이 원만하게 해결될 리가 없어요!」

매우 흥분한 바르바라는 이 말을 마치자 방에서 나가 버렸다…….

「우리 식구들은 다 저 모양이라니까!」 가브릴라는 피식 웃으면서 말했다. 「식구들은 내가 그런 것도 모르리라고 생각하고 있어요. 하지만 나는 식구들보다 몇 배나 많이 알고 있어요.」

가브릴라는 계속 공작과 얘기를 나누기 위해 소파에 앉았다.

「만약 당신이 알고 있다면,」 공작이 상당히 조심스럽게 물었다. 「어떻게 그런 고통을 선택하게 되었지요? 사실 7만 5천 루블로 그 고통의 대가를 다 치를 수 없다는 걸 알고 있으면서요.」

「나는 거기에 대해 말한 게 아니었어요.」 가브릴라가 중얼거렸다. 「그런데 내친김에 물어보겠는데요, 이 고통이 7만 5천 루블로 상쇄될 수 있다고 생각합니까? 아니면 없다고 생각합니까? 그 대답을 몹시 듣고 싶군요.」

「내 생각으론 그럴 수 없어요.」

「음, 뻔한 사실이지요. 그럼 내가 결혼하는 것도 수치스러운 일일까요?」

「아주 수치스런 일이지요.」

「좋아요. 그럼 결혼을 해야겠군요. 그것도 지금 당장에. 아까부터 망설여 왔지만, 이젠 안 그래요. 아무 말 마세요. 지금 무슨 말을 하고 싶어하는지 다 아니까요…….」

「나는 당신이 생각하고 있는 것에 대해 말하려는 게 아니에요. 단지 당신의 그 대단한 확신이 놀라울 따름이에요…….」

「무슨 확신이지요?」

「나스따시야 필리뽀브나가 반드시 당신과 결혼할 것이고, 결혼 건에 관해서는 모든 게 다 끝났다고 보는 확신이지요. 그리고 두 번째, 그녀가 결혼만 한다면 7만 5천 루블이 저절로 당신의 주머니로 곧장 들어온다는 확신이에요. 물론 나는 이 일에 대해 모르는 게 많지만요.」

가브릴라는 공작 쪽으로 바싹 다가앉았다.

「물론 당신은 모든 걸 알고 있는 건 아니예요.」 그가 말했다. 「내가 무엇 때문에 이 모든 짐을 짊어지려 하는지 그 이유는 알겠습니까?」

「글쎄, 아주 흔히 있는 일이지만, 돈 때문에 장가갔는데, 가서 보니 돈은 아내의 수중으로 떨어지는 예가 있지요…….」

「아니에요, 내 경우엔 그렇지 않을 겁니다……. 입장이 전혀…… 다르기 때문이지요…….」 가브릴라는 불안한 생각에 잠겨 중얼대듯 말했다. 「그녀의 대답에 관해선 의문의 여지가 없어요.」 그는 재빨리 이 말을 덧붙였다. 「당신은 무슨 근거로 그녀가 나의 청혼을 거절하리라고 보시는 거죠?」

「나는 눈으로 본 것 이외에는 아무것도 아는 게 없어요. 방금 바르바라가 말했듯이…….」

「어휴, 그건 모녀가 무슨 말을 해야 할지 몰라 그런 겁니다. 나스따시야가 로고진을 비웃었던 걸 보세요. 나는 그걸 확실히 보았어요. 분명했어요. 우리의 결혼 가능성에 대해 예전엔 약간 걱정했지만, 이젠 확실히 알겠어요. 어쩌면 그 여자가 우리 어머니, 아버지, 바르바라를 대하는 태도 때문에 그렇게 보는 거지요?」

「그리고 당신에게 취한 태도에서도요.」

「그럴지도 모르지요. 하지만 그건 예나 지금이나 마찬가지로 여자들의 복수 심리에서 그런 거지, 그 이상도 이하도 아닙니다. 나스따시야는 지독하게 신경질을 잘 내고, 의심을 잘 하는 데다 자존심이 강한 여자입니다. 말하자면 진급에서 누락된 관리와 같지요. 그녀는 자신을 과시하고, 나까지 포함해서 우리 식구들에게 모멸감을 주고 싶어해요. 사실이 그래요. 나는 이걸 부정하지 않아요……. 하지만 나한테 시집오고 말 거예요. 당신도 의심하지 않겠지만, 인간의 자존심이란 대단한 연출을 해낼 수 있는 겁니다. 그녀는 내가 자기를, 다시 말해 남이 데리고 놀던 여자를 노골적으로 돈 때문에 데려가려는 걸로 알고 날 비열한 인간이라고 생각하고 있어요. 하지만 다른 남자들 같으면 나보다도 몇 배나 더 치사한 방법을 써서 자기를 이용해 먹으려 할 거란 사실을 미처 모르고 있어요. 어떤 남자가 그녀에게 달라붙어 자유 진보 사상을 늘어놓고, 여러 가지 여성 문제를 끄집어낸다면 바늘 구멍에 꿴 실처럼 그 남자에게 말려들어갈 겁니다. 〈당신과 결혼하는 것은 당신의 고결한 마음과 불행 때문입니다〉라고 말하며 자존심이 강한 그녀를 설득하면 그녀는 혹해서 넘어갈 겁니다. 사실은 그렇게 말한 남자가 돈 때문에 결혼하려고 하는데도요. 그런 식으로 말하기는 무척 수월해요! 내가 그녀의 호감을 사지 못하는 이유는 그런 식으로 사탕발림하고 싶지 않아서입니다. 물론 그렇게 하는 게 필요할 수도 있어요. 그런데 그녀 자신은 어떤가요? 더 나은 것이라곤 조금도 없는 여자예요. 그런데 무얼 하려고 나를 경멸하고 연극을 하는 걸까요? 그건 내가 굴복하지 않고 당당하게 나오기 때문에 그러는 겁니다. 어떻게 되나 두고 보자고요!」

「그럼 그녀를 사랑하지 않는단 얘긴가요?」

「처음엔 사랑했어요. 그것도 사랑할 만큼 충분히요……. 여자들 중엔 즐기기에만 적합하고 그 이외에는 아무 쓸모도 없는 여자가 있지요. 그렇다고 내가 그 여자와 즐겼다는 건 아니에요. 만약 그 여자가 다소곳이 살겠다고 하면 나도 그렇게 살 것이고, 만약 소란을 피우며 살겠다면 즉각 내쫓아 버리고 나는 돈만 챙길 겁니다. 나는 웃음거리가 되고 싶지 않아요. 남의 웃음거리가 되는 게 나는 제일 싫단 말입니다.」

「내가 보기엔,」 공작이 조심스럽게 말했다. 「나스따시야 필리뽀브나는 현명한 여자예요. 왜 그러한 고통을 예감하면서 올가미 속으로 들어갈까요? 다른 남자하고도 마음대로 결혼할 수 있는 처지인데요. 그게 나는 의문스러워요.」

「바로 거기에 속셈이 있는 거요! 공작, 당신은 모르는 게 많아요……. 맹세컨대 그녀는 내가 자기를 미치도록 사랑하고 있는 줄로 믿고 있어요. 그녀 역시 나를 사랑하고 있다는 걸 믿어 의심치 않아요. 물론 자기 식대로 사랑하는 거지요. 〈사랑하는 자를 때린다〉는 말이 있지요. 그녀는 평생 나를 시종 취급할 겁니다(그녀로서는 아마 그렇게 해야 될 겁니다). 그러나 그녀는 자기 나름대로 날 사랑할 겁니다. 지금 그 여자는 거기에 대한 준비를 하고 있어요. 그게 바로 그 여자의 성격이라고요. 단언하지만 그녀는 지나칠 정도로 러시아적인 여자예요. 나 또한 그 여자를 놀라게 할 선물을 준비하고 있어요. 아까 거실에서 바르바라와 충돌했던 사건은 우연히 벌어졌지만, 나에게는 오히려 유리한 결과를 초래했다고 생각해요. 나스따시야는 그 사건을 통해, 내가 자기를 위해서라면 가족들마저 팽개쳐 버릴 수 있으며, 내가 자기를 헌신적으로 사랑하고 있다는 확신을 가지게 될 테니까요. 우리도 결코 바보가 아니라는 걸 알아주세요. 그런데 내가 대단한 수다쟁이라고 생각하시지는 않는지요? 사실 당신에게 모든 것을 다 털어놓는 것이 그다지 현명하지 못할지도 몰라요. 그러나 당신은 내가 처음으로 만난 고결한 사람이기에 이렇게 달려든 겁니다. 달려들었다는 말을 다른 뜻으로 받아들이지는 마세요. 혹시 아까 그 일로 계속 화가 나 있는 건 아니겠지요? 나는 2년 만에 처음으로 이렇게 마음을 터놓고 말을 하는 겁니다. 여기에는 정직한 사람들이 거의 없어요. 그 중 쁘찌찐이 제일 점잖은 편이에요. 아니,

당신은 웃고 있는 겁니까? 원래 비열한 인간들이 정직한 사람들을 사랑하는 법입니다. 이런 사실을 몰랐나요? 그런데 나는……. 내가 어떤 면에서 비열한 인간인지 솔직하게 말해 주시겠습니까? 저들 모두가 그 여자를 빗대어서 나를 비열한 인간이라고 부르는 이유는 뭡니까? 그러다 보니 나도 그들처럼 나 자신을 비열한 인간이라고 부르고 있어요. 비열하다고 하니까 그렇게 비열하게 된 모양입니다!」

「난 당신을 더 이상 비열한 인간이라고 생각하지 않겠어요.」 공작이 말했다. 「아까는 당신을 완전히 악당이라고 여겼어요. 그런데 당신은 갑자기 나를 기쁘게 해주었어요. 그래서 〈직접 체험하지 않고는 판단하지 마라〉라는 교훈이 있나 봅니다. 이제 당신을 악당이라거나 지나치게 비뚤어진 사람으로 여겨서는 안 된다는 것을 알았어요. 당신은 내 생각으론 가장 평범한 사람이에요. 상당히 의지가 박약할 뿐 남들과 조금도 다른 점이 없는 사람이에요.」

가브릴라는 속으로 독한 웃음을 지었으나, 겉으로 나타내지는 않았다. 공작은 자신의 평가가 상대방의 마음에 들지 않았다는 것을 깨닫고, 역시 말을 멈췄다.

「우리 아버지가 당신에게 돈을 청구하던가요?」 가브릴라가 갑자기 물었다.

「아니오.」

「앞으로 그럴 겁니다. 돈을 줘서는 안 돼요. 내가 기억하기로 예전에는 꽤나 품위 있던 분이셨어요. 훌륭한 사람들과 교제를 했어요. 그런데 어떻게 예전의 품위 있는 양반들이 모두 다 그렇게 빨리 몰락을 했는지 모르겠어요. 환경이 약간 변하기만 하면 과거는 아무것도 남지 않으니 말이에요. 마치 화약이 터져 버린 후처럼요. 아버지는 원래 그렇게 거짓말을 하지 않았어요. 단지 지나치게 감격을 잘 했을 뿐이었어요. 그런데 지금은 저 모양 저

꼴이 되어 버렸어요! 물론 그놈의 술이 원수지요. 아버지에게 정부(情婦)가 있었던 사실을 아나요? 아버지는 이제 단순히 허풍쟁이로 전락해 버린 게 아니에요. 어머니의 오랜 인내심을 난 도무지 이해할 수 없어요. 아버지가 공작에게 까르스의 포위 작전에 대해 얘기해 주시든가요? 아니면 자기의 회색 보조 말이 말을 했다는 얘기를 들었나요? 정말 기가 막힐 지경이에요.」

그러고 나서 가브릴라는 배꼽을 쥐고 깔깔거렸다.

「왜 그렇게 나를 쳐다보고 있지요?」 그는 공작에게 물었다.

「그렇게 솔직하게 웃는 모습이 놀라워서 그래요. 당신에겐 아직도 어린아이의 웃음이 남아 있어요. 조금 아까 화해하러 들어와서 〈원하신다면 손에 키스를 하겠습니다〉라고 말했지요. 아이들이 화해할 때 그런 말을 쓰지요. 아직 당신은 그런 말과 행동을 할 줄 안다는 뜻이에요. 그러고는 난데없이 그 암담한 일과 7만 5천 루블에 대해 강의하듯 말을 하기 시작했어요. 사실 그런 짓이 황당 무계할 수도 있어요.」

「무슨 결론을 내리려는 건가요?」

「당신이 지나칠 정도로 경솔하게 처신하고 있는 게 아닌가 해서요. 사전에 조사해 보셨나요? 이 점에 관해서는 바르바라가 한 말이 맞을 수도 있어요.」

「아, 도덕성에 관한 얘기이군요! 내가 여전히 어린애 같다는 건 나 자신도 알아요.」 가브릴라가 열을 내며 말을 막았다. 「적어도 당신한테 이런 얘기를 꺼냈다는 사실만으로도 그래요. 공작, 나는 오로지 속셈을 채우기 위해서 그 여자와 결혼하려는 게 아니에요.」 그는 자존심이 상한 청년이 으레 그렇듯 불필요한 말까지 섞어 가며 계속 말했다. 「속셈을 차리려 한다면 나는 낭패를 볼 겁니다. 나는 머리로 보나 성격으로 보나 그다지 강하지가 못하기 때문이지요. 나는 정열과 집착에 의해 이끌려 가고 있어요. 나에게는 커다란 자본이라는 목적이 있기 때문이지요. 내가 7만

5천 루블을 받으면 당장에 마차라도 살 것 같나요? 그렇지 않아요. 나는 3년째 입고 있는 낡은 프록코트를 해질 때까지 입고 다니고, 클럽 사람들과 손을 끊을 거예요. 우리 나라에는 참을성 있는 사람이 드물어요. 그런데 모두들 고리대금업에 관여하고 있다고요. 나는 참을성 있게 견뎌 내고 싶어요. 제일 중요한 것은 마지막 순간까지 버텨 내는 거지요. 그게 무엇보다 중요한 과제랍니다. 쁘찌찐은 17년 간 노숙을 하며, 펜을 깎는 칼을 팔아서 한 푼 두 푼 모아 지금은 6만 루블을 벌었습니다. 그러기까지 상당한 장애물들을 극복해야 했지요. 나는 그러한 장애물들을 단숨에 뛰어넘어 아예 커다란 자본가로서 시작하겠다는 겁니다. 15년 후에는 〈저 사람이 유대의 왕 이볼긴이다〉[43]라고들 할 겁니다. 당신은 나보고 남들과 다를 게 없는 보통 사람이라고 말했지요. 이 시대의 인간과 종족에게 그보다 더 모욕적인 말은 없어요. 말하자면 독창성이 없고, 성격이 약하고, 별다른 재능이 없는 평범한 사람이라는 평이지요. 당신은 나를 그저 그런 비열한들에게도 끼워 주지 않고 있어요. 조금 아까 그런 얘기를 듣는 순간 당신을 물어뜯고 싶은 심정이었어요! 당신은 예빤친 장군보다 더 형편없게 나를 모욕했어요. 예빤친 씨는 내가 자기에게 아내까지 팔 수도 있는 놈이라고 생각하고 있어요. 물론 별다른 뜻이 있어서 그런 건 아니겠지만요. 그런 태도 때문에 나는 오래전부터 비위가 몹시 뒤틀려 있었어요. 그래서 차라리 돈이라도 챙기자는 생각에 도달한 거지요. 돈을 벌면 그야말로 최고로 독창적인 사람이 되어 있을 겁니다. 돈보다 치사하고 증오스러운 게 없다는 말은, 그것이 인간에게 재능까지 부여하기 때문이지요. 아마 세상이 끝나는 날까지 부여할 겁니다. 당신은 이 모든 것을 유치한 시(詩)로 넘겨 버릴지 모르지만, 그런다 해도 나는 더욱 유쾌해질 겁니다.

43 처형 후 그리스도의 머리 위에 써놓았던 〈유대의 왕 예수〉라는 표제를 가냐가 풍자적으로 말하고 있다.

어쨌든 일이 잘 풀려 가기 때문이지요. 나는 마지막까지 버텨 낼 겁니다. 마지막에 웃는 자가 진짜 웃는 자라는 말이 있듯이 말입니다Rira bien qui rira le dernier! 예빤친 장군이 왜 나에게 모욕을 주는지 아세요? 악의가 있어서일까요? 천만에요, 내가 보잘것없는 하찮은 존재이기 때문입니다. 하지만 그때가 되면…… 아, 이젠 그만 합시다. 꼴랴가 벌써 두 번씩이나 코빼기를 내밀었어요. 식사 시간이 됐다는 전갈이지요. 나는 바깥에 나갈 일이 있어요. 간혹 가다 들르겠습니다. 우리 집에 머무시는 게 과히 나쁘지는 않을 겁니다. 이젠 모두들 한 식구처럼 대해 줄 겁니다. 제발 나를 저버리지 마세요. 우리는 서로 친구가 되지 않으면 원수가 될 것 같은 기분이 드는군요. 공작, 내가 아까 진정으로 당신 손에 키스를 했다고 하더라도 내가 바로 당신의 적이 될지도 모른다는 생각은 안 드시나요?」

「반드시 그렇게 되겠죠. 하지만 영원히 그렇지는 않을 거예요. 얼마 안 가서 당신은 참지 못하고 나를 용서할 겁니다.」 공작은 잠깐 생각을 하고 나서 웃으면서 말했다.

「이런! 당신을 더욱 조심해야겠군요. 당신한테 독이 있을지도 모르니까요. 누가 압니까, 당신이 나의 적인지? 하하하! 한 가지 물어볼 말을 잊었군요. 내가 보기에 당신은 나스따시야 필리뽀브나에게 무언가 지나친 호감을 느끼고 있는 것 같은데요. 내가 바로 본 건가요?」

「네, 그녀가 마음에 들어요.」

「사랑에 빠졌나요?」

「아니에요.」

「얼굴이 온통 빨개져서 어쩔 줄 몰라 하던데. 그래 좋아요, 놀리지 않겠어요. 안녕히 계세요. 그런데 그 여자는 덕이 있는 여자예요. 이 사실을 믿을 수 있겠어요? 당신은 그 여자가 또쯔끼와 동거한다고 생각하나요? 전혀, 전혀 안 그래요. 이미 오래전의 일이었지요. 그 여자가 무척이나 어색해 하는 모습을 보았지요? 어떤 때는 당황해서 어쩔 줄을 몰라 하더군요. 사실 그래요. 그런 사람일수록 허세를 좋아하니까요. 그럼, 다음에 보지요!」

가브릴라는 들어올 때보다 훨씬 더 친밀하고 편안한 마음으로 나갔다. 공작은 10분 가량 꼼짝 않고 생각에 잠겼다.

니꼴라이가 다시 문을 열고 얼굴을 내밀었다.

「꼴랴, 지금 점심 먹고 싶은 생각이 없어. 조금 전 예빤친 장군 집에서 아침을 든든하게 먹었거든.」

니꼴라이는 방 안으로 들어와 공작에게 메모를 전해 주었다. 그것은 반듯하게 접어 봉함한, 이볼긴 장군이 보낸 편지였다. 니꼴라이의 얼굴엔 그러한 편지를 전해 주느라고 몹시 망설였던 기색이 역력했다. 공작은 편지를 읽고 일어나서 모자를 들었다.

「거긴 바로 코앞이에요.」 니꼴라이가 당황한 듯 말했다. 「아버진 거기서 술을 마시고 있어요. 어떻게 해서 외상 술을 마시는지 모르겠어요. 이 쪽지를 내가 건네줬다는 말을 우리 집 식구들에게 하지 말아 주세요! 이런 쪽지 심부름은 절대로 안 하겠다고 1천 번이나 맹세했지만 불쌍한 생각이 들어서 그만 이렇게 되어 버렸어요. 아버지한테 격식 같은 걸 차릴 필요는 없어요. 그냥 잔돈이 있으면 주세요. 그걸로 다 끝나 버릴 테니까요.」

「꼴랴, 내게도 생각이 있단다. 난 아버지를 만나야 될 일이 한 가지 있어…… 같이 가자고…….」

12

니꼴라이는 공작을 멀지 않은 리쩨이나야 거리로 안내하여, 이 거리의 입구에 있는 카페 겸 당구장 1층으로 데려갔다. 그곳 오른쪽 한구석에는 칸막이 독방이 있었고 거기에는 오래된 단골 손님인 아르달리온 이볼긴 장군이 작은 탁자 위에 술병을 하나 놓고, 정말로 「앵데팡당스 벨주Indépendance Belge」지(誌)를 두 손에 들고 있었다. 그는 공작을 기다리고 있었다. 그는 공작을 보자마자 신문을 팽개치고 열을 올려 장황하게 변명을 하기 시작했으나, 공작은 거의 아무것도 이해하지 못했다. 장군이 이미 거나하게 취해 있었기 때문이다.

「10루블짜리는 없어요.」 공작이 가로막았다. 「그 대신 여기 25루블짜리가 있으니, 이걸 바꿔서 15루블은 나에게 돌려주세요. 그것 말고는 단 한 푼도 없으니까요.」

「물론이오. 걱정 마시오. 지금 당장…….」

「그런데 장군님, 한 가지 청이 있어요. 나스따시야 필리뽀브나의 집에 한번도 가본 적이 없나요?」

「내가요? 내가 가본 적이 없느냐고요? 나한테 물어보는 거요? 몇 번 가봤어요. 몇 번!」 장군은 허세를 부리듯 의기양양하게 소리쳤다. 「하지만 스스로 발길을 끊었어요. 계속 가면 탐탁지 않은 두 사람의 혼인을 권장하는 기분이 들어서 그랬어요. 오늘 아침에 당신도 직접 목격했지요. 나는 아버지로서 할 수 있는 모든 것을 다했어요. 하지만 난 유순하고 겸손한 아버지예요. 이젠 색깔이 다른 아버지가 무대에 오르게 될 거요. 어떻게 되나 두고 봅시다. 전공(戰功)이 있는 노장이 간계를 물리칠 것인가, 아니면 파렴치한 동백꽃[44]이 고결한 가정으로 파고들어 오는가를.」

「장군께서 구면이라고 하시니까 부탁드리는데요, 오늘 저녁 나를 나스따시야 필리뽀브나의 집으로 데려다 줄 수 있습니까? 반드시 오늘 저녁에 거길 가봐야 할 일이 있어서 그럽니다. 그런데 어떻게 들어가야 할지 전혀 알 수가 없어서요. 방금 전에 소개받았지만, 나를 초대하지는 않았어요. 오늘 거기에서는 파티까지 벌

44 동백꽃이란 표현은 소(小) 뒤마의 『춘희』가 러시아에서 크게 유행한 뒤, 러시아 문학 작품 속에서 고급 창녀란 의미로 자주 쓰였다.

어져요. 하지만 나는 약간 예의에 벗어나는 짓도 각오하고 있어요. 어떻게 하든 거기로 들어갈 수 있다면 나에 대한 조롱마저 감수하겠어요.」

「젊은 친구, 나랑 똑같은 생각을 하고 있구먼!」 장군이 환성을 질렀다. 「바로 내가 당신을 부른 이유도 푼돈이나 구걸하려는 게 아니었소!」 장군은 말을 계속하면서, 한 손으로는 돈을 받아 주머니에다 넣었다. 「내가 당신을 부른 건 나스따시야 필리뽀브나의 집으로 함께 원정가자고 권유하기 위해서였소. 좀 더 정확히 말한다면 나스따시야 필리뽀브나를 토벌하기 위해서요! 이볼긴 장군과 미쉬낀 공작! 그 여자에게 이 정도라면 만만치 않게 보일 거요! 나는 생일 축하를 명목으로 내 의사 표시를 하고야 말겠소. 물론 직접적으로보다 간접적으로요. 하지만 곧바로 알아들을 수 있을 거요. 그러면 가브릴라는 자기가 처신해야 할 방향을 알게 될 거요. 전공에 빛나는 아버지가 설마…… 말하자면…… 뭐, 여러 가지겠지요……. 하여튼 일어날 일은 일어나게 마련이오! 당신의 생각은 정말로 유익한 생각이오. 9시에 떠납시다. 우리에겐 아직 시간이 있어요.」

「그 여자는 어디에서 살지요?」

「여기서 멀어요. 볼쇼이 극장 옆에 있는 미또프쪼바 아파트인데, 거의 광장 안쪽에 있소. 그 여자는 거기서 2층을 쓰고 있어요……. 사람이 많이 모이지는 않을 거요. 생일 파티를 열어 봤자 시원찮아서 사람들이 빨리 흩어져 버릴 거요.」

이미 오래전에 날이 어두워졌다. 공작은 여전히 앉아서 장군의 얘기를 들으며 기다렸다. 장군은 수없이 많은 재담을 시작했으나 어느 것 하나도 끝마치지 못했다. 공작이 오자마자 장군은 술 한 병을 추가로 시켰으며, 시킨 지 한 시간도 채 안 되어 또 한 병을 시켰고, 그걸 다 마시고 난 다음에도 또 시켰다. 그러는 사이에 장군은 자신의 전 생애를 거의 다 얘기해 주다시피 했다. 마침내 공작이 일어나서 더 이상 기다릴 수가 없다고 말했다. 장군은 병에 남아 있는 술을 한 방울까지 죄다 마시고 자리에서 일어나 휘청거리는 발걸음으로 방에서 걸어 나왔다. 공작은 앞이 깜깜했다. 이 같은 사람을 그처럼 멍청하게 믿고 있던 자신이 한심했다. 사실 그가 정말로 장군을 믿었던 것은 절대로 아니었다. 공작은 어떻게 해서든 나스따시야의 집으로 가기 위해 장군에게 기대를 걸었고, 그 과정에 있을 약간의 구설수를 각오했다. 그러나 이처럼 지독한 추태를 예상하지는 못했다. 장군은 코가 비뚤어지도록 취해 있었다. 그는 거창한 수사를 구사하며 눈물을 머금고 푸념을 해댔다. 가족들의 탐탁지 않은 행동으로 인해 모든 걸 망쳤고, 이제는 그 따위 짓을 끝장내야 할 때가 왔다는 내용이었다. 그들은 마침내 리쩨이나야 거리로 나갔다. 아직도 계속 얼음이 녹아내리고 있었다. 음산하고 습하고 썩은 내가 나는 바람은 씽씽 소리를 내며 거리를 질주했고, 마차들은 진흙탕을 튀기고, 승용마와 화물마는 발굽으로 도로를 요란스레 내리치고 있었다. 행인들의 무리는 우울하게 젖어 인도 위를 배회하고 있었다. 그 중에는 술에 취한 사람들도 끼여 있었다.

「저기 불이 환히 켜진 2층 아파트가 보이지요?」 장군이 말했다. 「저기에서 나의 모든 친구들이 살고 있어요. 그런데 누구보다 복무도 많이 하고 고생도 심하게 한 내가 볼쇼이 극장으로, 그 요상한 여자 집으로 걸어가고 있는 신세란 말이오! 가슴에 열세 번이나 총상을 입은 사람이…… 내 말을 믿소? 그런데도 군의관이었던 삐로고프[45]는 오로지 세바스토폴에 포위되어 있는 나를 구

45 이볼긴 장군은 여기에서 실제의 사건에 공상적인 설명을 덧붙이고 있다. 유명한 러시아의 외과 의사 N. I. 삐로고프(1810~1881)는 세바스토폴 전투 때 부상자를 치료하는 일을 통솔하였다. 그는 1855년 6월, 니꼴라이 1세의 죽음 이후의 새로운 변화를 예견했고 크림 반도를 떠나 뻬쩨르부르그로 왔다. 그 해 9월에 그는 다시 세바스토폴로 돌아갔다.

할 목적으로 파리로 전보를 치고, 포위된 세바스토폴을 잠시 동안 포기했다오. 그러자 파리의 궁정 의사인 넬라통이 의학이라는 명목으로 각계에 탄원을 해서 통과 허가서를 얻어 내어 나를 치료하기 위해 포위된 세바스토폴로 왔었어요. 고위층에서는 이 사실을 알고 감탄을 했어요. 〈아, 이 사람이 총알 열세 발을 맞은 이볼긴이구나!〉라는 말들을 했지요. 공작, 이 집을 보시오. 이 집에는 나의 옛 동료인 소꼴로비치 장군이 살고 있어요. 그 사람에게는 가족이 아주 많아요. 하지만 모두들 무척이나 점잖답니다. 바로 이 아파트 집과 네프스끼 대로의 세 집, 그리고 모르스까야 거리의 두 집이 지금 내가 알고 지내는 사람들이지요. 말하자면 가까운 나의 친구들이지요. 내 아내 니나는 이미 오래전부터 현실에 체념하고 살지만, 나는 그 옛날을 아직까지 못 잊고 있어요. 말하자면 나는 지금까지도 나를 존경해 마지않는 교양 있는 옛 친구들과 부하들과 함께 휴식을 하고 있는 거라오. 여기 소꼴로비치 장군은(오랫동안 그 사람 집에 가보지도 못하고 안나 표도로브나 여사도 본 지가 꽤 오래되는군)……, 그런데 공작, 자기네 집으로 손님을 초청하지 않으면 남의 집의 출입도 중단하게 되나 보오. 믿지 않는 눈치 같군요……. 하지만 내 어찌 죽마고우의 아들을 이처럼 매력적인 집안에 소개를 안 하겠소? 이볼긴 장군과 미쉬낀 공작이 왔다고 말이오! 그 집엔 기가 막힌 처녀가 하나가 아니라 둘, 아니 셋이 있소. 게다가 모두들 수도의 꽃, 사교계의 꽃이오. 미모와 교양, 취미, 여성스러움, 시(詩), 이 모든 것들이 아름답게 조화를 이루고 있지요. 게다가 한 사람당 지참금이 거금 8만 루블씩이오. 뭐, 여성 문제다 사회 문제다 하는 장애물도 없소……. 한마디로 나는 반드시, 반드시 당신을 소개해야 하고 또 그래야 할 의무가 있소. 이볼긴 장군과 미쉬낀 공작이 아니오?」

「지금 말입니까? 지금요? 하지만 잊으셨나요?」 공작이 말을 계속하려 했다.

「아무것도, 아무것도 안 잊었어요. 갑시다! 여기 이 멋진 계단으로 갑시다. 문지기가 없는 게 이상하군. 하기야 휴일이니까. 문지기가 가버린 모양이오. 그놈의 주정뱅인 아직도 쫓겨나질 않았네. 이 소꼴로비치란 사람은 나 덕분에, 오로지 나 한 사람 덕분에 가정의 행복과 관운을 얻을 수 있었다오. 나 이외에는 그 누구의 덕도 못 보았어요. 한데…… 이제 다 왔군요.」

공작은 더 이상 장군을 만류하지 못했고, 그의 신경을 건드리지 않으려고 순순히 뒤를 쫓아갔다. 그러면서 공작은 생각했다. 조금 지나면 소꼴로비치 장군과 그의 모든 가족이 신기루처럼 조금씩조금씩 증발하고 그들은 결국 실제 인물이 아니라는 사실이 드러나, 두 사람은 다시 조용히 층계를 내려올 것이라고. 그러나 경악스럽게도 그런 기대는 사라져 갔다. 장군은 정말로 이곳에 친구가 살고 있는지 자신 있게 공작을 층계 위로 데려가며, 소꼴로비치 장군의 자세한 내력을 전기적이고 지형적인 차원에서 수학적으로 정확하게 쉴 새 없이 늘어놓았다. 마침내 2층으로 올라오자 그들은 부유해 보이는 어느 집 문 앞 오른쪽에 멈춰 섰다. 장군이 문 앞에 걸린 초인종의 손잡이를 붙잡자 공작은 하는 수 없이 도망이라도 쳐야겠다고 마음을 먹었다. 그러나 엉뚱한 사정이 생겨 공작은 잠시 발길을 멈춰야 했다.

「장군님, 집을 잘못 찾으셨어요.」 공작이 말했다. 「이 집 문 위에는 소꼴로비치가 아니라 꿀라꼬프라는 이름이 씌어 있어요.」

「꿀라꼬프라고……? 꿀라꼬프라고 씌어 있어도 그게 꼭 꿀라꼬프의 집은 아니오. 이건 소꼴로비치의 집이오. 내가 소꼴로비치를 불러 보겠소. 꿀라꼬프 따윈 무시해 버려요……. 자, 문이 열렸군요.」

정말로 문이 열렸다. 하인이 얼굴을 내밀고 〈주인 어른이 집에 안 계십니다〉라고 목청을 높여 말했다.

「낭패군, 낭패야. 가는 날이 장날이라더니.」 아르달리온 이볼긴 장군은 몹시 안타까운 표정을 지으며 같은 말을 몇 번 되풀이했다. 「이보게, 이볼긴 장군과 미쉬낀 공작이 경의를 표하러 왔다가, 지극히, 지극히 유감스럽게 돌아갔다고 전해 주게나…….」

이 순간 열린 문으로 빠끔히 내민 또 다른 얼굴이 보였다. 40세쯤 되어 보이는 검은 옷차림의 부인이었는데, 그녀는 이 집의 집사임에 틀림없어 보이지만, 가정교사일지도 몰랐다. 그녀는 이볼긴 장군과 미쉬낀 공작이라는 이름을 듣고 나서 호기심이 발동했는지 못 미더운 표정으로 가까이 다가왔다.

「마리야 알렉산드로브나는 집에 안 계십니다.」 그녀는 특히 장군을 유심히 바라보며 말했다. 「아가씨는 알렉산드라 미하일로브나 마님과 함께 할머니 댁에 가셨는데요.」

「알렉산드라 미하일로브나와 함께라고요? 오, 맙소사, 운이 따르질 않는군! 내가 올 때마다 이렇게 어긋나다니. 이해할 수 있겠소, 부인? 내 안부를 전해 주시길 정중히 부탁하는 바입니다. 그리고 알렉산드라 미하일로브나에게는…… 쇼팽의 발라드가 울려 퍼지는 목요일 저녁, 두 분이 바라던 것을 나 역시 진심으로 원한다고 전해 주고 상기시켜 주세요……. 그럼 기억하실 겁니다……. 나도 진심으로 원한다고요! 이볼긴 장군과 미쉬낀 공작이오!」

「잊지 않겠습니다.」 부인은 의심이 풀렸다는 듯이 허리를 굽혀 절을 했다.

층계를 내려오면서 장군은 아직도 흥분이 가시지 않은 채 그들이 사람을 만나지 못한 것과 공작이 매우 매혹적인 교분을 가질 수 있는 기회를 놓친 것에 대해 안타깝다는 말을 수차례나 반복했다.

「공작, 나한테 시인 기질이 있다는 사실을 눈치 채지 못했소? 그런데…… 그런데 우리는 완전히 잘못 들어갔던 것 같았소.」 그는 느닷없이 이런 말을 꺼냈다. 「지금 생각해 보니까, 소꼴로비치 장군은 다른 아파트에 살고 있는 것 같소. 아니 지금은 이곳이 아니라 모스끄바에 살고 있을 거요. 맞아요, 내가 약간 실수를 했어요. 하지만 그건…… 별일 아니오.」

「딱 한 가지 묻고 싶은 게 있는데요.」 공작이 슬픈 듯이 말했다. 「장군님에게 기대지 말고 나 혼자 가는 편이 낫지 않을까요?」

「나를 빼놓고 혼자 간다고? 어떻게 그럴 수가? 이 일은 나에게 있어서 극히 중요한 사업이오. 거기에 우리 온 가족의 운명이 달려 있소. 하지만, 젊은 양반, 당신은 이 이볼긴을 잘 모르고 있어요. 〈이볼긴〉은 〈성벽〉을 의미하오. 성벽처럼 이볼긴을 믿어 봐요. 내가 군대 생활을 시작할 때부터 우리 중대에서는 나를 성벽이라고 불렀소. 도중에 잠시 들러야 할 집이 있소. 불안과 시련을 겪고 나서 벌써 몇 년 동안 내 영혼이 안식을 구했던 곳이오…….」

「집에 들렀다 가겠다는 얘긴가요?」

「아니오! 쩨렌찌예프 대위 부인의 집이오. 내 부하였던 쩨렌찌예프 대위의 미망인이 사는 곳이오……. 나는 이 부인 집에서 내 영혼이 부활하는 것을 느낀다오. 나는 이곳에서 내 삶과 가장으로서의 고뇌를 풀어요……. 오늘같이 정신적으로 무거운 부담을 안고 있는 날에 나는…….」

「내가 지독하게 어리석은 짓을 한 것 같군요.」 공작이 중얼거렸다. 「아까부터 괜히 장군님에게 누를 끼쳤어요. 게다가 장군님은 지금…… 그럼 안녕히 계세요!」

「한데, 여보게, 젊은 공작, 나는 당신을 이렇게 떠나게 할 수는 없어요!」 장군이 소리쳤다. 「미망인이자 가정의 어머니인 그 부인은 내 모든 존재의 심금을 울려 주는 사람이오. 5분 간만 그녀를 보면 됩니다. 나는 이 집에서 체면 따윈 차리지 않아요. 난 거의 가족 같은 사람이오. 세수나 하고, 꼭 필요한 몸단장만 한 뒤 마차를 타고 볼쇼이 극장으로 갑시다. 오늘 저녁 내내 나에겐 당신이 필요하오. 바로 저 건물이오. 벌써 다 왔어요…… 어, 꼴랴! 너 벌써 여기 와 있는 거냐? 마르파 보리소브나는 집에 계시니?

아니면 너 혼자 방금 도착한 거냐?」

「아, 아니에요.」 집 대문에서 마주친 니꼴라이가 대답했다. 「벌써 아까부터 와 있었어요. 이뽈리뜨의 말상대를 해주느라고요. 이뽈리뜨가 더 악화돼서 아침부터 누워 있어요. 전 지금 카드를 사러 가게에 가는 길이었어요. 마르파가 아버지를 기다리고 있어요. 그런데 아버지 이게 뭐예요?」 니꼴라이는 장군의 걸음걸이와 몸놀림을 유심히 바라보며 말했다. 「자, 이서 들어가세요!」

공작은 니꼴라이와 만나게 되자 하는 수 없이 장군을 데리고 마르파 보리소브나 집으로 가야 했다. 그러나 잠시만 있다 나오기로 결심했다. 공작에게는 니꼴라이가 필요했기 때문이다. 무슨 일이 있더라도 이제는 장군을 떨쳐 버리기로 했다. 지금껏 장군에게 기대를 해왔던 자신이 원망스러웠다. 4층까지 시꺼먼 계단을 따라 한참 올라갔다.

「공작을 소개해 주려고요?」 니꼴라이가 올라가면서 물었다.

「그래, 소개시켜 주려고 한다. 이볼긴 장군과 미쉬낀 공작, 그런데 마르파 보리소브나는 어떠냐……?」

「아버지, 오늘은 들르시지 않는 편이 좋겠는데요! 지금 아버질 벼르고 있는 중이라고요! 사흘째 얼굴도 안 내밀고 돈도 가져오지 않는다고 아주머니가 난리예요. 어쩌려고 돈을 준다고 약속을 하셨어요? 아버지는 항상 그래요! 이제 일 터졌어요.」

4층으로 올라가서 이들은 야트막한 문 앞에 멈춰 섰다. 장군은 겁을 집어먹었는지 공작을 앞으로 밀었다.

「난 여기 남아 있겠소.」 그가 중얼거렸다. 「난 깜짝 놀랄 선물을 마련해야겠소.」

니꼴라이가 제일 먼저 들어갔다. 새하얗게 분칠을 한 데다 시뻘건 연지를 바르고 머리를 짧게 땋은 40세 가량의 부인이 실내화와 짧은 윗도리 차림으로 문 바깥으로 얼굴을 내밀었다. 장군의 깜짝 선물은 예기치 않게 수포로 돌아갔다. 그 부인은 장군을 보자마자 소리를 빽 질렀던 것이다.

「못돼먹은 저질 영감 같으니라고! 내가 얼마나 별러 왔는지 알아요?」

「들어갑시다. 이건 그저…….」 장군은 여전히 겸연쩍은 웃음을 지어 보이며 공작에게 말했다.

하지만 그저가 아니었다. 이들이 컴컴하고 낮게 내려앉은 현관을 거쳐 대여섯 개의 등의자와 카드용 탁자가 놓인 좁은 홀로 들어가자마자, 여주인은 이미 습관이 된 울음 섞인 목소리로 욕지거리를 해댔다.

「창피하지도 않아! 무슨 낯짝이 있어 온 거야! 야만인, 우리 가정을 파멸시킨 폭군, 야만인, 미치광이! 국물도 남기지 않고 통째로 나를 강도질해 가고도 성이 차지 않는단 말이지! 이 몰염치하고 치사한 영감아, 앞으로 얼마를 더 참아야 하는 거야?」

「마르파 보리소브나, 마르파 보리소브나! 이분은…… 미쉬낀 공작이오. 이볼긴 장군과 미쉬낀 공작이오. 이보세요, 내 말을 믿으실 수 있겠어요?」 벌벌 떨며 어찌할 바를 모르는 장군이 중얼거리듯 말했다.

「글쎄.」 대위 부인이 갑자기 공작에게 말머리를 돌렸다. 「이 몰염치한 인간이 고아가 된 우리 아이들에게 얼마나 무자비하게 굴었는지 아세요. 모든 걸 강도질해 가고, 모든 걸 끌어내 가고, 모든 걸 팔아먹거나 잡혀 먹고, 이젠 아무것도 남은 게 없어요! 이 교활하고 치사한 영감아, 당신이 써준 차용증을 가지고 어떻게 하란 말야? 나한테 어디 대답 좀 해보라고, 이 몰염치한 작자야! 우리 불쌍한 고아들을 어떻게 먹여 살려? 그 꼴에 술에 취해 발도 제대로 가누지 못하고서 말야……. 내가 어떻게 하다 하느님의 노여움을 샀을까? 이 더럽고 추악하고 교활한 인간아, 대답 좀 해봐!」

그러나 장군은 대답할 말이 없었다.

「마르파 보리소브나, 여기 25루블이 있소……. 이게 나의 고결한 친구의 도움으로 줄 수 있는 전부요. 공작! 내가 지독한 실수를 범했소. 인생이란…… 그런 거요……. 그런데 지금은……, 용서하시오……. 난 나약한 몸이오.」 장군은 방 한가운데 서서 사방을 향해 절을 하며 계속 말을 이어 나갔다. 「난 나약한 인간이오. 용서하세요! 레나! 베개 좀 갖다 줘!」

레나는 여덟 살 된 소녀였다. 그녀는 얼른 뛰어가서 방수포를 씌운 딱딱한 누더기 소파 위에 있는 베개를 가져다 주었다. 장군은 그 위에 앉았다. 얘기를 장황하게 늘어놓을 셈이었다. 그러나 장군은 소파에 앉자마자 벽 쪽을 향해 옆으로 눕더니 정신없이 잠에 빠져 버렸다. 마르파는 슬픈 얼굴로 공작에게 카드 놀이용 탁자 곁에 놓인 의자에 앉으라고 권하고 나서 자기도 자리에 앉았다. 그녀는 오른쪽 뺨을 손으로 받치고 공작을 응시하며 소리 없는 한숨을 쉬기 시작했다. 여자아이 둘, 남자아이 하나가 탁자 쪽으로 다가왔다. 그 중에서 레나가 맏이였다. 세 아이들은 탁자 위에 손을 얹고는 공작을 유심히 훑어보았다. 다른 방에서 니꼴라이가 나타났다.

「꼴랴, 여기서 자네를 만나 대단히 기쁘네.」 공작이 그에게 말했다. 「나를 좀 도와줄 수 있겠나? 나는 지금 당장 나스따시야의 집으로 가봐야 돼. 아까부터 아버님에게 부탁을 드렸는데, 이렇게 잠이 들고 마셨어. 나 좀 데려다 주게. 난 동네도 모르고 길도 몰라. 그런데 주소는 알고 있어. 볼쇼이 극장 곁의 미또프쪼바 아파트야.」

「나스따시야 필리뽀브나라고요? 그 여잔 볼쇼이 극장 곁에서 산 적이 한번도 없어요. 그리고 아버지도 나스따시야의 집에 가본 적이 전혀 없어요. 아무리 가고 싶어도 그렇지, 우리 아버지에게 뭔가를 기대하셨다니 어처구니가 없군요. 거긴 여기서 아주 가까워요. 지금 가시겠습니까? 지금 시간이 9시 반이에요. 제가 모셔다 드리겠어요.」

공작과 니꼴라이는 즉시 밖으로 나갔다. 애석하게도 공작은 마차를 부를 돈이 한 푼도 없어서 걸어가야만 했다.

「공작에게 이뽈리뜨를 소개해 주고 싶었어요.」 니꼴라이가 말했다. 「그 사람은 아까 본 대위 부인의 장남인데 다른 방에 있었어요. 몸이 안 좋아서 오늘 하루 종일 누워 있었어요. 아주 괴팍스런 친구예요. 툭하면 틀어져요. 내 생각에 공작이 이러한 순간에 오셨기 때문에 매우 창피해 하고 있을 거예요……. 나는 그처럼 창피하게 여기지는 않아요. 내 경우엔 아버지지만, 그에겐 어머니죠. 어쨌든 차이가 있어요. 아무래도 그런 경우에는 남자 쪽은 불명예스러울 게 없죠. 하지만 이처럼 남자와 여자를 편갈라 생각한다면 편견이 될지 몰라요. 이뽈리뜨는 정말 괜찮은 친구지만, 수많은 편견의 노예 같아요.」

「그 친구가 폐병을 앓고 있다고 했나?」

「네, 차라리 빨리 죽는 편이 나을 거예요. 내가 그 지경이라면 당장에 죽어 버리고 싶을 거예요. 이뽈리뜨는 어린 동생들이 불쌍한가 봐요. 아까 보신 그 아이들 말이에요. 만약 우리에게 돈이 생긴다면, 가족과 담을 쌓고 그 아이들과 따로 집을 얻어서 함께 살고 싶어요. 그게 우리들의 꿈이에요. 그런데 아까 이뽈리뜨에게 오늘 있었던 얘기를 해주니까 몹시 분개를 했어요. 글쎄, 뺨을 얻어맞고도 결투를 신청하지 않는 자는 비겁한 자라고 하더군요. 툭하면 성을 지독하게 내곤 해서 난 더 이상 그와 말싸움을 하지 않아요……. 그러고 보니 나스따시야가 공작을 보자마자 초대한 모양이지요?」

「글쎄, 그럴 법도 한데 초대를 받지 못했어.」

「그런데 왜 가시는 거예요?」 니꼴라이가 인도 한가운데서 멈춰 서더니 소리쳤다. 「그런 차림으로……. 거기는 초대받은 사람들만 가는 파틴데?」

「글쎄, 어떻게 들어가야 할지 모르겠어. 들여보내 주면 좋고, 안 받아 주면 무시당하는 거지 뭐. 한데 내 옷차림 말인데, 어떻게 해야 될까?」

「거기에 볼일이 있나요? 아니면 〈고상한 사교계〉에서 시간을 보내고 싶어서pour passer le temps 그러는 건가요?」

「그게 아니야……, 사실을 말하자면 일이 있어서지……. 하지만 그걸 뭐라고 표현해야 좋을지 모르겠어……. 그런데…….」

「좋아요, 나로서는 그게 무슨 일이든 상관할 바가 아니지만, 공작이 화류계 여성들, 장군들, 고리대금업자들이 모이는 화려한 사교계의 파티에 멋모르고 끼어드는 게 아닌가 걱정돼요. 만약 그렇게 된다면, 용서하세요, 나는 공작을 비웃고 경멸하게 될 거예요. 이런 곳엔 정직한 사람들이 거의 없어요. 존경할 만한 사람이 하나도 없단 말입니다. 그러니까 누구든 저들을 깔보는 게 당연하지만, 저들은 자신들에 대한 존경을 요구하고 있지요. 바르바라부터가 그렇다니까요. 공작도 이미 깨달으셨겠지만, 우리 시대엔 엽기적인 사람들밖에 없는 건가요? 다름 아닌 우리 러시아, 우리의 사랑스런 조국에 사는 사람들이 그렇단 말입니다. 어떻게 이런 지경에까지 이르게 되었는지 이해가 되지 않아요. 옛날에는 기반이 아주 견고했다고 생각되는데 지금은 어떤가요? 모두들 거기에 대해 말하고 글을 쓰고 있어요. 폭로를 하는 거지요. 우리나라에서는 모두들 폭로하기를 좋아해요. 부모들이 제일 먼저 뒤로 물러나서 자기네들이 내세우던 옛날의 도덕을 부끄러워하고 있는 실정이에요. 얼마 전에도 신문에 나서 다 아는 사실이지만, 모스끄바에서 어느 아버지가 자기 아들에게 돈을 벌기 위해서는 그 어떤 것에도 양보를 해서는 안 된다고 가르쳤다는군요.[46] 우리 장군님을 보세요. 어떻게 그리 될 수가 있나요? 그래도 우리 장

46 꼴랴는 1866~1868년 동안 신문 지상에서 대단한 화제를 불러일으켰던 대학생 다닐로프의 살인 사건에 의거하여 말하고 있다.

군님은 정직한 사람 축에 들어요. 사실 그래요! 다만 무질서한 생활과 술이 원수지요. 오히려 불쌍하기까지 해요. 하지만 사람들이 비웃을까 봐 그렇게 말하기가 두려울 뿐이에요. 저 영리한 인간들에게는 뭐가 있나요? 모두들 고리대금업자들이에요. 거기에는 한 사람도 예외가 없어요. 이뽈리뜨는 오히려 고리대금업자를 변호하고 나서요. 그러면서 빌어먹을 경제 파동이라는 게 있다면서 그게 호경기와 불경기라고 하며, 그런 상황 속에서는 고리대금업이 필요하다는 거예요. 나는 그런 소리를 들을 때면 너무나 역겨워요. 하지만 이뽈리뜨는 그럴수록 사나워져요. 그의 어머니인 대위 부인은 어떤 줄 아세요. 그 여자는 장군에게서 돈을 받아서 그걸 다시 장군에게 고리로 빌려 줘요. 그렇게 지독한 여자가 어디 있어요? 그런데 우리 어머니는 이뽈리뜨에게 돈과 옷가지와 내의를 비롯해 모든 걸 보내 주고 있어요. 그뿐만 아니라 그의 동생들에게까지 그를 통해 필요한 물건을 건네주고 있어요. 집에서 아이들은 고아나 마찬가지기 때문이에요. 바르바라 누나도 도와주고 있지요.」

「그것 봐, 자네는 정직하고 올바른 사람들이 없다고 하며 모두들 고리대금업자들이라고 하지만 자네 어머니와 바르바라처럼 꿋꿋한 분들도 있지 않은가? 그와 같은 환경 속에서 남을 돕는 일은 도덕적 힘을 가지고 있다는 표시가 아니겠어?」

「누나는 자존심이 강해서 어머니한테 지지 않겠다고 그러는 건데, 그것은 일종의 허세입니다. 하지만 어머니는 진심으로 그래요……. 난 존경해요, 난 어머니의 행동이 존경받을 만하다고 믿어요. 이뽈리뜨도 그렇게 생각하고 있는 것 같아요. 처음에는 굉장히 분개했어요. 어머니를 비웃으면서 비열하다고 했어요. 하지만 지금은 가끔 느끼는 바가 있는 모양이에요. 흠! 그걸 공작은 힘이라고 부르나요? 나 역시 그렇게 생각해요. 가브릴라는 그걸 모르지만, 만약 알게 된다면 위선이라고 부를 거예요.」

「가브릴라가 모른다고? 가브릴라는 아직도 많은 것을 모르는 것 같아.」 공작의 입에서 무심코 나온 말이었다.

「나는 공작이 무척이나 좋아요. 아까 우리 집에서 있었던 일이 잊혀지지 않을 거예요.」

「나도 자네가 무척이나 마음에 들어, 꼴랴.」

「여기서 어떻게 살 예정이지요? 나는 곧 일거리를 얻어 얼마건 돈을 벌 거예요. 나하고 공작하고 이뽈리뜨하고 셋이서 아파트를 얻어 함께 살면 어떨까요? 그리고 우리 아버지도 우리 집으로 모셔 오고요.」

「나는 대찬성이야. 하지만 지켜보자고. 난 지금 마음이 산만해……. 아니? 벌써 다 온 거야? 이 건물인가? 대단히 멋진 입구군! 그리고 문지기까지 있고. 그런데, 니꼴라이, 일이 어떻게 될지 모르겠네.」

공작은 어찌할 바를 모르고 서 있었다.

「내일 얘기해 주세요! 너무 겁을 먹지는 마세요. 잘될 거예요. 나는 모든 일에서 공작과 같은 신념을 가지고 있어요! 안녕히 계세요. 저는 돌아가서 이뽈리뜨에게 다 말해 줘야겠어요. 틀림없이 공작을 들여보내 줄 테니, 걱정 마세요! 그 여자는 기발하기 짝이 없어요. 이 계단으로 가세요, 1층이에요. 문지기가 안내해 줄 거예요.」

13

공작은 안으로 들어가면서 몹시 걱정을 했고, 있는 힘을 다해 자신을 격려하려 애쓰고 있었다. 〈십중팔구 들여보내 주질 않겠지. 그리고 나에 대해 좋지 않게들 생각할 거야. 아니면 들여보내 주고 나서 대놓고 나를 비웃겠지……. 아, 그까짓 것은 괜찮아!〉

정말로 그것은 대단치가 않았다. 하지만 〈안으로 들어가서 무엇을 하고, 왜 그녀를 찾아가야 하는지?〉 이 문제에 대해서는 이렇다 할 만한 대답을 찾지 못했다. 만약 어떻게 해서든 나스따시야에게 〈그 사람과 결혼하지 마세요. 자신을 파멸시키지 마세요. 그 사람은 당신이 아니라, 당신의 돈을 사랑하는 겁니다. 그 사람이 나에게 그렇다고 직접 말했어요. 아글라야 예빤치나도 나에게 그렇게 말했어요. 그걸 당신에게 말해 주러 온 겁니다〉라고 말할 기회가 있다 하더라도, 그것이 모든 면에서 잘하는 짓일까? 그리고 또 하나의 해결 불가능한 문제가 떠올랐다. 그것은 공작이 생각하고 거론하기조차 두려워할 정도로 중대한 것이었다. 공작은 그 문제를 어떻게 표현해야 할지 모르고, 다만 거기에 생각이 미칠 때마다 얼굴을 붉히며 덜덜 떨 뿐이었다. 그러나 이 모든 불안과 의혹에도 불구하고 그는 마침내 안으로 들어가 나스따시야를 만나러 왔노라고 밝혔다.

나스따시야는 그다지 크지는 않지만, 정말로 멋지게 꾸며진 아파트 한 채를 차지하고 있었다. 뻬쩨르부르그에서의 지난 5년 간, 처음에는 또쯔끼가 그녀를 위해 돈을 아끼지 않았던 시절이 있었다. 당시에 그는 나스따시야가 자기를 사랑할 거라는 희망을 잃지 않고 주로 향락과 사치로 그녀를 유혹해 보려고 했었다. 그는 사치에 빠져 들기가 얼마나 쉬운가 하는 것과, 사치에 조금씩 맛들이다 보면 그것이 삶의 필수적 요인이 되어 거기서 헤어나기가 무척 힘들다는 것도 알고 있었다. 그는 이와 같이 낡은 사고 방식에 안주하여, 자신의 태도를 조금도 바꾸지 않고 육체가 정신에 미치는 불가항력적 힘을 철저하게 존중하여 왔다. 나스따시야는 사치가 가져다 주는 것들을 거절하지 않았다. 오히려 사치를 즐겼다. 그러나 이상하기 짝이 없었다. 그녀는 도무지 사치에 굴복당하지 않는 것이었다. 언제라도 사치스런 생활을 헌신짝 버리듯 떨쳐 버릴 자세가 되어 있었다. 몇 번인가 또쯔끼에게 불쾌한 충격을 줄 수 있는 말을 해보려고 시도까지 한 적이 있었다. 꼭 그런 식으로 말을 하지 않는다 하더라도 나스따시야는 또쯔끼에게 불쾌한 충격을(나중에 가서는 경멸까지) 줄 만한 많은 요소를 가지고 있었다. 그녀가 간혹 가다 자기에게로 불러들였던, 다시 말하자면 가까이하려는 경향을 가졌던 사람들이 있었다. 그들이 보여 주는 모습은 가히 꼴불견이었다. 게다가 그녀는 지독한 괴벽이 있었다. 그녀에게는 두 개의 이질적 취향이 조야하게 혼합되어 나타났다. 점잖고 세련된 사람이라면 그 존재조차 허용할 수 없는 사물과 수단에 흡족스러워하는 자질을 나스따시야는 소유하고 있었다. 실제의 예를 들추어 보자. 나스따시야는 귀엽게 봐줄 수 있는 무지를 불쑥 드러낼 때가 있었다. 가령 농촌 아낙네들은 그녀가 입고 다니는 고급 모시 내의를 입고 다닐 수 없다고 주장할 때가 그랬다. 그러면 또쯔끼는 그런 말을 듣고 극히 만족스러워했다. 또쯔끼는 애초에 그러한 결과를 바라고 나스따시야의 교육을 계획했기 때문이다. 그는 이 방면에서 상당히 조예가 깊은 인물이었다. 그러나 애석하게도 그러한 결과는 정말로 이상한 방향으로 흘러갔다. 그럼에도 불구하고 나스따시야에게는 이따금 비범하고 매혹적인 힘으로 또쯔끼를 뒤흔들어 놓는 무언가가 숨겨져 있었다. 그것은 나스따시야에 대한 예전의 희망을 무참하게 상실한 또쯔끼의 마음을 아직도 이따금 부풀게 하고 있었다.

한 아가씨가 공작을 맞이했다(나스따시야는 언제나 여자 하인만 썼다). 놀랍게도 그녀는 아무런 의심도 하지 않고 공작의 청을 순순히 들어주었다. 아가씨는 흙투성이가 된 구두며, 차양이 넓은 모자, 소매 없는 망토, 당황한 듯한 손님의 얼굴 표정을 보고도 조금도 망설이지 않았다. 그녀는 그의 망토를 벗겨 주고, 응접실에서 기다리게 한 다음, 그에 대해 보고를 하러 곧바로 안으로 들어갔다.

나스따시야의 집에 모인 사람들은 언제나 그녀의 집에 드나드는 가장 평범한 지기들이었다. 과거에 있었던 비슷한 모임에 비하면 손님들의 수가 상당히 적었다. 제일 먼저 주빈 자격으로 또쯔끼와 예빤친이 와 있었다. 두 사람은 얼굴은 상냥해 보였지만, 가브릴라에 대해 나스따시야가 중대한 선언을 하겠다고 말한 탓인지 그 결과에 대해 무언가 불안함을 감추고 있는 모습이었다. 이들 이외에 물론 가브릴라가 참석해 있었다. 가브릴라 역시 매우 침울하고, 깊은 생각에 잠겨 있는 표정이었다. 그의 얼굴은 전혀 〈상냥해〉 보이지 않았다. 그는 사람들에게서 멀찌감치 떨어져 침묵을 지키고 있었다. 그는 바르바라를 데려올 결심을 하지 못했으나 나스따시야 필리뽀브나도 바르바라에 대해 아무런 언급이 없었다. 그 대신 나스따시야 필리뽀브나는 가브릴라와 인사를 나누자마자 오늘 그와 공작 사이에 있었던 사건을 끄집어냈다. 예빤친 장군은 그게 무슨 소린지 미처 알아듣지 못했으나 거기에 대해 흥미를 가지기 시작했다. 그러자 가브릴라는 오늘 있었던 일을, 그가 공작에게 사과를 하러 갔던 일까지 덤덤하고 내키지 않는 말투로, 그러나 매우 솔직하게 얘기해 주었다. 가브릴라는 매우 열을 내며 자신의 의견을 덧붙였다. 그는 사람들이 공작을 〈백치〉라고 부르게 된 까닭을 자신으로선 도무지 알 수가 없고 이상하기조차 하며, 자기는 공작을 그 반대로 생각하는 데다 공작은 오히려 만만한 구석이 조금도 없는 사람이라고 했다. 나스따시야는 이러한 평을 주의 깊게 들었다. 그녀는 호기심이 어린 눈빛으로 가브릴라의 태도를 지켜보았다. 그러나 대화는 곧바로 오늘 낮에 일어났던 사건에 결정적으로 기여한 로고진에게로 옮겨졌다. 로고진에 대해서는 또쯔끼와 예빤친 장군도 비상한 호기심을 보였다. 알고 보니 로고진에 관한 특별한 정보를 제공할 수 있었던 인물은 거의 밤 9시가 되도록 로고진의 일로 이리 뛰고 저리 뛰었던 쁘찌찐이었다. 로고진은 오늘 내로 10만 루블을 구해야 된다고 황소 고집을 피웠다. 「그 사람은 정말로 술에 취했어요.」

뻐찌찐이 말했다. 「그러나 아무리 힘들더라도 10만 루블을 변통해 내게 할 겁니다. 오늘 안으로 그 돈을 몽땅 구할 수 있을지는 모르겠지만, 낀제르 뜨레빨로프 비스꾸뻐 같은 여러 친구들이 나서고 있어요. 이자는 얼마든지 물겠다고 하지만 그것은 물론 취중에 그랬던 거겠지요. 방금 유산을 받은 기쁨으로 말입니다……」 이 소식은 모두에게 특별했지만 약간은 씁쓸한 관심을 불러일으켰다. 나스따시야는 아무 말이 없었다. 자신의 심사를 드러내고 싶지 않은 눈치였다. 가브릴라 역시 마찬가지였다. 예빤친 장군은 다른 사람들보다도 더 초조해 하는 기색이 역력했다. 오전에 선물한 진주를 나스따시야가 상냥하지만 지나치게 차가운 태도로, 심지어는 묘한 냉소마저 머금고 받아들였기 때문이다. 손님들 중에서 유일하게 페르디쉬첸꼬만 흥겨워하며 이따금 뭐가 그리 우스운지 큰 소리로 낄낄거렸다. 어쩌면 자진해서 광대 역할을 하고 있는지도 몰랐다. 정교하고 세련된 말솜씨로 유명한 또쯔끼는 예전 같았으면 좌중의 대화를 주도했을 텐데 지금은 기분이 가라앉아 있는 모습이 역력했으며, 어울리지 않게 곤혹스러워하기까지 했다. 그리고 얼마 되지 않는 나머지 손님들(어떻게 초청을 받아 왔는지 알 수가 없는 불쌍해 보이는 늙은 선생, 지독하게 부끄럼을 잘 타서 시종일관 입을 다물고 있는 매우 젊은 사람, 배우 같아 보이는 40대의 귀부인, 기가 막히게 아름답게 생기고 부티나게 옷을 차려입은 유난히 말수가 적은 젊은 부인)은 대화에 활기를 불어넣어 주지 못할 뿐만 아니라, 무엇에 관해 말해야 좋을지조차 모르고 있었다.

이런 상황에 공작의 출현은 시의 적절하기까지 했다. 하녀가 공작이 왔다고 보고하자 사람들은 무슨 영문인지 몰라 하며 약간은 야릇한 미소까지 지었는데, 특히 나스따시야의 놀란 표정을 통해 그녀가 공작을 초대할 생각조차 전혀 하지 않았다는 사실을 알았을 때 더욱 그랬다. 그러나 놀라워하는 기색이 가시고 나스따시야가 갑자기 흡족스런 표정을 짓자, 대부분의 사람들은 뜻밖의 손님을 유쾌한 웃음으로 맞이할 준비를 했다.

「이건 그 사람이 순진해서 그래요.」 이반 표도로비치 예빤친 장군이 결론을 지었다. 「대부분의 경우 이 같은 괴벽을 고무시킨다는 것은 아주 위험해요. 하지만 방법은 서툴러도 이러한 순간에 그가 여기에 나타날 생각을 했다는 것은 나쁘지 않군요. 그는 우리를 즐겁게 해줄 겁니다. 적어도 내가 그를 판단하기로는 그래요.」

「더욱이 자청해서 왔으니까요!」 이때 페르디쉬첸꼬가 끼어들었다.

「그게 어떻다는 거요?」 페르디쉬첸꼬를 못마땅해 하는 장군이 쏘아붙이듯 물었다.

「입장료를 내야 된다는 겁니다.」 페르디쉬첸꼬가 맞섰다.

「하지만 미쉬낀 공작은 페르디쉬첸꼬가 아니란 걸 아셔야지요.」 페르디쉬첸꼬와 한자리에 어울려 있어야 한다는 생각에 수치심을 버리지 못한 장군이 참지 못하고 말했다.

「에헤, 페르디쉬첸꼬를 너그러이 봐주세요, 장군님.」 페르디쉬첸꼬가 빙긋 웃으며 대답했다. 「나도 이 자리에 참석할 특별한 자격이 있는 사람이에요.」

「무슨 특별한 자격이란 말이오?」

「지난번에 그것을 여러분에게 설명해 드릴 영광스런 기회를 가졌습니다. 이번에는 각하를 위해 한번 더 되풀이하겠습니다. 보시다시피, 누구에게나 기지(機智)라는 게 있지만, 나에겐 그것이 없습니다. 거기에 대한 보상으로 나는 진실을 말할 권리를 청했습니다. 왜냐하면 익히 알려져 있듯이 기지가 없는 자만이 진실을 말할 수 있는 법이기 때문이지요. 게다가 나는 복수심이 강한 사람입니다. 그것 역시 기지가 없기 때문이지요. 나는 온갖 모욕을 굴욕적으로 참아 냅니다. 하지만 그러한 인내도 나를 모욕하는 자가 나를 모욕할 능력이 있을 때까지만 지속됩니다. 일단 모욕이 수포로 돌아가게 되면 그 즉시 내가 겪은 모욕을 상기하고 어떻게 해서든 복수를 하고 발길질을 하지요. 발길질을 한다는 표현은 역시 아무에게도 발길질을 해보지 않은 쁘찌찐이 나를 두고 한 말입니다. 각하, 끄릴로프의 〈사자와 당나귀〉[47]란 우화를 아십니까? 네, 그것은 바로 우리 두 사람을 두고 쓴 것이나 마찬가지입니다.」

「또다시 헛소리를 시작하는군요, 페르디쉬첸꼬.」 장군이 불끈하며 말을 했다.

「도대체 왜 그러십니까, 각하?」 페르디쉬첸꼬는 좀 더 장군의 성을 돋우겠다는 의도로 그의 말끝을 붙잡고 늘어졌다. 「너무 걱정하지 마세요. 나는 내 분수를 알고 있습니다. 이미 말씀드렸다시피 우리는 끄릴로프의 우화에 나오는 〈사자와 당나귀〉입니다. 나는 이미 당나귀의 역할을 맡았고, 각하는 끄릴로프의 우화에 씌어 있듯이 사자의 역을 하고 있는 겁니다. 〈밀림의 뇌우이신 용맹스런 사자가 이제는 노쇠하여 힘을 잃으시도다.〉 각하, 나는 당나귀입니다.」

「나는 그 말에만 동의하오.」 장군은 아무렇지도 않게 말을 내뱉었다.

이 모든 것은 물론 무례한 일이었고 사전에 꾸며져 있던 일이었으나, 페르디쉬첸꼬에게 광대 역할이 허용되어 있다는 것은 기정 사실이었다.

「나를 내쫓지 않고 여기에 들여보내 준 까닭은,」 페르디쉬첸꼬가 상기된 목소리로 말했다. 「이따위 소리를 지껄이란 뜻입죠. 안 그러면 나 같은 놈을 이런 곳에서 받아 주겠습니까? 난 다 알고 있습니다. 페르디쉬첸꼬와 같은 인간을 감히 아파나시 이바노비

47 페르디쉬첸꼬는 I. A. 끄릴로프의 우화 「늙은 사자」를 부정확하게 인용하면서 대화의 방향을 바꾸고 있다.

치 또쯔끼처럼 대단히 세련된 신사 어른과 나란히 앉힐 수가 있을까요? 결국 한 가지 해답밖에 없어요. 그러한 상상이 불가능하기 때문에 나를 이렇게 앉혀 놓는 겁니다.」

무례한 것은 고사하고 간혹 가다 지독하리만큼 악의에 찬 소리까지 나왔음에도 나스따시야 필리뽀브나는 그게 마음에 드는 모양이었다. 때문에 나스따시야 필리뽀브나의 곁에 꼭 있고 싶어 하는 사람들은 페르디쉬첸꼬의 그러한 언동을 참아 낼 결심을 해야 했다. 페르디쉬첸꼬도 자기가 그런 식으로 행동했기 때문에 나스따시야 필리뽀브나가 그를 받아 주는 것이 아닌가 추측하고 있었다. 그렇지 않다면 그가 또쯔끼 앞에 나타나는 것은 불가능한 일이었다. 가브릴라 역시 페르디쉬첸꼬로 인한 무한한 고통을 참아야 했다. 바로 이 점에서 페르디쉬첸꼬는 나스따시야에게 매우 적절한 인물이 되었던 것이다.

「나는 공작에게 최신 유행 가곡을 불러 보게 하겠어요.」 페르디쉬첸꼬가 나스따시야 필리뽀브나의 눈치를 살피며 말했다.

「됐어요, 페르디쉬첸꼬. 너무 나서지 말아요.」 나스따시야 필리뽀브나가 쏘아붙였다.

「아하! 그 사람이 특별한 비호를 받는다면 나도 부드러워져야겠군요…….」

그러나 나스따시야는 페르디쉬첸꼬에게는 귀도 기울이지 않고 자리에서 일어나 직접 공작을 맞이하러 나갔다.

「죄송해요.」 그녀는 공작 앞에 모습을 드러내며 말했다. 「아까는 너무나 경황이 없어서 우리 집에 와주십사 하는 말도 못했어요. 당신에게 직접 고마움을 표시하고, 당신의 결의를 칭송할 수 있는 기회를 주셔서 너무나 기뻐요.」

그녀는 이렇게 말하며 공작을 찬찬히 뜯어보았다. 공작의 행위를 어떻게든지 해석해 보려는 시도였다.

공작은 그녀의 상냥한 말에 무언가 대꾸를 할 수 있었을 텐데,

그녀의 아름다움에 놀랄 정도로 매혹되어 말문조차 열 수가 없었다. 나스따시야는 이러한 공작의 반응을 흡족하게 받아들였다. 이날 저녁 그녀는 완벽하게 화장을 한 상태라 대단한 인상을 줄 수 있었다. 그녀는 공작의 팔을 붙잡고 손님들에게로 안내했다. 공작은 응접실 입구에서 갑자기 발걸음을 멈추었다. 그리고 유례없이 흥분을 한 상태로 그녀에게 재빨리 속삭였다.

「당신은 완벽해요……. 여윈 몸에 얼굴이 창백해 보이는 것조차도……. 이보다 더 훌륭한 모습은 상상할 수가 없어요……. 난 몹시 이곳에 오고 싶었어요…… 용서하세요.」

「그렇게 용서를 빌지 마세요.」 나스따시야가 웃기 시작했다. 「그러면 당신의 이상함과 독특함이 무색해지잖아요. 사실 당신이 이상한 분이라고들 말해 왔어요. 그런데 당신은 나를 완벽하게 보신단 말이죠?」

「네.」

「당신이 사람을 잘 알아보는 도사라 해도, 이번만은 잘못 짚었어요. 오늘 거기에 대해 상기시켜 주겠어요…….」

그녀는 공작을 손님들에게 소개시켜 주었다. 손님들 중에서 절반 이상은 이미 그를 알고 있었다. 이때 또쯔끼는 뭐라고 다정한 말을 해주었다. 모두들 약간은 활기를 띤 듯했고, 모두들 한꺼번에 말을 하며 웃기 시작했다. 나스따시야는 공작을 자기 곁에 앉혔다.

「그런데 공작이 나타난 게 뭐가 그리 놀랍습니까?」 페르디쉬첸꼬가 가장 큰 소리로 외쳤다. 「문제는 명백해요. 문제 자체가 대답을 해줄 겁니다!」

「문제는 지나치게 명백하고, 지나칠 정도로 스스로 대답을 해줄 거예요!」 그동안 침묵을 지켜 왔던 가브릴라가 갑자기 페르디쉬첸꼬의 말을 받았다. 「나는 오늘 공작을 거의 쉬지 않고 관찰해 왔어요. 공작이 아까 예빤친 장군님의 책상 위에 있던 나스따시야 필리뽀브나의 사진을 처음으로 보았던 순간부터 지금까지요. 나는 지금도 아까 잠시 생각해 봤던 것을 아주 생생하게 기억합니다. 이제서야 그 전말을 완전히 확신하게 되었습니다. 그것은 짧게 말씀드려 공작 자신이 나에게 고백한 것입니다.」

가브릴라는 시종일관 조금도 농기가 섞이지 않은 진지한 말투로 말했다. 그의 말투는 오히려 침울하기까지 해서 약간은 이상해 보였다.

「나는 당신에게 고백을 한 적이 없어요.」 공작은 얼굴이 새빨개져서 말했다. 「나는 당신의 질문에 대답을 했을 뿐이에요.」

「브라보, 브라보!」 페르디쉬첸꼬가 외쳤다. 「적어도 성실은 하군요. 약기도 하고 성실하기도 하단 말이에요!」

모두들 커다랗게 웃었다.

「페르디쉬첸꼬, 목소리를 낮춰요.」 쁘찌찐이 정색을 하며 그에게 속삭이는 소리로 말했다.

「공작, 나는 당신이 이처럼 대담한 행동을 하리라곤 예기치 못했소.」 예빤친 장군이 말했다. 「누가 이런 행동을 할 수 있겠소? 난 당신을 철학자라고 생각했소! 그것도 아주 얌전한 철학자로 말이오!」

「공작이 아무런 의미도 없는 농담에 숫처녀처럼 얼굴을 붉히는 걸 보면 고매한 청년처럼 가슴속에 가장 칭찬받을 만한 의도를 품고 있는 게 확실해요.」 이가 다 빠진 칠순의 늙은 선생이 느닷없이 끼어들었다. 아무도 그가 끼어들리라고는 예상치 못했다. 사람들은 이날 파티에서 그가 한마디라도 꺼내리라고는 전혀 생각지도 않은 터였다. 그는 말을 한다기보다 입을 우물거리고 있는 편이라고 할 수 있었다. 사람들은 더욱더 크게 웃기 시작했다. 노인은 사람들이 틀림없이 자신의 기지 때문에 웃고 있는 것이라고 착각하며, 자신도 사람들을 돌아보며 호탕하게 웃으려 했으나 심한 기침이 터져 나왔다. 나스따시야는 왠지 그와 같이 괴상한 노인과 노파, 심지어는 좀 모자란 사람까지 지극히 사랑했기 때문에 즉시 그 노인을 어루만져 주기 시작했다. 그녀는 노인의 얼굴에 키스까지 해주며 그에게 차를 더 따라 주라고 명령했다. 그녀는 방으로 들어온 하녀에게 자신의 망토를 가져오라고 하여, 그것으로 몸을 감싸고는 벽난로에 장작을 더 지펴 넣으라고 지시했다. 몇 시가 되었느냐는 질문에 하녀는 벌써 10시 반이라고 했다.

「여러분, 샴페인을 드시지 않겠습니까?」 나스따시야가 갑자기 손님들에게 제안을 했다. 「샴페인이 이미 준비되어 있습니다. 한 잔씩 마시면 더욱 유쾌해질 겁니다. 체면차리지 마시고 어서 드세요.」

나스따시야 필리뽀브나는 유난히 순진한 표정으로 샴페인을 들자고 권유했는데, 이것은 매우 낯설어 보였다. 그녀가 늘 주최했던 저녁 파티는 유별나게 예의범절을 지켜 온 사실을 모두 잘 알고 있는 터였기 때문이다. 한마디로 파티의 분위기가 점점 활기를 띠어 갔으나 평상시의 양상은 아니었다. 손님들은 술을 사양하지 않았다. 제일 먼저 장군부터가 그랬다. 두 번째는 활달한 귀부인, 노인, 페르디쉬첸꼬가 그랬고, 이들을 따라서 모두들 그랬다. 또쯔끼 역시 술잔을 들고 새로이 일고 있는 분위기에 가능한 한 부드러운 농담도 섞어 가면서, 자신도 그 분위기에 조화를 맞추려고 했다. 오직 가브릴라만이 아무것도 마시지 않았다. 나스따시야 필리뽀브나는 줄곧 이상하고 가끔은 매우 날카롭고 민첩한 행동을 보이며 역시 술잔을 들었다. 그녀는 오늘 저녁에 세 잔의 술을 마시겠노라고 선언했다. 그녀는 갑자기 침묵을 지키면서 우울한 생각에 빠지다가 히스테릭하게 공허한 웃음을 터뜨렸다. 사람들은 무슨 일인지 영문을 몰랐다. 어떤 사람들은 그녀에게 열병의 발작이 있는 게 아닌가 하는 의심을 했다. 그들은 마침내 그녀가 무언가를 기다리며 자주 시계를 들여다보고, 시간이 갈수록 초조해지고 산만해져 간다는 것을 눈치 챘다.

「열이 약간 있지 않나요?」 활달한 귀부인이 물었다.

「약간이 아니라 많이 있어요. 그래서 망토를 두르고 있는 거예요.」 나스따시야 필리뽀브나가 대답했다. 실제로 그녀의 안색은 창백해졌고, 이따금 심한 경련을 참아 내고 있는 듯했다.

모두들 걱정을 하며 수군거리기 시작했다.

「여주인을 쉬게 해주면 어떨까요?」 또쯔끼가 예빤친 장군의 눈치를 살피며 자기 생각을 말했다.

「아니에요. 걱정하지 마세요. 여러분! 모두들 그대로 앉아 계세요. 여러분은 오늘 꼭 앉아 계셔야 돼요.」 갑자기 나스따시야 필리뽀브나가 긴장한 채로 의미심장하게 말했다. 거의 모든 손님들이 이날 저녁에 아주 중대한 결정이 있을 거라는 사실을 알고 있었기에, 나스따시야 필리뽀브나의 말에는 무게가 실렸다. 장군과 또쯔끼는 다시 한번 상대방을 서로 바라보았고, 가브릴라는 경련을 일으키듯 몸을 떨었다.

「프티죄[48] 게임을 하면 어떨까요?」 활달한 귀부인이 제안했다.

「난 아주 멋진 새 프티죄를 알고 있어요.」 페르디쉬첸꼬가 말을 받았다. 「적어도 이 프티죄는 지금까지 딱 한 번 해본 건데, 그나마 제대로 해보지도 못한 게임입니다.」

「그게 뭐예요?」 활달한 귀부인이 물었다.

「언젠가 우리 일행이 지금처럼 한자리에 모여서 한잔했지요. 그때 갑자기 누군가가 제안을 했어요. 각자 자리에 앉은 채 돌아가며 자기 얘기를 털어놓자는 거였는데, 살아오는 동안 저지른 고약한 짓 중에서 가장 못된 짓을 양심적으로 고백하는 거였지요. 그러나 가장 중요한 것은, 그 얘기는 진실되어야 하고 거짓이 아니어야 하는 겁니다!」

「아주 괴상한 발상이었군.」 장군이 말했다.

48 petit jeu. 프랑스에서 전해진 놀이 중 하나.

「괴상한 만큼 흥미 있는 발상입니다, 각하.」

「우스꽝스런 발상이오.」 또쯔끼가 말했다. 「그러다간 결국 자기 자랑을 하게 될 거요.」

「어쩌면 그런 종류의 자기 자랑이 필요할지도 몰라요, 아파나시 이바노비치.」

「그렇게 프티죄 게임을 하면 웃음이 아니라 울음이 나올 거예요.」 활달한 귀부인이 말했다.

「도저히 그런 게임은 할 수 없소. 어리석기 짝이 없는 게임이오.」 쁘찌찐이 반응했다.

「그래, 그 게임이 성공했나요?」 나스따시야 필리뽀브나가 물었다.

「글쎄, 그래야 되는데 결국은 성공하지 못하고 고약하게 되어 버렸어요. 모두들 나름대로 얘기를 했어요. 한데 나중에는 다들 수치스러워 어찌할 바를 몰랐던 거예요! 하지만 전체적으로 말해 나름대로 재미는 있었어요.」

「아, 그거 정말 재미나겠네요!」 나스따시야 필리뽀브나가 갑자기 활기를 띠며 말했다. 「해보면 정말로 좋겠네요, 여러분! 사실 분위기가 그다지 유쾌하지 않아요. 만약 각자 그런 식으로 얘기를 하는 데 동의하신다면……, 여기선 물론, 자진해서죠. 각자의 자유는 완전히 보장되고요. 우린 잘할 수 있을 거예요, 그렇지 않을까요? 아무튼 대단히 기발해요…….」

「천재적인 발상이에요!」 페르디쉬첸꼬가 받아서 말했다. 「하지만 부인들은 예외로 하고 남자들부터 시작하지요. 그때처럼 제비뽑기로 순서를 정하지요! 꼭 그래야 돼요! 전혀 마음이 내키지 않는 분은 물론 얘기를 안 해도 좋아요. 그 대신 실례가 된다는 것만 상기하면 됩니다. 자, 여러분의 제비를 여기 제 모자 속에 넣어 주시기 바랍니다. 공작이 제비를 뽑게 될 겁니다. 굉장히 간단한 일입니다. 일생 중 가장 나쁜 자신의 행위를 얘기해 주면 되는 겁니다. 여러분, 그건 아주 쉬운 일입니다! 해보시면 알게 됩니다! 생각이 안 나시면 내가 그 자리에서 상기시켜 드리겠습니다!」

모두 그러한 발상을 탐탁치 않게 여겼다. 어떤 이는 이맛살을 찌푸리고, 어떤 이는 교활하게 웃음을 지었다. 그 중에는 이의를 제기하는 이도 있었지만 그다지 적극적이지 못했다. 예를 들어 예빤친 장군은 나스따시야 필리뽀브나가 이 괴상한 발상에 마음이 몹시 동하고 있다는 사실을 알아차리고, 그녀의 뜻에 반대하고 나서는 것을 꺼림칙하게 생각했다. 나스따시야 필리뽀브나는 자기 의사를 한번 표시하면 그것이 변덕스럽고 허황되어서 자신에게 불리한 결과를 초래한다 하더라도 무자비할 정도로 고집을 굽히지 않았다. 지금도 그녀는 특히 또쯔끼의 우려 섞인 반대 의사에 히스테리를 부리듯 안절부절못하며 경련을 일으키듯 비웃어 댔다. 그녀의 검은 눈동자는 번뜩였고, 창백한 뺨엔 붉은 반점이 돋았다. 겁에 질린 손님들의 불안한 표정이 그녀의 냉소적 욕망에 불을 붙인 격이었다. 페르디쉬첸꼬의 발상은 매우 냉소적이고 잔인한 성격을 띠었다. 나스따시야 필리뽀브나는 바로 그 점이 마음에 든 모양이었다. 어떤 손님들은 그녀가 그렇게 고집하고 있는 데에는 무슨 속셈이 있을 거라고 확신하기까지 했다. 그러나 모두들 동의하기 시작했다. 어쨌든 호기심이 발동했기 때문이다. 많은 사람들은 앞으로의 결과가 무척 궁금했다. 페르디쉬첸꼬가 가장 많이 나섰다.

「숙녀 앞에서…… 얘기하기가…… 곤란한 게 있다면…….」 말수가 적은 청년이 소심하게 물었다.

「그러면 얘기를 안 해도 좋아요. 나쁜 짓을 한 게 꼭 그런 것만 있는 건 아니잖소?」 페르디쉬첸꼬가 말했다. 「원, 젊은이도 한심하지!」

「그런데 나는 내가 한 짓 중에서 가장 나쁘다고 생각되는 게 뭔지 몰라요.」 활달한 귀부인이 끼어들었다.

「숙녀 여러분은 얘기할 의무에서 면제됩니다.」 페르디쉬첸꼬가 되풀이했다. 「그러나 면제가 될 뿐이지, 저절로 흥이 나서 얘기를 해주면 물론 환영입니다. 신사 여러분 중에서도 영 마음이 내키지 않으면 안 하셔도 무방합니다.」

「그렇지만 거짓말을 하지 않는다는 것을 어떻게 증명하지?」 가브릴라가 물었다. 「만약 내가 거짓말을 한다면 이 게임의 발상은 의미가 없어지잖아. 그리고 누가 거짓말을 안 하겠나? 모두들 거짓말을 하게 될 걸세.」

「거짓말을 듣는 것만으로도 재미가 있을 걸세. 하지만 가브릴라, 자네는 거짓 여부를 걱정할 필요가 없네. 자네가 저지른 나쁜 짓은 세상 사람이 다 알고 있는 사실이니까. 그건 그렇고, 여러분, 다만 이것 하나만 생각해 보십시오.」 페르디쉬첸꼬가 갑자기 무슨 영감이 떠올랐다는 듯 소리쳤다. 「내일, 아니 바로 이야기를 마치고 난 다음에 서로 어떤 눈으로 상대방을 쳐다보게 될지, 오로지 그것 하나만 생각해 보세요.」

「이게 가능하다고 생각하오? 이건 아주 심각한 일이오, 나스따시야 필리뽀브나?」 또쯔끼가 점잖은 목소리로 물었다.

「늑대가 무서우면 숲으로 들어가지 않으면 되잖아요?」 나스따시야 필리뽀브나가 우습다는 듯이 말했다.

「하지만 페르디쉬첸꼬 씨, 정말 프티죄를 할 생각이오?」 또쯔끼는 점점 더 근심스러워하며 계속 말을 이어 나갔다. 「확실히 말하지만 그런 식의 게임은 결코 성사될 수 없어요. 당신 입으로도 이 게임이 성사된 적이 한번도 없다고 그랬잖소?」

「성사가 안 되다니오? 나는 지난번에 3루블을 훔쳤다는 얘기를 소상하게 다 했단 말입니다!」

「그렇다고 치더라도 당신이 한 말이 진짜라는 걸 과연 사람들이 믿었을까요? 가브릴라 아르달리오니치가 아주 올바로 지적한 거요. 조금이라도 거짓말이 섞인 듯하면 이 게임의 발상은 의미를 잃게 되는 거지. 물론 우연이긴 하지만 우쭐한 기분에서 객기로 사실을 털어놓는 경우도 있을 수 있겠지요. 하지만 그것이 사실일지라도 무의미하고 점잖지 못한 소재일 뿐입니다.」

「놀라울 정돕니다. 섬세하기가 이를 데 없는 분이시군요, 아파나시 이바노비치 또쯔끼 씨!」 페르디쉬첸꼬가 외쳤다. 「여러분, 또쯔끼 씨가 하신 말씀을 생각해 보세요. 또쯔끼 씨는 내가 도둑질한 이야기를 똑바로 할 수 없었다는 이유를 들어 당시에 내가 도둑질을 하지 않았다는 사실을 미묘하게 암시하고 그게 정말이라는 것을 내세우려 하고 있어요. 그런데 또쯔끼 씨는 어쩌면 페르디쉬첸꼬는 능히 도둑질을 하고도 남을 인간이라고 혼자서는 확신하고 있는지도 모르죠! 여하튼 여러분, 이제 진짜 게임으로 들어갑시다. 이미 제비들을 걷어 놓았습니다. 또쯔끼 씨도 자기 것을 던져 놓았어요. 결국 아무도 이의를 달지 않고 있는 겁니다. 공작, 어서 제비를 뽑아 주세요!」

공작은 아무 말 없이 털모자 속에 손을 집어넣어 제비를 뽑았다. 첫번째 제비는 페르디쉬첸꼬의 것이었다. 그리고 계속해서 쁘찌찐, 장군, 또쯔끼, 공작, 가브릴라의 순으로 제비가 뽑혀 나왔다. 부인들은 제비를 집어넣지 않았다.

「아니 이런, 이렇게 재수가 없을 수가 있나?」 페르디쉬첸꼬가 소리쳤다. 「제일 먼저 공작이 나오고 두 번째 순서가 장군님이 될 줄 알았는데. 하지만 다행스럽게 장군님이 바로 내 뒤에 오시니까 보상을 받는 것 같군요. 좋아요 여러분, 나는 당연히 귀감이 될 의무가 있습니다. 하지만 이 순간 무엇보다 안타까운 것은 내가 보잘것없는 존재인지라 특기할 만한 게 전혀 없다는 점입니다. 더구나 가장 말단직에 앉아 있는 까닭에 고상하지 못한 짓을 했다 해도 그게 아무런 흥밋거리도 되지 못한단 말입니다. 아무튼 내가 했던 가장 못된 짓은 무엇일까요? 그런 행위는 너무 많아서 셀 수도 없습니다embarras de richesse. 도둑이 아니라도 남의 물건을 훔칠 수 있다는 것을 또쯔끼 씨에게 확인시켜 주기 위해 지난번의 절도 행각을 또다시 이야기할까요?」

「페르디쉬첸꼬 씨, 당신의 말은, 누가 물어보지도 않았는데도 자신의 더러운 얘기를 자진해서 해줌으로써 정말로 말할 수 없는 쾌감을 느낄 수 있다는 것을 깨닫게 하는군요……. 하지만, 페르디쉬첸꼬 씨, 이렇게 말해서 미안해요…….」

「페르디쉬첸꼬, 시작해 봐요. 그동안 발만 동동하게 했지 끝을 맺은 적이 한번도 없었어요!」 나스따시야 필리뽀브나가 못 참겠다는 식으로 신경질적으로 말을 했다.

모두들 눈치를 챘지만, 나스따시야는 방금 전까지 발작적으로 웃음을 터뜨리더니 갑자기 안절부절못하며 신경질을 부리다가 이내 침울해졌다. 더구나 불가능하리만치 변덕을 부리며, 그걸 독단적으로 집요하게 요구하고 있었다. 아파나시 또쯔끼는 곤혹스러웠다. 게다가 예빤친 장군까지 부아를 돋웠다. 예빤친은 샴페인을 들고 앉아서 자기 차례가 되면 틀림없이 무언가를 얘기해 줄 태세였다.

14

「난 재치가 없어요, 나스따시야 필리뽀브나! 그래서 쓸데없는 소리만 늘어놓는 거라고요!」 페르디쉬첸꼬가 이야기를 시작하며 소리쳤다. 「내게 아파나시 또쯔끼나 이반 예빤친 같은 재치가 있었다면, 나는 오늘 하루 종일 이 두 분처럼 입 꼭 다물고 얌전히 앉아 있었을 거예요. 공작, 한 가지 물어보겠어요. 나는 이 세상에 도둑이 아닌 사람보다 진짜 도둑이 훨씬 더 많다고 봐요. 그리고 평생에 단 한 번이라도 남의 물건을 훔쳐 보지 않은 정직한 사람은 없다고 보는데 어떻게 생각해요? 그게 나의 지론이에요. 그렇다고 모두가 한결같이 다 도둑이라는 결론을 내리는 건 아니에요. 물론 그렇게 결론을 내려 보고 싶을 때가 간혹 가다 있긴 하지만요. 공작은 어떻게 생각해요?」

「흠, 참으로 바보 같은 얘기만 하는군요.」 다리야 알렉세예브나가 말을 꺼냈다. 「모두가 한번쯤은 남의 것을 훔쳐 봤을 거라니 그게 될 법이나 한 말이에요? 나는 지금까지 아무것도 훔친 적이 없어요.」

「다리야 알렉세예브나, 당신은 여태껏 아무것도 훔치지 않았다고요? 하지만 우선 공작이 무슨 말을 하는지 들어 보자고요. 공작의 얼굴이 갑자기 새빨개졌어요.」

「페르디쉬첸꼬, 당신 말이 맞는 것 같아요. 하지만 너무나 부풀려서 말하고 있어요.」 공작이 말했다. 그런데 무슨 일 때문인지는 몰라도 공작의 얼굴은 정말로 새빨개져 있었다.

「그럼 공작 자신은 여태껏 남의 물건을 훔쳐 본 적이 없나요?」

「어휴, 이게 웬 꼴불견이오! 정신차려요 페르디쉬첸꼬 씨!」 장군이 나서서 말했다.

「보나마나 뻔한 노릇이지요. 막상 자기 고백을 하려니 창피해져서 온순한 공작을 물고늘어지려는 거지요, 뭐.」 다리야 알렉세예브나가 딱 잘라 말했다.

「페르디쉬첸꼬, 털어놓을 게 있으면 털어놓든지, 아니면 입을 다물고 있든지 해요. 당신 일이나 잘하면 될 거 아니에요.」 나스따시야 필리뽀브나가 쏘아붙였다. 「이거 참을성 없는 사람 같으면 기다리다가 벌써 기절을 하고 말았겠네.」

「잠깐만요, 나스따시야 필리뽀브나. 하지만 공작이 그런 행위를 자인했다면, 나는 그렇다고 믿습니다만, 누구라고 꼬집어서 말하는 것은 아니나 누군가가 사실을 말하고 싶어할 겁니다. 그렇게 되면 무슨 얘기를 하게 될까요? 나로 말할 것 같으면 할 말이 전혀 없어요. 매우 평범하고 멍청하고 불쾌한 거지요. 하지만 여러분에게 나는 도둑이 아니라고 장담할 수 있어요. 도둑질을 한 적은 있지만 어떻게 해서 그렇게 됐는지 난 모르겠어요. 재작년의 어느 일요일에 세묜 이바노비치 이쉬첸꼬의 별장에서 있었던 일이었어요. 손님들이 그의 집에서 식사를 하고 있었지요. 식사 후에 남자들은 그 자리에 남아 술을 마셨어요. 나는 세묜의 딸 마리야에게 피아노로 어떤 곡이든 한 곡만 쳐달라고 부탁하고 싶은 생각이 불현듯 들었어요. 그래서 구석방으로 갔지요. 그런데 그곳에 있는 마리야의 탁자 위에 3루블짜리 초록색 지폐가 놓여 있는 게 아니겠어요. 그녀가 집안일에 쓰려고 꺼낸 돈 같았는데, 마침 방 안에는 아무도 없었어요. 나는 지폐를 집어서 주머니에 넣었어요. 무얼 하려고 그랬는지는 나 자신도 모르겠어요. 내게 뭐가 씌었는지 납득이 가지 않아요. 나는 그저 재빨리 내 자리로 돌아와 앉아 버렸어요. 나는 시종일관 앉아서 적이 불안한 마음으로 기다렸지요. 그리고 나도 모르게 아무 말이나 막 지껄이기도 하고 우스운 소리를 늘어놓기도 하면서 껄껄대다 부인네들 곁으로 다가가 앉았어요. 30분 가량이 지나고 나서야 주인이 하녀들을 의심하며 물어보기 시작하더군요. 다리야라는 하녀가 특히 의심을 많이 받더군요. 나는 비상한 호기심으로 그 일에 끼어들었어요. 지금도 기억이 나지만, 다리야가 완전히 제정신이 아니었을 때 나는 마리야 이바노브나에게 선처를 바란다는 고갯짓을 하며, 다리야에게 잘못을 빌라고 설득했어요. 그것도 모든 사람들이 있는 데서 큰 소리로 그랬어요. 모두들 나를 바라보았지요. 하지만 그 3루블짜리 지폐를 내 주머니에 넣고 그렇게 설교를 한다는 게 여간 기분좋은 것이 아니었어요. 그날 저녁 나는 그 돈으로 식당에 가서 술을 마셔 버렸지요. 나는 들어가자마자 프랑스 와인 라피트를 주문했어요. 사실 그 이전까지 안주를 시키지 않고 술 한 병만 가져오라고 한 적은 없었지만, 그때는 빨리빨리 그 돈을 다 써버리고 싶은 심정이었거든요. 나는 그때나 그 이후나 특별한 양심의 가책 따위는 느껴 본 적이 없었어요. 하지만 그런 짓은 두 번 다시 일어나지 않을 거예요. 여러분이 믿든 말든 난 신경 쓰지 않아요. 이게 내 얘기의 전부예요.」

「물론 그게 당신이 저지른 가장 나쁜 행위는 아닐 거예요.」 다리야 알렉세예브나가 혐오스럽다는 듯이 말했다.

「그건 심리적으로 일어난 우연한 일이지, 의도적인 행위라고 할 수는 없어요.」 또쯔끼가 말했다.

「그렇다면 누명을 쓴 하녀는 어떻게 된 거지요?」 나스따시야 필리뽀브나가 극도로 끓어오르는 혐오감을 감추지 못하고 물어보았다.

「하녀는 당연히 다음날 쫓겨나고 말았지요. 무척이나 엄한 집안이었으니까요.」

「당신은 그런데도 태연하게 있었나요?」

「그거 잘된 거 아닌가요? 내가 제 발로 찾아가 범인이 나라고 이실직고할 수는 없잖아요?」 페르디쉬첸꼬는 히히거리며 웃었으나, 자기 이야기를 듣고 사람들이 어이없어 한다는 데 대해 내심 놀라고 있었다.

「그렇게 비열할 수가!」 나스따시야 필리뽀브나가 소리쳤다.

「아니! 당신은 가장 나쁜 짓을 했던 경험담을 원하면서, 그걸 멋지게 꾸미길 바라는 거예요? 가장 못된 짓은 언제나 비열하기 마련이에요. 이제 장군님의 이야기를 들어 보면 알 겁니다. 바깥세상에는 번지르르하게 보이고 싶어하는 사람들이 많아요. 다들 마차가 있으니까요. 그런데 마차를 가진 사람이 어디 한두 사람인가요……? 그리고 수단 방법을 가리지 않고…….」

한마디로 페르디쉬첸꼬는 도저히 참을 수 없을 만큼 화가 나서 자기 자신조차 망각할 정도로 악의에 가득 차 있었다. 심지어는 그의 얼굴 전체가 비뚤어져 보이기까지 했다. 이상하게 들릴지 모르지만 그는 자신의 경험담을 통해 무언가 대단한 성공을 거두리라고 예상했던 것이다. 또쯔끼의 표현을 빌자면, 그와 같은 실수투성이 망발과 객기 어린 허풍은 페르디쉬첸꼬에게서 자주 들을 수 있었고 그의 성격에도 잘 맞아떨어지는 것이다.

나스따시야 필리뽀브나는 분통이 터져 몸을 파르르 떨기까지 하며 페르디쉬첸꼬를 노려보았다. 페르디쉬첸꼬는 겁에 질려 일순간 몸을 움츠리며 입을 닫았다. 그만 지나치게 엉뚱한 곳으로 빠져 버린 것이었다.

「아예 그만두는 게 어떨까요?」 아파나시 이바노비치 또쯔끼가 약삭빠르게 물었다.

「이제 내 차례지만 나의 특권을 이용하여 말하지 않으렵니다.」 쁘찌찐이 단호하게 말했다.

「하고 싶지 않으신가요?」

「나스따시야 필리뽀브나, 이야기할 수가 없어요. 한마디로 이따위 프티죄는 가당치도 않다고 생각해요.」

「그러면 순서상 이제 장군님 차례 같은데요.」 나스따시야 필리뽀브나가 장군에게 말했다. 「만약 장군께서도 거절하시면 모든 게 다 깨져 버릴 거예요. 나도 맨 마지막으로 〈내 생애에서〉 있었던 한 가지 사건을 얘기해 드리려고 했는데 유감이에요. 하지만 장군님과 아파나시 이바노비치의 이야기를 들어야만 털어놓을 수가 있어요. 두 분께서 저에게 용기를 주시리라 믿고 있기 때문이지요.」 나스따시야가 소리 내어 웃으며 말을 마쳤다.

「오, 만약 당신이 약속을 해주신다면……」 그러자 장군이 열띤 소리로 외쳤다. 「나는 나의 전생애에 대해서라도 이야기해 드릴 용의가 있어요. 그런데 솔직히 말하지만 차례를 기다리며 한 가지 일화를 준비한 게 있습니다…….」

「각하의 표정만 봐도 각하가 대단한 문학적 소양으로 그 일화를 지어냈다는 것을 알 수 있을 거예요.」 여전히 당황한 빛을 떨쳐 버리지 못한 페르디쉬첸꼬가 비꼬는 듯한 웃음을 띠고 용기를 내어 한마디했다.

나스따시야는 장군을 흘끗 바라보고는 역시 속으로 웃었다. 그러나 점점 심하게 우울해지고 초조해지는 빛이 역력했다. 또 쯔끼는 경험담을 털어놓겠다는 약속을 듣고 보통 기겁하는 게 아니었다.

「여러분, 나는 살아오면서 다른 사람들과 마찬가지로 그다지 우아하지 못한 짓을 했던 적이 있었습니다.」 장군이 말을 꺼내기 시작했다. 「하지만 무엇보다 이상한 일은 내가 지금 말해 주려는 이 짤막한 일화가 내 생애에서 가장 나쁜 것이라고 생각한다는 사실입니다. 이제 35년쯤 지났을까. 하지만 그때의 강한 인상을 돌이킬 때마다 나는 일종의 양심의 가책을 느끼고 있습니다. 아주 멍청하기 짝이 없었던 일이었지요. 나는 그때 기껏 육군 소위보로서 아주 고된 생활을 하고 있었습니다. 잘 아시다시피 소위보는 혈기가 왕성할 때입니다. 하나 주머니는 거의 빈털터리나 마찬가지였지요. 그때 나에게는 니끼포르라는 당번병이 있어서 나의 살림을 아주 꼼꼼하게 돌봐 주고 있었습니다. 그는 돈을 저축하고, 바느질, 걸레질은 물론 살림에 보탬이 될 수 있다면 손에 닿을 수 있는 모든 것을 도둑질까지 해왔을 정도였습니다. 아주 충실하고 정직한 사람이었답니다. 나는 물론 엄격하고 공정했지요. 한번은 어느 읍에 며칠 간 주둔하게 되었습니다. 나는 숙소를 배정받게 되었는데 어느 퇴역 중위의 부인 집이었습니다. 알고 보니 그 부인은 미망인이었답니다. 한 여든 살쯤 먹어 보였을까? 적어도 나이가 그 아래는 아닐 것 같아 보이는 노파였지요. 조그만 집은 낡디낡은 목조 가옥이었는데, 찢어져라 가난해서 하녀도 두지 못하고 살고 있었습니다. 하지만 특이한 것은 그 노파도 한 때는 대가족과 친척들을 거느리고 살았다는 사실입니다. 그렇게 살다가 어떤 이들은 죽고, 또 어떤 이들은 다른 데로 이사가 버려 노파의 존재 따위에 대해선 새까맣게 잊어버린 것이지요. 게다가 남편과는 이미 45년 전에 사별을 한 상태였습니다. 노파는 조카딸과 단둘이 몇 해 가량 살았다고 하는데, 그 조카딸은 곱추에다 마음씨가 마녀처럼 사나웠다고 말하더군요. 언젠가는 노파의 손가락을 물어뜯기까지 했다던데, 그녀마저 죽어 버리고 노파 혼자 3년 가량 아주 외롭게 살아오고 있던 터였지요. 나는 그 집에서 살기가 무척이나 따분했습니다. 게다가 노파의 머릿속이 텅 비어 전혀 말상대가 되지 않았어요. 그런데 이 노파가 나의 닭을 한 마리 훔치는 일이 벌어졌지 뭐예요. 이 일은 아직까지 베일에 가려져 있고, 노파 이외에는 아무도 모르고 있습니다. 우리는 잃어버린 닭을 두고 이만저만 입씨름을 했던 게 아니었습니다. 결국엔 첫번째 청원을 넣어 반대쪽 구역으로 숙소를 옮기게 되었지요. 바로 맞은편 집이었는데, 꽤나 많은 식구를 거느리고 있던 어느 텁석부리 상인의 집이었어요. 그 상인의 얼굴이 지금도 기억 속에 생생합니다. 나는 니끼포르와 함께 괘씸한 노파를 남겨 두고 기쁜 마음으로 이사를 갔습니다. 이사 간 지 3일쯤 지났을까, 내가 훈련을 마치고 돌아오니까 니끼포르가 〈어르신, 낭패입니다. 사발을 그 노파네 집에 두고 와서 수프를 먹을 그릇이 없습니다〉 하고 보고하는 거였어요. 물론 나는 깜짝 놀라서 〈어떻게 우리 사발이 그 노파네 집에 남아 있다는 거야?〉 하고 물었지요. 놀란 니끼포르는 계속 보고를 했습니다. 노파는 우리가 이사를 갈 때 내가 그녀의 항아리를 깨뜨렸다는 이유로 사발을 내주지 않았고, 그 항아리 값으로 우리의 사발을 본인이 가져야 마땅하다고 생각했으며, 또 그것을 내가 직접 제안했다는 겁니다. 노파의 뻔뻔스러움에 나는 울화통이 터지고 피가 끓어올랐어요. 나는 벌떡 일어나 대뜸 그녀에게 달려갔지요. 잔뜩 화가 치솟은 채 노파를 찾아갔을 때 그녀는 마치 햇빛을 피하려는 듯 방 한구석에서 팔로 얼굴을 괴고 쓸쓸히 앉아 있었어요. 나는 다짜고짜 집 안이 쩌렁쩌렁 울릴 정도로 〈이 빌어먹을 할망구야!〉 하며 욕설을 퍼부었어요. 그런데 가만히 보니까 무언가 이상한 낌새가 느껴지는 거였어요. 그녀는 앉아서 두 눈을 부릅뜬 채 내 얼굴을 쳐다보고 있었어요. 한마디 대답도 않고 이상하게 나를 쳐다보는 모습이 금방이라도 쓰러질 듯 흔들거렸어요. 나는 마침내 진정을 하고 자세히 들여다보며 몇 마디 물었지만 역시 아무 대답이 없었어요. 나는 어쩔 줄 몰라 잠시 서 있었어요. 파리들이 붕붕거렸고 해는 뉘엿뉘엿 지고 주위는 정적만이 감돌았어요. 나는 몹시 당황한 채 마침내 집 밖으로 뛰어나왔어요. 새 숙소로 돌아가기도 전에 소령이 부른다는 소리를 듣고 중대로 가야 했습니다. 때문에 저녁때쯤에서야 집으로 돌아올 수 있었지요. 그때 니끼포르는 〈어르신, 그 노파가 죽은 사실을 알고 계십니까?〉라며 말을 꺼냈지요. 〈언제 죽었나?〉 하고 물었더니 〈오늘 저녁때쯤이었는데요. 거의 한 시간 반 전입니다〉라고 대답하더군요. 그것은 내가 욕설을 퍼부어 댔을 때 노파가 세상을 떠나고 있었다는 얘기가 되는 겁니다. 나는 그 사실에 소스라치게 놀라 기절할 뻔했습니다. 밤에는 꿈속에까지 나타났지 뭐예요. 나는 물론 아무런 생각 없이 그 다음 다음날 교회 장례식에 참석했지요. 한마디로 시간이 흘러가면 갈수록 더욱더 생각이 많이 나더군요. 이따금 그 일을 상상해 보면 기분이 나빠집니다. 하지만 중요한 것은 내가 이 사건을 이렇게 보았다는 겁니다. 첫째, 이 시대에 한 여성이 살았는데, 오래오래 살다 보니 너무 오래 산 겁니다. 그녀는 한때는 자식들, 남편, 식솔, 친척들과 함께 살았습니다. 이때 그녀 주위에 있는 모든 것은 요란하게 들끓었습니다. 그런데 이 모든 것들이, 말하자면 즐거운 웃음소리들이 갑자기 구멍 속으로 들어가 사라져 버리고 저주받은 운명을 타고난 파리새끼처럼 그녀 홀로 남게 된 것입니다. 그러다 마침내 하느님이 그녀를 데려가 버렸던 거지요. 나의 노파는 기울어 가는 석양과 함께 고요한 여름날 저녁으로 날아가 버렸지요. 물론 거기엔 교훈적 의미가 없는 것도 아닙니다. 바로 이 순간에 불굴의 젊은 소위보는 애통한 눈물을 흘리는 대신 거만하게 허리에 두 손을 얹고 죽은 사람을 향해 러시아인답게 난폭한 욕을 해댐으로써 노파를 이 세상의 표면으로부터 저 세상으로 전송해 주었습니다. 나빴다는 건 의심의 여지가 없지요. 물론 이제는 나이도 먹고 성격도 변하고 해서 아주 오래전부터 이 사건을 남의 일처럼 보고 있지만 그래도 애석하다는 생각은 계속 남아 있답니다. 아까도 얘기했다시피, 이상한 것은 내가 나쁜 인간이라 해도 전적으로 나쁘다는 생각이 들지 않는다는 것입니다. 하필이면 노파가 그런 순간에 죽을 생각을 했는지 모르겠습니다. 물론 한 가지 변명의 여지는 있습니다. 그런 행위는 어떤 면에서 심리적일 수 있습니다. 그럼에도 불구하고 나는 안정을 찾을 수 없었습니다. 비로소 안정을 찾은 때는 15년 전쯤이었습니다. 고질병으로 시달리는 두 노파를 제 부담으로 대우가 좋은 양로원으로 보내 이승에서의 여생을 편안하게 보내게 해주었을 때였지요. 난 유산의 일부를 사회 사업에 환원할 생각이 있습니다. 자, 이게 내 이야기의 전부입니다. 재차 말씀드리는 바이지만, 아마도 이 사건이 여태까지 살아오면서 양심상 내가 저지른 가장 못된 행위일 겁니다. 물론 이 밖에 많은 죄를 짓고 살았지만.」

「각하께서는 생애 중 가장 추잡한 짓이 아니라 모범적인 행위를 얘기해 주셨어요. 페르디쉬첸꼬에게 엿을 먹인 셈이지요!」 페르디쉬첸꼬가 한마디했다.

「사실, 장군님, 나는 장군님이 그렇게 착한 마음씨를 갖고 계셨는지 상상조차 못했어요. 유감스럽기까지 하군요.」 나스따시야 필리뽀브나가 아무렇게나 내뱉었다.

「유감스럽다니오? 왜 그렇다는 거지요?」 장군이 상냥스레 웃으며 물었다. 그는 흡족해 하며 샴페인을 한 모금 마셨다.

이제 아파나시 이바노비치의 차례였다. 그 역시 준비가 다 되어 있었다. 이반 뻬뜨로비치 쁘찌찐처럼 거절하지 않으리라는 것을 모두들 예견하고 있었다. 게다가 모두들 무슨 이유에서인지 그의 이야기를 각별한 호기심을 갖고 기다리며, 나스따시야의 얼굴을 쳐다보고 있었다. 풍채에 어울리는 남다른 위엄을 갖추고 있는 또쯔끼는 조용하고 다정한 목소리로 자신의 〈사랑스런 이야기〉를 시작했다(내친김에 말하자면, 그는 한눈에 띄는 사람으로서 풍채가 좋고 키가 훤칠하며 새치가 약간 섞인 조금 벗겨진 대머리로 몸은 좀 뚱뚱한 편이었다. 그리고 부드러운 두 뺨에는 홍조가 돌았고 약간 처져 있었으며, 틀니를 하고 있었다. 그는 사치스럽게 치장을 하였으며 굉장히 공들여 만든 셔츠를 입고 다녔다. 퉁퉁한 그의 하얀 손은 아무리 봐도 싫증이 나지 않았고, 오른손 검지손가락에는 값비싼 다이아몬드 반지를 끼고 있었다). 나스따시야 필리뽀브나는 그가 이야기를 하는 동안 자신의 옷소매 끝에 달린 레이스를 유심히 들여다보며 왼손의 두 손가락으로 그것을 만지작거리느라고 단 한 번도 그를 쳐다보지 않았다.

「내가 살아오면서 저지른 가장 혐오스러운 짓을 이야기해야 하는 임무라니.」 또쯔끼가 이야기를 시작했다. 「나의 과제는 특히 가볍군요. 그렇게 된 이상 더 이상 망설일 게 없다고 생각합니다. 내 양심과 기억이 무슨 말을 해야 될지 지시를 하기 때문입니다. 고통스런 마음으로 고백하지만, 살아오는 동안 무수히 해왔던 경솔하고 경박한 짓 중에서 아직까지 내 가슴속을 무겁게 짓누르고 있는 사건이 하나 있습니다. 20년 전쯤일 겁니다. 그때 나는 쁠라똔 오르딘쩨프가 사는 시골에 들른 적이 있었지요. 그는 지방 귀족단장으로 선출된 직후 젊은 아내와 함께 겨울 휴가를 즐기러 그곳에 내려와 있었습니다. 더욱이 아내 안피사의 생일이 다가오고 있었고, 두 차례의 무도회가 예정되어 있었지요. 그 당시 소(小) 뒤마의 『춘희』가 대유행을 해서 상류 사회를 휩쓸고 있었습니다. 내 의견이지만 그 소설은 불후의 명작으로 남을 겁니다. 이 소설을 적어도 한번쯤 읽어 본 지방의 부인들은 그야말로 열광적이다시피 했습니다. 매력적인 소설 내용, 주인공 설정의 독창성, 미묘한 부분까지 묘사된 황홀한 세계, 소설 곳곳에 깔린 이 모든 매혹적 요소들(예를 들어 하얗고 핑크빛 나는 동백꽃 다발을 번갈아 사용하는 배경)[49]은 한마디로 환상적인 디테일이었습니다. 이 모든 것은 한데 어울려 대단한 열풍을 불러일으켰지요. 동백꽃이 이례적으로 유행했었습니다. 모두들 동백꽃을 요구하고 또 그 꽃만을 찾았지요. 여러분들한테 여쭤 보겠지만 일개 군(郡) 지역에서 모두들 무도회용으로 동백꽃을 원하는데 동백꽃이 많이 남아 있었겠습니까? 무도회가 자주 열리지 않는다손 치더라도요. 뾰뜨르 보르호프스꼬이는 그때 가엾게도 안피사 부인을 몹시 사모하고 있었지요. 사실 이들 사이에 무슨 일이 있었는지는 모릅니다. 요컨대 제가 묻고 싶은 것은 정말로 그에게 무슨 희망이 있을 수 있었을까 하는 겁니다. 가엾은 뾰뜨르는 무도회 날 저녁 때 안피사 부인에게 바칠 동백꽃을 미친 듯이 구했어요. 뻬쩨르부르그에서 군수 부인의 손님으로 온 소쯔끼 백작 부인이나 소피야 베스빨로프 부인은 아마 하얀 꽃다발을 들고 무도회에 올 것이라고들 했지요. 그런데 안피사 부인은 무언가 특별하게 보이기 위해 빨간 동백꽃을 원했어요. 그래서 남편인 쁠라똔 오르딘쩨프를 불쌍하게 내쫓다시피하여 그 꽃을 구해 오게 했답니다. 꽃을 구해 오라는 특명을 받은 남편이 어떻게 거절할 도리가 있었겠습니까? 그런데 서로 칼싸움조차 마다하지 않을 정도로 안피사 알렉세예브나의 무서운 라이벌이었던 까쩨리나 알렉산드로브나 미찌쉬체바가 전날 동백꽃을 매점해 버렸던 것입니다. 물론 아내가

49 소(小) 뒤마의 소설 『춘희』의 주인공 마르가르타 고티에는 하얗고 빨간 동백꽃 다발을 번갈아 가며 들고 산보하는 모습으로 등장한다. 마르가르타의 죽음 이후 그녀를 사랑한 사람들은 그녀의 무덤가에 하얀 동백꽃과 빨간 동백꽃을 장식해 놓고 눈물을 흘렸다.

히스테리를 부리며 기절을 한다고 난리를 피웠지요. 남편은 어찌 할 바를 모르고 허둥거리기만 할 뿐이었어요. 바로 이와 같이 흥미로운 순간에 뱌뜨르가 어디서든 꽃을 구해 왔다면 그가 그토록 원하던 일도 상당히 진척되었을 겁니다. 그와 같은 순간에 고마워하는 여인의 심정은 오죽하겠습니까. 뱌뜨르는 몸부림을 치며 돌아다녀 봤지만 불가능한 일이었습니다. 거기에 대해서는 할 말이 없었습니다. 내가 뱌뜨르와 마주친 것은 그녀의 생일과 무도회 전날 밤 11시경 오르딘쩨프의 이웃 마리야 뻬뜨로브나 주브꼬바의 집에서였습니다. 그때 뱌뜨르의 얼굴이 환하게 빛나고 있어서 나는 〈무슨 일인가?〉라고 물었지요. 〈찾아냈어! 찾았어!〉〈그래? 놀라운데! 어디서 어떻게 찾아낸 건가?〉〈예끄샤이스끄(그곳은 인접 소도시로 20베르스따 정도 떨어진 곳이었지요)에서네. 거기에 구레나룻을 기른 뜨레빨로프라는 부유한 상인이 늙은 아내와 함께 자식들 대신 카나리아 새를 기르며 살고 있는데, 그 영감 부부가 꽃을 무척 좋아하여 동백꽃을 키우고 있다는 거야.〉〈그 영감이 그 꽃을 내놓지 않는다면 어떻게 하려고 그러나?〉〈그러면 나는 무릎을 꿇고 손이 발이 되도록 빌면서 그 꽃을 얻기 전까지는 그곳을 떠나지 않을 거라네!〉〈언제 그 꽃을 얻으러 가려나?〉〈내일 새벽 동이 틀 무렵, 한 5시쯤에 떠날 걸세.〉〈그럼 행운을 빌겠네!〉 나는 그 소식을 듣고 기뻐했습니다. 그리고 오르딘쩨프의 집으로 돌아갔지요. 그런데 새벽 1시가 되도록 그 일이 뇌리를 떠나지 않는 거였습니다. 나는 이제 잠을 자야겠다고 하며 잠자리에 들려다 갑자기 아주아주 흥미로운 생각을 하게 되었습니다. 나는 곧바로 부엌으로 가서 마부 사벨리를 깨워 15루블을 그의 손에 쥐어 주고 〈30분 내에 마차를 준비해!〉라고 지시했습니다. 물론 30분 후에 마차는 대문 앞에 대기했습니다. 안피사 부인이 밤새 두통과 열이 나 헛소리까지 하고 있다는 소리를 마부에게 들었지요. 나는 마차를 타고 갔습니다. 나는 4시경에 예끄

샤이스끄에 도착하여 여관에서 동이 틀 때만을 기다리다 6시경에 상인 뜨레빨로프 노인의 집에 도착할 수 있었습니다. 〈여차여차한 사정이 있어서 그러는데 동백꽃을 좀 주실 수 있나요? 어르신, 제발 도와주세요. 제가 무릎을 꿇고 빌 테니 저를 구해 주십시오.〉 잿빛 머리에 키가 크고 사납게 생긴 노인은 〈안 돼요! 절대로 안 돼요!〉라며 일언지하에 거절하는 거였어요. 나는 다짜고짜 그에게 엎드렸지요. 몸을 쭉 펴고 말이에요! 〈어르신, 제발 부탁인데, 안 될까요?〉 노인은 기겁을 했어요. 〈사람의 목숨이 달려 있는데도 안 된다는 건가요?〉 나는 그에게 소리쳤습니다. 〈정 그렇다면 가져가시구려!〉 나는 즉시 빨간 동백꽃을 잘라 냈습니다. 작고 아담한 노인의 정원은 황홀해 보였습니다. 노인은 한숨을 쉬었어요. 나는 1백 루블을 꺼내 노인에게 내밀었습니다. 〈그만두시오. 더 이상 그런 식으로 나를 모욕하지 마시오!〉 〈그렇다면 존경하는 어르신, 이 1백 루블을 이곳 병원의 환자 급식 개선을 위해 기부해 주십시오.〉 〈그렇다면 문제가 다르지요. 선과 자비를 위한 일이니 내가 전해 주겠소. 그럼 신사 양반의 건승(健勝)을 빌겠소!〉 나는 이 러시아 노인이, 다시 말하자면 우직스럽다고나 할 이 러시아의 토박이 노인vrai souch이 무척이나 마음에 들었습니다. 일이 성사가 되어 신바람이 났던 나는 돌아오는 길에 뾰뜨르와 마주치지 않으려고 빙 돌아서 왔습니다. 도착하자마자 안피사 부인이 잠자리에서 일어나는 때를 맞추어 동백꽃 다발을 보냈습니다. 여러분들은 그 환희와 고마워서 어쩔 줄 몰라 하는 그 모습과 감사의 눈물을 상상하실 수 있을 겁니다! 어제만 해도 녹초가 되어 초죽음이 되어 있던 쁠라똔은 내 가슴에 파묻혀 펑펑 울었습니다. 우습게도 세상의 남편들이란 다 그렇답니다. 이 말 이외에 더 이상 덧붙일 말이 없군요. 단지 가엾은 뾰뜨르의 꿈만 깨져 버리고 말았을 따름입니다. 나는 처음에 뾰뜨르가 이 일을 알아차리고 나에게 칼부림을 하며 달려들 것이라고 생각하고 단단히 각오를 하고 있었습니다. 그러나 믿기조차 힘든 일이 벌어졌어요. 뾰뜨르는 기절을 했고, 저녁 무렵에는 헛소리를 지껄이다, 다음날 아침에는 온몸이 불덩어리가 되어 어린아이처럼 경련을 하며 흑흑 울고 있었던 거예요. 그는 한 달 후에야 회복을 해서 까프까즈로 자원을 해서 떠났습니다. 대단히 소설 같은 이야기지요! 이 소설은 그가 크림에서 전사를 하는 것으로 끝납니다. 그 당시에 그의 형 스쩨빤 보르호프스꼬이는 연대를 지휘하면서 혁혁한 공을 세웠습니다. 지금 고백하지만, 나는 여러 해 동안 양심의 가책으로 고통을 받았습니다. 무얼 위해서, 무얼 얻으려고 내가 그에게 충격을 주었던가? 차라리 내가 그 부인을 사랑했다면 몰라도, 나는 그저 가벼운 장난으로 뾰뜨르를 곯려 주고 싶었던 것입니다. 내가 그에게서 꽃다발을 가로채지만 않았던들 그 사람이 지금까지 행복하게 살아 있을지 누가 압니까? 그리고 터키 인들의 총탄 속으로 자기 몸을 던지리라고 생각이나 했겠습니까?」

아파나시 이바노비치 또쯔끼는 이야기를 시작했을 때와 똑같이 기품 있게 말을 마쳤다. 사람들은 또쯔끼가 말을 마쳤을 때 나스따시야 필리뽀브나의 두 눈이 유난히 빛나고 입술마저 파르르 떨리는 것을 목격했다. 모두들 호기심 어린 눈길로 그들 두 사람을 쳐다보았다.

「페르디쉬첸꼬를 기만했어요! 역시 속았어요! 그렇게 기만할 순 없는 일이었어요!」 페르디쉬첸꼬가 한마디쯤 할 수 있고 또 그렇게 해야 된다는 것을 깨닫고 울음 섞인 목소리로 말했다.

「누가 당신에게 이런 게임의 법칙을 이해하지 말라고 그랬나요? 이렇게 현명한 사람들에게서 배워 보라고요!」 약간은 의기양양해진 다리야 알렉세예브나(또쯔끼의 충실한 오랜 지기)가 끼어들었다.

「당신이 맞아요, 아파나시 이바노비치. 이 프티죄는 지루하기 짝이 없군요. 어서 빨리 끝마치는 편이 낫겠어요.」 나스따시야 필리뽀브나가 퉁명스럽게 말했다. 「나는 약속한 대로 내 이야기를 해주겠어요. 그러고 나서 모두들 카드나 치시지요.」

「하지만 약속한 경험담을 우선 들어 봅시다!」 장군이 열띤 소리로 거들었다.

「공작!」 나스따시야 필리뽀브나가 느닷없이 날카로운 소리로 불렀다. 「여기에 나의 오랜 친구가 되시는 장군님과 아파나시 이바노비치 또쯔끼가 있습니다. 이분들은 모두가 나를 시집보내려 하고 있어요. 공작은 내가 지금 결혼을 해야 한다고 생각해요? 어떻게 해야 좋을지 말해 주세요. 나는 공작이 말하는 대로 따르겠어요.」

또쯔끼는 얼굴이 창백해졌고, 장군은 화석처럼 굳어 버렸다. 모두들 눈이 휘둥그레져서 고개를 뽑고 있었다. 가브릴라는 그 자리에서 얼어붙어 버렸다.

「누…… 누구와 결혼하겠습니까?」 공작이 다 죽어 가는 소리로 물었다.

「가브릴라 아르달리오노비치 이볼긴하고요.」 나스따시야는 여전히 날카로운 소리로 확고 부동하고 명확하게 말했다.

몇 초 가량 침묵의 순간이 흘렀다. 공작은 힘을 내는 듯싶었으나 마치 지독한 중량이 그의 가슴을 압박해 오듯 말을 꺼내지 못했다.

「하…… 하지 마세요. …… 결혼하지 마세요!」 마침내 그는 소곤대듯이 말했다. 그리곤 힘을 내어 한숨을 돌렸다.

「그렇다면 그렇게 해야죠! 가브릴라 아르달리오노비치!」 나스따시야는 압도하는 어조로 가브릴라에게 말했다. 「공작이 어떻게 결정을 내렸는지 들었지요? 그건 바로 나의 대답이에요. 여기서 이 문제는 영원히 없었던 일로 하지요!」

「나스따시야 필리뽀브나!」 또쯔끼가 떨리는 소리로 불렀다.

「나스따시야 필리뽀브나!」 예빤친 장군이 설득하는 소리로, 그러나 불안에 차서 그녀의 이름을 불렀다.

모두들 웅성거리며 동요하기 시작했다.

「무슨 일이세요, 여러분?」 나스따시야는 놀란 듯이 손님들을 쳐다보았다. 「왜 그리 놀란 표정을 짓지요? 여러분들 얼굴이 그게 뭐예요?」

「하지만…… 나스따시야 필리뽀브나!」 또쯔끼가 더듬거리며 중얼거렸다. 「기억해 봐요. 당신이 먼저 나서서 약속을 했잖아요……. 잘 봐줄 수도 있잖아요……. 이거 참 곤란한데요. 물론 당황스럽기 짝이 없지만…… 바로 이런 순간에, 사람들이 다 있는 데서 이 모든 걸 프티죄로 결말을 내려 하다니……. 이건 아주 심각하고 명예와 성의가 담겨 있는 일인데…… 거기에 따라서…….」

「무슨 말씀인지 이해를 못하겠어요. 아파나시 이바노비치. 정말로 갈피를 전혀 못 잡으시는군요. 첫째로 〈사람들이 다 있는 데서〉라는 게 도대체 무슨 뜻이죠? 우리 모두는 허물없이 가까운 사이가 아니던가요? 그리고 〈프티죄〉는 왜 들먹이나요? 난 정말 나의 체험을 얘기하고 싶었고 있는 대로 얘기했을 뿐이에요. 그게 잘못되기라도 했나요? 그리고 〈심각하지 않다〉고 한 말은 뭐예요? 정말로 내 얘기가 심각하지 않았단 말인가요? 들으셨다시피 나는 공작에게 〈말하는 대로 따르겠노라〉고 했어요. 만약 결혼하라고 했다면 난 그대로 따랐을 텐데, 그분이 하지 말라고 해서 나는 거절했을 뿐이에요. 내 인생은 한 가닥의 머리카락에 달려 있는 거와 마찬가지였어요. 이보다 더 심각한 일이 있을 수 있겠어요?」

「그런데 이 일에 왜 공작이 끼어야 하지요? 공작이 도대체 뭐기에?」 장군이 공작의 권위가 이 문제의 성사를 좌지우지하는 데 대해 몹시 아니꼬운 듯이 말했다. 그는 끓어오르는 울화를 거의 참을 수 없을 지경이었다.

「나에게 있어서 공작은 일생에서 최초로 내 마음을 맡길 만한, 진정으로 믿을 만한 분이에요. 그분은 첫눈에 나를 믿었고, 나 역시 마찬가지예요.」

「내게 남은 일은 나스따시야 필리뽀브나에게 감사를 드리는 것밖에 없군요. 나를 대단히 섬세하게 살펴 주신 데 대해서요.」 가브릴라가 입술을 일그러뜨리며 떨리는 소리로 마침내 말문을 열었다. 「당연히 그렇게 해야 되죠. 그런데 공작은…… 이 일로 공작은…….」

「7만 5천 루블을 탐하고 있다는 건가요?」 나스따시야 필리뽀브나가 갑자기 끼어들었다. 「그 말을 하고 싶었던 거지요? 발뺌할 필요 없어요. 당신은 그 말을 하려고 했던 거예요! 그런데 또 쯔끼 씨, 내가 꼭 해야 될 말을 잊었군요. 그 7만 5천 루블은 그냥 가져가세요. 내가 당신을 속박에서 거저 풀어 주는 걸로 알고 계세요. 됐지요? 이제 한숨 좀 쉬셔야지요! 벌써 9년 3개월이 지났는데요! 내일부터 모든 게 새로 시작되겠지만, 오늘만은 내 생일이니까 내 평생 처음으로 내 마음대로 하겠어요! 장군님, 이제 당신도 진주를 가져가셔서 부인에게나 선물하세요. 자, 여기 있어요. 내일부터 나는 이 집에서 완전히 나갈 거예요. 그러면 더 이상 저녁 파티는 없을 거예요, 여러분!」

이 말을 마치고 나스따시야는 그 자리를 떠나고 싶다는 듯이 벌떡 일어났다.

「나스따시야 필리뽀브나! 나스따시야 필리뽀브나!」 이쪽저쪽에서 그녀를 부르는 소리가 들렸다. 모두들 흥분해서 자리에서 일어섰다. 모두들 그녀를 둘러싸고 불안감에 휩싸여 간간이 끊겨져 나오는 그녀의 들뜬 말소리를 들었다. 모두들 어떤 혼란스러움을 감지했다. 그러나 아무도 무엇이 어떻게 되어 가고 있는지 이해할 수가 없었다. 이 순간 딸랑거리는 종소리가 갑자기 세차게 울렸다. 아까 가브릴라의 집에서 들었던 것과 똑같은 소리였다.

「아아! 이제 마지막이군요! 마침내 11시 반이에요!」 나스따시야 필리뽀브나가 소리쳤다. 「여러분 앉아 주세요. 이제 다 끝났어요!」

이 말을 하고 나스따시야는 자기가 먼저 앉았다. 그녀의 입술에는 이상한 웃음이 가볍게 번지고 있었다. 그녀는 말없이 앉아 광적인 기대감에 차서 문을 바라보았다.

「로고진이 10만 루블을 가지고 온 게 틀림없어.」 쁘찌찐이 혼잣말로 뇌까렸다.

15

가정부 까쨔가 몹시 놀라서 들어왔다.

「나스따시야 필리뽀브나, 웬 사내들이 10명이나 몰려왔어요. 모두들 술에 취해 이곳으로 들어오겠다고 난리들이에요. 로고진이라는 사람이라는데 아가씨께서 알고 계신다고 하던데요.」

「알았어, 까쨔, 그 사람들 모두 다 즉시 들여보내.」

「정말로 모두 다요? 아주 추하기 짝이 없던데. 아주 지독하다고요!」

「모두들 들여보내, 까쨔. 걱정하지 말고 한 사람도 빼놓지 말고 다 들여보내. 안 그러면 허락 없이도 들어올 사람들이야. 아까처럼 소란스럽군. 여러분들, 저런 사람들의 무리를 이런 장소로 불러들여 기분이 상하실지 모르겠군요. 나도 유감이지만 용서를 빕니다. 하지만 별도리가 없습니다. 나는 여러분들이 이런 결말의 증인이 되어 주시기를 간절히 바랍니다. 물론 여러분이 원하신다면요…….」

손님들은 계속 놀라서 서로 소곤거리며 눈치를 살피고 있었다. 그러나 이 모든 일이 나스따시야에 의해 사전에 계산되고 준비되어 있는 것처럼 보였기에 그녀의 마음을 뒤바꿀 수는 없다는 것이 아주 분명해졌다. 모두들 강한 호기심에 휩싸였다. 겁을 집어먹고 있는 사람은 전혀 없었다. 부인들은 오직 두 명뿐이었다. 대담한 데다 온갖 것을 다 겪어서 무슨 일이 있어도 눈 하나 깜짝하지 않는 다리야 알렉세예브나와 말이 없으면서도 아름다운 낯선 부인이었다. 침묵을 지키고 있는 낯선 부인은 이 상황을 전혀 이해하지 못하고 있있다. 왜냐하면 그녀는 독일 여자로서 러시아어를 전혀 몰랐기 때문이다. 게다가 아름다운 만큼 멍청한 데가 있었다. 그녀는 외국에서 온 지 얼마 되지 않았지만 요란스런 옷차림으로 전람회장에 갈 때 하는 머리 단장을 하고 유명한 파티에 불려다녔다. 마치 파티장을 아름답게 꾸미기 위해 친지들 집에서 그림, 화병, 조각이나 병풍을 잠깐 빌려다 놓는 것처럼 그림을 걸어 두듯 이 여자를 앉혀 두곤 했던 것이다. 남자들에 관해서 말하자면, 예를 들어 로고진과 친분이 있는 쁘찌찐이 있었고, 물고기가 물을 만난 듯 날뛰는 페르디쉬첸꼬가 있었다. 가브릴라는 여전히 제정신을 차리지 못하고 있었으나, 모욕적인 이 장소에서 끝까지 버티고 있어야 된다는 필요성을 막연하게나마 억제할 수 없을 정도로 느끼고 있었다. 뭐가 뭔지 도무지 이해를 하지 못하는 늙은 선생은 주위 사람들과 나스따시야에게서 심상치 않은 동요가 감돌고 있다는 것을 느끼고 울상을 지으며 글자 그대로 무서움에 덜덜 떨고 있었다. 하지만 그는 친손녀처럼 나스따시야를 아끼고 있던 터라 그러한 순간에 그녀 곁을 떠나는 것은 죽느니만 못하다고 생각하고 있었다. 아파나시 이바노비치로 말하자면, 그는 물론 이러한 모험에 끼어들어 자신의 체면이 손상되는 것을 원치 않았다. 그러나 사건의 성격 또한 맨 정신으로 봐줄 수 없었음에도 불구하고 귀추가 몹시 궁금했다. 게다가 나스따시야가 그에게 몇 마디 던져 놓은 터에 최종적으로 사건의 결말을 보지 않고는 이곳을 도무지 떠날 수가 없었다. 그는 마지막까지 앉아서 입을 꼭 봉하고 단지 방관자로서 남아 있겠노라고 마음을 먹었고, 이것이야말로 그의 위신이 요구하는 것이라고 생각했다. 오직 예빤친 장군 한 사람만이, 방금 자신의 선물을 체면이고 뭐고 상관치 않고 우스꽝스럽게 되돌려 받음으로써 수치를 감수해야 했던 그만이, 예기치 않은 기괴한 사건, 로고진의 출현 같은 일로 기분이 상할 수 있으리라. 더구나 장군은 쁘찌찐이나 페르디쉬첸꼬와 같은 부류의 사람들과 나란히 앉아 있음으로 해서 이미 자존심이 땅바닥에 떨어져 있었던 터였다. 그러나 그 어떠한 열망이 싹튼다 하더라도 결국 의무감, 사명감, 관등과 직위 의식, 한마디로 자존심이 기운을 회복했다. 때문에 그 어떤 일이 있다 하더라도 각하의 면전에 로고진이 자기의 무리를 데리고 나타나는 것은 불가능한 일이었다.

「아, 장군님!」 장군이 그 사실을 알리려는 순간, 나스따시야가 끼어들었다. 「깜박 잊었네요! 이의가 있으실 거라고 이미 생각했어요. 만약 못마땅하시다면 전 부디 여기 계셔 달라고 고집하진 않겠어요. 물론 나는 장군님이 내 곁에 계시길 무척이나 바래요. 어쨌든 이렇게 알고 지내면서 나에게 세심하게 관심을 쏟아 주신 데 대해 무척이나 감사드려요. 하지만 마음이 내키지 않으신다면…….」

「실례지만, 나스따시야 필리뽀브나,」 장군은 발작적으로 기사도적 관용을 보이며 소리쳤다. 「누구에게 하는 말이오? 나는 당신에 대한 헌신성 하나만으로 여기에 남아 있을 거요, 만약에 어떠한 위험이 있더라도……. 게다가 솔직히 고백하는 바이지만 나는 몹시 호기심을 가지고 있어요. 나는 단지 저자들이 양탄자를 못쓰게 만들거나 무언가를 부숴 버리지 않을까 걱정이 될 뿐이오. 내 생각엔 저자들을 아예 발도 못 들여놓게 하는 게 좋겠어요, 나스따시야 필리뽀브나!」

「드디어 로고진이 들어오고 있어요!」 페르디쉬첸꼬가 소리쳤다.

「어떻게 생각해요, 아파나시 이바노비치?」 장군이 재빨리 속삭이는 소리로 물었다. 「저 여자 정신이 나간 게 아닐까요? 비유해서 하는 말이 아니라 진짜 의학적인 면에서 말이에요, 안 그런가요?」

「말씀드렸다시피 저 여자는 언제나 저런 경향이 있다니까요.」 또쯔끼가 능글맞게 속삭였다.

「게다가 열병까지 있다고요…….」

로고진의 무리는 새 얼굴이 둘 추가되었을 뿐 오전과 똑같은 인물들이었다. 그 중 방탕해 보이는 노인은 한때 도색 폭로지의 편집인으로 있었는데, 자기의 금니를 뽑아 저당 잡혀 술을 마셨다는 일설이 있다. 그리고 또 한 사람, 퇴직 소위 한 명이 있었는데 그는 재주로 보나 임무로 보나 오전의 주먹깨나 쓰던 사람과 팽팽한 맞수였다. 그는 지금까지 로고진의 무리에게 전혀 알려지지 않은 인물이었으나, 그가 네프스끼 대로에서 자기도 한때는 걸인들에게 15루블씩 적선했노라고 마를린스끼[50]의 시구를 능청스럽게 인용해 가며 행인들에게 구걸하다가 선발되었다. 이들 두 맞수는 만나자마자 서로 적대시했다. 오전의 강한 주먹의 사나이는 이 〈거렁뱅이〉가 자기네 일당으로 선발된 데 수치심까지 느끼고 있었다. 그러나 원래 그는 과묵한 편이지만, 속물적이고 교활하기까지 한 〈거렁뱅이〉가 자기에게 아첨을 떨며 장난을 걸면, 곰처럼 으르렁거리며 경멸적으로 바라보았다. 거기에 비해 제법 능수 능란하게 보이는 퇴직 소위는 힘보다는 꾀로 일을 처리하려는 스타일이었다. 그는 강한 주먹의 사나이보다 키도 작았고 힘도

50 알렉산드르 알렉산드로비치 마를린스끼(1797~1837). 필명은 알렉산드르 베스뚜제프. 제까브리스뜨 시인으로서 시베리아로 유형간 후 낭만주의적 역사 소설 『해후』(1832), 이국풍의 영웅 이야기 『아말라뜨 베끄』(1832) 등을 썼다. 마를린스끼의 화려한 문체와 다채로운 묘사, 낭만주의적 주제는 당시 크게 유행하여 〈마를리니즘〉이라는 말로 통용되었다.

약했다. 그는 교묘하게 심한 언쟁에 끼어들지 않았으나, 지독하게 허풍을 떨며 영국식 권투의 우월성을 누차 암시했다. 한마디로 완전히 서구주의자였다. 강한 주먹의 사나이는 〈권투〉라는 말을 들을 때마다 아니꼽다는 듯이 경멸적인 미소를 짓고 구태여 말씨름을 하려 하지 않았다. 단지 그는 이따금 완전히 러시아적인 물건, 힘줄이 불거지고 솜털이 숭숭 난 울퉁불퉁한 거대한 주먹을 보여 줄 뿐이었다. 극히 러시아적인 이 물건이 상대에게 적중하면 그야말로 국물도 남지 않는다는 사실은 모두에게 자명한 사실이었다.

이들 중에는, 하루 종일 나스따시야 필리뽀브나를 보려고 동분서주한 로고진 때문에 아까와 마찬가지로 〈마음의 준비〉를 하지 않은 사람이 한 사람도 없었다. 로고진은 이제 겨우 제정신을 차리고 있었다. 하지만 그는 하루 동안 겪었던 이 볼썽사나운 온갖 일들 때문에 거의 혼이 나가 있었다. 정말로 이날 하루는 그의 일생에 그 어떤 날과도 비길 수 없는 날이었다. 오로지 한 가지만이 그의 시야 속에, 기억 속에, 그리고 가슴속에 단 1분 1초를 떠나지 않고 남아 있었다. 그 한 가지를 위해 그는 오후 5시부터 저녁 11시까지 끝없는 우수와 불안 속에서 낀제르와 비스꾸쁘 따위와 같은 고리대금업자들과 모든 시간을 보내야 했고, 고리대금업자들 역시 그의 요구 사항을 들어주기 위해 부리나케 뛰어다니느라 머리가 돌 지경이었다. 그 덕분에 나스따시야 필리뽀브나가 지나가는 말로, 반은 경멸조로 극히 막연하게 암시했던 10만 루블이라는 돈이 마련되었던 것이다. 물론 높은 이자는 비스꾸쁘마저 낀제르에게 큰 소리로 이야기하기가 너무나 창피했던지 귀엣말로만 속삭였다.

로고진은 오전처럼 제일 앞장서서 들어왔고, 나머지 사람들은 뒤따라 들어왔다. 그들은 자기네들이 우세하다고 믿고 있으면서도 왠지 약간은 어정쩡한 표정을 짓고 있었다. 무엇보다도 이들은 나스따시야 필리뽀브나를 두려워하고 있었는데, 이는 모를 일이었다. 이들 중에 어떤 자들은 그들 모두를 당장 〈층계에서 밀어 버리지나 않을까〉 하는 걱정까지 했다. 그렇게 생각하는 자들 중에는 여자 다루는 솜씨가 최고라는 멋쟁이 잘료제프도 있었다. 그러나 다른 이들은, 특히 강한 주먹의 사나이는 큰 소리로 드러내지는 않았지만 마음속으로 나스따시야를 깊이 경멸하고 증오까지 했다. 이들은 나스따시야에게 공격을 하듯 다가갔다. 그러나 이들의 눈에 띈 처음 두 방의 화려한 치장, 여태껏 듣도 보도 못한 물건들, 진귀한 가구, 그림들, 거대한 비너스 상은 이들 모두에게 지울 수 없는 인상을 주었고, 존경심이 지나쳐 거의 공포감마저 들게 했다. 그럼에도 불구하고 이들은 차츰차츰 뻔뻔스런 호기심이 동하여 로고진을 따라 서로 몸을 부대끼며 거실로 쫓아 들어갔다. 그러나 거실에서 강한 주먹의 사나이를 위시하여 〈거렁뱅이〉와 몇몇 다른 치들은 손님들 중에서 예빤친 장군을 발견한 순간 그만 기가 죽어 슬금슬금 뒷걸음질 쳐 다른 방 쪽으로 가기 시작했다. 오로지 레베제프 혼자만이 대담하고 신념에 차 있었다. 그는 로고진과 거의 나란히 들어갔다. 그는 유산 1백40만 루블과 지금 수중에 있는 10만 루블의 의미를 잘 깨닫고 있었기 때문이다. 하지만 만물 박사 레베제프를 비롯해 이들 무리 모두가 그들이 가진 힘의 한계가 어디까지일지, 실제로 어느 선까지 힘의 행사가 허용될지 하는 생각을 하자 약간 움츠러들고 말았다는 사실은 지적해야 할 것이다. 레베제프마저 어느 순간에는 뭐든 할 수 있다는 마음의 준비를 하고 있다가도, 또 다른 어떤 순간에는 만일의 경우에 대비하여 자신을 챙겨야 할 필요성을 느끼고 자신에게 유리한 법률 조항들을 상기해 내고 있었다.

나스따시야 필리뽀브나의 거실이 로고진에게 준 인상은 사뭇 다른 것이었다. 방문의 커튼이 올려지고 그가 나스따시야를 본 순간, 그에게 있어서 나머지 모든 것은 그날 오전과 마찬가지로 존재하지 않는 거나 마찬가지였다. 그러한 느낌은 오히려 오전보다 더 심했다. 그는 얼굴이 창백해지며 걸음을 멈췄다. 그의 심장이 무섭게 고동치는 것을 알아차릴 수 있었다. 그는 소심하게 나스따시야를 넋이 나간 듯 똑바로 몇 초 동안 응시했다. 그러다 갑자기 그는 완전히 이성을 잃고 비틀대듯 식탁으로 다가갔다. 가면서 그는 쁘찌찐의 의자에 부딪히기도 하고, 흙 묻은 부츠로 말이 없는 독일 여자의 우아하고 푸른 드레스의 레이스를 밟기도 하였으나 아무런 용서도 빌지 않았다. 아니 알아차리지도 못했다. 그는 식탁으로 다가가서 그 위에다 두 손으로 받들어 모시듯 하며 가지고 온 이상한 물건을 내려놓았다. 그것은 커다란 종이 뭉치였다. 높이가 3베르쇼끄,[51] 길이가 4베르쇼끄쯤 되는 이것은, 「증권 뉴스」라는 신문지로 포장되어 있었으며 설탕 덩어리를 싸는 노끈으로 열십자로 칭칭 동여매어져 있었다. 그러고 나서 로고진은 아무 말도 없이 선고를 기다리는 사람처럼 두 손을 늘어뜨린 채 서 있었다. 그의 옷은 아침에 입었던 그대로였다. 다만 진한 녹색에 붉은 줄무늬가 있는 실크 목도리와 딱정벌레 모양의 커다란 다이아몬드 핀과 오른쪽 손의 더러운 손가락에 낀 큼지막한 다이아몬드 반지가 아침에는 없었던 거였다. 레베제프는 식탁에서 세 발자국 떨어진 곳까지 다가와 있었으나, 나머지 일행들은 이미 말했다시피 객실로 살짝 발만 들이밀고 있었다. 나스따시야의 가정부인 까쨔와 빠샤 역시 들어올려진 커튼 사이로 겁에 질려 휑하게 뜬 눈으로 안을 들여다보고 있었다.

「이게 뭐예요?」 나스따시야는 궁금한 기색으로 로고진을 바라보며 눈으로 그 〈물건〉을 가리켰다.

「10만이오!」 로고진은 거의 속삭이다시피 대답했다.

「결국 약속을 지켰군요! 대단해요! 여기 이 의자에 앉으세요.

51 1베르쇼끄는 1아르신을 16등분한 길이로 약 44밀리미터에 해당한다.

그러면 뭐든 얘기해 주겠어요. 아까 왔던 일행들인가요? 그럼 들어와서 앉으라고 하세요. 저기 긴 의자가 있지요. 그 옆에도 있고요. 그리고 저기 두 개의 안락의자가 있어요. 뭐예요, 저 사람들은 앉고 싶어하지 않나요?」

정말로 그들 중 몇몇은 당황하여 슬슬 뒷걸음질 쳐서 다른 방에 있기를 바라고 있었고, 나머지는 권하는 대로 여기저기, 하지만 가능하면 식탁에서 멀리 떨어진 구석을 택해서 앉았다. 그 중 몇몇은 여전히 기가 죽어 있었고, 멀리 앉아 있는 자들은 멀리 앉아 있을수록 어색하나마 재빨리 용기를 되찾아 갔다. 로고진 역시 그에게 권해 준 자리에 앉았으나, 그리 오래 앉아 있지는 않았다. 그는 곧 자리에서 일어나더니 더 이상 앉지 않았다. 그는 차츰차츰 손님들을 알아보고 그들을 둘러보기 시작했다. 그는 가브릴라를 보고 독기 서린 웃음을 띠고 혼잣소리로 〈흥!〉 하고 중얼거렸다. 그는 전혀 당황하는 빛이 없이 예빤친 장군과 또쯔끼를 쳐다 봤고, 이들에게는 별다른 호기심조차 보이지 않았다. 그러나 나스따시야 곁에 있는 공작을 발견했을 때는 소스라치게 놀라서 그로부터 시선을 떼지 못했다. 그는 일순간 자신이 환상을 보고 있는 것이 아닌가 하는 의심이 들었다. 그는 이날 하루 동안 대파란을 겪은 것 이외에도 전날 밤까지 기차 여행을 하면서 이틀 동안 눈 한번 붙여 보지 못했다.

「여러분, 여기에 10만 루블이 있어요.」 나스따시야 필리뽀브나는 열병에 걸린 듯 참을성 없는 도전적인 어조로 모든 사람들을 향해 말했다. 「이 더러운 보따리 속에 말이에요. 이분은 오늘 저녁 나에게 10만 루블을 가져오겠노라고 아까 미친 사람처럼 소리쳤어요. 나는 시종일관 이분을 기다렸어요. 나를 가지고 흥정한 사람은 바로 이분이에요. 맨 처음에는 1만 8천 루블을 불렀다가 4만으로 껑충 뛰어올랐어요. 그러고는 이렇게 10만 루블이 된 거예요. 결국 약속을 지켰어요! 한데 얼굴이 몹시 창백하군요……. 오늘 가냐의 집에서 있었던 일을 말해 주겠어요. 나는 미래의 내 가정을 찾아 그의 어머니를 방문했어요. 그런데 거기서 그의 누이가 나를 똑바로 바라보며 〈이 후안무치한 여자를 여기서 끌어내요!〉라고 소리치며 가브릴라의 얼굴에 침을 뱉더군요. 아주 성깔 있는 아가씨였어요!」

「나스따시야 필리뽀브나!」 장군이 나무라듯이 말했다.

장군은 이 사건의 핵심을 제대로 이해하기 시작했다.

「무슨 일이세요, 장군님? 점잖지 못하다는 건가요? 하지만 품위 있게 노는 것도 이젠 진저리가 나요! 난 지금까지 5년 동안 프랑스 극장의 귀빈석에 누구도 범접하지 못하는 귀부인처럼 앉아, 야생마처럼 나를 쫓아다니던 모든 사람들을 티없이 맑고 고귀한 여자의 시선으로 내려다보았어요. 하지만 그 모든 게 다 어리석기 짝이 없는 일이었어요! 자, 이젠 여러분 앞에 이 남자가 나타나 10만 루블을 탁자 위에 올려놓았어요. 이게 5년 동안 순결하게 살았던 결과예요. 아마 밖에는 이분들이 준비해 놓은 삼두 마차가 나를 기다리고 있을 거예요. 나를 10만 루블의 가치가 있는 사람으로 본 거지요! 가브릴라, 보아하니 당신은 아직까지 나에게 화를 내고 있군요? 당신은 정말로 나를 당신 집안으로 데려갈 셈인가요? 로고진의 여자인 나를? 공작이 아까 뭐라고 말했지요?」

「나는 당신이 로고진의 여자라고는 말하지 않았어요. 당신은 로고진의 여자가 아니에요!」 공작이 떨리는 소리로 입을 열었다.

「나스따시야, 이제 그만 하세요. 그 정도면 됐어요.」 다리야 알렉세예브나가 참을 수 없다는 듯 갑자기 끼어들었다. 「이분들을 보기가 그렇게 괴로우면 더 이상 안 보면 되잖아요! 당신은 정말로 10만 루블에 이런 사람들을 쫓아갈 작정인가요? 사실 10만 루블이라면 적은 돈이 아니에요! 그럼 10만 루블만 받고 저 사내는 쫓아 버리든가. 저런 사람들에게는 그렇게 해도 괜찮아요. 내가 당신이라면 정말로 저런 사람들을 모두 다…….」

다리야는 분노하기까지 했다. 다리야는 선하고 아주 감수성이 예민한 여자였다.

「화내지 마세요, 다리야.」 나스따시야가 그녀에게 웃음을 지어 보였다. 「내가 저 양반에게 화를 내며 말한 건 아니잖아요? 내가 저 사람을 나무랐나요? 내가 어떻게 그런 명문 가정으로 시집을 갈 생각을 했는지 도무지 납득이 가지 않아요. 난 참 어리석기 짝이 없는 여자예요. 나는 그의 어머니를 보고 손에다 키스를 했어요. 가브릴라, 내가 아까 당신 가족을 조롱했던 것은, 당신의 인내심이 어디까지 가나 마지막으로 시험해 보고 싶어서였어요. 당신은 정말로 놀라웠어요. 나는 많은 것을 기대했지만 그 정도까진 아니었어요! 거의 당신의 결혼 전야라고 할 수 있는 오늘, 이 장군님이 나에게 이와 같은 진주를 선사했고, 나는 그것을 받았는데 당신은 나를 데려갈 수 있나요? 그리고 로고진은 어떤가요? 그는 당신의 집에서 당신의 어머니와 누이동생이 있는 데서 나를 흥정했어요. 그런데도 당신은 나와 결혼할 속셈으로 이렇게 나를 찾아왔고, 누이동생까지 데려오려고 했어요. 그렇다면 당신은 로고진이 한 말처럼 3루블에 바실리예프스끼 섬까지 기어갈 위인이 아닌가요?」

「기어가고말고요.」 로고진이 갑자기 조용한 소리로 말문을 열었다. 그러나 매우 확신에 찬 표정이었다.

「그것도 당신이 굶어 죽을 처지라면 몰라요. 하지만 내가 듣기에 당신은 훌륭한 봉급을 받고 있어요! 그런데 당신은 모욕을 당하는 것 이외에도 증오하는 여자를 자기 아내로 맞이하려고 해요! (당신이 날 증오하는 걸 알기 때문에 이런 말을 하는 거라고요!) 아, 이젠 당신 같은 사람은 돈이라면 살인마저 불사하리란 걸 알겠어요! 사실 저이들을 보세요. 돈이라면 사족을 못 쓰고 저렇게 바보 같은 꼴을 하고 있잖아요. 저렇게 새파란 애송이가 고리대금업자가 된 걸 봐요! 그렇지 않으면 면도칼을 비단에 싸서 몰래 자기 친구의 뒤를 쫓아가 양을 자르듯이 그 친구를 난도질하는 세상이에요.[52] 얼마 전에 내가 직접 신문에서 읽은 기사예요. 당신은 몰염치한 사람이에요! 나 역시 몰염치해요. 하지만 당신이 더 나빠요. 저 〈꽃장수〉에 대해선 말하고 싶지도 않군요.」

「나스따시야, 당신이 설마 그런 말을 하다니!」 장군이 몹시 섭섭하다는 듯이 두 손을 쳤다. 「당신처럼 섬세한 사상을 가진 델리킷한 사람이…… 그런 말을 할 수 있다니!」

「난 지금 취했어요, 장군님.」 나스따시야가 갑자기 까르르 웃었다. 「난 기분내고 싶어요! 오늘은 내 생일이고, 내 명절이에요. 나는 오래전부터 이날을 기다려 왔어요. 다리야 알렉세예브나, 여기 계신 꽃장수를 보세요. 바로 이 동백꽃 신사를요monsieur aux camélias. 여기 앉아 있는 그 신사분이 우릴 보고 웃고 있잖아요…….」

「나스따시야 필리뽀브나, 나는 웃고 있는 게 아니오. 난 단지 주의 깊게 경청하고 있을 따름이오.」 또쯔끼가 위엄 있는 표정으로 말했다.

「한데, 내가 지난 5년 내내 이분을 괴롭혀 오며 왜 풀어 주지 못했을까요? 그럴 만한 가치가 있었던가요? 이분은 그저 그런 사람에 불과한데요……. 게다가 이분은 내가 못됐다고 생각할 거예요. 나에게 교육의 기회를 주고, 백작 부인처럼 살게 해주느라고 돈도 무던히 써온 데다가, 가브릴라라는 남편감까지 찾아 주셨는데요. 나는 지난 5년 동안 이분과 동거는 하지 않으면서 돈만 타다 썼는데, 어떻게 생각해요, 다리야? 난 그럴 권리가 있다고 생각했어요. 내 머리가 완전히 돌아 버린 게 아닌지 모르겠어요. 당신은 나더러 혐오스러우면 돈만 받고 저 사람을 쫓아 버리라고

52 1866년 보석상 깔미꼬프를 살해한 대(大) 상인 마주린 사건이 발생했는데, 그녀는 이 사건을 염두에 두고 얘기하고 있다.

했지요? 사실 혐오스러워요……. 나는 이미 오래전에 결혼할 수도 있었어요. 물론 가브릴라와 결혼할 수 있었다는 얘기는 아니에요. 그것도 몹시 혐오스럽긴 마찬가지예요. 내가 무얼 위해 지난 5년 동안 오기를 품고 살았을까요? 믿어도 좋고 안 믿어도 좋지만 4년 전만 해도 나는 이따금 차라리 아파나시 이바노비치에게 시집을 가버릴까 하는 생각도 했었어요. 그때 나는 오기로 그런 생각을 해봤던 거예요. 그때는 별의별 생각이 다 들었어요. 사실 내가 억지를 부렸다면야! 그분 자신도 그걸 몹시 원했어요. 내 말을 믿으시겠어요? 하지만 그렇게 원했다는 것은 거짓말이었어요. 여자를 몹시 밝히는 사람이라 나에 대한 욕구를 참을 수 없어서 그런 말을 했던 거였어요. 다행스럽게도 그 이후에 나는 오기로 결혼할 가치가 있는가 생각했지요. 그러자 그 다음에는 갑자기 그이가 보통 혐오스러워지는 게 아니었어요. 그 사람이 나에게 직접 청혼을 해온다 해도 내 쪽에서 거절할 정도로요. 그래서 난 5년 동안 거만하게 살아왔어요! 그러나 이제는 아니에요. 차라리 거리로 나앉는 편이 나아요. 거기가 내가 있는 곳이죠. 아니면 로고진과 어울려 지내든가, 내일부터라도 식모살이를 하든가 해야겠죠. 이제 내게는 아무것도 없으니까요. 여기서 나가는 날 내가 받았던 모든 것을 그분에게 다 던져 버리겠어요. 마지막 걸레 조각 하나까지 다요. 그러면 아무것도 없는 나를 누가 데려가겠어요. 한번 가브릴라에게 물어보세요? 그런 나를 데려가겠는지? 아마 페르디쉬첸꼬 같은 사람도 나를 안 데려갈 거예요……!」

「페르디쉬첸꼬도 안 데려갈 거요, 나스따시야 필리뽀브나! 나는 아주 노골적인 인간이기 때문이오.」 페르디쉬첸꼬가 나섰다. 「그 대신 공작은 데려갈 거요! 당신은 그저 앉아서 울고 있지만 공작을 쳐다보시오! 난 이미 오래전부터 지켜보고 있었다오.」

「정말인가요?」 나스따시야가 물었다.

「정말이오.」 공작이 나지막한 소리로 대답했다.

「아무것도 없는 이런 나를 데려간다고요?」
「데려갈 겁니다, 나스따시야 필리뽀브나.」
「여기 러브 스토리가 새로 탄생했군!」 장군이 중얼거렸다. 「그러리라고 예상은 했었소.」
공작은 슬프고, 엄하고, 통찰력 있는 시선으로 그를 계속 살펴보고 있는 나스따시야의 얼굴을 빤히 들여다보았다.
「또 한 분이 나타났어요!」 나스따시야는 다리야 알렉세예브나를 보며 갑자기 말문을 열었다. 「진짜로 선한 마음씨에서 저런다는 걸 난 알아요. 자선가를 한 분 찾아낸 거예요! 그런데 저분을 두고 어떠어떠한 사람이라고 하는 데는 이유가 있을 거예요. 공작인 당신이, 로고진의 여자인 나를 사랑하기 때문에 데려간다 해도 우리는 무얼 먹고 살지요?」
「나스따시야, 나는 로고진의 여자가 아닌 성스런 당신을 데려가는 거요.」 공작이 말했다.
「내가 성스럽다고요?」
「그래요.」
「그건 소설 속에나 나오는 얘기예요! 공작, 그건 옛날 얘기에 나오는 헛소리예요. 요즘엔 사람들이 약아서 그 따위 얘기는 웃음거리밖에 안 돼요! 게다가 당신에겐 유모나 필요한 처진데, 그런 당신이 어떻게 결혼을 한다는 거예요?」
공작은 자리에서 일어나 소심하게 떨리는 목소리였지만 확신에 찬 태도로 말을 했다.
「나는 아무것도 몰라요, 나스따시야. 그리고 본 것도 없어요. 당신 말이 맞아요. 하지만 나의 생각으로는 내가 당신에게가 아니라 당신이 나에게 영광을 베풀어 주는 겁니다. 나는 아무것도 아닙니다. 그런데 당신은 고통을 받아 왔고 그런 지옥 속에서도 순결한 몸으로 빠져나왔어요. 그건 대단히 많은 걸 의미합니다. 무엇 때문에 수치스러워했고, 또 로고진을 따라 나서려는 겁니까? 그건 극단적인 흥분 상태에서 야기된 거요……. 당신은 또쯔끼 씨에게 7만 루블을 돌려 주고 여기에 있는 모든 것을 버리겠다고 말했습니다. 여기에 있는 어느 누구도 그런 행동은 하지 못할 겁니다. 나스따시야, 나는…… 당신을…… 사랑합니다. 나스따시야, 나는 당신을 위해서라면 죽을 수도 있습니다. 나스따시야, 나는 그 누구도 당신에 대해 함부로 말하는 것을 용납하지 않겠습니다……. 만약 우리가 가난하게 된다면 나는 일을 할 겁니다, 나스따시야.」

공작의 이 말에 페르디쉬첸꼬와 레베제프가 히히 웃어 댔다. 장군도 심히 못마땅한 듯이 혼잣소리로 뭐라고 투덜댔다. 쁘찌찐과 또쯔끼는 웃지 않을 수 없었으나 억지로 참았다. 나머지 사람들은 놀라움에 그저 입만 벌리고 있었다.

「……하지만 우리는 가난해지지 않고 아주 부자가 될 겁니다, 나스따시야.」 공작은 여전히 소심한 목소리로 말했다. 「지금 드리는 말씀은 확인된 것이 아니고 안타깝게도 거기에 대해 자세히 알아내지 못했습니다만, 내가 스위스에 있을 때 모스끄바에 사는 살라즈낀 씨라는 분에게서 편지를 받은 적이 있습니다. 그분은 내가 엄청나게 많은 유산을 받을지도 모른다고 통보를 해왔습니다…….」

공작은 정말로 주머니에서 편지를 꺼냈다.

「저 사람 이제는 진짜 헛소리를 지껄이는 거 아냐?」 장군이 투덜거렸다. 「정말로 여긴 정신 병동이나 다름없군!」

일순간 침묵이 흘렀다.

「공작, 살라즈낀 씨가 당신에게 편지를 보냈다고 말한 것 같은데, 맞아요?」 쁘찌찐이 물었다. 「그 사람은 그쪽에서 꽤나 유명한 사람이오. 일을 아주 능수 능란하게 처리하는 사람으로 무척 잘 알려져 있어요. 정말로 그가 당신에게 그런 내용을 통보해 왔다면 믿어도 될 겁니다. 다행히 나는 그 사람의 필적을 알아요. 얼마 전에 우리는 서로 볼일이 있었기 때문이오……. 그 편지를 보여 주시면 당신에게 가타부타 확인해 줄 수 있을 겁니다.」

공작은 떨리는 손으로 그에게 편지를 내밀었다.

「아니, 그게 뭐야? 그게 뭐란 말인가? 유산이라고 그랬나?」 장군이 반은 정신이 나간 사람처럼 모든 사람들을 쳐다보며 불현듯 생각이 난 듯 말했다.

모두들 편지를 읽고 있는 쁘찌찐에게 시선을 집중했다. 사람들의 호기심에 극히 새로운 충격이 가해진 것이다. 페르디쉬첸꼬는 안절부절못했다. 로고진은 어찌할 바를 몰라 하며 극도로 불안한 마음으로 공작과 쁘찌찐을 번갈아 쳐다보았다. 다리야는 마치 바늘방석에라도 앉아 있는 것처럼 초조히 기다렸다. 심지어는 레베제프마저 참지 못하고 구석에서 나와 몸을 바싹 구부리고 쁘찌찐의 어깨 너머로 편지를 들여다보았다. 그러나 그는 자기의 그런 행동에 방망이 세례나 받지 않을까 하는 두려운 표정을 짓고 있었다.

16

「진짜인데요.」 마침내 쁘찌찐이 편지를 접어 공작에게 건네주며 말했다. 「당신은 논란의 여지없는 이모의 유언에 따라 아무런 절차 없이 막대한 유산을 상속받을 겁니다.」

「그럴 리가 없어.」 장군은 총알이 튀어나올 듯한 목소리로 날카롭게 외쳤다.

모두들 입을 벌리고 있었다.

쁘찌찐은 주로 이반 표도로비치를 바라보며 다음과 같이 설명을 해주었다. 5개월 전 공작과는 생면부지인 큰이모가 사망했다. 공작의 외할아버지 빠뿌신은 파산하여 궁핍 속에서 세상을 떠났는데, 역시 얼마 전에 사망한 외할아버지의 형은 부자로 소문난 상인이었다. 1년 전쯤에 그의 두 아들이 거의 한 달 사이에 모두 죽었다. 두 아들의 죽음에 커다란 충격을 받은 노인은 얼마 가지 않아서 병이 들어 그만 죽고 말았다. 그는 홀아비였기 때문에 조카딸 한 명 이외에는 아무런 상속인이 없었다. 그녀가 공작의 큰이모였는데, 너무나 가난해서 남의 집에서 빌어먹고 사는 처지였다. 그녀는 유산을 상속받을 당시에 종양으로 인해 거의 죽어 가고 있었다. 그러나 죽어 갈 당시 그녀는 살라즈낀에게 공작을 찾아 줄 것을 부탁하며 간신히 유언을 남길 수 있었다. 공작이나 스위스에서 그가 신세를 지던 의사는 공식적인 통보를 기다리거나 조회하기를 원치 않았음에 틀림없었다. 그 후, 공작은 살라즈낀의 편지를 주머니에 넣고 직접 찾아 나서기로 결심한 것이었다…….

「딱 한 가지는 말할 수 있습니다.」 쁘찌찐이 공작을 바라보며 단정을 지었다. 「이 모든 것은 논란의 여지가 없이 정확합니다. 이 문제의 완결성과 합법성에 관해 살라즈낀이 당신에게 쓴 모든 것은 주머니 속에 들어 있는 현금이나 마찬가지라고 간주해도 괜찮을 겁니다. 축하합니다, 공작! 아마 족히 1백50만 루블은 받으실 수 있을 겁니다. 어쩌면 그보다 더 많을지도 몰라요. 빠뿌신은 아주 부유한 상인이었어요.」

「야, 가문의 마지막 공작인 미쉬낀 씨!」 페르디쉬첸꼬가 함성을 질렀다.

「만세!」 레베제프가 술에 취해 혀꼬부라진 소리를 했다.

「나는 아까 저 불쌍한 사람에게 25루블을 빌려 줬소, 하하하! 참말로 요지경 속이네!」 놀라움에 거의 넋이 빠진 장군이 말했다. 「어쨌든 축하하오, 축하해요!」 그는 자리에서 일어나 공작에게 다가와 포옹을 했다. 그를 따라 나머지 사람들도 일어나서 공작에게로 슬금슬금 다가갔다. 커튼 뒤로 몸을 숨긴 사람들까지 객실에 모습을 나타내기 시작했다. 수군거리는 소리와 감탄의 소리가 오갔고, 심지어는 샴페인을 터뜨리자는 제안도 있었다. 모든 것이 소란스럽게 법석댔다. 순간적으로 사람들은 나스따시야의 존재를 망각했으나 어쨌든 그녀는 이날 파티의 주인공이었다. 그러나 차츰 사람들은 방금 공작이 그녀에게 청혼했다는 사실을 상기하기 시작했다. 문제는 전보다 훨씬 꼬여 가기 시작했다. 대경실색한 또쯔끼는 어깨를 움찔해 보였다. 앉아 있는 사람은 그 혼자뿐이었고, 나머지 사람들은 탁자 주위를 빽빽이 에워싸고 있었다. 나중에 사람들은, 이 순간부터 나스따시야가 정신이 나갔다고 주장했다. 그녀는 계속해서 자리에 앉아 얼마 동안 이상스럽고 놀란 눈빛으로 모든 사람들을 둘러보며 어찌 된 영문인지를 알아내려는 표정이었다. 그러고 나서 그녀는 갑자기 공작을 바라보며 양미간을 무섭게 찌푸리고는 그를 훑어보기 시작했다. 그러나 그것은 순간적이었다. 그녀에게는 이 모든 것이 농담이나 조롱처럼 여겨졌다. 그러나 공작의 표정은 즉시 그녀의 의혹을 풀어 주었다. 그녀는 생각에 잠기기 시작했고, 이게 무슨 일인지 분명히 알지 못하겠다는 듯이 미소를 지었다…….

「내가 공작 부인이 된다는 말이죠!」 그녀는 자조하듯이 혼잣말로 중얼거렸다. 그러고는 우연히 다리야와 시선이 마주치자 웃기 시작했다. 「예기치 못한 결말이에요……. 나는 이러리라고 기대하지 못했어요. 여러분들 왜 서 있는 거지요. 부디 앉아 주세요. 그리고 나와 공작을 축하해 주세요! 누군가가 샴페인을 부탁한 것 같은데, 페르디쉬첸꼬, 어서 가져오라고 해요. 까쨔, 빠샤!」 그녀는 문득 문턱에 서 있는 두 가정부 아가씨를 보았다. 「이리로 온, 너희도 내가 결혼한다는 소리를 들었지? 1백50만 루블이 있는 공작하고 말야. 그분은 미쉬낀 공작이고, 나를 데려갈 거야!」

「때가 온 거예요. 이 좋은 기회를 놓쳐선 안 돼요!」 예기치 않은 사건에 크게 감복한 다리야가 소리쳤다.

「내 곁에 앉으세요, 공작.」 나스따시야가 계속 말을 이었다.

「자, 포도주를 날라 오는군요. 축배를 듭시다, 여러분!」

「만세!」 한꺼번에 여러 사람의 목소리가 울려 퍼졌다. 많은 사람들이 포도주 앞으로 달려들었다. 그들 중 거의 대부분이 로고진이 데려온 사람들이었다. 이들은 소리 지르고, 또 소리 지를 준비가 되어 있었으나 그들 중 다수는 이 이상한 분위기에도 불구하고 상황이 바뀌었다는 것을 느끼고 있었다. 다른 이들은 어리둥절하여 못내 믿을 수 없다는 듯이 상황의 추이를 기다렸다. 많은 사람들은 소곤거렸다. 이런 일은 아주 흔한 일로 공작들이 결혼할 상대가 어디 한둘이냐는 식이었다. 그들은 떠돌이 집시까지도 천막에서 끌어내어 아내로 삼지 않던가. 로고진은 얼굴을 일그러뜨리고 의심스러운 미소를 머금은 채 서서 바라보고 있었다.

「이봐요, 공작, 정신차려요!」 장군이 공작의 옆으로 다가가 옷소매를 당기며 기겁을 한 듯 속삭였다.

나스따시야가 이 광경을 보고 깔깔 웃기 시작했다.

「그러시지 않아도 돼요, 장군님! 난 이제 공작 부인이에요. 아시겠지요. 공작은 나에게 실망을 안겨 줄 분이 아니에요! 또쯔끼씨, 나를 축하해 주세요. 나는 이제 어디에서든지 당신의 아내와 나란히 앉을 수 있는 몸이 되었어요. 이런 남편을 둔다는 것이 이롭다고 생각하지 않으세요? 1백50만 루블, 게다가 공작은, 사람들 말에 따르면 백치라고 하니 더 이상 바랄 게 뭐가 있겠어요? 이제서야 진짜 인생이 시작되나 봐요! 로고진, 한 발 늦었군요! 이 돈 뭉치를 가져가세요. 나는 공작과 결혼하겠어요. 이젠 당신보다 부자라고요!」

이제야 로고진은 사건의 본질을 깨달았다. 그의 얼굴에는 말할 수 없는 고통의 빛이 역력했다. 그는 양 손바닥을 쳤다. 그리고 그의 가슴속에서부터 신음소리가 들려왔다.

「물러나게!」 그는 공작에게 소리쳤다.

좌중에서는 웃음소리가 터졌다.

「그 말은 당신을 위해 물러서라는 말인가요?」 다리야 알렉세예브나가 말꼬리를 잡고 의기양양하게 물었다. 「돈을 함부로 탁자 위에 쏟아 놓는 막돼먹은 사람 같으니라고! 공작은 정식으로 아내를 모시러 왔는데 당신은 주정하러 나타나다니!」

「나도 데려가겠소! 지금 당장 데려가겠소! 모든 걸 다 내주고 말 거요…….」

「흥, 술집에서 방금 나온 주정뱅이로군. 당신 같은 사람은 내쫓아야 돼요!」 다리야가 발끈하여 말했다.

웃음소리가 한층 더 커졌다.

「듣고 있지요, 공작?」 나스따시야 필리뽀브나가 공작을 바라보며 말했다. 「당신의 신부를 촌놈이 흥정하는데요.」

「저 사람은 술에 취했어요.」 공작이 말했다. 「저 사람은 당신을 무척이나 사랑하고 있어요.」

「당신은 나중에 당신의 신부가 로고진을 따라 나설 뻔했던 사실을 수치스러워하지 않을까요?」

「그건 당신이 흥분 상태에 있었기 때문에 그랬던 거요. 당신은 지금도 열병에 걸린 듯 제정신이 아니에요.」

「나중에 당신의 아내가 또쯔끼의 정부로 살았던 사실을 당신은 부끄러워하지 않을까요?」

「아니에요. 난 부끄러워하지 않을 거예요……. 당신이 원해서 또쯔끼와 살았던 것이 아니니까요.」

「그럼 나를 절대로 나무라지 않을 거지요?」

「그렇고말고요.」

「하지만 조심하세요. 평생 동안 그러리라고 장담하진 못하니까요!」

「나스따시야.」 공작이 나직이 연민이 배어 있는 듯한 목소리로 말했다. 「아까도 말했듯이 나는 당신의 승낙을 영광으로 여길 겁니다. 내가 아니라 당신이 나에게 영광을 베풀어 준 겁니다. 당신은 나의 이 말을 웃어넘겼고, 또 주위에서 웃어 대는 소리도 들리더군요. 어쩌면 내가 몹시 우스꽝스럽게 표현했는지도 몰라요. 내 자신이 우스웠으니까요. 하지만 나는…… 진정한 영광이 무엇인지 이해할 수 있을 것 같아요. 그리고 내가 진실을 말했다는 사실을 확신하고 있어요. 당신은 지금 돌이킬 수 없을 정도로 자신을 파멸로 이끌어 가려고 했어요. 왜냐하면 당신은 나중에 그런 행동을 한 자기 자신을 결코 용서하려 하지 않을 것이기 때문이죠. 당신은 아무런 잘못도 저지르지 않았어요. 당신의 삶이 완전히 파멸했다고는 할 수 없어요. 로고진이 당신을 찾아오고, 가브릴라가 당신을 기만했다는 사실이 도대체 어떻다는 말인가요? 무엇 때문에 당신은 계속 그런 사실에 연연해 합니까? 반복해서 말하지만, 당신이 한 일을 할 수 있는 사람은 그리 많지 않아요. 또한 당신이 로고진과 함께 떠나려고 했던 것은 병적인 흥분 상태 속에서 결정한 거였어요. 당신은 지금도 그런 고열의 흥분 상태에 있어요. 이제 당신은 잠자리에 드는 편이 낫겠어요. 당신은 당장 내일부터라도 남의 집 세탁일을 하러 나갈 수도 있겠지만, 로고진과 함께하지는 않을 거예요. 나스따시야 필리뽀브나, 당신은 자존심이 강해요. 하지만 당신은 자신을 정말로 죄 많은 여자라고 간주할 정도로 불행한지도 모르겠어요. 나스따시야 필리뽀브나, 당신에게는 많은 배려가 필요합니다. 내가 당신을 돌봐 드리겠어요. 나는 아까 당신의 사진을 보고 당신의 얼굴이 나에겐 굉장히 친숙하다는 것을 알았습니다. 나는 즉시 당신이 나를 부르고 있는 듯한 인상을 받았습니다……. 나…… 나는 당신을 평생 존경하며 살겠습니다.」 공작은 불현듯 자기가 어떤 사람들 앞에서 말을 하고 있는지 생각이 난 듯 얼굴이 빨개지더니 말문을 닫았다.

쁘찌찐은 아직도 총각다운 수줍음에서 머리를 숙이고 방바닥을 쳐다보고 있었다. 또쯔끼는 속으로 생각했다. 〈이런 백치 같으니라고, 그런데도 아침이 가장 효과가 있다는 건 알고 있어, 타고 났군 타고났어!〉 공작은 한쪽 구석에서 그를 불태워 버리기라도 할 듯한 가브릴라의 이글거리는 눈빛을 의식했다.

「저렇게 선한 분이 있을까!」 다리야 알렉세예브나가 탄복한 나머지 소리를 질렀다.

「교양은 있지만 도저히 가망 없는 사람이군!」 장군이 나지막하게 속삭였다.

또쯔끼는 모자를 집어 들고 살며시 빠져나가려고 일어날 준비를 했다. 그와 장군은 함께 나가기 위해 서로 눈짓을 했다.

「고마워요, 공작. 여태껏 나에게 그렇게 말한 사람은 아무도 없었어요.」 나스따시야 필리뽀브나가 말했다. 「모두들 나를 가지고 흥정을 하려고만 했어요. 정신이 제대로 박인 사람치고 나에게 청혼한 사람은 아무도 없었어요. 들으셨지요, 아파나시 이바노비치 또쯔끼 씨? 공작이 한 말을 어떻게 생각하고 계신가요? 얼토당토않은 얘기라고 보겠지요……. 로고진! 당신은 잠깐 기다렸다 가세요. 물론 당신은 갈 사람이 아니지요, 난 알고 있어요. 어쩌면 내가 당신과 함께 떠날지도 모르지요. 당신은 나를 어디로 데려갈 셈이었지요?」

「예까쩨린고프 공원[53]으로요.」 레베제프가 구석에서 보고하듯이 대답했다. 로고진은 단지 몸을 부르르 떨고 나서 자기 자신을 믿을 수 없다는 듯이 눈을 크게 뜨고 그녀를 바라보고 있었다. 그는 머리를 된통 얻어맞은 듯 도저히 정신을 차릴 수가 없었다.

「이봐요, 나스따시야, 아니 그게 무슨 소리야? 정말로 발작이라도 난 게 아닌가요. 정신이 나간 거요, 뭐요?」 기겁을 한 다리야가 소리를 질렀다.

53 예까쩨린고프는 상뜨 뻬쩨르부르그의 성문이 있는 장소로서 저녁 시간을 즐겁게 보내기 위해 찾아오는 곳이기도 했다. 그러나 이곳은 특히 5월 1일마다 열리는 코르소와 축제로 유명하다.

「내 말을 곧이곧대로 받아들였어요?」 나스따시야 필리뽀브나가 깔깔거리면서 소파에서 벌떡 일어났다. 「내가 어떻게 이런 어린애를 망쳐 놓을 수가 있겠어요? 그런 짓은 아파나시 이바노비치 또쯔끼에게나 걸맞는 짓이에요. 어린 애송이들을 사랑하는 자는 다름 아닌 그런 사람이에요. 갑시다, 로고진! 돈 뭉치를 챙기세요. 나랑 결혼하든 않든 간에 돈은 나에게 주세요. 나는 당신하고 결혼하지 않을지도 몰라요. 당신은 나와 결혼하면 그 돈 뭉치는 다시 당신 것이 된다고 생각했지요? 천만의 말씀! 나는 몰염치한 여자예요! 나는 또쯔끼의 정부였어요……. 공작! 당신에게는 나스따시야가 아니라 아글라야 예빤치나가 어울려요. 안 그러면 저기 페르디쉬첸꼬가 손가락질할 거예요! 당신은 두려워하지 않지만, 나는 당신의 인생을 파멸시켰다고 나중에 원망을 들을까 봐 두려워요. 당신은 내가 당신에게 영광을 베푸는 것이라고 말하지만 거기에 대해서는 또쯔끼 씨가 잘 알고 있어요. 그리고 가브릴라, 당신은 아글라야 예빤치나 양을 간파하지 못했어요. 그걸 알겠어요. 당신이 그녀와 흥정만 하지 않았더라면 그녀는 기꺼이 당신과 결혼했을 거예요! 당신네들 모두 똑같아요. 마음이 깨끗한 여자건 더러운 여자건 그들을 상대할 때는 오로지 한 가지만 선택하세요. 안 그러면 곤란한 상황에 빠지게 되는 법이에요……. 이럴 수가, 장군님이 입을 벌리고 바라보고 계셨군요…….」

「여긴 소돔이군! 소돔이라고!」 장군은 어깨를 움찔거리며 되풀이했다. 그도 소파에서 일어났다. 모두들 또다시 자리에서 일어났다. 나스따시야는 마치 광란 상태에 빠진 듯했다.

「설마!」 공작이 두 손을 움켜쥐며 신음했다.

「당신은 이렇게 되지 않으리라고 생각했나요? 나는 천성적으로 자존심이 강한 여자인지도 몰라요. 그리고 분명히 몰염치한 여자고요. 당신은 아까 나를 두고 완전 무결한 여자라고 했지요. 하긴 1백만 루블과 공작의 작위를 마다하고 스스로 구렁텅이 속으로 들어가는 걸 보면 완전 무결하다는 말이 어울리겠지요! 그런 내가 과연 당신의 아내가 될 수 있을까요? 또쯔끼 씨, 나는 이렇게 1백만 루블을 실제로 창밖으로 던져 버렸어요. 당신은 내가 당신 돈 7만 5천 루블에 가브릴라와 결혼하는 것을 행복하게 여긴다고 생각하셨나요? 그 7만 5천 루블은 도로 가져가세요, 또쯔끼 씨. 당신은 10만 루블도 채우지 못했어요. 그런 걸 보면 로고진이 더 멋쟁이군요! 가브릴라는 내가 직접 위로해 주겠어요. 내게 좋은 생각이 있거든요. 지금 나는 놀고 싶어요. 어차피 나는 거리의 여자니까요! 나는 10년 감옥살이를 했어요. 이제서야 행복을 찾았어요! 이봐요, 로고진, 뭘 하고 있어요? 어서 가요.」

「갑시다.」 로고진이 기쁨의 극치에서 나온 울부짖는 목소리로 말했다. 「자, 모두들 이 여자를 위해…… 마시자! 우호!」

「포도주 가져와요, 마셔야겠어요. 음악은요?」

「있을 거요, 있을 거요! 가까이 오지 마요!」 다리야가 나스따시야에게 다가오는 것을 보고 로고진이 광적으로 소리쳤다. 「내 여자다! 모든 게 내 거다! 나의 여왕님이다! 이제 끝났다!」

그는 너무 기쁜 나머지 숨을 헐떡였다. 그는 나스따시야의 주위를 돌며 모두에게 고함쳤다. 「가까이 오지 마!」 그의 일행이 모두 거실을 가득 채웠다. 그들은 술을 마시기도 했고, 소리를 질러대기도 했고, 깔깔거리기도 했다. 모두들 흥이 나서 기분이 풀어져 있는 상태였다. 페르디쉬첸꼬는 그들의 틈바구니에 끼어들려고 했다. 장군과 또쯔끼는 빨리 자리를 뜨기 위해 다시 움직였다. 가브릴라 역시 손에 모자를 쥐고 있었으나 그의 앞에서 펼쳐지는 광경 때문에 몸이 굳어 버렸는지 도무지 발을 떼지 못하고 있었다.

「가까이 오지 마!」 로고진이 소리쳤다.

「아니, 왜 그렇게 고함을 치는 거예요!」 나스따시야가 깔깔대며 그에게 말했다. 「나는 아직 이 집 주인이에요. 내가 원하기만 하면 당신을 내쫓을 수도 있어요. 나는 아직 당신에게서 돈을 받지 않았어요. 그 돈은 저기 놓여 있다고요. 저 돈 뭉치를 이리 가져와요! 바로 이 보따리 속에 있는 게 10만 루블 맞아요? 흥, 아주 혐오스럽군! 왜 그래요, 다리야? 내가 저 사람을 파멸시켜야 했단 말인가요? (그녀는 공작을 가리켰다.) 저 사람이 어떻게 결혼을 해요? 아직도 유모 젖을 먹어야 될 사람인데. 저기 장군님이 저 사람의 유모 노릇을 할 거예요. 공작을 저렇게 감싸 주고 있잖아요. 조심하세요, 공작. 당신의 신붓감이라는 여자가 이렇게 돈을 받았어요. 그녀는 방탕하니까요. 그런데도 당신은 그런 여자를 데려가려 했어요! 도대체 당신은 왜 눈물을 흘리는 거예요? 슬픈 일이라도 있는 건가요? 나처럼 웃으세요.」 나스따시야의 얼굴에는 두 줄기의 굵은 눈물 방울이 흘렀다. 「세월이 흐르면 모든 게 해결될 거예요! 나중에 후회하느니 차라리 지금 포기하는 게 좋아요……. 당신들은 뭣 때문에 계속 우는 거예요. 까쨔도 울고 있구나! 얘야, 까쨔야, 왜 우니? 너하고 빠샤에게 섭섭지 않게 남겨 놓았다. 그렇게 하도록 이미 조치를 해놓았다. 그럼 잘 있거라! 난 순결한 너에게 방탕한 여자를 시중들게 했다……. 공작, 이렇게 되는 편이 차라리 나을 거예요. 결혼해 봤자 머지않아 당신은 나를 깔볼 테고, 그렇게 되면 행복이고 뭐고 없게 돼요! 맹세하지 마세요, 나는 믿지 않을 테니까요! 결국은 부질없는 짓일 텐데요, 뭘! 차라리, 좋은 마음으로 헤어집시다. 안 그러면 나는 공상가니까 득이 될 게 없을 거예요! 사실 나도 당신을 머릿속에서 그려 봤어요. 당신이 맞아요. 내가 저 사람의 시골집에서 5년 동안 홀로 외롭게 살고 있을 때 이 생각 저 생각을 하다 당신에 대한 꿈을 꾸기도 했지요. 정직하고 착하고 다소 어리석은 듯한 사람이 문득 나타나더니 〈나스따시야, 당신은 죄가 없어요. 나는 당신을 존경해요!〉라고 하더군요. 나는 그러한 공상을 하다가 머리가 돌아 버릴 지경이었어요……. 그러고 있으면 바로 저 사람이 찾아와서 1년에 두 달쯤 머물며 나를 수치스럽게 하고, 화나게 하고, 구역질나게 하고, 추잡하게 하곤 떠나 버리는 거였어요. 그래서 나는 천 번이나 연못에 빠져 죽으려고 했는데, 삶에 무슨 미련이 있는지 죽어 버리질 못했어요. 자…… 로고진, 이제 준비가 되었나요?」

「준비됐소! 가까이 오지 마!」

「준비됐소!」 몇 사람의 목소리가 한꺼번에 들렸다.

「삼두 마차가 방울을 달고 기다리고 있어요!」

나스따시야 필리뽀브나는 두 손으로 돈 뭉치를 움켜잡았다.

「가브릴라, 한 가지 생각이 떠올랐어요. 난 당신에게 보상을 해주고 싶어요. 당신만 항상 손해 볼 수는 없잖아요? 로고진, 이 사람은 3루블만 주면 바실리예프스끼 섬까지 기어간다고 했지요?」

「기어갈 거요!」

「좋아요. 그럼 가브릴라, 잘 들어 봐요. 마지막으로 당신의 마음을 시험해 보고 싶군요. 당신은 3개월 내내 나를 괴롭혀 왔어요. 이제 내 차례예요. 이 보따리가 보이지요? 여기에 10만 루블이 들어 있어요! 내가 이걸 모든 사람들이 보는 데서 지금 벽난로의 불구덩이 속으로 던져 버리겠어요. 모두가 증인이에요! 이 돈 보따리가 화염에 싸이는 순간 벽난로 속으로 기어 들어가는 거예요. 그러나 장갑을 끼면 안 돼요. 맨손이어야 해요. 소매를 걷고 불 속에서 돈 뭉치를 끄집어내는 거예요! 그걸 다 끌어내면 이 10만 루블은 모두 당신 것이 되는 거예요! 손가락에 화상을 좀 입는 대신 10만 루블을 얻을 수 있는 기회니 잘 생각해 봐요! 꺼내는 데 시간은 안 걸려요. 나는 당신이 내 돈을 꺼내려고 기어 들어가는 꼴을 보고 싶어요. 여기 있는 모두가 증인이니까, 이 돈 뭉치는 당신 것이 되는 거예요. 만약 기어 들어가지 않는다면 돈은 그대로 타버리는 거라고요. 다른 사람은 안 돼요. 저리 가세요! 모두들 비켜 서라고요! 내 돈이에요! 하룻밤 사이에 로고진에게서 받은 내 돈이에요. 정말 이건 내 거지요, 로고진?」

「당신 거요, 나의 기쁨이여! 당신 거요, 나의 여왕이여!」

「그러니 모두들 물러나요. 난 내가 원하는 대로 할 거예요! 방해하지 말아요! 페르디쉬첸꼬, 불을 잘 지펴 봐요!」

「나스따시야, 손이 움직이지 않아요!」 넋이 나간 페르디쉬첸꼬가 말했다.

「이런!」 나스따시야가 소리쳤다. 그녀는 벽난로 부젓가락을 집어 사위어 가는 두 개의 장작을 헤쳐 놓았다. 그러자마자 불길이 솟았고, 거기다가 그녀는 돈 뭉치를 던졌다.

이쪽저쪽에서 비명이 터져 나왔다. 많은 사람들이 성호를 그었다.

「저 여자 정신 나갔어! 정신이 나갔어!」 사람들이 마구 외쳤다.

「저 여자를 묶어 놓아야 되는 거 아니오!」 장군이 쁘찌찐에게 속삭였다. 「아니면 어딘가로 보내야 되는 게 아니오? 정말 정신이 나갔어! 정신이 나간 게 확실하지요?」

「아닙니다. 아마 완전히 미친 건 아닐 겁니다.」 백지장처럼 창백해져서 벌벌 떨고 있는 쁘찌찐이 소곤댔다. 그는 타오르기 시작하는 돈 뭉치에서 도무지 눈을 떼지 못하고 있었다.

「정신병자지요? 틀림없이 미친 거지요?」 장군은 또쯔끼에게 재촉하듯 말했다.

「말씀드렸잖소, 〈색깔〉 있는 여자라고요.」 역시 약간 창백해진 또쯔끼가 중얼거렸다.

「아무리 그렇더라도 10만 루블을…….」

「오, 맙소사, 맙소사!」 주위에서 탄식소리가 들렸다. 모두들 벽난로 주위로 모여들었다. 모두들 엎드려서 구경을 하며 소리를 질렀다……. 어떤 이들은 의자 위로 뛰어올라가 다른 사람들의 머리 너머로 바라보았다. 다리야는 다른 방으로 뛰쳐나가 공포에 사로잡혀 까쨔와 빠샤에게 무언가 속삭이고 있었다. 독일 미녀는 밖으로 뛰어나갔다.

「마님! 전능하신 여왕님!」 레베제프가 무릎을 꿇은 채 나스따시야 앞으로 기어오며 두 손을 벽난로 쪽으로 내밀고 울부짖었다.「10만 루블이에요! 10만 루블이라고요! 내가 직접 보았어요. 내가 있는 데서 돈을 쌓았단 말이에요! 마님! 자비로운 마님! 나에게 벽난로 속으로 들어가라고 명령해 주십쇼! 그러면 내 몸을 통째로 집어넣겠어요. 불구덩이 속에 이 허연 머리통을 몽땅 집어넣겠단 말입니다……! 저에겐 병든 앉은뱅이 마누라와 새끼들이 13명이나 있습니다. 그 애들은 모두 지난 주에 아비를 저승으로 보내고 고아가 되었습죠. 모두들 배를 곯고 있어요. 나스따시야 필리뽀브나, 제발!」 그는 이렇게 울부짖더니 벽난로 속으로 기어 들어가려고 했다.

「저리 비켜요!」 나스따시야가 그를 밀어내며 소리쳤다. 「모두들 물러나세요! 가브릴라, 뭘 그렇게 서 있는 거예요? 창피해 하지 말고, 기어 들어가요! 당신의 행복이 저기 있어요.」

그러나 가브릴라는 이날 낮과 저녁 동안 이미 지나치게 많은 일을 당해서, 이 마지막 시험에 임할 준비가 되어 있지 않았다. 사람들이 이 두 사람을 가운데 두고 한 걸음씩 물러났다. 가브릴라는 세 발자국 떨어진 곳에서 나스따시야와 똑바로 눈을 마주쳤다. 그녀는 벽난로 곁에 서서 타오르듯이 똑바로 쏘아보는 시선을 그에게서 떼지 않고 결정적인 순간을 기다렸다. 프록코트를 입고 손에 모자와 장갑을 들고 있던 가브릴라는 그녀 앞에 얌전히 서서 팔짱을 낀 채 불길을 바라보았다. 백지장처럼 창백한 그의 얼굴에 묘한 웃음이 감돌았다. 사실 그는 타오르는 불길과 연기에 휩싸인 돈 뭉치에서 눈을 뗄 수가 없었다. 그러나 그는 무언가 새로운 다짐을 마음에 새기는 것 같았다. 마치 고문을 참아 내리라고 맹세를 한 듯이 보였다. 그는 자리에서 움직이지 않았다. 잠시 후에 모든 이들은 그가 돈 다발을 끄집어내기 위해 몸을 던지지 않으리란 것을 분명히 깨닫게 되었다.

「이봐요, 돈이 다 타버려요. 모두 당신을 비웃을 거예요.」 나스따시야가 그에게 소리쳤다. 「나중에는 억울해서 목매달아 죽겠죠. 난 농담하는 게 아니에요.」

사위어 가는 두 개의 장작개비 사이에서 피어 올랐던 불꽃이 나스따시야가 던진 돈 다발에 눌려 맨 처음에는 꺼져 가는 듯했다. 그러나 아래쪽에 깔린 장작개비 한 귀퉁이에서 파란 불길이 조그맣게 불거져 나오기 시작했다. 그러다 마침내는 가늘고 긴 불길이 돈 다발을 핥으며 찰싹 달라붙더니 종이 다발의 네 귀퉁이 위로 확 퍼져서 갑자기 벽난로 속을 환하게 밝혔다. 불길이 위쪽을 향해 넘실거렸다. 모두들 안타까워 어쩔 줄 모르는 신음을 내뱉었다.

「마님!」 레베제프가 또다시 앞으로 튀어나오더니 여전히 울부짖었다. 그러나 로고진이 그를 끌어내어 또다시 한쪽으로 밀어붙였다.

로고진은 오로지 시선을 고정시키고 있었다. 그는 나스따시야에게서 눈길을 뗄 수가 없었다. 그는 도취해 있었다. 그는 천국에가 있는 기분이었다.

「바로 이런 사람이 여왕이다!」 그는 사람들을 돌아보며 눈이 마주치는 대로 순간순간 이런 말을 되풀이했다. 「이게 바로 우리식이오!」 그는 넋이 나가 외쳤다. 「자, 당신네들 같은 졸장부 중에 누가 이런 흉내라도 낼 수 있겠소?」

공작은 입을 다물고 슬프게 이 모든 것을 지켜보았다.

「내가 이빨로 1천 루블만 끌어내면 어떻겠습니까?」 페르디쉬첸꼬가 제안을 해보았다.

「이빨로라면 나도 꿀리지 않아요!」 강한 주먹의 사나이가 맨 뒤에 서서 죽을 듯한 절망감에 사로잡혀 이를 갈았다. 「빌어먹을! 타버리네. 몽땅 타버리고 있어!」 그는 불길을 보며 소리쳤다.

「다 타네, 다 타!」 모두들 한 목소리로 외치며, 역시 벽난로 쪽으로 몰려들었다.

「가브릴라, 고집 부리지 말아요! 이제 마지막으로 충고하는 거예요!」

「어서 기어 들어가라니까!」 페르디쉬첸꼬가 발광하듯 가브릴라에게 뛰어들어 그의 옷소매를 잡아당기며 고함을 쳤다. 「어서 끄집어내라고! 지금 자존심을 세울 때가 아냐! 다 타버려! 아이고, 이 저 — 저주받을 사람 같으니!」

가브릴라는 힘껏 페르디쉬첸꼬를 밀쳐 내고 뒤돌아 서서 문 쪽으로 걸어갔다. 그러나 두 발자국도 못 가서 비틀거리더니 그대로 바닥에 쓰러졌다.

「기절했어!」 사람들이 외쳤다.

「마님, 돈이 타요!」 레베제프가 울부짖었다.

「공연히 돈만 타는 거야!」 여기저기서 들려오는 고함소리였다.

「까쨔, 빠샤, 이 사람에게 물 좀 갖다 줘. 그리고 주정(酒精)도 가져와!」 나스따시야 필리뽀브나가 소리를 지르곤 벽난로 부젓가락을 집더니 돈 뭉치를 꺼냈다.

바깥에 싼 종이가 몽땅 타버리고 연기를 뿜고 있었다. 그러나 불길이 안쪽까지는 닿지 않았다. 돈 뭉치는 신문지로 세 겹이나 싸여 있어서 돈은 고스란히 남아 있었다. 모두들 안도의 한숨을 쉬었다.

「1천 루블 정도는 불에 타버렸는지 모르지만 나머지는 안전해요.」 레베제프가 감동적으로 말했다.

「이 모든 게 이 사람 거예요! 이 돈 다발은 이 사람 거라고요! 여러분들, 들으셨지요?」 나스따시야가 돈 다발을 가브릴라 곁에 두며 선언했다. 「이 사람은 돈을 가지러 뛰어들지 않고 잘 참아 냈어요! 그건 돈에 대한 욕심보다 자존심이 더 강하다는 얘기예요. 괜찮아요, 이 사람은 깨어날 거예요! 아니면 나를 난도질했을 거예요……. 자, 이제 정신이 드나 보군요. 장군님, 또쯔끼 씨, 다리야, 까쨔, 빠샤, 로고진, 들었지요? 이 돈 다발은 가브릴라의 것이 되었어요. 나는 이걸 보상으로 삼아 완전히 그의 소유로 돌리겠어요. 무슨 일이 있더라도 말이에요! 이 사람에게 말해 주세요. 이 돈 다발은 그 곁에 놔두세요……. 로고진, 가요! 자, 공작, 안녕히 계세요. 난 처음으로 인간다운 인간을 보았어요! 안녕히 계세요, 아파나시 이바노비치, 고마워요merci!」

로고진의 무리는 야단법석을 떨며 몇 개의 방을 거쳐 출구 쪽으로 나갔다. 모두들 로고진과 나스따시야의 뒤를 쫓아가고 있었다. 현관에서 하녀들이 그녀에게 코트를 내주었다. 식모인 마르파는 부엌에서 뛰어나왔다. 나스따시야는 그들 모두에게 키스를 해주었다.

「아씨 마님, 정말로 우리 곁을 떠나시는 건가요? 대체 어디로 가시려는 겁니까? 그것도 생신날에 말이에요!」 눈물을 흘리며 하녀들이 그녀의 손에 입을 맞추며 물었다.

「거리로 나갈 거다, 까쨔. 거기에도 내가 갈 곳이 있다는 것을 너도 들었지. 안 그러면 세탁을 하며 살아도 된단다! 이제 또쯔끼 씨한테 더 이상 신세를 질 수는 없는 노릇이야! 그 양반한테 그렇게 전해 다오. 그리고 나를 나쁘게 생각하지 마라…….」

공작은 건물 입구로 곧바로 달려갔다. 사람들은 이미 방울이 달린 4대의 삼두 마차에 나눠 타고 있었다. 장군은 계단에서 그를 따라잡을 수 있었다.

「공작, 정신차리시오!」 그는 공작의 팔을 붙잡고 말했다. 「포기해요! 저 여자가 어떤 여자인 줄 봤잖소! 아버지 같은 입장에서 말하는 거요…….」

공작은 그를 흘끗 쳐다보았으나 한마디도 하지 않은 채 그의 손을 뿌리치고 아래로 뛰어갔다.

방금 삼두 마차들이 떠나가 버린 집 입구에서 장군은 공작을 바라보고 있었다. 공작은 다가오는 첫번째 마부를 붙잡고 먼저 떠난 삼두 마차들을 쫓아 예까쩨린고프 공원으로 가자고 소리쳤다. 곧 회색 말이 이끄는 마차가 다가와서 장군을 집으로 데려갔다. 장군은 새로운 희망과 계산을 하며, 그 와중에서도 진주를 챙기는 것을 결코 잊지 않았다. 여러 계산 중에는 나스따시야의 매혹적인 모습도 두 번 가량 어른거렸다. 장군은 한숨을 쉬었다.

「안타까워! 정말로 안타까워! 파멸한 여자야! 미쳐 버리고 말았어! 아무튼 지금 공작에게 필요한 건 나스따시야가 아냐…….」

나스따시야의 파티에 참석했다가 잠깐 동안 함께 걸어가기로 했던 두 손님이 그와 유사한 교훈적인 덕담과 송별의 말을 나누었다.

「그런데 또쯔끼 씨, 사람들 말에 따르면 그와 같은 일이 일본인들 사이에서 간혹 일어나곤 한다더군요.」 쁘찌찐이 말했다. 「모욕을 당한 자가 모욕을 가한 자를 찾아가서 〈너는 나를 모욕했다. 그래서 나는 네가 보는 데서 나의 배를 가르기 위해 왔다〉고 선언한다는 거예요. 그러고는 정말로 모욕을 가한 자 앞에서 자기의 배를 칼로 가르고 극도의 만족감을 느끼며 확실한 복수를 했다고 생각한다는 겁니다. 세상에는 별의별 사람들이 다 있는 법이에요, 또쯔끼 씨!」

「당신은 오늘 같은 사건 속에 그와 유사한 게 있다는 얘기군요.」 또쯔끼는 미소를 띠며 대답했다. 「흠! 당신은 재치가 있어……. 아주 훌륭한 비유를 했어. 하지만 친애하는 이반 뻬뜨로비치, 당신은 내가 할 수 있는 모든 것을 다 했다는 사실을 알지요? 실현 불가능한 것까지 할 수는 없는 노릇이 아니겠소? 어때요, 내 생각이 맞나요? 하지만 이 여자에게 대단한 자질이…… 탁월한 특성이 있다는 것에 대해서는 인정을 하시오. 나는 소동 같은 그 난장판 속에서 무례하게 굴 수만 있었다면, 그녀에게 소리를 질렀을 거요. 그녀가 내게 퍼부은 모든 비난에 대한 가장 좋은 내 변명은 그녀 자신이라고 말이오. 하기야 복잡한 생각을 다 걷어치운다면 그런 여자의 포로가 되지 않을 사람이 누가 있겠소? 돈 꾸러미를 싸다 그녀에게 바친 로고진이란 촌놈을 보시오! 오늘 거기서 벌어졌던 모든 일이 무상하고, 낭만적이고, 상스럽다 하더라도, 그건 아주 독창적이고 색깔 있는 일이오, 안 그렇소? 그런 성격과 미모가 어우러지면 무슨 일인들 안 일어나겠소? 하지만 나의 노력과 교육에도 불구하고 모든 게 파멸이오! 가공을 하지 않은 다이아몬드, 나는 이 말을 수차례나 했었지요…….」

아파나시 이바노비치 또쯔끼는 깊은 한숨을 내쉬었다.

2
제2부

1

제1부의 말미를 장식했던 나스따시야 필리뽀브나의 파티에서 일어난 이상한 사건이 있고 난 이틀쯤 후에 미쉬낀 공작은 서둘러 모스끄바로 떠났다. 예기치 못했던 유산 상속 문제 때문이었다. 사람들의 말에 따르면, 그때 그가 출발을 그렇게 서둘렀던 데에는 또 다른 이유가 있었다고 했다. 그러나 거기에 대해서는 뻬쩨르부르그를 떠난 이래 모스끄바에서 벌어진 공작의 모험과 마찬가지로 별로 전해 줄 정보가 없다. 공작은 정확히 6개월 동안 떨어져 있었으므로, 그의 운명에 흥미를 느낄 만한 이유를 가진 사람들조차 이 기간 동안에는 그에 관해 지나칠 정도로 아무 소식도 들을 수 없었다. 자주 있는 일은 아니었으나 아주 간간이 그에 관한 어떤 풍문을 접한 사람들이 있었지만, 그런 풍문도 사람들에 따라 말이 다르기가 일쑤였다. 누구보다 공작에 대해 관심을 가지고 있던 사람들은 물론 예빤친 장군 가족들이었다. 공작은 모스끄바로 가면서 이들 가족과 작별 인사조차 제대로 나누지 못했다. 그러나 장군은 그런 와중에도 공작을 두세 번 만나 보았다. 이들은 만나서 무언가에 대해 심각하게 상의를 하곤 했다. 예빤친 장군은 그렇게 공작과 만났으면서도 가족에게는 거기에 대해 아무런 말도 해주지 않았다. 공작이 떠난 후 처음 얼마 동안, 그러니까 거의 한 달 가량이나 예빤친 장군의 집에서는 공작에

관해 입을 열 수 있는 상황이 아니었다. 다만 장군 부인 리자베따 쁘로꼬피예브나만이 맨 처음에는 〈내가 공작을 잘못 봐도 한참 잘못 봤어!〉라고 말했을 따름이었다. 그리고 이틀인가 사흘 후에는 정확히 이름을 거명하지는 않았지만 다음과 같이 덧붙였다. 〈난 평생 살아오면서 사람들을 잘못 보는 게 커다란 흠이야.〉 그리고 마침내 열흘쯤 후에는 딸들에게 무언가 잔뜩 화가 나 있는 표정으로 결론을 지었다. 〈이제 실수도 할 만큼 했어! 더 이상 그런 실수는 안 할 거야!〉 한 가지 지적해 두지 않으면 안 될 것은, 이들의 집안에서 이때 아주 살벌한 분위기가 상당히 오랫동안 가시지 않았다는 사실이다. 무언가 짜증스럽고, 긴장되고, 입 밖으로 차마 내뱉을 수 없는 논쟁의 여지가 존재하고 있었다. 모두들 이맛살을 찌푸리고 살았으니 말이다. 장군은 밤낮, 사업 관계로 분주했다. 이때처럼 바쁘고 활동적인 때도 드물었는데, 특히 공무로 바빴다. 집안 식구들마저 그의 얼굴을 보기가 힘들 정도였다. 예빤친 장군의 딸들도 공작에 관해서는 한마디도 입 밖에 내지 않았다. 아마 그들은 자기네들끼리 있을 때에도 지나치게 언급을 자제했을 것이다. 이 아가씨들은 거만할 정도로 자존심이 강해서 자기네들 사이에서도 때로는 수치심을 느낄 정도였다. 이들은 첫마디가 아닌 첫번째 시선에서 이미 상대방의 의중을 이해하고 있을 정도라 구태여 많은 말을 할 필요가 없었다.

제3의 관찰자라면 다음과 같은 결론을 내렸을 것이다. 앞에서 얘기한 모든 정황으로 미루어 볼 때, 비록 그것이 적은 자료이지만 예빤친 장군의 가족들과 딱 한 번 만났던 공작이 그들에게 특이한 인상을 심어 준 것만은 틀림없었다. 어쩌면 그것은 공작의 기이한 행동에 대한 단순한 호기심에서 나온 것인지도 모르지만, 어찌 되었든 인상을 받은 것만은 사실이었다.

점차 도시에 퍼졌던 소문들은 미지의 암흑 속으로 묻혀 버리게 되었다. 어느 바보 공작에 대한 얘기가 회자되지 않았던 것은 아니었다. 하지만 그 바보 공작의 이름을 정확히 아는 사람은 아무도 없었다. 그 공작은 갑자기 엄청난 유산을 상속받아, 파리의 샤토데 플뢰르[54]의 유명한 캉캉 댄서 노릇을 하다 러시아로 온 프랑스 여자와 결혼했다는 설이 떠돌았다. 그러나 어떤 사람들은 공작이 아니라 어느 장군이 상속을 받았고, 프랑스 캉캉 댄서와 결혼한 것은 러시아의 어느 상인이자 대부호인데, 그는 결혼식 파티 때 술에 취해 객기를 부리다가 최근에 나온 70만 장의 복리 채권을 촛불에 태워 버렸다고 했다. 그러나 여러 가지 사정이 생겨 이 모든 소문들은 곧 잠잠해졌다. 무언가 얘기를 만들어 낼 수 있는 자들이 많이 끼여 있는 로고진 일행이 그를 앞장세우고 대거 모스끄바로 떠났다는 것이 그러한 사정의 한 예이다. 그것은 나스따시야도 참석했던 예까쩨린고프 공원에서의 지독한 술 파티가 있은 뒤로 정확히 1주일 후였다. 이 사건에 흥미를 가지고 있는 소수의 사람들은 나스따시야가 예까쩨린고프 사건 다음날 도망쳐서 자취를 감추었으나, 곧 모스끄바로 떠났다는 사실을 어느 풍문에서 들었다고 했다. 로고진이 모스끄바로 떠나게 된 것은 이러한 풍문을 어느 정도 뒷받침해 주고 있다는 것이었다.

아는 사람들 사이에서는 역시 상당히 유명했던 가브릴라 아르달리오노비치 이볼긴에 관한 소문도 떠돌아다녔다. 그러나 어떤 사정이 생긴 이후 소문은 잠잠해졌고, 나중에는 그에 관한 뒷공론들도 완전히 사라져 버렸다. 그는 심하게 병이 들어, 사교계는 물론이거니와 직장에도 나올 수 없게 되었다. 그는 한 달 가량 앓고 나서 건강을 회복했지만, 무슨 이유에서인지 직장을 그만두었고, 그래서 그의 자리는 다른 사람이 차지하게 되었다. 그는 예빤친 장군의 집에도 전혀 출입을 하지 않았으므로, 거기도 다른 관리가 대신하게 되었다. 가브릴라의 음해 세력들은 그가 얼마 전

54 〈무도회〉와 〈무도 음악회〉로 손님을 끌었던 유명한 발 마빌과 경쟁하던 곳. 비뉴드샤이오(지금의 베르네 가)의 샹젤리제에 있었다.

에 있었던 사건으로 몹시 당혹한 탓에 밖으로 나다니기가 창피해서 그런 것이라고 추정할 수 있었을 것이다. 하지만 가브릴라는 정말로 무슨 병에 걸려 우울증을 앓기까지 했으며 깊은 생각에 빠져서는 울화통을 터뜨리기도 했다. 그해 겨울 그의 누이동생 바르바라는 쁘찌찐과 결혼을 했다. 이들을 알고 있던 사람들은 이 혼인이 이루어진 배경에 대해 이렇게 풀이했다. 가브릴라가 더 이상 직장을 다니고 싶어하지 않았고, 더 이상 가족을 부양하지 않았을 뿐만 아니라, 그 스스로가 오히려 도움과 배려를 필요로 하는 상황이었기 때문이라고.

지나가는 말로 한마디 덧붙이면, 예빤친 장군의 집에서는 그런 인간이 자기네 집에는 물론, 마치 이 세상에조차 존재하지 않았던 것처럼 가브릴라에 대해 전혀 언급이 없었다. 그런데 이들은 모두 그에 관한 주목할 만한 소식을(그것도 아주 빨리) 알아내었다. 절대 절명적이었던 그날 밤, 나스따시야 필리뽀브나의 집에서 불쾌한 사건이 있고 난 후 집에 돌아온 가브릴라는 잠을 이룰 수 없었다. 그는 초조해서 어쩔 줄 모르는 표정으로 공작이 돌아올 때만 기다리기 시작했던 것이다. 예까쩨린고프 공원으로 떠났던 공작은 그곳에서 아침 5시가 되어서야 돌아왔다. 그때 가브릴라는 공작의 방으로 들어가 그가 기절했을 때 나스따시야가 선물로 준, 불에 그을은 돈 뭉치를 공작 앞의 탁자에 내려놓았다. 가브릴라는 공작에게 그 선물을 기회가 닿는 대로 나스따시야에게 되돌려 주라고 신신당부했다. 공작의 방으로 들어갈 때까지만 해도 그는 거의 절망감에 사로잡혀 있었고, 공작에게 대단한 적의를 품고 두 시간 가량이나 눌러 있으면서 시종일관 슬프게 울었다. 그러나 헤어질 때 그들은 다정한 친구 사이로 헤어졌다.

예빤친 가족 모두의 귀에 들어간 이 소식은 나중에 확인된 바지만 아주 정확한 소식이었다. 물론 그런 종류의 소식이 그처럼 빨리 퍼져 나가 사람들에게 알려질 수 있었다는 것은 이상한 일이었다. 예를 들어 나스따시야의 집에서 벌어졌던 사건만 해도 거의 다음날, 그것도 아주 상세하게 예빤친 가족에게 알려졌다. 가브릴라에 얽힌 소식에 관해서는 그의 누이동생인 바르바라가 예빤친 네 사람들에게 말해 주었을 가능성이 컸다. 바르바라는 어떻게 된 일인지 갑자기 예빤친 장군의 딸들을 찾아다니기 시작하여, 그의 딸들과 급속도로 친해짐으로써 리자베따 쁘로꼬피예브나를 극히 놀라게 했을 정도였다. 그러나 무슨 이유 때문에 예빤친 가족과 가까이 사귀어야 할 필요성을 느꼈는지는 모르지만, 그들에게 오빠에 관해서는 얘기하고 싶지 않았을 것이다. 바르바라는 딸들이 어머니의 말을 안 듣고 제멋대로 살기 위해 변덕을 부리며 자신과 사귀는 것이라고 생각했기 때문이다. 그녀는 예빤친 장군의 딸들과 전부터 아는 사이였지만 그들과 만날 기회는 드물었다. 지금도 그녀는 예빤친 가족의 거실에는 거의 모습을 드러내지 않고 뒷계단을 통해 들어갔다가 도망치다시피 하며 나가곤 했다. 예빤친 장군의 부인인 리자베따 쁘로꼬피예브나는 바르바라의 어머니 니나 알렉산드로브나를 무척 존경했으나, 전이나 지금이나 바르바라를 초청한 적은 한번도 없었다. 리자베따 쁘로꼬피예브나는 바르바라의 출입에 대해 놀라기도 하고 화를 내기도 했다. 그녀 역시 딸들이 변덕스럽고 어머니 말을 안 듣고 자기 멋대로 살기 위해 일부러 바르바라와 사귄다고 생각했다. 그러나 바르바라는 시집가고 난 후에도 계속 그 집에 드나들었다.

그러나 공작이 떠나고 거의 한 달이 지나서 예빤친 장군 부인은 벨로꼰스끼 공작 부인에게서 편지를 받았다. 늙은 공작 부인은 결혼한 큰딸을 보러 2주일 전쯤에 모스끄바에 가 있었다. 그녀의 편지는 리자베따 쁘로꼬피예브나에게 분명히 충격을 주었다. 리자베따 쁘로꼬피예브나는 딸들이나 남편에게 이 편지에 대해 한마디 말도 꺼내지 않았다. 그러나 여러 가지 징후로 집안 식구들은 그녀가 웬지 평상시와 달리 동요하고, 심지어는 흥분해 있다는 것까지 눈치 채게 되었다. 그녀는 어색하게 딸들에게 말을 꺼내 보곤 했지만 결국 엉뚱한 얘기만 늘어놓았다. 그녀는 자기 속을 털어놓고 싶어하는 듯했으나 왜 그런지 꾹 참았다. 편지를 받은 날 그녀는 딸들에게 상냥하게 대했으며, 아글라야와 아젤라이다에게는 키스까지 해주었다. 그녀는 딸들에게 무언가 뉘우치는 태도를 보였지만, 딸들은 그게 무엇인지 알 수가 없었다. 심지어는 거의 한 달 가량 미워했던 예빤친 장군에게까지도 갑자기 고분고분해졌다. 물론 그 다음날에 그녀는 어제 보여 주었던 자신의 감상적인 태도에 화를 내며, 점심도 되기 전에 모든 식구들과 돌아가며 한바탕 언쟁을 벌였다. 그러나 저녁 무렵이 되어서는 다시 밝은 기분으로 되돌아왔다. 한마디로 그녀는 1주일 내내 명랑한 기분을 유지하고 있었는데, 그러한 그녀의 모습은 참으로 오랜만에 보는 것이었다.

그러나 1주일 후에 벨로꼰스끼 부인으로부터 또 한 통의 편지가 왔다. 이때 장군 부인은 속사정을 털어놓으려고 결심을 했다. 그녀는 의기양양하게 벨로꼰스끼 노파가(그녀는 본인이 없는 곳에서는 공작 부인이라는 칭호를 전혀 사용하지 않았다) 그 〈괴짜 공작〉에 관해 매우 고무적인 소식을 알려 왔다고 선포했다. 그 노파는 모스끄바에서 공작에 대해 수소문하여 그에 관한 소식을 찾고 있다가 무언가 아주 좋은 것을 알아냈다는 것이다. 공작이 마침내는 제발로 그녀를 찾아와 아주 특별한 인상을 심어 주었다고 했다. 〈틀림없이 그 노파가 매일 아침마다 한두 시간씩 공작을 자기 집으로 부르는 데다, 공작은 지금까지 아무런 싫증을 내지 않고 그 집을 들락거리고 있다〉고 장군 부인이 결론을 지었다. 또 그녀는 공작이 〈노파〉를 통해 두세 군데의 명문 가정을 출입하고 있다는 말을 덧붙였다. 〈공작이 한번 앉았다 하면 일어날 줄을 모른다든가 바보처럼 수치스러워하지 않는 건 잘된 일이야.〉 이런 소식을 전해 들은 딸들은 어머니가 편지 내용의 상당 부분을 숨기고 있다는 것을 눈치 챘다. 어쩌면 딸들은 그런 사실을 바르바라를 통해 알아낼 수 있었을 것이다. 바르바라는 공작과 그의 모스끄바 체류에 관해 쁘찌찐이 알고 있는 모든 것을 알아낼 수 있었고, 물론 알고 있기도 했다. 쁘찌찐은 다른 누구보다도 많은 것을 알 수 있었다. 쁘찌찐은 업무에 관한 한 무척이나 과묵한 사람이었지만, 바르바라에게만은 예외였다. 장군 부인은 그렇기 때문에 바르바라를 더욱 싫어했다.

어쨌든 침묵의 얼음은 깨졌고 공작에 관해서도 공공연하게 얘기할 수 있게 되었다. 게다가 공작이 예빤친 가족에게 불러일으킨 유별난 흥미와 독특한 인상이 다시 한번 선명하게 표출되었다. 장군 부인은 모스끄바 소식을 듣고 그녀의 딸들이 받은 충격에 경악을 금치 못할 정도였다. 딸들도 어머니에게 이만저만 놀라지 않았다. 당당하게 〈난 평생 살아오면서 사람들을 잘못 보는 게 커다란 흠이야〉라고 말하면서 침묵의 얼음이 녹고, 동시에 모스끄바의 〈실력가〉 벨로꼰스끼 노파에게 공작을 잘 좀 보살펴 달라고 당부를 했기 때문이다. 이건 작은 일이 아니었는데, 왜냐하면 그 〈노파〉는 부탁을 받는 경우에 못 들은 척하기를 좋아했기 때문에 리자베따 쁘로꼬피예브나는 꾸준히 그녀에게 자신의 부탁을 상기시켜야 했다.

얼음이 녹고 새로운 바람이 불어오자마자 장군도 서둘러서 말문을 열기 시작했다. 알고 보니 장군은 공작에 대해 유별난 관심을 보이고 있었다. 하지만 그는 오로지 〈일과 관련된 측면〉에 관해서만 말을 해주었다. 그는 공작을 보호한다는 구실로, 모스끄바 내에서 나름대로 영향력이 있는 믿을 만한 두 인물에게 공작과 그의 후견인인 살라즈낀을 예의 주시해 달라고 부탁해 놓았다. 유산에 얽힌 소문은 거짓이 아님이 판명되었으나, 유산 자체는 애초에 떠돌던 소문만큼 엄청나지는 않았다. 재산의 절반은 혼란스런 상태였다. 빚이 있는가 하면, 자기 돈이라고 주장하는 사람들이 나서기도 했다. 게다가 공작은 온갖 충고에도 불구하고 극히 비사무적으로 행동했다. 장군은 〈진심에서〉 공작의 그러한 행동에 관해 〈침묵의 얼음〉이 깨진 이상 〈물론, 그렇게 하라고 해〉라고 기쁘게 말했다. 〈그렇게 하는 게 그리 탐탁진 않지만, 그 사람에겐 그렇게 해줄 가치가 있어.〉 그러나 어찌 되었든 공작은 바보 같은 짓을 했다. 예를 들어 고인이 된 상인의 빚쟁이들이 도무지 납득할 수 없는 의심쩍은 서류를 들고 오거나 아니면 공작의 됨됨이에 관한 소문을 듣고 그냥 맨손으로 찾아오곤 했다. 그래서 어떻게 되었겠는가? 그런 식의 빚쟁이들에게는 돈을 요구할 아무런 권리가 없다고 친구들이 극구 만류했음에도 불구하고 공작은 거의 모든 사람들에게 섭섭하지 않을 만한 금액을 지불했다. 그는 이들 중 어떤 자는 정말로 고통을 받고 있는 것이 확실하다고 생각했기 때문이다.

장군 부인은 이러한 소식을 자기도 벨로꼰스끼 부인에게서 편지로 전해 들었다고 하면서, 〈그건 너무 멍청한 짓이야. 대단히 멍청해. 바보는 어쩔 수 없나 봐〉라고 신랄하게 덧붙이고는 〈바보〉의 그러한 행동에 내심 기뻐했다. 결국 장군은 자기 아내가 공작의 일에 친아들 일처럼 나서고 있고 그녀가 아글라야에게 웬일인지 유난히 상냥하게 대하기 시작했다는 것을 눈치 챘다. 이러한 상황에서 장군은 얼마 동안은 극히 사무적이고 근엄한 표정을 지었다.

그러나 이 유쾌한 분위기는 그리 오래가지 못했다. 2주일도 채 못 가서 무언가가 또다시 갑작스레 변했다. 장군 부인은 인상을 찌푸렸고 장군은 몇 번인가 어깨를 움찔거리다 다시 〈침묵의 얼음〉에 갇혀 버렸다. 그 자초지종은 이러했다. 2주일 전에 장군은 모스끄바에서 비밀리에 보고를 받았는데, 그것은 너무나 짤막해서 그다지 분명하지는 않았지만 나스따시야 필리뽀브나에 관한 한 정확한 것이었다. 그녀는 어딘가로 사라졌다가 모스끄바에서 로고진에게 붙잡혔다. 그러나 얼마 후에 그녀는 또다시 도망을 쳤다가 결국 로고진의 색출망에 걸려 그와 결혼하기로 거의 맹세에 가까운 약속을 했다는 것이었다. 그 후 겨우 2주일이 지났을 무렵 장군은 나스따시야가 결혼 전야에 세 번째로 도망쳤다는 전갈을 받았다. 이번에는 어느 시골로 자취를 감췄다고 했는데, 이때 모스끄바의 미쉬낀 공작도 자신의 모든 일을 살라즈낀에게 위임하고 사라졌다는 내용이었다. 장군은 공작이 〈그녀와 함께 갔는지, 그녀를 쫓아갔는지 알 순 없지만 거기에는 무슨 사연이 있을 거야〉라고 결론을 내렸다. 리자베따 쁘로꼬피예브나 역시 자신의 경로를 통해 유쾌하지 못한 소식을 접했다. 결국 공작이 집을 떠난 후 2개월이 지났을 때 뻬쩨르부르그에서 공작에 관한 소문은 더 이상 들리지 않았고, 예빤친 씨네 집에서도 그에 관한 〈침묵의 얼음〉이 더 이상 깨지지 않았다. 바르바라는 그래도 여전히 이 집의 딸들을 찾아오곤 했다.

이와 같은 소문들을 모두 종결짓기 위해 다음과 같은 사실을 덧붙여야겠다. 봄이 되었을 무렵 예빤친 네 가족에게는 대단히 많은 변화가 일어났다. 때문에 공작에 관해서 잊지 않을래야 않을 수가 없었다. 더구나 공작은 연락이 없었다. 어쩌면 의도적으로 소식을 전하지 않았는지도 모른다. 겨울이 지나는 동안 여름을 외국에서 보내자는 계획이 세워졌다. 물론 리자베따 쁘로꼬피예브나와 딸들에게만 관련되는 얘기였다. 장군은 그러한 〈여유〉에 시간을 낭비할 수가 없었다. 딸들이 집요하게 조른 끝에 결정이 내려졌다. 그들은 부모가 좋은 신랑감들을 놓칠까 봐 외국으로 놀러 가자는 자신들의 청을 들어주지 않을 거라고 굳게 믿고 있었다. 그러나 장군 부부는 좋은 신랑감을 외국에서도 만날 수 있을 뿐더러, 외국 여행이 딸자식들의 결혼에 해를 끼치지 않고 오히려 좋은 방향으로 촉진시켜 줄 수도 있다는 생각을 하게 되었는지도 모른다. 여기서 한 가지 언급해 둘 사실이 있다. 또쯔끼와 예빤친의 큰딸 사이에 오고 간 혼담은 완전히 수포로 돌아갔고, 남자 쪽에서 정식으로 청혼조차 하지 않았다. 이것은 별다른 대화나 가족간의 아무런 의견 대립도 없이 저절로 이루어졌다. 공작이 떠남과 동시에 이 모든 일은 양측 사이에서 없었던 일로 조용히 매듭지어진 것이다. 이러한 사정은 그 당시 예빤친 가족의 무거운 분위기를 더욱 무겁게 했다. 물론 장군 부인은 이제 〈두 손으로 성호를 그을 정도로〉 기쁘다고 말했다. 장군은 그다지 유쾌하지 않았지만, 일이 그렇게 된 데에는 자기 탓도 있다고 생각했다. 하지만 그는 오랫동안 시무룩해 있었다. 그는 또쯔끼를 놓치는 게 안타까웠다. 〈재산도 꽤 있고 수완도 있는 사람인데!〉 장군이 얼마 되지 않아서 알게 된 일이었지만, 또쯔끼가 프랑스에서 온 어느 후작 부인에게 반해서 결혼을 하고, 파리를 경유해 브르타뉴의 어느 지방으로 간다는 것이었다. 〈흠, 프랑스 여자와 가버리겠다는 거군.〉 장군은 이렇게 뇌까렸다.

예빤친 가족은 여름 휴가를 떠날 채비를 했다. 그런데 모든 것을 새롭게 뒤바꿔 놓은 사건이 터져, 할 수 없이 여행은 연기되었다. 장군 부부는 천만 다행이라고 여겼다. 모스끄바에서 아주 유명한, 물론 좋은 의미에서 아주 유명한 S공작이 뻬쩨르부르그를 방문한 것이었다. 그는 정직하고 겸손한 신세대 인사들 중의 한 사람이라고 할 수 있었다. 보통 신세대 인사들은 성실하고, 양심적으로 남들에게 유익한 일을 하길 원하며, 언제나 그런 일을 실천하면서 일거리를 찾아다녔으며, 흔치 않은 자질과 덕성으로 남들보다 두드러졌다. S공작은 잘난 척하는 법이 없었으며, 어느 극단에 치우치거나 쓸데없는 소리를 하지 않았고, 자신을 엘리트라고 여기지도 않았다. 하지만 그는 최근 사회에서 벌어지고 있는 많은 일들을 근본적으로 이해하고 있었다. 그는 처음에는 공직을 맡았고 나중에는 지방 자치 활동에 참여했다. 그 밖에도 그는 몇 군데 러시아 학술 단체의 유익한 임원 노릇을 하고 있었다. 그는 그와 친숙한 기술자와 공동으로 수집한 정보와 연구 자료를 근거로 해서 중요한 철도 부설 프로젝트에 좀 더 올바른 방향을 제시하기도 했다. 그는 서른다섯 살이었다. 그는 〈최고 상류층〉의 사람이었고 〈확고 부동한〉 재산을 꽤나 가지고 있었다. 장군은 상당히 중요한 모종의 업무로 그의 상관인 백작 집에서 그 공작을 만나 서로 인사를 나누게 되었다. 남다른 호기심을 가지고 있는 그 공작은 러시아의 〈사업가들〉과 사귀는 것을 마다한 적이 한번도 없었다. 그래서 장군의 가족과도 알고 지내게 되었다. 장군의 둘째 딸 아젤라이다는 그 공작에게 상당히 강한 인상을 주었다. 봄이 다가올 무렵 그 공작은 자신의 의사를 밝혔다. 아젤라이다와 어머니 리자베따 쁘로꼬피예브나는 그가 몹시 마음에 들었다. 장군은 매우 기뻐했다. 당연히 여행은 연기될 수밖에 없었다. 결혼 날짜가 봄으로 정해졌기 때문이었다.

그러나 여행은 한여름 아니면 늦여름쯤에 성사될 수도 있었다. 물론 아젤라이다를 떠나보내는 슬픔을 삭인다는 명목으로 리자베따 쁘로꼬피예브나가 나머지 두 딸을 데리고 한 달이나 두 달가량 잠시 쉬는 시간을 가지기 위해서였다. 그러나 늦봄이 되어서 무언가 새로운 일이 또다시 벌어졌다. 그래서 아젤라이다의 결혼식이 한여름으로 연기되었다. S공작은 먼 친척이면서 친하게 지내는 어떤 사람을 예빤친의 집으로 데려왔다. 그는 예브게니 빠블로비치 R이라는 사람이었다. 그는 아직 스물여덟 살쯤 되는 젊은이로서 그림같이 잘생긴 시종 무관이었다. 그는 또한 명문가 출신인 데다 기지가 풍부하고 뛰어난 교육을 받은 전도 유망한 신세대이면서, 훌륭한 교육을 받았고 일찍이 들어 본 적이 없는 재산을 소유했다. 특히 이 마지막 사항에 관한 한 장군은 언제나 신중했다. 장군은 조회를 했다. 〈정말로 그런 것 같아. 하지만 그래도 확인을 해봐야지.〉 이 젊고 전도 유망한 시종 무관은 모스끄바에 있는 벨로꼰스끼 노파에게서 극히 좋은 평을 받았다. 다만 한 가지 칭찬만이 약간 낯간지러울 뿐이었다. 다른 여성들과의 전력이 약간 있었고, 사람들 얘기에 따르면 불행한 여성들의 마음을 사로잡았었다는 설이었다. 그는 아글라야를 보고 아예 예빤친 네 집에 들어앉다시피 했다. 사실, 아직까지 아무런 말도 오가지 않았고, 어떠한 암시도 없었다. 그러나 장군 부부는 이번 여름에 외국 여행을 하지 않아도 되겠다는 생각을 한 듯했다. 그러나 아글라야 자신은 그와는 다른 생각을 하는 것 같았다.

이것은 우리 얘기의 주인공이 두 번째로 무대 위에 나타나기 직전에 있었던 일이었다. 바로 이 무렵쯤에 뻬쩨르부르그에서는 가엾은 공작에 관해서는 까맣게 잊어버린 상태였다. 만약 그가 아는 사람들 사이로 갑자기 나타났다면, 마치 하늘에서 떨어지기라도 한 것처럼 놀라 자빠졌을 것이다. 어쨌든 우리는 또 한 가지 사실을 전해 주고 그것으로 우리의 서론을 끝마치고자 한다.

니꼴라이 이볼긴은 공작이 떠나고 난 뒤 처음에는 이전과 같은 생활을 했다. 중학교를 다니고, 친구 이뽈리뜨를 찾아가고, 아버지 이볼긴 장군을 보살피고, 바르바라의 집안일을 도와 심부름을 해주는 것 등이 그것이다. 그러나 하숙인들은 금세 떠나 버렸다. 페르디쉬첸꼬는 나스따시야의 집에서 있었던 사건 후 3일이 지나자 어디론가 사라지고는 느닷없이 행방을 감춰 버렸다. 때문에 그에 관한 온갖 소문도 잠잠해졌다. 일설에 따르면 어딘가에서 술을 퍼마시며 산다고 하지만 그것도 확실치는 않았다. 공작은 모스끄바로 떠나가 버렸다. 따라서 하숙 치는 일은 그것으로 끝이 나버렸다. 나중에 바르바라가 결혼하자 어머니 니나 알렉산드로브나와 가브릴라는 함께 이즈마일로프스끼 연대[55] 근처에 있는

55 이즈마일로프스끼 연대라고 불리는 곳은 이즈마일로프스끼 연대의 중대들이 있었던(구 끄라스노메이에르스끼 거리) 뻬쩨르부르그의 구역과 연결되어 있었다. 도스또예프스끼는 이즈마일로프스끼 연대의 3중대가 있었던 이 구역에서 살았고, 1860년 3월부터 1861년 9월까지는 빨리바다의 집(지금은 끄라스노메이에르스끼 3가 5번지)에서 지냈다.

뻐찌찐의 집으로 이사했다. 이때 이볼긴 장군에게는 한번도 전례가 없었던 사건이 벌어졌다. 빚 때문에 감옥 신세를 지게 되었던 것이다. 그는 여자 친구인 대위 부인에 의해 감옥살이를 하게 되었다. 수차례에 걸쳐 써준 2천 루블 가량 되는 차용 증서가 화근이었다. 이러한 조치는 이볼긴으로서는 날벼락과 같은 일이었다. 가엾은 장군은 〈한마디로 말해 고결한 인정을 지나치게 믿다가 결국에는 그러한 인정의 희생자가 되었다〉. 그는 곤경에서 빠져나가기 위한 수단으로 버릇처럼 차용증과 어음에 서명을 해주었지만 그러한 서류들이 설마 효력을 발휘하리라고는 생각조차 못했다. 그러나 사정은 달랐다. 〈사람들을 알아보고 난 다음에 그들의 고결한 신뢰성을 믿어야 해!〉 장군은 따라소프 감옥[56]의 새로운 동료들과 함께 술 한 병을 놓고 앉아서 이렇게 개탄을 했다. 그러면서 장군은 그들에게 까르스 포위 작전과 소생한 병사에 관한 일화를 들려주었다. 어쨌든 그는 훌륭하게 감옥살이를 했다. 뻐찌찐과 바르바라는 그곳이야말로 장군에게 가장 적합한 장소라고 말했다. 가브릴라는 그 말이 완전히 사실임을 확인했다. 다만 가엾은 어머니 니나 혼자서만 슬피 흐느껴 울 따름이었다. 집안 식구들은 어머니의 그런 태도에 놀라기까지 했다. 니나는 지병을 앓으면서도 틈이 날 때마다 남편을 면회하러 이즈마일로프스끼 연대를 찾아갔다.

이 집안의 막내 아들 니꼴라이는 〈장군의 사건〉(니꼴라이는 그 사건을 이렇게 불렀다)이 있고 난 후에, 아니 그보다는 누이 바르바라가 결혼을 하고 난 후부터 가족들과 거의 완전히 벽을 쌓고 지냈으며, 최근 들어서는 아예 잠자러 집에 들어가는 일조차 드물게 되었다. 소문에 따르면 그는 여러 사람들과 대인 관계를 맺기 시작했다. 게다가 그는 채무 감옥에서도 지나치리만큼 유명해

56 뻬쩨르부르그에 있는 악질적인 채무자를 가두는 감옥을 이렇게 불렀다. 따라소프라는 명칭은 그 감옥이 위치해 있던 구역에서 따온 것이다.

졌다. 어머니 니나는 그가 없이는 그곳에 갈 수 없었기 때문이었다. 그러나 집에서는 호기심에서라도 그를 건드리는 사람이 없었다. 예전에는 그에게 그토록 엄격하게 대했던 바르바라마저 지금은 그의 방황에 대해 아무런 잔소리도 하지 않았다. 그런데 뜻밖에도 가브릴라는 우울증에 시달리고 있었음에도 불구하고 동생 니꼴라이와 아주 다정하게 친구처럼 지내게 되었다. 전에는 이런 일이 전혀 없었는데, 그것은 스물일곱 살의 가브릴라가 열다섯 살밖에 되지 않은 동생에게 어떤 따뜻한 관심도 보여 주지 않았기 때문이다. 가브릴라는 전에는 동생을 거칠게 다뤘고, 집안 식구들에게도 그를 아주 엄하게 다스리라고 요구했으며, 언제나 〈혼을 내겠다〉고 으름장을 놓았다. 형의 그러한 태도로 니꼴라이는 〈인간 인내심의 마지막 한계〉에까지 도달하게 되었다. 그러나 지금의 니꼴라이는 이따금 가브릴라에게 없어서는 안 될 존재가 되었다고 할 수가 있었다. 니꼴라이는 형이 돈을 나스따시야에게 되돌려 주었을 때 적지 않게 놀랐다. 이러한 행위 하나로 니꼴라이는 형 가브릴라의 많은 것을 용서해 줄 준비가 되었던 것이다.

공작이 떠나가고 3개월 가량 지났을 때, 이볼긴의 가족들은 갑자기 니꼴라이가 예빤친 가의 사람들을 사귀게 되어 그 집 딸들에게 지극한 환대를 받고 있다는 말을 들었다. 바르바라는 신속하게 그 사실을 알아냈다. 그러나 니꼴라이는 누나인 바르바라를 통해서가 아니라 본인이 직접 교제를 텄다. 예빤친 가의 사람들은 차츰차츰 그를 좋아하게 되었다. 리자베따 쁘로꼬피예브나는 처음에는 니꼴라이를 매우 탐탁지 않게 생각했으나 차츰 〈솔직하고 아부를 하지 않는다〉며 호감을 갖기 시작했다. 니꼴라이가 아부를 하지 않는다는 것은 전적으로 맞는 말이었다. 그는 이따금 장군 부인에게 책이나 신문 등을 읽어 주기는 했지만 이들 가족 앞에서 대등하고 떳떳하게 행동했다. 그러면서 언제나 친절을 베풀곤 했다. 하지만 그는 두 번 정도 리자베따 쁘로꼬피예브나 부인과 심하게 다툰 적이 있었다. 이때 그는 리자베따 쁘로꼬피예브나가 독재자라서 더 이상 그녀의 집에는 발도 들여놓지 않겠노라고 선언했다. 첫번째 말다툼은 〈여성 문제〉에서 비롯되었고, 두번째 말다툼은 어떤 계절에 검은방울새를 가장 잘 잡을 수 있는가 하는 문제에서 시작되었다. 믿지 않을지 모르지만 장군 부인은 말다툼을 하고 난 3일 뒤에 하인을 시켜 즉시 그녀를 방문해 달라고 부탁하는 전갈을 보냈다. 아글라야 혼자만은 왜 그런지 몰라도 그를 좋아하지 않아, 깔보는 듯한 태도를 취했다. 그러나 그녀에게는 니꼴라이에 의해 적잖이 놀라게 될 일이 기다리고 있었다. 부활제 직전의 일이었다. 니꼴라이가 홀로 있는 아글라야에게 편지를 전해 주며 그것을 아무도 모르게 전해 달라는 청을 받았다는 말만 했다. 아글라야는 〈건방진 꼬마〉를 쏘아보았다. 그러나 니꼴라이는 거기에 개의치 않고 밖으로 나가 버렸다. 그녀는 편지를 뜯어 읽어 보았다.

언젠가 당신은 나를 믿어 주었습니다. 아마 당신은 이제 나를 완전히 잊으셨겠지요. 어떻게 당신에게 펜을 들게 되었느냐고요. 나도 모르겠습니다. 하지만 당신에게, 누구보다 당신에게 나를 상기시켜 주고픈 억제할 수 없는 바람이 생겼습니다. 당신들 세 분이 내게 얼마나 필요한 존재인지 모르겠습니다. 그러나 나는 누구보다도 당신만을 생각합니다. 나에게 필요한 분, 가장 필요한 분은 당신입니다. 나는 단지 당신이 행복해지길 간절히 바라고 있습니다. 지금 행복하신가요? 이것이 내가 당신에게 묻고 싶은 말입니다.

당신의 형제 미쉬낀 공작

아글라야는 이 짤막하고 무의미한 편지를 읽고 갑자기 얼굴을 확 붉히더니 이내 생각에 잠겼다. 꼬리에 꼬리를 물고 일어나는 그녀의 생각을 따라가기는 힘든 노릇이다. 여하튼 그녀는 자신에게 물었다. 〈이걸 누구에게 보여 줄까 말까?〉 그녀는 어쩐지 부끄러운 마음이 들었다. 그녀는 경멸적이고 야릇한 미소를 띤 채 편지를 그녀의 책상 속에 집어넣은 것으로 마무리를 지었다. 그러다가 다음날 다시 편지를 꺼내어 가죽으로 단단하게 장정된 두툼한 책갈피 속에 집어넣었다(그녀는 자기의 서류를 필요시에 빨리 찾을 수 있도록 언제나 그렇게 보관하곤 했다). 그런지 불과 일주일 후에 그녀는 어느 책에 편지를 끼워 두었는지 살펴보게 되었다. 그 책은 『라만차의 돈키호테』였다. 아글라야는 배를 잡고 깔깔 웃어 댔다. 왜 그렇게 웃어 댔는지는 모를 일이었다.

그녀가 이 편지를 어느 언니한테 보여 주었는지도 알 수 없다.

그러나 다시 편지를 읽고 나니까 문득 떠오르는 게 있었다. 혹시 이 건방진 꼬마가 공작의 뻬쩨르부르그 연락책으로 발탁된 것이 아닐까? 어쩌면 이곳에서 가장 유일한 연락책으로 말이다. 유난히 깔보는 듯한 표정을 지었지만 그녀는 그 사실을 캐묻기 위해 소년을 불렀다. 그러나 늘 화를 잘 내는 이 〈꼬마〉가 이번에는 그처럼 무시하는 태도에 조금도 개의치 않고, 극히 간략하고 무뚝뚝하게 아글라야에게 설명을 해주었다. 설명인즉, 공작이 뻬쩨르부르그를 떠날 때 소년이 만약의 경우를 대비해 그에게 주소를 알려 주며 시킬 일이 있으면 자기가 해주겠다고 말했지만, 이번이 공작에게서 받은 최초의 사명이고 최초의 편지였다고 했다. 그 증거로 소년은 그가 직접 받은 한 통의 편지를 보여 주었다. 아글라야는 주저하는 기색도 없이 받아 읽었다. 니꼴라이에게 보낸 편지에는 이렇게 씌어 있었다.

니꼴라이 군, 여기 동봉한 편지를 아글라야에게 꼭 좀 전해 주게. 그럼 건강을 빌겠네.

자네를 아끼는 미쉬낀 공작

「어쨌든 이런 애송이를 신임한다는 게 우스워.」 아글라야는 니꼴라이에게 그 메모를 되돌려 주며 아니꼽다는 듯이 말했다. 그러고는 경멸적인 태도를 보이며 그의 옆으로 지나갔다.

니꼴라이는 더 이상 참을 수가 없었다. 이런 꼴을 당하지 않으려고 가브릴라에게 이유도 밝히지 않고 졸라서 빌려 온 초록색 새 목도리까지 두르고 있었는데도 수모를 당한 것이었다. 그는 몹시 기분이 상했다.

2

6월 초순이었다. 1주일 간 뻬쩨르부르그의 날씨는 보기 드물 정도로 화사했다. 예빤친 가족은 빠블로프스끄[57]에 호화 별장을 가지고 있었다. 리자베따 쁘로꼬피예브나는 갑자기 마음이 들떠서 이틀 동안 부산스럽게 준비하여 그곳으로 옮겨 갔다.

그곳으로 떠난 후 다음날인가 그 다음날인가에 레프 니꼴라예비치 미쉬낀 공작이 모스끄바에서 새벽 기차로 올라왔다. 정거장으로 그를 마중 나간 이는 아무도 없었다. 그러나 공작은 객차에서 내려오는 순간, 여행객들을 에워싼 군중 사이에서 누군가의 두 눈에서 나오는 불타는 듯한 이상한 시선을 문득 느꼈다. 그러나 그가 정신을 차려 주의 깊게 바라보았을 때는 더 이상 아무것도 없었다. 물론 그렇게 느껴졌을 뿐이었다. 그러나 불길한 인상이 남는 것은 어쩔 수 없었다. 그러잖아도 공작은 우울해 있었고, 무언가 걱정거리가 있어서 가라앉아 있는 상태였다.

마부는 리쩨이나야 가에서 멀지 않은 어느 여관으로 그를 데려다 주었다. 허름한 여관이었다. 공작은 컴컴하고 가구가 형편없

57 상뜨 뻬쩨르부르그 부근의 작은 도시. 별장들이 밀집해 있는 이곳은 이 지역과 짜르스꼬예 셀로 사이에 펼쳐져 있는 넓은 공원 덕에 매우 쾌적하다.

는 조그만 방 두 개를 잡았다. 공작은 세수를 하고 옷을 갈아입은 뒤 아무 말도 묻지 않고 밖으로 나왔다. 마치 시간에 쫓기거나 누군가를 집에서 만나지 못할까 봐 초조해 하는 듯했다.

반년 전에 공작이 뻬쩨르부르그에 처음으로 도착했을 때의 모습을 보았던 사람이 만약 지금의 그를 보았다면, 차림새가 훨씬 좋아졌다고 말할 것이다. 그러나 사실은 전혀 그렇지 않았다. 그때와 옷차림만 바뀌었을 뿐이었다. 그는 모스끄바의 일류 재봉사가 만든 옷을 입고 있었다. 그러나 그 옷에도 흠이 없진 않았다. 지나치게 유행에 따라 만든 옷인데(그다지 솜씨가 좋지 않은, 하지만 양심적인 재봉사들은 언제나 그런 식으로 옷을 짓지만), 공작은 유행 따위엔 아무런 관심이 없는 사람이었던 것이다. 아주 잘 웃는 사람이 유심히 공작을 쳐다보면 아마 웃음이 저절로 나올 것이다. 하지만 살다 보면 웃을 일이 어디 한두 가지겠는가?

공작은 마차를 잡아 타고 뻬스끼[58]로 향했다. 그는 로쥐제스뜨벤스끼 거리에 와서 곧 어느 작은 목조 가옥을 찾았다. 이 집은 공작을 놀라게 할 만큼 아름다웠다. 깨끗하고, 꽃이 자라나는 화단까지 갖춘, 정돈이 잘 되어 있는 집이었다. 창문은 거리를 향해 열려 있었는데, 거기에서는 줄곧 날카로운 말소리가 들려왔다. 고함에 가까운 소리였다. 누군가가 큰 소리로 책을 읽고 있거나 연설을 하고 있는 모양이었다. 그 목소리는 드문드문 커다랗게 들려오는 몇몇 사람들의 웃음소리로 끊기곤 했다. 공작은 마당에서 출입 계단으로 올라가 레베제프 씨가 있느냐고 물었다.

「네, 저기들 있어요.」 양 소매를 팔꿈치까지 걷어 올린 식모가 문을 열어 주었다. 그녀는 손가락으로 〈거실〉을 가리켰다.

질푸른색 벽지를 발라 깨끗해 보이는 그 거실 안의 장식은 어딘지 허식적인 데가 있어 보였다. 둥근 탁자와 긴 의자, 뚜껑이

58 상뜨 뻬쩨르부르그 동쪽 지역. 주로 서민들이 살던 곳.

달린 청동 시계, 창문 사이에 걸어 놓은 길쭉하고 단순한 거울, 천장에서 청동 사슬을 타고 내려온 유리알들이 박힌 구식 샹들리에 등이 그러했다. 거실 한가운데는 공작 쪽으로 등을 돌리고 서 있는 레베제프 씨가 있었다. 그는 여름에 흔히 그러하듯이 상의를 입지 않고 조끼만 걸친 채 자기의 가슴을 치며 무슨 테마에 관해서인지 비통하게 연설을 하고 있었다. 몇 명의 청중들이 있었다. 꽤나 명랑하고 똑똑해 보이는 열다섯 살 가량의 소년이 양손에 책을 들고 있었고, 상복을 입고 어린아이를 가슴에 안고 있는 스무 살쯤 되어 보이는 아가씨와 역시 상복을 입고 요란하게 웃을 때마다 유난히 입을 크게 벌리는 열세 살짜리 소녀가 있었다. 그리고 마지막으로 몹시 괴팍스러워 보이는 스무 살이 채 안 된 듯한 거무스레한 얼굴의 상당한 미남 청년이 긴 의자에 누워 있었다. 그는 숱이 많은 장발에 검고 커다란 눈을 하고 있었으며, 가뭇가뭇 자라기 시작한 구레나룻과 턱수염을 기르고 있었다. 이 청년은 연설을 하고 있던 레베제프의 말을 자주 가로막고 그와 논쟁을 벌였던 것 같다. 그래서 나머지 청중이 웃어 대곤 했던 모양이다. 「루끼얀 레베제프! 루끼얀 레베제프! 그럴 수가 있어요? 여기 봐요! 그만 좀 하라고요!」

식모는 두 손을 흔들며 얼굴이 온통 붉어질 정도로 화를 내곤 나가 버렸다.

레베제프는 뒤돌아보았다. 그는 공작을 보고 마치 갑작스레 벼락에 맞은 사람처럼 순간 마비 상태로 서 있다가 비굴한 미소를 지으며 그에게 달려들었다. 그러나 중간에 다시 얼어붙은 듯 멈칫 서 있다가 힘을 내어 말했다.

「고 — 공작 각하!」

그러나 갑자기, 아직까지 몸을 추스릴 힘을 얻지 못했는지, 이렇다 할 이유도 없이 갓난아이를 안고 있는 상복의 아가씨를 향해 달려갔다. 그 아가씨는 엉겁결에 약간 비틀거리기까지 했다. 그러더니 레베제프는 처녀를 그대로 놔두고 열세 살짜리 소녀에게로 달려갔다. 그녀는 다음 방으로 통하는 문턱에 서서 계속 웃고 있던 참이었다. 그녀는 참지 못하고 그만 비명을 지르면서, 곧바로 부엌으로 뛰어 들어갔다. 레베제프는 그녀 쪽을 향해 위협을 하듯 발을 동동 구르기조차 했다. 그러나 어리둥절한 표정을 짓고 있던 공작의 시선과 마주치더니 해명을 하기 시작했다.

「겨 — 경의를 표시하려고 그랬습죠. 헤 — 헤 — 헤!」

「글쎄, 그럴 필요까진…….」 공작이 말을 꺼내려 했다.

「잠깐, 잠깐…… 바람처럼 금방 돌아올게요!」

레베제프는 재빨리 방에서 사라졌다. 어리둥절해 있는 공작은 아가씨와 소년, 긴 의자에 누워 있는 청년을 바라보았다. 이들은 모두 웃고 있었다. 공작도 따라서 웃었다.

「연미복으로 갈아입으러 가신 거예요.」 소년이 말했다.

「그것 참 낭패로군.」 공작이 말문을 열었다. 「내 생각엔 그저…… 말해 줘요. 그 사람은…….」

「술에 취했다고 생각하시는 거지요?」 긴 의자에서 목소리가 들렸다. 「말짱해요! 정말 서너 잔, 아니면 다섯 잔 정도 했을까요. 하지만 그 정도는 기본이에요.」

공작은 긴 의자에서 들리는 목소리 쪽을 향해 말을 하려 했으나, 아가씨가 말을 하기 시작했다. 그녀는 아주 솔직해 보이는 표정을 지으며 귀여운 얼굴로 말했다.

「아침에는 많이 마시는 적이 결코 없어요. 아버지에게 무슨 용무가 있으시면 지금 말씀하세요. 지금이 아주 좋아요. 저녁때 돌아오시게 되면 술에 취해 있으니까요. 그런데 요즘엔 밤이 되면 눈물을 흘리시며 우리에게 성서를 읽어 주세요. 어머니가 5주일 전에 돌아가셔서 그래요.」

「사실 그 사람이 도망친 것은 당신에게 둘러대기가 곤란하기 때문이에요.」 청년이 의자에 누운 채로 웃기 시작했다. 「그 사람은 지금 당신을 속일 꿍꿍이셈을 하고 있어요. 거기에 대해 내기해도 좋아요.」

「겨우 5주일밖에 안 됐어요! 겨우 5주일이에요!」 레베제프가 벌써 연미복으로 갈아입고 돌아오며 되받아서 말했다. 그는 눈을 깜박이며 흐르는 눈물을 닦으려고 주머니에서 손수건을 꺼냈다. 「모두 고아들이에요!」

「아니, 왜 그렇게 구멍이 난 옷을 입고 나왔어요?」 아가씨가 말했다. 「저 문 위에 새 양복이 있는데 그걸 못 보셨어요?」

「조용히 하지 못해, 이 등신아!」 레베제프가 그녀에게 소리를 질렀다. 「요것이!」 그는 그녀를 향해 발을 굴러 을러 댔다. 이때 그녀가 웃음을 터뜨렸다.

「누구에게 그리 겁을 주는 거예요. 나는 따냐[59]가 아니에요. 내가 뭐 도망갈 줄 알고요? 그러다간 류보치까[60]를 깨우겠어요. 그렇게 언성을 높이다가 경기라도 하면 어떻게 하려고 그래요!」

「그 — 그 — 그만! 쓸데없는 소리 하지 마라.」 레베제프는 갑자기 몹시 놀라는 표정을 짓더니 딸의 품속에서 잠을 자던 어린아이에게 뛰어가 겁먹은 얼굴로 서너 번 성호를 그어 주었다. 「하느님, 제발 굽어 살펴 주세요. 이 젖먹이는 나의 딸 류보치까입니다.」 그는 공작을 향해 말했다. 「이 애는 해산 중에 숨진 나의 법적인 아내 엘레나에게서 출생했습니다. 그리고 여기 상복을 입고 있는 말라깽이는 내 딸 베라입니다…… 그리고 여기 이 녀석, 이 녀석은…….」

「뭘 그리 질질 끌어요?」 청년이 소리쳤다. 「당황하지 말고 계속하라고요.」

「어르신!」 레베제프는 갑자기 발작을 하듯 외쳤다. 「제마린 일

59 따찌야나의 애칭.

60 류보프의 애칭. 류보프는 〈사랑〉이라는 뜻이다. 신덕(神德)을 나타내는 다른 두 가지 이름, 〈믿음〉을 뜻하는 베라, 〈소망〉을 뜻하는 나제쥐다도 매우 흔한 이름이다. 도스또예프스끼 자신의 딸도 이름이 류보프였다.

가 살해 사건[61]에 대해 신문에서 읽으셨지요?」

「읽었어요.」 공작은 약간 놀라는 기색으로 대답했다.

「바로 이 녀석이 제마린 일가 살해 사건의 주범이에요. 바로 이 놈이 그런 짓을 저질렀습죠.」

「그게 무슨 소리예요?」 공작이 말했다.

「비유적으로 말하자면, 만약 그런 사건이 재연된다면, 제2의 제마린 일가의 살해범이란 말이죠. 바로 그런 짓을 할 준비가 되어 있으니까요…….」

모두들 웃음을 터뜨렸다. 공작의 머릿속에 떠오르는 생각이 있었다. 〈레베제프가 횡설수설하며 나를 잡아 둘 생각으로 정말로 저렇게 엉뚱한 소리를 늘어놓고 있는 게 아닐까?〉

「저 아이는 지금 반항을 하고 있는 거예요!」 레베제프가 더 이상 자제하기 어렵다는 듯이 소리쳤다. 「모반을 꾸미고 있다고요! 과연 내가 함부로 독설을 털어놓는 저런 놈을, 저렇게 방탕한 깡패 녀석을 하나밖에 없는 조카라고 또 죽은 누이의 유일한 혈육이라고 간주해야 된단 말입니까?」

「그만 하세요. 아주 취해 버렸군요! 공작 믿으시겠어요? 지금 우리 아저씨라는 사람은 변호사업을 하려고 송사(訟事)를 찾아다니고 있어요. 그래서 웅변을 하고 집에다 아이들을 모아 놓고 고급어를 쓰고 있어요. 5일 전에는 판사들 앞에서 변론을 맡았어요. 글쎄 누굴 변호했는지 아시겠어요? 날강도 같은 고리대금업자에게 전재산인 5백 루블을 착복당해 그걸 찾아 달라고 애걸복걸하는 어느 할머니가 아니라, 바로 그 고리대금업자 녀석이었어요. 그 고리대금업자는 자이들레르라고 하는 유대 인인데 우리 변호사 아저씨에게 50루블을 주기로 했다나요…….」

「이기면 50루블이고 지면 5루블이란다.」 갑자기 레베제프가

61 김나지움 학생 비똘드 고르스끼의 대(大)상인 제마린 일가 살해 사건을 지칭하고 있다.

목소리를 정반대로 바꾸어 해명했다. 언제 소리를 쳤느냐는 식이었다.

「어쨌든, 헛소리 같은 말만 늘어놓았어요. 재판은 이제 옛날에 하던 방식과 달라서 아저씨가 하는 변론은 조롱만 받았을 뿐이었어요. 하지만 매우 흡족해 하더라고요. 뭐라고 말했는지 들어 보세요. 〈공평무사한 재판관 여러분, 정직하게 노동으로 먹고 사는 앉은뱅이 불쌍한 노인이 마지막 양식을 박탈당하기 직전에 있다는 사실을 기억해 주십시오. 《재판엔 관용이 최우선이다》[62]라는 어느 입법자의 현명한 말을 기억해 주십시오.〉 믿으실지 모르겠지만, 아저씨는 매일 아침 법정에서 한 그 소리를 토씨 한 자 안 틀리고 되풀이하고 있어요. 오늘로 다섯 번째예요. 바로 당신이 오시기 직전에 우리에게 그 연설을 하고 있었어요. 그 연설이 그만큼 마음에 들었단 얘기지요. 자기 도취에 빠져 버린 거라고요. 그리고 이젠 누굴 변호하려고 하는 줄 아세요? 당신은 미쉬낀 공작 같은데요? 니꼴라이가 당신에 관해 말해 주었어요. 이 세상에서 당신보다 더 현명한 사람은 여태껏 만나 보지 못했다고 했어요…….」

「맞아! 맞아! 이 세상에 공작보다 더 현명한 분은 없어!」 레베제프가 곧바로 말을 받았다.

「글쎄, 그 말은 약간 과장이라고 해두지요. 어떤 사람은 당신을 좋아하고, 또 어떤 이는 당신에게 아첨을 해요. 하지만 나는 당신에게 아부할 의도는 없어요. 그 점 미리 알아 두었으면 해요. 그렇지만 당신은 분별력이 없는 분이 아니니까, 나하고 아저씨를 판가름해 주세요. 공작이 우리 중 누가 옳은지 판단을 해주는 것에 대해 찬성하지요?」 청년은 외숙에게 말했다. 「공작이 마침 이렇게 오셔서 나는 매우 기뻐요.」

「찬성이다!」 레베제프가 단호하게 소리치며 얼떨결에 나머지

62 이 유명한 문구는 새 소송 법률을 공표한 1864년 11월 24일의 황제 칙령에 나온다.

청중을 둘러보았다. 청중은 다시 모여들기 시작했다.

「그게 무슨 일인데요?」 공작은 양미간을 찌푸렸다.

그는 정말로 머리가 아파 왔다. 게다가 점점 더 확신이 섰다. 레베제프가 일부러 딴청을 피우며 이리저리 빠져나가려고 한다는 것을.

「사건을 요약해 드리죠. 나는 그의 조카입니다. 온통 거짓말만 해대지만 그것만은 거짓말이 아니에요. 나는 아직 학교를 끝마치지 않았지만 어떻게 해서든 마치고 싶어요. 나도 성깔은 있으니까요. 당분간은 먹고 살기 위해 철도에 나가 24루블을 받고 일을 할 겁니다. 또한 솔직히 말하지만, 그는 이미 나를 한두 번쯤 도와주었습니다. 나는 가지고 있던 24루블을 노름에서 잃었습니다. 믿으시겠어요, 공작? 나는 그만큼 속물적이고 저질이어서 24루블을 날린 겁니다!」

「파렴치한 녀석에게 잃었어요. 그런 놈에게는 돈을 지불하지 말았어야 했어!」 레베제프가 외쳤다.

「맞아요, 파렴치한 녀석에게 돈을 잃었어요. 하지만 그 돈은 지불해야 되는 거였어요.」 청년은 계속해서 말을 했다. 「그가 파렴치한이라는 것은 내가 증명할 수 있어요. 하나 그것은 그자가 아저씨를 구타해서가 아니라 다른 이유가 있기 때문이에요. 공작, 그자가 누군지 알겠어요? 전에 로고진의 무리에 끼여 있었던 퇴역 중위인데, 군대에서도 무능하다고 쫓겨난 자였지요. 지금은 권투를 가르치고 있답니다. 그 패거리들은 로고진이 내쫓은 이래 요즈음은 부랑자 생활을 하고 있지요. 하지만 무엇보다도 나쁜 것은 그자가 파렴치한 인간이고 깡패고 좀도둑이라는 것을 알면서도 내가 그런 인간과 함께 노름을 하려고 자리를 함께 했다는 사실입니다. 나는 마지막 남은 1루블을 걸면서(우리는 빨끼라는 노름을 했어요) 그걸 잃고 아저씨한테 가서 부탁을 하면 차마 거절하지는 못할 거라고 생각했지요. 그렇게 생각하는 것 자체가 저급한 것이지요! 의식적으로 비굴한 짓을 한 거예요.」

「그럼, 의식적으로 비굴한 짓을 한 거야.」 레베제프가 되풀이해 말했다.

「너무 좋아하지 마세요. 내 말이 아직 안 끝났어요.」 조카는 기분이 상한 소리로 나무랐다. 「내가 여기로 와서 모든 걸 다 솔직히 얘기해 주었지요. 나는 고결하게 행동했어요. 나는 나 자신에게 혹독하게 굴었으니까요. 나는 아저씨 앞에서 스스로를 있는 그대로 다 욕했어요. 여기 있는 사람들이 모두 증인입니다. 철도청에서 일을 하려면 그전에 무언가 준비 좀 해야 해요. 나는 넝마 같은 옷을 두르고 있고 게다가 내가 신고 있는 이 장화를 보세요! 이런 차림으로 직장엘 나간다는 것은 불가능해요. 만약 내가 지정된 기간에 나타나지 않으면 다른 사람이 그 자리를 차지할 거예요. 그럼 난 또다시 거지 신세가 되어 다른 자리를 찾으러 나서지 않으면 안 될 거예요. 그래서 나는 지금 아저씨에게 15루블만 빌려 달라고 사정하고 있는 중이에요. 그리고 앞으로는 더 이상 돈 빌려 달라는 소리도 하지 않을 것이며 3개월 내에 빚을 몽땅 갚아 버리겠다고 약속했어요. 나는 약속을 지킨답니다. 나는 두 달 내내 빵과 끄바스[63]만으로도 살 수 있어요. 난 한다면 하는 사람이에요. 석 달 일하면 75루블을 받게 돼요. 내가 아저씨한테 전에 빌린 것까지 합하면 35루블밖에 안 되니까 충분히 갚을 여유가 생기는 거지요. 게다가 원하는 만큼 이자를 떼줄 수도 있습니다. 젠장! 이 아저씨라는 사람은 나를 모르는 걸까요, 뭘까요? 공작이 한번 물어봐 주세요. 전에 아저씨가 나를 도와주었을 때 내가 돈을 갚았는지 안 갚았는지를요. 지금은 대체 왜 안 빌려 주려고 하는지요? 내가 그놈의 퇴역 중위에게 돈을 잃은 게 분해서 그러는 게 뻔해요. 다른 이유가 있을 턱이 없어요. 아저씨의 인간

63 곡식, 굴, 우유 등을 발효시켜 만든 러시아 전통 음료수.

됨됨이가 바로 이렇다니까요. 어떻게 그럴 수가 있나요?」

「이 아이는 여기서 나갈 줄을 몰라요!」 레베제프가 소리쳤다. 「여기에 누워서 나갈 줄을 모른다니까요.」

「내가 아저씨한테 말했잖아요. 돈을 빌려 줄 때까지 안 나간다고. 공작은 뭘 그리 웃고 계세요? 내가 하는 말이 틀렸다는 얘긴가요?」

「나는 웃지 않고 있어요. 하지만 당신은 정말로 약간 경우가 없군요.」 공작은 마지못해 대답했다.

「경우가 아주 없다고 말을 하세요. 말을 돌리지 말고요. 〈약간〉이 뭐예요?」

「원한다면 그렇게 하겠어요. 아주 경우가 없군요.」

「내가 원한다면이라고요? 우습기 짝이 없군요! 내가 몹시 떳떳하지 못하다는 것, 돈을 주건 말건 그건 아저씨의 자유인데 내가 억지를 쓰고 있다는 걸 나 스스로가 모른다고 생각하세요? 하지만 공작은…… 인생이 무엇인지 모른다고요. 저런 사람들은 잘 가르쳐 줘야지 그렇지 않으면 뭐가 뭔지 모른다니까요. 저런 인간들은 가르쳐 줘야 해요. 난 양심은 깨끗해요. 양심적으로 나는 아저씨에게 해를 입히지 않아요. 난 꼭 이자까지 붙여서 되돌려 줄 거라고요. 아저씨는 나에게서 정신적 보상까지 받고 있는 거예요. 머리를 조아린 나의 모습을 보았으니까요. 그 이상 뭐가 필요하겠어요? 아저씨 자신은 어디 한 군데라도 쓸모가 있는 인간인가요? 그가 무슨 일을 하는지 아세요? 그가 남에게 무슨 짓을 하고 어떻게 사람들을 속이는지 물어보세요? 이 집은 어떻게 해서 얻었는지 아세요? 아저씨가 당신을 이미 한 번이라도 속이지 않았거나 앞으로 당신을 어떻게 하면 속일까 하는 생각을 하지 않았다면 내 목을 자르겠어요. 왜 웃고 계세요? 내 말을 믿지 않는 건가요?」

「글쎄, 그건 당신의 일하곤 전혀 상관이 없는 것 같은데요.」 공작이 대답했다.

「나는 3일째나 이렇게 누운 채 있었기 때문에 똑똑히 봤어요!」 청년은 공작의 말을 들으려고 하지 않고 소리쳤다. 「한번 상상이나 해보세요! 아저씨는 밤마다 남자들이 여기 있는 이 천사, 지금은 고아인 이 처녀를, 나의 사촌 누이이자 자기의 딸을 찾아오지 않나 의심하고 있다고요! 내가 있는 이 의자 밑에까지 살며시 다가와 뒤져보기까지 한다니까요. 너무 의심을 하다 보니 머리가 돌아 버린 모양이에요. 자기 눈에는 구석구석에 도둑놈들이 숨어 있는 것처럼 보이나 봐요. 한밤중에도 벌떡 일어나 창문이 잘 닫혀 있는지, 문이 잘 잠겨 있는지 보고, 벽난로 속을 들여다보고 또 들여다보고, 글쎄 그런 짓을 하룻밤에도 족히 일곱 차례나 한다니까요. 법정에서는 사기꾼을 변론하면서 자기는 밤에 세 번씩이나 기도를 하러 일어난다고요. 바로 이 바닥에서 무릎을 꿇고 이마로 바닥을 30분씩 찧으며 생각나는 사람들을 위해 기도를 하고, 성서 구절을 모조리 외워 대는 거예요. 그것도 술에 취해서 말이에요. 언젠가는 뒤바리 백작 부인[64]을 위해 기도까지 하더군요. 내가 이 귀로 똑똑히 들었어요. 니꼴라이도 들었어요. 완전히 정신이 나가 버린 거라고요!」

「보셨죠? 저 녀석이 나를 얼마나 헐뜯으려고 하는지를요!」 레베제프가 얼굴이 벌겋게 달아올라 정말로 정신이 나간 양 소리쳤다. 「어쩌면 나는 저놈 말대로 주정뱅이에, 건달에, 강도에, 악당일지도 몰라요. 하지만 저 배은망덕한 놈은 갓난아기 때부터 내가 기저귀를 갈아 주고, 몸을 씻겨 주며 키워 온 걸 모르고 있어요. 과부가 되어 거지 신세가 된 누이 아니시야에게 역시 거지나 다름없는 내가 찾아가 잠도 안 자고 밤마다 병든 두 모자를 간호해 주고, 아래층 문지기 집에서 장작을 훔쳐 오기도 하고, 자장가

64 뒤바리 마리 잔(1743~1793). 루이 15세의 총애를 받던 백작 부인. 1793년 12월 8일 혁명 재판소의 요구에 따라 단두대에서 처형되었다.

를 불러 주고, 짝자꿍을 시키고, 이렇게 굶주린 배를 움켜쥔 채 자기를 돌봐 준 것도 모르고 있어요! 뿐만 아니라 지금 나를 비웃고 있잖아요? 그리고 언젠가 이마에 성호를 긋고 내가 뒤바리 백작 부인의 명복을 빌었다 한들 그게 네놈하고 무슨 상관이냐? 공작, 나는요, 나홀 전에 처음으로 사전에서 그녀의 경력을 알게 되었어요. 너는 그 여자가 어떤 분인지 알기나 하냐? 아는지 모르는지 말해 봐!」

「흥, 그걸 아는 사람이 아저씨 혼자인 줄 알아요?」 청년은 조롱하듯, 그러나 기세가 꺾여 중얼거렸다.

「그 백작 부인은 비천한 가문 출신이었지만 훗날에는 여왕을 대신하여 통치를 한 분이시다. 어느 여제는 그녀에게 보낸 친필 편지에서 그대는 〈나의 사촌 자매ma cousine〉라고 쓰기까지 했단다. 언젠가는 로마 교황의 사절인 어느 추기경이 르베 뒤 루아 lever du Roi[65]를 위해서, 너는 르베 뒤 루아가 무슨 말인지 모를 테지만, 그분의 벗은 발에 실크 스타킹을 신겨 드리겠다고 자진해서 나서며 그것을 이 땅의 영광으로 여기기까지 했다. 그처럼 고귀하고 거룩한 분이 있겠느냐? 너는 이 사실을 알기나 하냐? 얼굴을 보니까 모르는 것 같구나! 그래, 백작 부인이 어떻게 죽은 줄 아니? 알면 대답해 봐라!」

「집어치워요, 그 따위 시시한 소리는!」

「그런 부귀영화 끝에 천하의 권세가였던 백작 부인이 아무 죄도 없이 망나니 삼손에 의해 파리의 장사치들의 환심을 사기 위해 단두대로 끌려가 처형당했다. 그녀는 공포심에 자기에게 무슨 일이 벌어지고 있는지조차 모르고 있었단 말이다. 망나니가 그녀의 목을 칼 밑으로 갖다 대며 발길로 그녀를 밀었을 때, 사람들은 웃어 댔지만, 그녀는 소리치기 시작했지. 〈앙코르 앵 모망, 므슈

65 국왕의 기상 의식.

르 부로, 앙코르 앵 모망Encore un moment, monsieur le bourreau, encore un moment!〉 그 말은 〈잠깐만 기회를 주세요, 형리(刑吏), 잠깐만요!〉라는 뜻이다. 그녀는 그 잠깐 동안 하느님이 그녀의 죄를 용서해 주리라고 생각했을지도 모른다. 인간의 존재를 그보다 더 〈미제르〉하게 한다는 것은 상상할 수도 없었기 때문이었지. 〈미제르〉라는 말이 무슨 뜻인지 아니? 그런 순간을 말하는 거다. 나는 그 잠깐만이라는 백작 부인의 외침에 마치 부젓가락이 내 심장을 꽉 조여 오는 것 같았다. 그래, 이 벌레 같은 놈아, 내가 잠자리에 들어서 그 위대한 죄인을 위해 기도를 드렸기로서니, 그게 너한테 무슨 해가 된다고 그러냐? 내가 기도를 드린 까닭은 누구 하나 그녀를 위해 기도를 드린 적도, 이마에 성호를 그은 적도, 거기에 관해 생각조차 한 적이 없기 때문이다. 저 세상에 있는 그녀가 이승에서 자기와 같이 죄 많은 남자가 그녀를 위해 단 한 번이라도 기도를 드린다는 것을 알면 얼마나 기뻐하겠느냐? 뭘 그리 웃고 있는 거냐? 이 무신론자 같으니라고, 믿어지지 않는 모양이로구나. 네가 무얼 알겠느냐? 네가 내 기도를 엿들었다는 것부터 거짓말이다. 나는 뒤바리 백작 부인 한 사람만을 위해 기도를 드리지 않았기 때문이다. 나는 이렇게 기도를 드렸다. 〈하느님, 위대한 죄인 뒤바리 백작 부인과 그녀와 비슷한 모든 죄인들을 평안하게 해주소서.〉 이건 전혀 다른 말이 아니겠느냐? 왜냐하면 운명의 변화로 불행을 겪어야 했던 그와 같은 유형의 위대한 죄인들의 수많은 영혼들이 저승에서 몸부림치며 신음하고 있기 때문이다. 그러면서 그들은 누군가 자기들의 명복을 빌어 주기를 기다리고 있단 말이다. 만약 네가 나의 기도 내용을 엿들었다면, 내가 너를 비롯해서 너와 같은 건달들과 파렴치한 인간들을 위해서도 기도를 드렸다는 걸 알았을 거다…….」

「됐어요. 그만 해도 충분해요. 기도해 주고 싶으면 누구에게든 해주라고요. 젠장! 고함을 지르긴 왜 지르는 거예요!」 조카가 성가시다는 듯이 말을 가로막았다. 「저 양반은 우리 집안에서 글을 아주 많이 읽은 사람이라니까요. 아시겠어요, 공작?」 그는 어색한 미소를 띠며 덧붙였다. 「지금도 온갖 책들과 회고록들을 읽고 있어요.」

「하나 당신의 아저씨는 인정이 없는 사람이 아니에요.」 공작이 마지못해 한마디했다. 청년은 공작에게 완전히 적대적이 되었다.

「당신은 우리 아저씨를 추켜 주고 있는 것 같군요! 그러니까 저렇게 한 손을 가슴에 가져다 대고 입을 점잖게 다물고 있지요. 하지만 본성을 드러내고 말 거예요. 인정이 없지는 않겠지요. 하지만 사기꾼이라고요. 게다가 아직까지 주정뱅이라는 사실이 안타깝네요. 누구든 오랜 세월 동안 술을 마시면 다 그렇듯이, 그도 온몸이 삐걱거리고 있어요. 만약 아저씨가 자식들과, 돌아가신 아주머니를 사랑했다고 합시다……. 어쨌든 나도 사랑하여 유언장에 재산의 일부를 남겨 준다고 했으니까…….」

「국물도 없는 소리야!」 레베제프가 불같이 화를 내며 말했다.

「내 말 좀 들어 봐요, 레베제프.」 공작이 청년에게서 얼굴을 돌리며 힘주어 말했다. 「내 경험으로 당신은 때에 따라서는 매우 사무적인 분이지요? 난 지금 시간이 없어서 그러는데, 만약…… 보다 존칭을 사용해야 되는데, 죄송합니다. 이름과 부칭이 어떻게 되지요. 그만 잊어버렸어요.」

「찌 — 찌 — 찌모페이요.」

「그리고요?」

「루끼야노비치입니다.」

방 안에 있는 사람들이 모두 큰 소리로 웃었다.

「거짓말이에요!」 조카가 외쳤다. 「거짓말을 했다고요! 아저씨를 부를 땐 찌모페이 루끼야노비치가 아니라, 루끼얀 찌모페예비치라고 해요! 왜 그렇게 거짓말을 둘러대는지 말해 보세요. 찌모페이라 부르건 루끼얀이라 부르건 공작에게는 매일반 아닌가요?

거짓말하는 게 아예 버릇이 되어 버렸다니까요!」
「그게 사실인가요?」 마침내 공작이 물어보았다.
「사실은 루끼얀 찌모페예비치라고 합니다.」 레베제프는 당황해 하며 거짓말을 시인했다. 그러면서 고분고분하게 눈을 내리깔고 다시 한 손을 가슴에 얹었다.
「아니 도대체 왜 그런? 이럴 수가!」
「나를 낮춰 보려고요.」 레베제프는 더욱더 공손히 고개를 숙이면서 속삭였다.
「뭐 하러 자기를 낮추려고 그래요? 나는 그저 니꼴라이를 찾았으면 해요!」 공작은 이 말을 남기고 등을 돌려 밖으로 나가려고 했다.
「니꼴라이가 어디에 있는지 내가 말해 줄게요.」 또다시 청년이 나섰다.
「아 — 아 — 아냐!」 레베제프는 펄쩍 뛰며 허둥대기 시작했다.
「니꼴라이는 어제 여기서 잠을 자고, 아침에 공작이 채무 감옥에서 돈을 지불하고 석방시켜 주신 이볼긴 장군을 찾으러 나갔어요. 어제 장군은 우리 집에 잠을 자러 오겠다고 해놓고 오지 않았어요. 틀림없이 여기서 멀지 않은 〈저울〉 여관에서 잠을 잤을 거예요. 니꼴라이는 거기 아니면 빠블로프스끄의 예빤친 장군 집에 있을 겁니다. 그 아이는 돈이 있다고 어제부터 거길 가려고 했어요. 그러니까 〈저울〉 아니면 빠블로프스끄에 있을 겁니다.」
「빠블로프스끄, 빠블로프스끄요! 우리는 여기 정원으로 나가 커피나 한 잔 하지요…….」
레베제프는 공작의 팔을 끌었다. 그들은 방에서 나와, 조그만 마당을 지나 울타리 안으로 들어갔다. 거기에는 정말로 아주 작고 소담스런 정원이 있었다. 좋은 날씨 덕분에 정원의 나뭇가지에는 벌써 새싹이 돋아나고 있었다. 레베제프는 공작을 초록색 벤치에 앉혔다. 그 앞에는 초록색 칠을 한 탁자가 놓여 있었다.

레베제프는 맞은편에 앉았다. 1분 뒤에 정말로 커피가 나왔다. 공작은 사양하지 않았다. 레베제프는 비굴한 태도로 줄곧 공작의 눈치만 살피고 있었다.

「나는 당신이 이렇게 사는 줄 몰랐어요.」 공작은 전혀 다른 것을 생각하고 있는 사람의 표정으로 말했다.

「고 — 고아들이에요.」 레베제프는 몸을 비비 꼬며 말을 하려 했으나 말문을 닫고 말았다. 공작은 막연히 앞쪽을 바라보았다. 자기가 묻고 싶은 말을 잊어버린 것이었다. 한 1분쯤 흘러갔다. 레베제프는 공작을 지켜보며 무슨 말이 나오나 기다리고 있었다.

「그래 어때요?」 공작이 정신을 차린 듯 말했다. 「아, 그래요! 무슨 일인지 본인이 안다고 했지요. 나는 당신의 편지를 받고 왔어요. 말해 주세요.」

레베제프는 당황해서 무언가를 말하려 했으나 더듬더듬거리다 끝내 아무 말도 못했다. 공작은 말이 나오기까지 기다리다 웃고 말았다.

「당신의 심정을 아주 잘 이해할 것 같아요, 루끼얀 찌모페예비치. 당신은 어쩌면 나를 기다리지 않았는지도 몰라요. 당신은 편지 한 통에 내가 오지는 않을 거라고 생각했을 거예요. 다만 양심의 가책으로 편지를 썼던 거예요. 그런데 내가 이렇게 찾아왔어요. 자, 이젠 그 정도로 충분하니, 그만 속이세요. 두 주인을 섬기는 짓은 그만 해요. 로고진은 여기에 벌써 3주일째 있어요. 나는 모든 걸 알고 있어요. 당신은 그 당시처럼 그녀를 로고진에게 팔았던 거지요? 아닌가요? 진실을 말해 줘요.」

「그 짐승 같은 인간이 직접 알아낸 겁니다.」

「그를 욕하지 말아요. 물론 그가 당신에게 못되게 군 걸 알고 있어요…….」

「나를 마구 두들겨 팼어요!」 레베제프가 무섭게 열을 올리며 말했다. 「모스끄바 거리에선 개를 데려와 나를 물어뜯게 했어요.

망할 놈의 보르조이 종이었어요. 지독히 사나운 놈이었지요.」

「당신은 나를 어린애로 취급하고 있어요, 레베제프. 그 여자가 정말로 로고진을 모스끄바에 버려 두고 도망간 건가요? 말해 주세요.」

「정말이에요. 정말이에요. 이번에도 결혼식 직전에 도망갔어요. 남자는 목이 빠져라고 기다렸고, 그녀는 이곳 뻬쩨르부르그로 와서 곧바로 나를 찾았어요. 〈나를 도와줘, 레베제프. 숨겨 줘. 공작에게는 말하지 마…….〉 공작, 그녀는 로고진보다 당신을 더 무서워해요. 여기가 ── 아주 현명한 여자입니다!」

레베제프는 교활한 표정을 지으면서 손가락으로 이마를 가리켰다.

「그래서 그들을 또다시 만나게 해주었나요?」

「공작 어른, 나로선 그렇게 안 하고 달리 방도가 있었겠습니까?」

「그럼 됐어요. 내가 모든 걸 직접 알아보겠어요. 그녀가 지금 어디에 있는지만 말해 줘요. 그의 집에 있나요?」

「오, 아니에요! 그럴 리가! 그녀는 혼자 있어요. 그녀는 자기가 자유의 몸이라고 늘상 말했는데요. 그녀는 완전히 자유로운 몸이라고 강력하게 주장하고 있어요! 편지에 쓴 대로 여전히 뻬쩨르부르그스까야 거리에 있는 내 처제 집에 있어요.」

「지금도 거기에 있나요?」

「만약 빠블로프스끄에 없다면 거기에 있을 겁니다. 날씨가 좋으면 다리야 알렉세예브나의 별장에 가 있기도 해요. 그녀는 자기가 완전히 자유롭다고 하니까요. 어제만 해도 니꼴라이에게 자신의 자유에 대해 한참 동안이나 자랑을 했어요. 좋은 징조는 아니지요!」

레베제프는 이를 드러내고 웃었다.

「니꼴라이는 자주 그녀 집에 가나요?」

「그 아이는 경솔하고 이해하기가 어려운 녀석이에요. 게다가 비밀을 지킬 줄 몰라요.」

「거기에 가본 지가 오래됐나요?」

「매일같이 가요.」

「그럼 어제도 갔었나요?」

「아니에요. 사흘 됐습죠.」

「술에 취한 게 좀 유감이군요, 레베제프. 그렇지 않으면 물어볼 게 더 있었는데.」

「아 — 아 — 아니에요. 말짱합니다!」

레베제프는 몸을 쭉 폈다.

「마지막으로 봤을 때 그 여자는 어떤 상태였나요?」

「뭘 찾고 있는 것 같았어요…….」

「뭘 찾는다고요?」

「마치 무언가를 잃어버린 듯 시종일관 무언가를 찾고 있는 듯했어요. 다가올 결혼에 대해서는 생각만 해도 역겨운 모양이에요. 아주 치욕스럽게 생각하고 있었어요. 거기에 대해서는 그야말로 오렌지 껍데기 생각하듯 했어요. 그 정도예요. 아니, 그보다 더한가? 두려움과 공포 때문이었는지 그에 대해서는 말조차 못 꺼내게 했어요. 아주 긴요한 일이 없는 한 두 사람은 만나지도 않아요……. 로고진은 그걸 지나치게 의식하고 있어요. 한바탕 소동이 나고야 말죠……! 그 여잔 불안정하고 남을 잘 비웃고, 이랬다저랬다 하고, 사람들에게 잘 대드니까요…….」

「이랬다저랬다 하고 잘 대든다고요?」

「네, 사람들한테 잘 달려들어요. 지난번에도 어떤 말을 하다가 내 머리를 움켜쥐고 뒤흔들 뻔했어요. 내가 묵시록을 읽어 주어 위기를 모면했습죠.」

「어떻게 했다고요?」 공작은 긴가민가하여 다시 물었다.

「묵시록 구절을 얘기해 줬어요. 불안한 상상력을 가지고 있는 여자라서요, 헤헤! 게다가 관찰한 바에 따르면, 그분은 심각한 주제라면, 그게 엉뚱한 내용이라도 혹하시더라고요. 그런 걸 워낙 좋아하고 그 점에 대해 자신을 존중한답니다. 자신을 유별나게 존중하는 여자랍니다. 그렇습죠, 나로 말하자면 묵시록 해석에 일가견을 가지고 있어요, 벌써 15년째니까요. 내가 인간이란 〈제3의 말〔馬〕〉인 검은 말과, 손에 저울을 든 기사(騎士)와 함께 살고 있는 거라고 하니까 고개를 끄덕이더군요. 요즈음에는 모두 다 저울과 계약에 의거해 살아가고 있으니까요. 모든 사람들이 자기의 권리만 찾고 있어요. 〈하루 품삯으로 고작 밀 한 되, 아니면 보리 석 되를 살 뿐이다…….〉[66] 모든 게 이런 식입니다. 그리고 하느님이 내려 주신 자유로운 정신, 깨끗한 마음, 건강한 육체마저 그런 기준으로 소유하려고 해요. 그러나 권리만으로 이 모든 것을 다 소유할 수는 없어요. 푸르스름한 말 한 필이 있고 그 위에 탄 사람은 죽음이라는 이름을 가진 사람이었다. 그리고 그 뒤로는 지옥이 따르고 있다…….[67] 이런 것에 대해 얘기를 했더니 아주 강한 반응을 보이더군요.」

「당신 자신이 그렇게 믿고 있나요?」 공작이 이상한 눈빛으로 레베제프를 쳐다보며 물었다.

「그렇게 믿고 있으니까 그렇게 해석하는 것 아니오? 나는 궁핍하고 벌거벗었어요. 나는 인생 유전의 원자(原子)에 불과하지요. 그리고 누가 레베제프를 존경하겠어요? 모두들 비웃지 않으면 발길 세례나 퍼부어 대지요. 나는 묵시록 해석에 있어서는 상류 귀족과 대등합니다. 그것은 지혜의 문제예요! 어느 고관은 예지로서 그것을 알아내고, 안락의자에 앉아 몸을 떨기 시작한 적도 있습니다. 내가 아직 관청에 근무하던 재작년 부활절 직전에 청장님이신 닐 알렉세예비치가 당직 중인 나를 찾으신 적이 있었는

66 요한의 묵시록, 6장 6절.
67 요한의 묵시록, 6장 8절.

데, 그는 나에 관한 소문을 듣고 일부러 뾰뜨르 자하리치를 통해 나를 불러서는 이것저것 물어보셨어요. 〈자네가 적(敵)그리스도 교수라는 게 사실인가?〉 나는 주저하지 않고 〈그렇습니다〉라고 대답하고, 묵시록 풀이를 해주었지요. 나는 두려워하지 않고 우화적인 두루마리 그림을 펼쳐서 숫자까지 보여 주었어요. 청장님은 처음엔 웃으셨지만 우화 그림의 숫자를 보시고는 부들부들 떨기 시작하더니, 그 책을 덮고 가보라고 하셨습니다. 부활절을 맞이하여 나에게 포상을 약속하셨지만, 그 다음 주에 청장님은 하느님에게 영혼을 돌려주셨습니다.」

「그게 무슨 소리요, 레베제프?」

「있는 그대롭니다. 점심을 하고 오시다가 마차에서 낙상하여 관자놀이를 말뚝에 부딪히셔서…… 어린애처럼, 어린애처럼 곧바로…… 하직을 하셨어요. 명부에는 73세로 적혀 있었습니다. 불그스레한 얼굴에 흰머리를 하고 계시고, 온몸에 향수를 뿌리고 항상 어린애와 같은 미소를 띠고 있었지요. 그때 뾰뜨르 자하리치가 〈자네 예언이 적중했네〉라고 말하더군요.」

공작은 일어나려 했다. 레베제프는 공작이 일어나자 깜짝 놀라면서 당황해 했다.

「벌써 관심이 없어지신 모양이군요, 헤헤!」 레베제프는 비굴한 말투로 한마디했다.

「맞아요, 난 지금 몸이 그다지 좋지 않아요. 여독으로 머리가 무거운 게…….」 공작은 인상을 찌푸리며 말했다.

「별장으로 가시면 좋겠는데요.」 레베제프가 소심하게 눈치를 보며 말했다.

공작은 생각에 잠겨 일어섰다.

「나도 3일쯤 있다가 모든 식솔들과 함께 별장으로 가려 합니다. 갓 태어난 막내도 돌볼 겸 그동안 집안 수리도 하기 위해서죠. 그 별장 역시 빠블로프스끄에 있습니다.」

「당신도 빠블로프스끄로 간단 말인가요?」 공작이 느닷없이 물었다. 「이게 대체 어떻게 된 일이죠? 모두들 빠블로프스끄로 간다니? 당신도 거기에 별장이 있다고 했나요?」

「모두들 다 빠블로프스끄로 가는 건 아닌데요. 쁘찌찐이 싸게 구입한 별장 중 하나를 나에게 양보한 겁니다. 그곳은 좋아요. 위치도 높은 데다 녹지가 우거지고 생활비도 쌉니다. 그리고 모든 게 우아하고 음악적 정취가 넘치지요.[68] 그래서 모두들 빠블로프스끄로 가려고 하는 겁니다. 하지만 나는 곁채에 들 거고, 별장은…….」

「세를 줬나요?」

「아니에요, 와 — 완전히 그렇지는 않아요.」

「그럼 나에게 세를 주세요.」 공작이 갑자기 제안했다.

레베제프는 오로지 그 말이 나오게끔 유도하려 했던 것 같았다. 그러한 생각이 바로 3분 전쯤에 그의 머릿속을 스치고 지나갔었다. 하지만 세줄 사람이 없었던 것은 아니었다. 별장에 세 들어 살 사람이 벌써 다녀갔고, 자기가 아마도 별장에 세 들어 살 수 있을 듯하다고 통지까지 해놓은 상태였다. 그래서 레베제프는 그 사람이 〈아마도〉가 아니라 틀림없이 세 들어 살 것이라고 믿고 있었다. 그러나 방금 그에게는 계산상 큰 이문이 남을 만한 생각이 퍼뜩 떠올랐던 것이다. 세 들어 살겠다는 사람의 의도가 확실하지 않았다는 핑계로 공작에게 넘겨줄 심산이었다. 레베제프는 〈일대 소동이 벌어지는 새로운 국면 전환〉이 일어나리라는 상상이 갑자기 들었다. 그는 공작의 제안에 너무 기뻐서, 집세에 대해서 물을 때는 두 손을 내저었다.

「그럼 원하는 대로 하세요. 내가 알아서 지불하겠어요. 섭섭지 않게 해주겠어요.」

두 사람은 정원에서 나왔다.

68 빠블로프스끄 역전 공원에서 여름마다 열리는 음악회는 매우 유명했다. 상류층 사람들이 모이는 곳이었다.

「만약 원하신다면 공작에게, 지극히 존경하는 공작에게 정말로 흥미로운 사실 하나를 말씀해 드리겠습니다. 바로 그 문제와 관련 있는 사실을요.」 레베제프는 기쁜 마음으로 공작 곁에서 떠나질 않으며 중얼거렸다.

공작은 멈춰 섰다.

「다리야도 빠블로프스끄에 별장이 있습죠.」

「그런데요?」

「그분께서는 다리야와 절친한 사이니까 틀림없이 빠블로프스끄를 자주 찾으실 겁니다. 다 목적이 있는 겁니다.」

「그래서요?」

「아글라야 이바노브나 양이…….」

「아, 됐어요, 레베제프!」 무언가 불쾌한 예감이 들어 공작이 말을 막았다. 마치 그의 말이 공작의 아픈 곳을 건드린 듯했다. 「모든 게…… 그렇지 않아요. 그래, 언제 그리로 갈 예정인가요? 그거나 말해 줘요. 나는 빠르면 빠를수록 좋아요. 나는 여관에 머물고 있으니까요…….」

이들은 말을 하면서 정원 밖으로 나왔다. 이들은 다시 방으로 들어가지 않고 마당을 가로질러 울타리 쪽으로 갔다.

「그럼 이러면 어떨까요?」 레베제프는 마침내 머리를 짜냈다. 「여관에서 곧바로 우리 집으로 오늘이라도 당장 오세요. 그리고 내일 모레는 함께 빠블로프스끄로 갑시다.」

「한번 생각해 보겠어요.」 공작이 생각에 잠겨 말하고는 대문 밖으로 나갔다.

레베제프는 그의 뒷모습을 바라보았다. 그는 공작이 갑자기 허둥대는 것에 놀랐다. 공작은 나가면서 〈잘 있어요〉라는 말도 잊었고, 머리조차 끄덕이지 않았다. 공작이 언제나 예절 바르고 세심한 사람이라는 것을 알고 있던 레베제프가 이상하게 생각하는 것은 당연했다.

3

벌써 11시가 지났다. 공작은 지금 시내에 있는 예빤친 씨 댁을 찾아간다 하더라도 업무를 보고 있는 장군밖에 만날 수 없을 뿐더러 그것도 확실치 않다는 것을 알고 있었다. 또 장군이 그를 지체없이 빠블로프스끄로 데려다 주리라는 생각이 들었으나, 그 이전에 한 군데 방문하고 싶은 곳이 있었다. 설사 예빤친 씨 댁은 나중에 들르고 빠블로프스끄 행을 내일로 연기하는 한이 있더라도, 공작은 그토록 찾고 싶었던 집을 먼저 가봐야겠다고 결심을 했다.

이 방문은 어떤 의미에서 그에게는 모험이었다. 그는 어떻게 해야 할지 몰라 망설였다. 그 집은 사도바야 거리에서 멀지 않은 고로호바야 가에 있다는 것이 그가 알고 있는 정보의 전부였다. 그는 일단 그곳으로 걸어가 보기로 했다. 거기까지 가다 보면 최종적인 결정이 설 것이라는 희망에서였다.

고로호바야와 사도바야가 교차하는 곳까지 갔을 때, 전에 없이 심장이 뛰기 시작해 자신도 놀랐다. 이렇게 두근거리리라고는 예상하지 못했다. 멀리서 보이는 어떤 집 한 채가 그의 시선을 끌기 시작했다. 아마 그 독특한 외형 때문이었으리라. 공작은 혼잣말로 뇌까린 것을 나중에 기억했다. 〈필시 이게 그 집일 것이다.〉 그는 비상한 호기심으로 자신의 추측이 맞는지 확인하러 다가갔다. 그는 자신의 추측이 맞는다면 왠지 몹시 불쾌해질 것 같은 느낌을 받았다. 아무런 치장도 하지 않은 더러운 초록색의 이 3층짜리 집은 커다랗고 우중충했다. 지난 세기 말쯤에 세워진 그와 같은 유형의 집들이 뻬쩨르부르그의 이쪽 거리들에 유난히 밀집되어 있었다. 그런 집들은 도시 자체의 변화를 쫓아가지 못하고 거의 옛모습 그대로 남아 있었다. 견고하게 세워진 이 집들의 벽은 두꺼웠고 창들은 아주 띄엄띄엄 드물게 나 있었다. 아래층 창문에 창살이 끼워져 있는 집도 더러 보였다. 아래층은 대부분 환전상들이 차지하고 있었고, 위층에는 환전상에서 일을 하는 거세파(去勢派) 교도[69]들이 세를 살고 있었다. 이런 집들은 안이나 밖이나 별로 인심이 좋아 보이지 않고 메말라 보였다. 모든 것이 숨어들어가 비밀스러워 보였다. 왜 집들이 한결같이 그런 인상을 풍기고 있는지는 설명하기가 곤란할 것이다. 물론 건축에서 선의 결합은 나름대로의 비밀을 간직하고 있었다. 이런 집들에서는 거의 예외 없이 상인들이 살고 있었다. 공작은 대문으로 다가가 간판을 읽었다. 〈세습(世襲) 명예 시민 로고진의 집〉.

그는 망설이지 않고 유리문을 열었다. 유리문은 그의 뒤에서 쾅 하고 요란스럽게 닫혔다. 그는 정면에 있는 계단을 따라 2층으로 올라가기 시작했다. 컴컴한 층계는 돌로 어설프게 만들어져 있고 벽은 빨간색 페인트로 치장되어 있었다. 로고진이 어머니와 동생과 함께 이 삭막한 2층 전체를 쓰고 있다는 것을 공작은 알고 있었다. 공작에게 문을 열어 준 사람은 아무런 보고도 하지 않고 안으로 그를 데리고 갔다. 그들은 널따란 홀을 지나갔다. 그 홀은 벽에 대리석 무늬가 칠해져 있고 참나무 토막을 박아 만든 마룻바닥에, 1820년대의 투박한 가구로 치장되어 있었다. 홀을 지나 지그재그로 꼬부라지며 새장 같은 방들도 통과했다. 그리고 두세 계단을 올라갔다가 다시 그만큼 내려와서는 마침내 어느 방문을 두드렸다. 문을 연 사람은 다름 아닌 빠르펜 세묘니치 로고진이었다. 그는 공작을 보고, 잠시 동안 석고처럼 창백하게 질려서 꼼짝도 못하고 그 자리에 서 있었다. 그는 얼마 동안 휘둥그레진 눈을 고정시킨 채 입을 일그러뜨리며 모호한 미소를 지었다. 공작이 자기를 찾아온 것이 어쩐지 불가능하고 거의 기적적인 일이라고 생각한 것 같았다. 공작은 로고진의 반응을 예측하긴 했지만

69 이 종파의 광신자들은 스스로 거세한다. 이들의 직업은 대체로 환전상이었다.

그래도 놀라웠다.

「로고진, 내가 때를 잘못 맞춘 것 같네. 난 그냥 가보겠네.」 공작은 당황한 나머지 이렇게 말했다.

「괜찮아! 잘 왔네!」 로고진이 드디어 정신을 가다듬고 말했다. 「어서 들어오게나!」

그들은 서로 반말을 했다. 모스끄바에서 이들은 자주 만나 오랫동안 얘기할 기회가 있었고, 그러면서 상대방의 가슴에 깊은 감동을 준 순간들도 있었다. 그러나 최근 들어서는 3개월 남짓 만나지 못했다.

창백함과 가늘게 스치는 듯한 경련이 로고진의 얼굴에서 떠나지 않았다. 그는 손님을 맞아들였지만 여느때와는 다르게 당혹감이 계속되었다. 로고진이 공작을 탁자 쪽으로 데리고 가서 의자에 앉을 것을 권하자 공작은 그를 문득 바라보고 형언키 어려운 로고진의 이상하고 날카로운 시선에 충격을 받은 듯 그 자리에 멈춰 섰다. 무언가가 공작의 가슴을 관통해 옴과 동시에, 얼마 전에 있었던 고통스럽고 음침한 것이 머릿속에 떠올랐다. 그는 앉지도 않았으며 꼼짝 않고 선 채로 로고진의 눈을 빤히 쳐다보았다. 로고진의 눈은 처음 한순간에는 더욱 날카롭게 빛나고 있는 것 같았다. 마침내 로고진은 미소를 지었지만 얼이 빠진 사람처럼 약간 당황해 했다.

「무얼 그리 빤히 쳐다보고 있는가?」 그가 중얼거렸다. 「앉게나!」

공작은 의자에 앉았다.

「솔직히 말해 주게. 자네는 내가 오늘 뻬쩨르부르그에 올 것이라는 사실을 알았나 몰랐나?」 공작이 말했다.

「자네가 올 것이라고 생각했네. 보다시피 내 생각이 들어맞았군. 하지만 오늘 오는 것까지야 내가 알 수 있었겠나?」 그는 독기를 품은 채 웃으면서 말했다.

이러한 대답 속에 들어 있는 날카로운 돌발성과 이상한 짜증에 공작은 더욱더 놀랐다.

「오늘 내가 오리라는 것을 알았다 해도 자네가 그렇게 신경질을 부릴 필요는 없지 않은가?」 당황한 공작이 나직하게 말했다.

「그럼 도대체 왜 그런 질문을 했지?」

「아까 기차에서 내릴 때 바로 지금 자네가 나를 쳐다보는 것과 아주 똑같은 눈을 보았기 때문일세.」

「그럴 수가! 그게 누구의 눈인데?」 로고진은 의심스럽다는 듯이 중얼거렸다. 공작은 그가 부르르 떠는 것을 느꼈다.

「모르겠네, 사람들 틈 속에서 본 것이라서. 내 눈에만 그렇게 보였는지도 몰라. 요즈음엔 무언가가 눈에 어른거리는 것 같아. 이보게, 로고진, 마치 5년 전 발작을 일으키곤 했을 때와 거의 같은 느낌이야.」

「그렇다면 뭐가 그냥 어른거렸던 게로군. 난 잘 모르겠어…….」 로고진이 중얼거렸다.

로고진의 얼굴에 상냥한 웃음이 번졌지만 이 순간에 그런 웃음은 걸맞지 않았다. 그 웃음 속에는, 아무리 뜯어 맞추려 해도 그렇게 되지 않는 깨져 버린 무엇인가가 있는 것 같았다.

「다시 외국으로 가려는 건가?」 그는 갑자기 이렇게 묻고는 말을 이었다. 「자네 기억하지, 우리가 가을에 쁘스꼬프에서 이곳으로 오는 기차를 함께 타고 왔던 것을? 자네는…… 망토에 각반을 차고 있었지?」

로고진이 갑자기 웃음을 터뜨렸는데, 이때는 노골적인 악의를 드러내 보였다. 그렇게 터뜨릴 기회를 찾은 걸 좋아하는 기색이었다.

「자넨 여기에 완전히 정착한 것인가?」 공작이 서재를 둘러보며 물었다.

「그래, 난 여기서 살아. 여기 말고 내가 살 곳이 어디 있겠는가?」

「우리는 오랫동안 못 봤지. 자네에 관해서는 영 자네 같지 않은 얘길 들었었네.」

「사람들이 어떤 말인들 못하겠나?」 로고진이 아무렇지도 않은 듯 말했다.

「자넨 패거리들을 모두 내쫓고, 이렇게 부모 집에 들어앉아 있으니 이제 짓궂은 장난은 안 하겠군. 그건 잘된 거야. 이 집은 자네 것인가, 가족 공동 소유인가?」

「어머니 소유네. 어머닌 이 복도 건너편을 쓰고 있네.」

「자네 동생은 어디 사나?」

「세묜은 바깥채에 살아.」

「그래, 동생은 가족이 있나?」

「홀아비야. 뭣 때문에 묻는 거지?」

공작은 로고진을 쳐다볼 뿐 대답을 하지 않았다. 그는 갑자기 생각에 잠겨서 물어보는 말을 못 들은 것 같았다. 로고진은 추궁하지 않고 기다렸다. 두 사람은 잠시 동안 아무 말도 하지 않았다.

「나는 이쪽으로 오면서 백 발자국 앞에서 자네 집이란 것을 알았네.」 공작이 말했다.

「어떻게 알았지?」

「나도 모르겠네. 자네 집은 자네 가족과 로고진다운 삶의 인상을 풍기고 있어. 내가 왜 그렇게 단정을 내렸는지 물어봐도, 난 어떻게 설명할 수가 없네. 물론 다 섬망 상태에서 나온 거겠지. 그런 것들이 나를 불안하게 하고 두렵게도 하네. 옛날 같으면 자네가 이런 집에서 살고 있으리라고는 생각도 못했겠지만, 이번에는 보는 즉시 〈그래, 그의 집은 바로 저거야!〉라는 생각이 들더구먼.」

「흠!」 로고진은 공작의 불분명한 생각을 전혀 납득하지 못한 채 모호하게 웃었다. 「이 집은 할아버지가 지었지. 거세파 교도들이 여기서 살았었어. 지금도 흘루드야꼬프 네가 우리 집에 세 들어 살고 있지.」

「집이 너무 음침해. 자네는 음침하게 사는 것 같아.」 공작이 서재를 훑어보며 말했다.

로고진의 서재는 천장이 높고 컴컴한 커다란 방이었는데 거기에는 온갖 가구들이 다 놓여 있었다. 가구의 대부분은 커다란 집무용 책상들, 사무용 서적과 문서들이 놓여 있는 책장들이었다. 빨갛고 널따란 모로코 식 소파는 로고진의 침대 겸용으로 쓰이고 있는 게 분명했다. 공작은 자기 앞의 책상에 놓여 있는 두세 권의 책을 보았다. 그 중의 한 권인 솔로비요프[70]의 『역사』는 펼쳐져 있었고, 읽던 곳에 식별표가 놓여 있었다. 벽에는 퇴색한 금박 액자 속에 검게 그을린 유화 몇 점이 걸려 있었다. 무슨 내용인지 식별하기가 어려운 그림들이었다. 그 중에서도 전신 초상화 한 점이 공작의 시선을 끌었다. 옷자락이 긴 독일식 연미복을 입고 목에 두 개의 훈장을 걸고 있는 쉰 전후의 남자였다. 그는 드문드문 희끗거리는 짧은 턱수염에 주름살이 진 누런 얼굴과, 많은 비밀을 간직한 듯한 처량해 보이는 두 눈을 가지고 있었다.

「이분은 자네 아버지가 아닌가?」 공작이 물었다.

「바로 맞혔네.」 로고진이 떨떠름한 웃음을 띠며 대답했다. 그는 선친에 관해 스스럼없이 농담을 할 듯한 태도였다.

「이분은 구교도[71]가 아니었나?」

「아냐. 교회는 다니셨지. 하긴 구교도의 교리가 더 맞다고 하셨어. 거세파 교도들도 아주 존경하셨어. 여기가 바로 선친의 서재

70 S. M. 솔로비요프(1820~1879). 유명한 역사가로서 모스끄바 대학을 졸업하고 모교의 교수로서 러시아 역사를 강의하였다. 그는 방대한 사료를 모아 과학적 연구를 통해 러시아 역사를 종족 사회에서 전제 국가로 발전한 형태로 보고, 통사적 관점으로 기술하고자 하였다. 그의 대작 『고대 러시아 역사』는 1851년부터 1879년에 걸쳐 쓴 29권의 저서로, 미완성으로 끝났지만 후대의 역사 기술에 큰 영향을 미쳤다. 본문에 나오는 솔로비요프의 『역사』는 바로 이 『고대 러시아 역사』를 말한다. 도스또예프스끼는 이 책에 씌어진 러시아 역사를 청년들의 교육을 위해 그의 문학 안에 많이 삽입시켰다.

였지. 왜 자네는 나의 선친이 구교도가 아니었느냐고 물어보았지?」

「결혼식은 여기서 할 작정인가?」

「음, 그래.」로고진은 예기치 않은 질문에 부르르 떨며 대답했다.

「곧 할 건가?」

「자네도 알다시피, 그게 어디 내 마음먹기에 달려 있는가?」

「로고진, 나는 자네의 적이 아니네. 그러니 조금도 훼방 놓을 생각이 없네. 예전에 바로 이와 같은 순간에 말했듯이 지금 되풀이해서 말하는 거라네. 모스끄바에서 자네 결혼식이 준비되고 있는 동안, 자네도 알다시피 나는 그 결혼식을 방해하지 않았네. 처음에 그 여자는 결혼식을 목전에 두고 나에게 뛰어들어 자네로부터 자기를 〈구해 달라고〉 요청했네. 그녀가 한 말을 그대로 전하고 있는 거라네. 그러고 나서 그녀는 나에게서도 도망쳤는데, 자네가 다시 찾아내 결혼을 성사시키는 것으로 난 알고 있었지. 그런데 듣자하니 다시 이곳으로 도망쳐 왔다고 하더군. 그게 정말인가? 레베제프가 그렇게 알려 줘서 여기로 온 거라네. 그런데 둘 사이에 또다시 일이 잘되어 가고 있다는 소식을 기차에서 자네의 옛 지기 중 한 사람으로부터 들었네. 그 사람이 누군지 알고 싶다면 알려 주겠네. 다름 아닌 잘료제프야. 내가 여기까지 온 데에는 다 까닭이 있네. 〈그녀〉에게 외국으로 가라고 설득하고 싶어서야. 건강을 회복시키기 위해서지. 그녀는 몸과 마음이, 특히 마음이 몹시 상해 있어 많이 돌봐 줘야 할 필요가 있다고 보네. 나 자신은 그녀와 함께 외국에 나갈 의향이 없네. 나는 안 간다는 전제 하에 이 모든 걸 주선해 주는 거네. 자네에게 진실을 말하겠네. 이건 정

71 1653년 교회 조직 강화를 위해 총주교 니꼰이 전례 의식을 변경한 데 반대하여 생겨난 러시아 정교의 분리 종파. 니꼰의 전례 개혁이 당시 그리스를 모범으로 한 것이라면, 분리파는 러시아 교회의 전통 보존을 주장하였기 때문에 〈구의식파〉 또는 〈구교도〉라고 부른다.

말 사실이네. 만약 자네와 그녀의 일이 또다시 성사된다면 나는 그녀의 눈앞에 얼씬조차 하지 않을 뿐더러 자네에게도 더 이상 찾아오지 않겠네. 자네도 알다시피 나는 언제나 자네한테 솔직하게 대해 왔지 않은가. 속이는 일은 없을 걸세. 이 문제에 대한 내 생각을 자네에게 감추려 한 적이 전혀 없고, 항상 하는 말이지만 그녀가 자네에게 시집을 간다면 그건 〈그녀에게〉 필연적인 파멸을 의미하는 거네. 자네도 마찬가지로 파멸할 거야……. 어쩌면 그녀보다 더 심한 파멸이 될지도 모르겠네. 만약 둘이 다시 헤어진다면 나는 대단히 기쁠 거네. 그러나 내가 나서서 일을 그렇게 만들 의향은 추호도 없네. 부디 진정하고 나를 의심하지는 말게. 자네도 잘 알 걸세. 언제 내가 자네의 맞수가 되어 본 적이 있었나? 그녀가 나에게 도망쳐 왔을 때조차도 말일세. 지금 자네는 웃기 시작하는군. 왜 웃는지 알지. 그래, 우리는 그때 각각 다른 동네에 살았어. 자넨 이 모든 사실을 알고 있지. 이미 자네한테 해명을 했듯이, 나는 그녀를 〈사랑하는 것이 아니라 동정하는 거야〉. 내가 분명히 이렇게 말했다고 기억하고 있어. 자네는 그때 이런 내 말을 이해했다고 했어. 그렇지? 이해하겠지? 그런데 왜 그렇게 증오하는 표정으로 보고 있는가? 나는 자네를 안심시키려고 온 거네. 자네도 나에게 소중하기 때문일세. 나는 자네를 무척이나 사랑해, 로고진. 그럼 이제 가서 다시는 안 찾아오겠네. 잘 있게.」

공작은 일어났다.

「잠깐 앉아 있게.」 로고진은 자리에 앉아서 머리를 오른쪽 손바닥에 기댄 채 나직이 말했다. 「이렇게 오랜만에 보는데 그냥 가면 어떻게 하나?」

공작은 앉았다. 두 사람은 다시 침묵을 지켰다.

「자네가 내 앞에 없으면 레프 니꼴라예비치, 나는 그 즉시로 자네에게 악의를 느끼네. 자네를 보지 않았던 3개월 동안 나는 매 순간 자네에게 증오심을 품고 있었어. 자네를 끌고 와서 독살이라도 시키고 싶은 심정이었네! 알겠나? 그런데 자네와 15분도 채 같이 앉아 있지 않았는데 증오심은 사라져 버리고, 자네가 예전처럼 사랑스러워. 나하고 잠깐만 있어 주게…….」

「함께 있을 때면 나를 믿지만, 내가 없으면 다시 의심하기 시작하니 문제로군! 자넨 아버지를 닮았군!」 공작이 다정한 웃음으로 자신의 감정을 숨기려 하며 대답했다.

「공작, 자네와 함께 있으면 자네의 말을 믿게 돼. 나는 자네와 나를 동등한 인간으로 여겨서는 안 된다는 것을 알고 있어…….」

「왜 그런 사족을 다나? 다시 화가 난 게로군.」 공작이 로고진의 반응에 놀라면서 대답했다.

「이보게, 그런 경우에 우리들의 의견 따윈 물어보지도 않아.」 로고진이 대답했다. 「우리 없이 다 처리를 해버렸거든. 우리는 사랑도 다른 식으로 하고 있어. 모든 게 달라.」 로고진은 잠시 침묵했다가 계속해서 조용히 말했다. 「자네는 연민 때문에 그녀를 사랑한다고 했지? 나에겐 그녀에 대해 그 따위 연민은 없어. 더구나 그녀는 나를 몹시 증오하고 있어. 그녀는 밤마다 꿈속에 나타나. 항상 다른 남자와 나타나서 나를 비웃고 있는 거야. 실제로 그래. 나와 같이 결혼식장에 가면서 나에 대해 생각하는 걸 잊어버린 거라네. 고무신을 거꾸로 신은 여자처럼 말야. 믿을지 모르겠지만 지난 5일 동안 그녀를 못 봤네. 그녀를 찾아갈 용기가 나지 않아서야. 틀림없이 〈뭐 하러 왔어?〉라고 물을 테니까. 내가 그녀에게 지금껏 보통 수모를 당했는가?」

「어떻게 수모를 당했나? 무슨 소린가?」

「자네는 정확히 모르나 보군! 결혼식을 목전에 두고 그녀가 자네한테로 도망갔다고 자네 입으로 방금 말하지 않았나?」

「자네도 믿지 못하겠지만, 난…….」

「그녀가 젬쥬쥐니꼬프라는 장교와 함께 모스끄바에서 나에게 모욕을 주지 않았나? 더구나 자기가 먼저 결혼식 날짜를 정해 놓고 나에게 그런 모욕을 주었으니!」

「그럴 리가 없네!」 공작이 소리쳤다.

「나는 확실히 알고 있지.」 로고진이 확신에 차서 말했다. 「그런 여자가 아니라고 말하려는 건가? 그런 여자가 아니라는 것에 대해서는 더 이상 말할 게 없네. 말해 봤자 헛소리니까. 그녀는 자네와 있을 때는 그런 여자가 안 될 걸세. 오히려 그런 행동에 대해 기겁을 할 거야. 하지만 나한테는 바로 그런 여자야. 그게 사실이란 말일세. 그녀는 세상에서 가장 더러운 쓰레기 쳐다보듯 나를 보니까 말야. 권투를 한다는 껠레르인가 뭔가 하는 그 퇴역 장교와의 사건도 나를 곯려 주기 위해 일부러 만들어 냈다는 걸 알아……. 게다가 자네는 그녀가 모스끄바에서 나에게 무슨 짓을 했는지 모른다네. 그리고 내가 돈은 얼마나 뿌렸는데…….」

「그런데도 자네는 굳이 그녀와 결혼을 하려고 하다니! 나중에는 어떻게 하려고 그러나?」 공작이 기가 막혀 물었다.

로고진은 고통스럽게 그리고 무서운 듯이 공작을 바라보고는 아무 대답도 하지 않았다.

「나는 벌써 5일째나 그녀에게 찾아가질 않았어.」 로고진은 잠시 침묵을 지키다 계속 말을 이어 나갔다. 「나를 쫓아내지 않을까 계속 걱정이네. 그녀는 〈내가 아직 나의 주인이란 걸 알아야 해. 원한다면 당신을 완전히 내쫓고 나는 외국으로 가버릴 거야〉라고 말했어. (그녀는 외국으로 가버리겠다는 말을 내게 했어 — 로고진은 왜 그런지 공작의 눈치를 살피며 마치 해설을 하듯 이 말을 했다.) 어떤 때는 나를 놀리기만 할 때도 있어. 그녀가 보기에 왠지 나의 모든 게 우스꽝스러워 보이나 봐. 그러다가 어떤 때는 진짜로 시무룩해져서 미간을 찡그리곤 말도 안 하는 거야. 난 바로 그런 게 겁이 나. 그래서 정신을 가다듬고, 내가 빈손으로 오니까 이러나 싶어서 무얼 들고 가면 그 꼴을 우습다는 듯이 보다가 이내 화를 내는 거였어. 내가 선물한 숄을 가정부 까쨔에게 그냥 줘

버리더라고. 자기가 전에 아무리 사치스럽게 살았다 해도 그처럼 귀한 숄은 본 적도 없었을 텐데 말야. 그리고 언제 결혼식을 올리느냐에 대해서는 입도 벙긋할 수가 없는 거야. 거길 찾아가기도 두려워하는 주제에 어떻게 신랑이 될 수 있겠는가? 이렇게 앉아 있다가 참기 힘들어지면 몰래 그녀가 사는 집을 살짝 지나다니거나 아니면 한 모퉁이에 숨어 있곤 하지. 언젠가 한번은 이런 일이 있었네. 그녀의 대문 곁에서 거의 날이 샐 때까지 당직을 하듯 본의 아니게 근무를 서다가, 무언가가 눈에 어른거리는 게 아닌가. 글쎄 그녀가 창밖을 내다보았던 거야. 그녀는 나에게 〈내가 당신을 속인다면 당신은 어떻게 할 거야?〉라고 하더군. 나는 참지 못하고 〈당신 자신이 알고 있잖아〉라고 했지.」

「무얼 안다는 건가?」

「낸들 알겠나?」 로고진은 심술궂게 웃기 시작했다. 「모스끄바에서 나는 그녀가 그 어떤 놈하고 있는 것을 한번도 포착하지 못했어. 오랫동안 벼르며 그 현장을 잡으려 했는데도 말야. 그러다 한번은 그녀를 붙잡고 말했지. 〈너는 나하고 혼인을 약속하고, 정숙한 주부가 되기로 했는데 지금은 도대체 어떻게 된 거야? 대체 어떻게 돼먹은 여자냔 말이야?〉」

「그녀에게 그런 식으로 말을 했나?」

「그렇다네.」

「그래서 어떻게 됐지?」

「그녀는 〈나는 지금 당신이 내 하인이 되겠다고 해도 싫을 거야. 그런데 나보고 당신의 아내가 되라고?〉 하더군. 그러기에 내가 말했지. 〈끝장을 보기 전에는 여기서 안 나가!〉 그러니까 이러더군. 〈지금 당장 껠레르를 부를 거야. 그 사람한테 당신의 목덜미를 들어 내던져 버리라고 말할 거야.〉 나는 그녀에게 달려들어 멍이 시퍼렇게 들 정도로 패주었지.」

「그럴 수가!」 공작이 외마디 소리를 질렀다.

「정말이야.」 로고진이 두 눈을 반짝이며 낮은 음성으로 거듭
밝혔다. 「하루하고도 반나절 동안 나는 잠도 안 자고, 마시지도
않고, 방에서 나오지도 않으며 그녀 앞에 무릎을 꿇고 앉아 있었
지. 그러면서 〈죽으면 죽었지, 나를 용서해 줄 때까지 여기서 안
나가겠어. 만약 여기서 나를 끌어내라고 사람들을 부르면 나는
물에 빠져 죽을 테다. 너 없이 나 홀로 산다는 것은 아무런 의미
가 없어!〉라고 말했어. 이날 그 여자는 완전히 미친 사람처럼 울
고불고하며 칼로 찔러 죽이겠다고 위협하고 온갖 욕설을 다 퍼부
어 댔어. 그리고 잘료제프, 껠레르, 젬쮸쥐니꼬프와 모든 사람들
을 다 불러와 나에게 손가락질을 하며 창피를 주었지. 〈여러분,
모두 다 함께 극장에 갑시다. 저 남자는 여기서 나가고 싶어하지
않으니까 그냥 내버려 두자고요. 나는 저 사람하고는 무관하니까
요. 로고진 씨, 내가 없어도 당신에게 차를 내다 줄 거예요. 아마
배가 몹시 고프실 거예요.〉 그녀가 극장에서 돌아올 때는 혼자였
어. 〈그놈들은 몽땅 겁쟁이에다 속물들이야. 당신을 두려워하며
나에게 겁을 주더군. 당신은 여간해서 나가지 않을 뿐더러 칼로
나를 찌를 거라고 지껄여 대더군. 난 지금 보다시피 문도 잠그지
않고 침실로 들어가고 있어. 과연 내가 당신을 두려워하는지 안
하는지 보여 주기 위해서야! 차는 마셨겠지?〉 〈아니, 난 차를 마
시러 온 게 아니라고!〉 〈그런 행동을 훌륭하다고 치켜 주고 싶지
만, 당신한텐 그게 아주 안 어울려.〉 그녀는 말한 대로 행동에 옮
겼지. 정말로 방문을 잠그지 않았던 거야. 아침이 되어 그녀는 방
에서 나오며 웃었네. 〈당신 정신 나간 거 아냐? 굶어 죽을 작정을
한 거야?〉 그래서 나는 말했지. 〈용서해 줘.〉 〈나는 용서해 주고
싶지 않아. 당신한테 시집가지 않는다고 했잖아. 정말 밤새도록
이 안락의자에 앉아서 자지 않고 있었던 거야?〉 〈그래, 안 잤어.〉
〈참 똑똑하군! 그래, 차도 안 마시고 식사도 안 할 참이야?〉 〈안
한다고 그랬잖아. 용서해 줘!〉 〈그런 짓은 당신한테 어울리지 않

아. 소 잔등에 안장을 얹는 거와 같아. 나를 겁줄 작정을 한 거지? 흥, 밥을 안 먹고 용서를 빌면 내가 놀랄 줄 알았나 본데, 안됐군!〉 그녀는 화를 내보았지만 그리 오래 내진 않았고, 다시 나를 조소하기 시작했네. 그런데 놀란 것은 그녀에게 전혀 악의가 보이지 않았던 거야. 그녀는 한번 악의를 품으면 잊지 않는 여자인데! 그때 내 머릿속에 퍼뜩 떠오른 게 있었지. 그녀가 나를 얼마나 깔보았으면 나에게 원한조차 가지지 않을까 하는 생각이었어. 그건 사실이네. 그녀가 나에게 이렇게 물어본 것만 봐도 알 수 있지. 〈당신은 로마 교황이 어떤 사람인지 알아?〉 〈들어 본 적은 있지.〉 〈이봐요, 로고진 씨, 당신은 세계사를 전혀 배워 본 적이 없군.〉 〈나는 아무것도 배우지 않았어.〉 〈그럼 내가 한 가지만 알려 줄게. 어느 교황이 살았는데 어느 날 한 황제에게 화가 났었지. 그 황제는 교황청에서 사흘 동안 식음을 전폐하고 맨발로 무릎을 꿇고 사죄를 했어. 그러다 겨우 용서를 받은 거야. 당신은 그 황제가 사흘 동안 무릎을 꿇고서 무슨 생각을 하고, 또 어떤 맹세를 했는지 알아? 잠깐 있어 봐. 내가 직접 가르쳐 줄 테니까!〉 그녀는 자리에서 벌떡 일어나 책 한 권을 가져왔어. 그녀는 〈이건 시집이야〉라고 말하며, 그 황제가 사흘 동안 교황에게 복수를 하고 말겠다고 한 맹세의 시를 읽어 주는 거였어.[72] 〈이봐, 로고진 씨, 이 시가 맘에 들지 않나요?〉 〈그건 충분히 가능한 일이지.〉 〈아하, 그렇게 대답하는 걸 보니, 모든 걸 기억해 두었다가 결혼하기만 하면 앙갚음을 하고 말겠다고 생각하고 있는 거군!〉 〈몰라, 어쩌면 그렇게 생각하고 있는지도 모르지.〉 〈모르긴 뭘 모른다는 거

72 나스따시야 필리뽀브나는 로고진에게 H. 하이네의 시 「하인리히」를 읽어 주었다. 1859년에 러시아 어로 번역된 그의 『현대시』라는 시집에 들어 있는 이 시는 하인리히 4세(1050~1106)와 교황 그레고리우스 7세(1015~1085) 간의 오랜 권력 싸움에 관한 에피소드 중 하나를 소재로 하고 있다.

야?〉〈모른다고 했잖아. 지금 내게 어떤 생각이 들건 나는 거기에 관심이 없어.〉〈그럼 지금 당신은 대체 뭘 생각하고 있는 거지?〉〈그래, 이런 거야. 네가 자리에서 일어나 내 곁을 지나가면 나는 너를 쳐다보고 눈으로 너를 쫓지. 네 옷이 스치는 소리에 나는 심장이 거꾸로 솟고, 네가 방에서 나가면 네가 한 말을 곱씹어 보며 어떤 목소리로 무슨 말을 했는지 되새겨. 밤새도록 난 아무것도 생각하지 않고, 네가 잠을 자며 내쉬는 숨소리와 뒤척거리는 소리를 들었지…….〉 그녀는 웃었어. 〈나를 두들겨 팬 것에 대해서는 생각도 나지 않았던 모양이지?〉〈어쩌면 생각했는지도 모르지.〉〈내가 용서하지 않고 결혼도 해주지 않는다면?〉〈물에 빠져 죽겠다고 했잖아.〉〈그러기 전에 아마 나를 죽여 버리겠지…….〉 그 여자는 이렇게 말하고 깔깔거리다가 버럭 화를 내고는 나가 버렸어. 한 시간이 지나서 몹시 침울한 모습으로 나타났지. 〈로고진 씨, 나는 당신하고 결혼할 거야. 당신이 무서워서 그러는 게 아니라 어차피 죽을 목숨이기 때문에 그래. 이러나저러나 마찬가지 아니겠어? 앉아, 곧 식사를 가져다 줄 거야. 내가 당신한테 시집가면 난 정숙한 아내가 될 거야. 거기에 대해서는 의심도 하지 말고 걱정도 하지 마.〉 이렇게 말하고 나서 그 여자는 잠시 입을 다물고 있다가 다시 말문을 열었어. 〈어쨌든 당신은 하인이 아냐. 전에 나는 당신이 완전히 하인이나 다름없는 존재라고 생각했었어.〉 그 여자는 당장 결혼식 날짜까지 정해 놓고, 1주일 후에는 나에게서 레베제프 네로 도망갔다가 이곳 뻬쩨르부르그로 온 거였다네. 내가 그 여자의 뒤를 쫓아 이리로 오니까 나에게 이러더군. 〈나는 당신을 완전히 거부하는 게 아냐. 난 내가 원하는 만큼 더 기다리고 싶을 뿐이야. 나의 주인은 아직까지 나니까. 날 진정 원한다면 당신도 기다려.〉 나와 그 여자는 지금 바로 이런 상태라네……. 미쉬낀, 자네는 이 모든 것에 대해 어떻게 보고 있나?」

「당사자인 자네는 어떻게 생각하지?」 공작은 슬픈 눈으로 로고진을 바라보며 되물었다.

「내가 어떻게 생각하긴 무얼 어떻게 생각해?」 로고진이 버럭 소리를 질렀다. 그는 무언가 한마디를 더 하려다 말고 입을 다물어 버렸다. 절망적인 슬픔에 싸여 있는 모습이었다.

공작은 일어나서 또다시 자리를 뜨려고 했다.

「나는 어찌 됐든 자네를 방해할 생각이 없네.」 공작은 마치 자기 내면에 숨겨진 생각에 대답을 하듯 거의 사색에 잠겨 조용히 말했다.

「내 말을 들어 봐!」 갑자기 로고진이 생기를 띠었고 그의 눈이 빛나기 시작했다. 「자네가 왜 나에게 양보를 하는지 도무지 이해가 되질 않아. 그녀에 대한 사랑이 아주 식어 버린 건가? 전에 자네는 무척이나 그녀를 그리워했던 걸 내가 알고 있는데. 자넨 무엇 하러 여기까지 죽자 사자 달려온 거지? 연민 때문인가? (로고진의 얼굴은 일그러져 조롱기 섞인 사나운 웃음을 지었다.) 헤, 헤!」

「내가 자네를 기만한다고 생각하는가?」 공작이 물었다.

「아냐, 나는 자네를 믿어. 하지만 뭐가 뭔지 도무지 이해가 안 돼. 분명한 것은 자네의 연민이 나의 사랑보다 강렬하다는 걸세!」

무언가 잔인하고, 당장이라도 표출시키고 싶어하는 어떤 것이 그의 얼굴에서 타올랐다.

「자네의 사랑은 증오와 분간이 안 되네.」 그때 공작이 빙긋이 웃으며 말했다. 「만약 자네의 사랑이 식어 버리면 더욱 심한 불행이 찾아올지도 모르는 일이네. 거기에 대해 내가 누차 말하지 않았나, 로고진……?」

「그럼 내가 칼부림이라도 할 거라는 얘긴가?」

공작이 몸을 흠칫 떨었다.

「자네는 언젠가 바로 오늘의 사랑과 이 모든 고통 때문에 그녀를 몹시 증오하게 될 걸세. 나에게 있어서 놀라운 것은, 그녀가 어떻게 자네와 결혼할 마음을 먹었는가 하는 거야. 어제 그 얘기를 들었을 때는 거의 믿어지질 않더군. 내 마음이 너무나 무거웠어. 그 여자가 두 번이나 자네를 뿌리치고 결혼식 직전에 도망을 쳤네만 나한테는 그녀가 그럴 거라는 예감이 들었어……! 그 여자는 대체 자네에게서 무얼 바라고 있는 걸까? 자네 돈일까? 그럴 리는 없어. 아마 자네는 그녀를 위해 벌써 돈을 쓸 만큼 썼을 거야. 그럼 단지 남편을 구하기 위해서일까? 하지만 그녀는 자네가 아니더라도 얼마든지 구할 수 있어. 게다가 모두들 자네보다 조건이 더 좋을 거야. 자넨 그 여자한테 곧바로 칼을 들이댈 수도 있는 사람이야. 그녀는 이미 이런 사실을 극히 명백하게 이해하고 있을 거야. 자네는 왜 그녀를 그렇게 열렬히 사랑하고 있는 건가? 그게 사실은…… 내가 듣기론 그런 사랑을 추구하는 사람들이란 오로지…….」

공작은 말을 멈추고 생각에 잠겼다.

「우리 아버지의 초상화를 보고 왜 웃었지?」 로고진이 물었다. 그는 공작의 얼굴에서 일어나는 표정 변화와 재빨리 스쳐 지나가는 근육의 움직임까지 매우 유심히 지켜보았다.

「왜 웃었느냐고? 그냥 머릿속에 떠오른 생각이네만, 자네에게 이러한 불행만 없었다면, 즉 이러한 사랑이 일어나지 않았더라면, 자네는 아주 가까운 미래에 저기 걸려 있는 아버지와 똑같은 사람이 되었을 거야. 순종적이고 과묵한 아내와 함께 이 집에서 홀로 살며 아무도 믿지 않고, 또 그럴 필요도 느끼지 않으며, 간혹 엄한 말이나 한마디씩 내뱉으며 시무룩한 표정으로 말없이 돈만 벌고 있을 거네. 그리고 낡은 옛날 책이나 칭찬하며 구교도처럼 두 손가락으로 성호를 긋는 데 흥미를 느끼겠지. 물론 늘그막에 그렇게 되겠지만.」

「실컷 웃게나. 그 여자도 이 초상화를 들여다보고 역시 똑같은 말을 했었네! 놀랍게도 두 사람의 생각이 일치하는군.」

「그럼 그녀가 자네 집에 왔었단 말인가?」 공작이 호기심에 차서 물었다.

「왔었네. 초상화를 오랫동안 바라보곤 선친에 대해 꼬치꼬치 물어보더군. 〈당신도 저렇게 될 거야.〉 그녀는 마침내 가볍게 웃으며 말했지. 〈로고진 씨, 당신에게는 강한 열정이 있어. 그런 열정과 더불어 만약 이성이 없었다면 벌써 시베리아로 유형을 갔을 거야. 하지만 당신에게는 사리 판단력이 있어.〉 믿을지 모르겠지만 그 여자가 그렇게 말하는 거였어. 그 여자에게서 그런 소리를 처음으로 들어 본 거라네. 〈당신은 지금과 같은 어린애 장난을 당장에 그만두는 게 좋을 거야. 당신은 일자무식이니까 돈이나 벌고 이 집에서 거세파 교도들이나 데리고 앉아 있는 게 어울릴 거야. 그러다가 결국은 거세파 교도로 개종을 하게 될지도 모르지. 그리고 돈 돈 하며 살다가 나중에는 2백만이 아니라 1천만 루블까지 벌게 되어 돈 자루 속에 파묻혀 굶어 죽게 될 거야. 당신은 무슨 일에나 정열적인 사람이니까 그래. 그놈의 정열을 빼면 시체나 마찬가지지.〉 이것은 토씨 하나 빼지 않고 그 여자가 말한 그대로를 옮긴 거라네. 그렇게 말한 적은 그전에는 한번도 없었어! 그 여자는 언제나 쓸데없는 소리를 늘어놓으며 놀리기나 했었으니까. 물론 그때도 처음에는 슬슬 비웃다가 나중에는 그렇게 심각해져 버리는 거였어. 그러고는 이 집을 둘러보곤 무엇을 두려워하는 듯한 표정이었어. 그래서 내가 이렇게 말했지. 〈난 이 집 전체를 개조하겠어. 아니면 결혼식 전까지 다른 집을 구할 거야.〉 〈아, 아냐. 이 집을 조금도 뜯어고칠 필요 없어. 그냥 살자고. 나는 당신의 아내가 되면 그냥 시어머니 곁에서 살고 싶어.〉 내가 그 여자를 어머니한테 데려가니까, 어머니에게 친딸처럼 공손했어. 어머니는 전과 마찬가지로 만 2년째 정신 박약아처럼 살고 있네. 아버지가 돌아가시고 나서 아주 어린애처럼 되어 버렸어. 아무 말도 하지 않고 하루 종일 앉아서 누구든 보기만 하면 고개 숙여 절을 하는 거야. 먹을 것을 주지 않아도 사흘 동안은 알지도 못할 거야. 내가 어머니의 오른팔을 잡고 〈어머니, 축복해 주세요. 나하고 결혼할 사람이에요〉라고 말하니까 그 여자는 어머니의 손에다 다정하게 키스를 하더군. 그러고는 〈당신의 어머니는 슬픔을 많이 겪으셨군요〉라고 말했어. 그 여자는 바로 이 책을 보더니 묻더군. 〈아니, 당신이 『고대 러시아 역사』를 읽기 시작한 거야?〉 언젠가 모스끄바에서 그 여자는 나에게 〈당신은 솔로비요프의 『고대 러시아 역사』라도 읽어서 교양을 쌓도록 해요. 당신은 아는 게 전혀 없어요〉라고 말했던 적이 있었어. 〈고무적인 일이로군. 그래, 독서를 많이 해. 당신이 우선적으로 읽어야 할 책 목록을 적어 줄까? 어때, 그렇게 해줄까 말까?〉 그 여자가 그런 식으로 말해 본 적이 단 한 번도 없었지. 나는 무슨 영문인지 몰랐을 정도였네. 나는 최초로 안도의 숨을 쉬었지.」

「그 말을 들으니까 무척 기분이 좋네, 로고진.」 공작이 진심으로 말했다. 「너무 기뻐. 하느님이 자네와 그녀를 잘 어울리게 해줄지 몰라.」

「절대로 그런 일은 없을 거네!」 로고진이 소리를 버럭 질렀다.

「로고진, 내 말을 들어 보게. 자네가 그녀를 그렇게 사랑하는데 그녀에게서 존경을 받고 싶은 생각은 없는가? 만약 원한다면 왜 기대를 하지 않는가? 아까도 말했지만 나에겐 경이로운 과제로 남아 있는 게 있어. 왜 그녀가 자네와 결혼할 결심을 했을까? 비록 내가 그 과제를 풀지 못한다 해도 납득할 만한 충분한 이유가 반드시 있겠지. 틀림없어. 그녀는 자네의 사랑을 확신하고 있는 거네. 하지만 자네의 일부 장점에만 확신을 가지고 있는지도 몰라. 안 그러면 그렇게 할 수가 없어! 자네가 방금 한 말이 그 증거야. 그녀가 여태껏 자네를 대하던 태도와 말과는 전혀 다른 방법으로 자네를 대하기 시작한 거야. 거기에 대해서는 자네 입으로 방금 말했어. 자네는 의심과 질투심이 강해서 자네가 본 좋지 못한 면만 과장해 왔어. 그녀는 자네가 생각하는 것만큼 그렇게 자네를 나쁘게 생각하고 있지 않네. 그렇지 않다면 그녀는 자네와 결혼함으로써 의도적으로 물 속으로 뛰어들거나 칼날 밑으로 파고들겠다는 의미가 되네. 안 그런가? 누가 의도적으로 물 속에 뛰어들거나 칼날 밑으로 파고들겠는가?」

로고진은 쓰디쓴 웃음을 지으며 공작의 열띤 말에 귀를 기울였다. 이제 그의 신념은 움직일 수 없을 정도로 확고부동한 듯이 보였다.

「자네는 왜 그렇게 힘든 표정으로 나를 바라보는가, 로고진?」 공작의 입에서 힘겹게 말이 나왔다.

「물 속이나 칼날 밑이라!」 로고진이 마침내 입을 떼었다. 「흠! 그거군. 그 여자가 나에게 시집오겠다는 것은 아마 내 칼을 기다리겠다는 뜻일 걸세! 이보게 공작, 자네야말로 지금까지도 사건의 요체가 무엇인지 깨닫지 못했단 말인가?」

「난 자네를 이해 못 하겠네.」

「물론 그렇겠지. 쉽게 이해가 안 되겠지. 헤, 헤! 하기야 사람들이 자네에 관해서 하는 말이 있지. 그 여자는 다른 놈을 사랑하고 있단 말이네……. 그 사실을 이해하란 말일세! 내가 지금 그 여자를 사랑하고 있는 것처럼, 그 여자도 지금 다른 놈을 그렇게 사랑하고 있단 말이야. 바로 그 다른 놈이 누군지 자네는 알겠나? 그놈이 바로 자네야! 그래, 그 사실을 몰랐단 말인가?」

「나라고?」

「그래. 그 여자는 생일 파티 날부터 자네에게 빠진 거야. 단 그 여자는 자네와 결혼하는 것이 불가능하다고 생각하고 있네. 자기가 자네의 일생을 망쳐 버리고 파멸시킬 것이라고 믿고 있기 때문이지. 그 여자는 〈내가 어떤 여자인지 다들 알고 있잖아〉라고 말하고 있어. 지금까지도 그 말을 하고 다니니까. 그것도 내 면전에서 말이야. 자네의 일생을 망치고 파멸시키기가 두려운 거야.

그러나 나 같은 놈하고는 결혼해도 괜찮다는 얘기야. 내 일생을 망치거나 말거나 상관할 바 아니라는 속셈이지. 이게 그 여자가 나한테 가지고 있는 생각이라네.」

「그렇다면 왜 그녀는 자네에게서 나한테로 도망쳐 왔을까? 그리고 또 내게서도…….」

「그야 자네에게서 나한테로 온 거지! 헤! 그야 변덕이 죽끓듯 하는 여자니까 그렇지! 그 여자는 지금 지독한 흥분 상태 속에서 마구 고함을 지르고 있네. 〈난 물 속으로 뛰어드는 셈 치고 너하고 결혼하는 거니까, 빨리 식을 올려!〉 자기가 서둘러서 날짜까지 정해 놓고 그 시간이 다가오면 겁이 덜컥 나서 딴생각을 하는 거야. 자네도 보았지? 울다가는 웃고 정신이 나가서 몸부림치는 것을. 그런데 그 여자가 자네에게서 도망쳐 나왔기로서니 거기에 무슨 놀랄 만한 일이 있단 말인가? 그 여자가 자네한테서 빠져나온 것은 자네를 열렬히 사랑하고 있다는 생각이 퍼뜩 들었기 때문이라네. 그 여자는 자네 곁에 있을 힘을 잃은 거야. 내가 아까 그 여자를 모스끄바에서 찾아냈다고 말했지만 그것은 사실이 아냐. 그 여자가 자네에게서 나한테로 도망쳐 온 거였어. 그 여자는 〈날짜를 잡아. 나는 준비가 되어 있으니까! 어서 샴페인을 가져와! 집시 여자들한테 같이 가자고!〉라고 하면서 법석을 피우더군……! 내가 없었더라면 그 여자는 벌써 물속으로 뛰어들었을 거야. 정말이라고. 물속으로 몸을 던지지 않고 있는 것은 아마 내가 물보다 더 무섭기 때문일 걸세. 그러니까 오기로 나에게 시집 오겠다는 거야……. 만약 나와 결혼한다면 이미 사실을 털어놨지만 그건 〈오기〉야.」

「그게 무슨……. 그게 무슨…….」 공작은 작게 소리를 질렀지만 말끝을 맺지 못했다. 그는 몸서리치며 로고진을 바라보았다.

「왜 말끝을 맺지 못하고 있는 건가?」 로고진이 이를 드러내고 웃으며 덧붙였다. 「원한다면 내가 대신 말해 줄까? 자네는 속으로 〈그녀가 어떻게 이 따위 녀석하고 결혼할 수 있단 말인가? 이게 될 성싶은 일인가?〉라고 생각하고 있어. 다 알고 있다고.」

「여기 온 것은 그 일 때문이 아닐세, 로고진. 난 그런 건 생각해 본 적도 없다고 했잖아…….」

「그럴 수도 있지. 그 일 때문도 아니고 생각해 본 적도 없을 테지. 방금 그런 생각이 떠올랐을 뿐이지, 헤, 헤! 이쯤 해두지! 자넨 뭘 그리 깜짝 놀라나? 그 사실을 몰랐던 것은 아니겠지! 놀라운 일이야!」

「로고진, 모든 게 질투심에서 비롯된 거야. 이건 병일세. 자네는 지나치게 과장하고 있어…….」 공작이 몹시 동요된 상태에서 중얼거렸다. 「왜 그러나?」

「집어치우게.」 로고진은 이렇게 말하고 공작이 무심코 탁자 위에서 집어 든 작은 칼을 재빨리 빼앗아 원래의 자리에다 놓았다. 그것은 책 옆에 있었다.

「나는 뻬쩨르부르그에 도착했을 때 예감 같은 게 있었어…….」 공작이 계속 말했다. 「나는 이곳에 오고 싶은 생각이 없었네. 나는 이곳에서 있었던 일을 내 가슴속에서 도려내고 싶었단 말일세! 그럼, 잘 있게……. 아니, 자네 왜 그러나?」

공작은 말을 하면서 무심결에 또다시 탁자 위에 있는 작은 칼을 집어 들었고, 로고진은 또다시 그것을 공작의 손에서 뺏어 탁자 위로 던졌다. 그 칼은 흔히 볼 수 있는 것으로 자루가 사슴뿔로 되어 있고, 길이가 3베르쇼끄 가량 되는 데다 거기에 걸맞는 폭을 가진 칼이었다. 두 번이나 손에 들었던 칼을 뺏긴 것에 대해 공작이 유난히 신경 쓰고 있는 것을 본 로고진은, 잔뜩 찌푸린 얼굴로 그 칼을 집어 책 속에 꽂아 넣은 후 그 책을 다른 탁자 위로 던져 놓았다.

「자네 그 칼로 책 종이를 자르나?」 공작이 물었다. 그러나 왜 그런지 초점을 잃은 듯했다. 그의 목소리는 마치 깊은 사색에 잠겨 있다가 나오는 듯했다.

「맞네…….」

「그건 원예용 칼이 아닌가?」

「원예용이지. 한데 원예용 칼로 책 종이를 자르면 안 되는 법이라도 있나?」

「그런데 아주…… 새것 같은데.」

「어때서? 새 칼을 사면 안 되나?」 로고진은 한 마디 한 마디 내뱉을 때마다 신경질을 부리며 광적인 소리로 외쳤다.

공작은 몸을 흠칫 떨고는 로고진을 유심히 바라보았다.

「우리가 지금 뭘 하고 있는 거지?」 공작은 갑자기 정신이 난 듯이 웃기 시작했다. 「미안하네. 머리가 지금처럼 무거울 때 나는 이처럼 초점을 잃고 우스꽝스럽게 되어 버리지. 그게 내 병이라네……. 나는 그런 것에 대해 물어보고 싶은 마음조차 없었네……. 무슨 말을 했는지도 기억이 나질 않아. 그럼 잘 있게나…….」

「그쪽이 아니네.」 로고진이 말했다.

「잊어버렸군!」

「이쪽이네, 이쪽. 같이 가세, 내가 안내해 줄 테니.」

4

이들은 공작이 이미 거쳐 왔던 방들을 지나서 갔다. 로고진이 약간 앞에 섰고 공작은 그 뒤를 쫓아 커다란 홀로 들어갔다. 그곳의 사방 벽면에는 몇 개의 그림이 걸려 있었다. 대주교들의 초상화와 아무것도 분간할 수 없는 풍경화들이었다. 다음 방으로 통하는 문 위로 아주 이상해 보이는 형식의 그림이 걸려 있었다. 가로는 2아르신 반쯤 되는데 세로가 6베르쇼끄밖에 안 되는 그림이었다. 그 그림은 방금 십자가에서 내려진 구세주를 묘사하고 있었다. 공작은 무슨 생각이라도 나는 듯 그림을 흘끗 바라보았다. 그러나 걸음을 멈추지 않고 방문을 지나가려고 했다. 그는 마음이 몹시 답답해서 그 집에서 한시 바삐 빠져나가고 싶은 심정이었다. 그러나 로고진이 갑자기 그림 앞에서 멈췄다.

「여기 걸려 있는 그림들은 경매장에서 선친이 1루블 내지 2루블에 구입한 거라네. 그림을 좋아하셨지. 어느 미술 감정가가 이 그림들을 모두 다 보고 나서 이것들은 모두 싸구려라고 하더군. 그런데 문 위에 걸려 있는 저 그림도 2루블에 구입한 건데 저것만은 싸구려가 아니라고 했네. 아버지가 살아 계셨을 때 이걸 3백 50루블 주겠다던 사람이 있었고, 상인 출신의 미술품 수집광 이반 드미뜨리 사벨리예프는 4백 루블까지 불렀는데, 지난 주에는 내 동생 세묜에게 5백 루블을 제안했지. 그러나 나는 그냥 가지고 있겠다고 했네.」

「그런데 이 그림은…… 한스 홀바인의 복제품[73]이네.」 공작이 그림을 들여다보고 말했다. 「나는 대단한 전문가는 아니네만 이건 아주 뛰어난 복제품 같아. 나는 이 그림을 외국에서 보고 통 잊을 수가 없었어. 하지만…… 자네는 대체…….」

로고진은 갑자기 그림을 내버려 두고 앞장서서 가던 길을 갔다. 물론 로고진에게서 갑자기 노출된 그의 산만한 성격과 이상하리만큼 유난스런 그의 신경질적 기질로 미루어 그의 돌발적인 행동을 이해할 수도 있었다. 그렇지만 공작에게 기가 막힌 것은, 로고진이 자기 쪽에서 시작한 대화를 돌연 끊어 버리고 그에게 대답조차 하지 않았다는 것이다.

73 한스 홀바인의 「죽은 그리스도」라는 그림에 대해 말하고 있다. 도스또예프스끼는 까람진의 『러시아 여행자의 편지』를 통해 오래전부터 이 그림을 알고 있었다. 외국에 갔을 때 도스또예프스끼는 홀바인의 이 유화를 보고 싶어했다. 이 그림을 보기 위해 그는 그의 아내와 하루 동안 스위스의 도시 바젤에 머물기도 했다. 도스또예프스끼는 홀바인의 심오한 이 그림에 강렬한 인상을 받았다고 한다.

「미쉬낀, 오래전부터 자네에게 묻고 싶은 말이 있었는데, 자네는 신을 믿는가, 아니면 믿지 않는가?」 로고진이 몇 발자국 가다 말고 갑자기 물어보았다.

「자네의 질문과 눈초리가 무척이나 이상하군!」 공작은 무의식 중에 한마디를 했다.

「나는 이 그림을 감상하는 걸 좋아해.」 로고진은 또다시 대답할 생각은 안 하고 중얼거렸다.

「이 그림을 좋아한단 말인가?」 공작은 로고진의 말에 무슨 인상을 받았는지 갑자기 큰 소리로 외쳤다. 「이런 그림을 좋아하다니! 이런 그림을 보다가는 있던 신앙도 사라지겠네!」

「그러잖아도 신앙이 없어지고 있어.」 로고진이 느닷없이 수긍을 했다. 그들은 이미 출입구까지 다다라 있었다.

「뭐라고?」 공작이 갑자기 멈춰 섰다. 「그게 무슨 말인가? 나는 거의 농담조로 말했는데 자네는 그렇게 심각할 수가! 내가 신을 믿는지 안 믿는지는 왜 물었던 건가?」

「아무것도 아냐. 그저 물어본 걸세. 예전부터 묻고 싶었어. 요즘에는 안 믿는 사람들이 많아서. 그런데 정말로 (자넨 외국에 나가 있어서 잘 모르겠지만) 어떤 친구가 술에 취해 하는 말이, 우리 러시아에는 세계 어느 나라보다 신을 믿지 않는 자가 많다고 하더군. 그 친구 말이 외국인들보다 우리가 그렇게 되기가 더 쉽다는 거였어. 우리가 그들보다 앞서가니까 말야…….」

로고진은 신랄한 웃음을 띠었다. 그는 자기 말을 다 끝마치고 갑자기 문을 열더니 자물쇠를 붙잡고 공작이 나올 때까지 기다렸다. 공작은 놀라긴 했으나 밖으로 나왔다. 로고진은 그를 따라 층계 복도까지 나와 문을 잠갔다. 두 사람은 자기네들이 어디에 와 있는지 이제 무엇을 해야 될지를 잊은 것처럼 상대방을 바라보며 서 있었다.

「그럼 잘 있게.」 공작이 한 손을 내밀며 말했다.

「잘 가게나.」 로고진은 힘차게 그러나 완전히 기계적으로 그에게 내민 손을 잡고 말했다.

공작은 한 계단 내려가다 말고 얼굴을 돌렸다.

「신앙으로 말할 것 같으면…….」 그는 미소를 띠고 말을 시작했다(로고진과 그렇게 헤어지는 것을 아쉬워하는 표정이 역력했다). 게다가 무슨 생각이 갑자기 떠올랐는지 생기까지 돌았다. 「신앙에 관해서 말하자면, 지난 주에 나는 이틀에 걸쳐 네 사람과 각각 만난 적이 있었네. 오전에는 새로 개통된 기차를 타고 가다가 객차 안에서 사귄 S라는 사람[74]과 네 시간 가량 얘기를 했지. 나는 그전에도 그 사람 이야기를 많이 들어 본 적이 있었네. 다름 아닌 무신론자라고 말야. 그는 정말로 매우 학식이 많은 사람이라서 나는 진짜 학자와 얘기를 하게 된 것이 무척이나 기뻤지. 게다가 그는 보기 드물게 교양 있는 학자라서 나를 지식과 의식 수준이 자기와 완전히 똑같은 사람으로 대해 주었지. 그는 신을 믿지 않았어. 그런데 한 가지 내가 놀랐던 건, 그 이야기를 하면서도 그 사람이 내내 그 문제에서 빗나가 있었다는 거야. 그 이전에도 무신론자들과 만났을 때나 또 무신론을 주장하는 책들을 읽었을 때나 매번 그런 느낌을 받았거든. 물론 겉으로 보기에는 무신론을 옹호하듯이 보였지만. 그게 나는 이상했던 거야. 나는 그때 이 점을 그에게 말했지만, 그 의미를 분명히 전달하지 못했거나 표현이 안 좋았던가 봐. 그가 아무것도 이해하지 못했으니까……. 저녁때 나는 군(郡) 소재 여관에 여장을 풀었지. 그런데 바로 전날 밤에 거기서 살인 사건이 일어나서, 내가 도착했을 때 모두들 거기에 대해 수군거리고 있었지.[75] 오래전부터 친구 사이인 늙수그레한 두 명의 농부가 술에 취하지 않은 맨 정신으로 함께 차를 실컷 마

74 S공작이 무신론적이고 실무적인 특성을 지니고 있는 것으로 보아 아마도 도스또예프스끼는 그의 동료인 공상적 사회주의자 N. A. 스뻬쉬네프(1821~1882)를 상기하고 있는 듯하다.

시고 한 골방에서 같이 잠을 자려 했다는 거야. 그런데 한 친구가 이틀 전에 다른 친구의 노란 구슬 줄이 달린 은시계를 보았지. 예전에는 그런 시계가 없었는데. 그는 도둑이 아닌 데다 아주 정직하기까지 했고, 농민들 수준으로는 전혀 가난한 사람이 아니었다는 거야. 그런데 친구의 시계가 너무나 마음에 들고 멋져 보여서 그만 참지 못했던 걸세. 그는 칼을 집어 들고 친구가 몸을 돌리는 사이 뒤로 조심스럽게 다가가 눈 대중을 하고는 눈을 들어 하늘을 보며 성호를 그었지. 그리고 혼자서 비통한 기도를 올린 거야. 〈하느님, 그리스도의 이름으로 용서해 주소서!〉 그는 양을 죽이듯 단칼에 친구를 베어 버리고 그에게서 시계를 뺏었다네.」

로고진은 배를 잡고 웃었다. 깔깔대는 모습이 마치 발작이라도 일으킨 것 같았다. 조금 전까지 몹시 침울했던 그가 그렇게 웃는 것이 이상해 보이기조차 했다.

「난 그런 얘기를 좋아해. 정말 재미있군.」 그는 금방이라도 숨이 넘어갈 듯이 경련을 일으키며 말을 했다. 「어떤 사람은 신을 전혀 믿지 않는다고 우기고, 또 어떤 사람은 기도를 올리며 사람들에게 칼질을 할 정도로 믿고 있다니……. 아냐, 이런 얘기는 아무리 쥐어짜도 나올 수 없어! 하하하! 정말 웃기는군……!」

「다음날 아침 나는 바람을 쐬러 밖으로 나갔지.」 공작은 로고진의 웃음이 멈출 때를 기다리다 이야기를 계속했다. 그러나 그

75 우연히 미쉬낀이 「목소리」지(1867년 10월 30일자, 300호)에 실린, 야로슬라프스끼 현에 살고 있는 살인자인 농부 발라바노프에 대한 이야기를 하게 된다. 돈을 벌기 위해 뻬쩨르부르그에 온 발라바노프는 산부인과 의사 쉬똘쯔의 집에서 살인 사건이 일어나기 직전에 소시민 수슬로프를 알게 된다. 그러나 이 소설에서는 그 사건의 숨겨진 부분을 간과하고 있다. 즉 발라바노프는 수슬로프의 은시계 대신에 돈을 챙겨서 시골로 돌아가고 싶어했고, 시골에는 정부의 보조가 중단된 가난한 그의 대가족이 살고 있었다. 완전 범죄를 계획했던 살인자의 도덕적, 종교적 심리 상태는 첫번째 계획(은시계를 훔치는 것)을 실행에 옮기는 것으로 끝났다.

의 웃음은 여전히 그의 입가에서 경련을 일으키며 발작적으로 떨리고 있었다. 「어느 술 취한 병사가 매무새가 흐트러진 모습으로 나무 보도 위를 비틀거리며 걷고 있는 것을 보았어.[76] 그는 나에게 오더니 〈귀족 양반, 은 십자가를 사세요. 단돈 20꼬뻬이까예요! 순은이라고요!〉 하는 거야. 보니까 그의 손에 방금 목에서 푼 듯한 십자가가 몹시 낡은 푸른 리본을 단 채로 있는 거였어. 그것은 아래위로 팔각 장식[77]이 붙은 비잔틴 문양의 커다란 십자가였는데, 첫눈에 은이 아니라 주석으로 만들어진 게 뻔히 드러났지. 나는 20꼬뻬이까짜리 은화를 꺼내 그에게 주고 십자가를 당장 목에 걸었지. 그의 얼굴을 보니 아주 흡족해 보였어. 이거 멍청한 귀족 한 명을 잘도 속여넘겼구나 하는 표정이었지. 그러고 나선 의심의 여지없이 그 돈으로 술을 마시러 가버린 거야. 그때 나는 러시아로 돌아온 후 나에게 밀려들었던 모든 것을 보고 느낀 강한 인상에 사로잡혀 있었네. 과거에 나는 러시아에 대해 말 없는 로스 족처럼 아무것도 이해하지 못했네. 나는 외국에 가 있는 5년 동안 이 나라에 대해 환상적으로 회상을 하곤 했었지. 나는 돌아오면서 생각했지. 그리스도를 판 저 병사를 나무라기에는 아직 시기상조다. 술에 취해 있는 연약한 그 가슴들 속에 무엇이 있는지는 오로지 신만이 알고 있다는 생각을 했지. 한 시간이 지나 여관으로 되돌아가는 길에 젖먹이를 안고 있는 한 아낙네와 마주쳤네. 그 아낙네는 아직 젊었고, 젖먹이는 세상에 나온 지 이제 6주 정도밖에 안 돼 보였어. 그 아이는 태어나서 처음으로 웃었지. 이때 아기 엄마가 갑자기 아주 근엄하게 성호를 긋더라고. 〈젊은 부

76 여기에서는 도스또예프스끼 자신을 묘사하고 있다. 그의 아내의 증언에 따르면 술 취한 병사에게서 산 십자가는 오랫동안 작가가 보관했으나 외국으로 떠날 때 다른 물건들과 함께 두고 갔었다고 한다. 그러나 외국에서 돌아온 뒤 찾아보았으나 없어졌다고 한다.

77 팔각 장식이 붙은 십자가는 구교도들이 사용하는 것이다.

인, 왜 그러는 거요?〉 하고 물었어. (나는 그때 모든 것을 꼬치꼬치 캐묻던 버릇이 있었지.) 그녀가 이렇게 대답을 하더군. 〈아이가 처음으로 웃는 것을 본 어머니의 기쁨이란 죄인이 진실을 털어놓고 신 앞에 기도를 드리는 것을 저 하늘에서 신이 내려다보시고 크게 기뻐하는 것과 똑같은 일이에요.〉 이 아낙네가 나에게 한 말은 기독교의 모든 본질이 한데 표현되어 있는 진정으로 섬세한 종교 사상이었네. 말하자면 자기 자식을 바라보는 아버지처럼 인간을 바라보며 기뻐하는 하늘에 계신 아버지의 모습을 신 안에서 발견한 거지. 그것도 단순한 아낙네가! 그거야말로 그리스도의 가장 중요한 사상이지! 사실 어머니는……, 혹시 누가 아나, 그 아낙네가 아까 그 병사의 아내가 될지. 로고진, 자네가 아까 한 질문에 대한 나의 대답을 들어 보게. 종교적 감정의 본질은 그 어떤 이성적 논리로도 접근할 수 없어, 그 어떤 과실이나 범죄, 그 어떤 무신론도 그걸 붙잡을 수 없지. 그런 것들과는 무언가 달라. 영원히 다를 거야. 거기에는 무신론이 영원히 포착할 수 없는 무언가가 있고, 사람들이 말하는 것과는 영원히 다른 무언가가 있는 거라고. 그러나 무엇보다 중요한 것은 바로 그것이 가장 선명하게 러시아 인의 가슴속에서 가장 자주 발견된다는 것이야. 그것이 바로 나의 결론이라네! 그것이야말로 내가 우리 러시아에서 얻은 가장 중요한 신념 중의 하나이지. 로고진, 우리가 해야 할 일은 많다네! 우리 러시아 땅에서 할 일은 많아, 나를 믿어 주게! 우리가 모스끄바에서 함께 만나 얘기했던 것을 기억해 보게……. 나는 이곳 뻬쩨르부르그로 오고 싶은 생각이 전혀 없었다네! 자네와 만나리라곤 전혀, 전혀 생각해 보지 않았어! 그래, 바로 그랬어! 잘 있게나! 신의 가호가 있을 거네!」

공작은 뒤돌아 서서 계단으로 내려갔다.

「미쉬낀!」 공작이 층계가 구부러진 곳까지 내려갔을 때 로고진이 위에서 소리쳤다. 「그 병사한테 산 십자가를 가지고 있나?」

「응, 가지고 있네.」

공작은 다시 멈춰 섰다.

「한번 보여 주게.」

또다시 기이한 모습이 연출된 것이다! 공작은 잠시 생각을 하고 나서 위로 걸어 올라가 목에 건 십자가를 풀지 않은 채 보여 주었다.

「그걸 나에게 주게.」 로고진이 말했다.

「무얼 하려고? 하지만 자네는…….」

공작은 그 십자가를 주기가 싫었다.

「그걸 걸고 다니려고 그래. 그 대신 내 걸 벗어서 자네에게 줄 테니 그걸 지니고 다니게.」

「십자가를 교환하자는 얘긴가? 그렇다면 기쁘게 자네 제안을 받아들이겠네. 우린 이로써 의형제를 맺는 걸세!」[78]

공작은 자신의 주석 십자가를, 그리고 로고진은 황금 십자가를 벗어서 서로 교환했다. 로고진은 말이 없었다. 공작은 의형제의 얼굴에서 이전의 의혹과 조롱기 섞인 쓰디쓴 미소가 여전히 사라지지 않고 일순간 강하게 표출되는 것을 보고 경악을 금치 못했다. 마침내 로고진은 공작의 손을 붙잡고, 무엇을 해야 좋을지 결정을 못 내린 듯 잠시 동안 서 있었다. 그러다가 거의 들릴락말락한 소리로 〈가세〉라고 말하고 갑자기 그를 끌어당겼다. 1층 복도를 건너서 로고진은 아까 나왔던 맞은편 문에 달린 초인종을 울렸다. 곧 이어 문이 열렸다. 머리에 수건을 동여매고 검은 옷을 입은 허리가 꼬부라진 노파가 로고진에게 말없이 절을 했다. 로고진은 노파에게 빠른 소리로 무언가를 묻고는 대답도 채 기다리지 않고 공작을 데리고 몇 개의 방을 지나 안으로 들어갔다. 어둠침침한 방들은 썰렁할 정도로 말끔히 정돈되어 있었으며 하얗고

78 고대 러시아에서 십자가를 교환하는 것은 두 사람 사이에 전통적이고 신성한 의형제를 맺는 행위였다.

깨끗한 천들을 뒤집어씌운 구식 가구들이 단정하게 놓여 있었다. 로고진은 아무런 설명도 없이 공작을 작은 방으로 데려갔다. 양쪽에 문이 달린 반들반들한 마호가니 칸막이가 한쪽에 놓인, 거실과 흡사한 방이었다. 칸막이 뒤에는 침실이 있음이 분명했다. 거실 한구석 벽난로 곁에는 조그만 노파가 안락의자에 앉아 있었다. 겉보기에 아직 늙어 보이지 않는 노파는 상당히 건강하게 보이고 호감이 가는 둥그런 얼굴을 하고 있었다. 그러나 머리는 완전히 백발이 되었고 정신 상태는 거의 어린애처럼 보였다(첫눈에 그렇게 알아볼 수 있었다). 검은 실크 드레스를 입은 그녀는 커다랗고 검은 숄을 목에 걸치고 검은 리본이 달린 실내모를 쓰고 있었다. 두 발은 긴 의자 위에 올려놓고 있었다. 그녀 곁에는 단정하게 생긴 또 다른 노파가 있었다. 그녀는 약간 더 나이가 들어 보였으며, 역시 상복에 하얀 실내모를 쓰고 있었다. 필시 식객으로 보이는 그녀는 조용히 양말을 뜨고 있었다. 첫번째 노파는 로고진과 공작을 보고서 이들에게 미소를 보낸 뒤 기쁘다는 표시로 몇 번씩이나 상냥하게 고개를 숙였다.

「어머니,」 로고진이 그녀의 손에 키스를 하며 말했다. 「여기는 나하고 가까운 친구 레프 니꼴라예비치 미쉬낀 공작이에요. 우리는 서로 십자가를 교환했어요. 모스끄바에 있을 때 이 친구는 친형제와 같았고, 나에게 많은 일을 해주었어요. 친자식을 축복해 주듯이 이 친구를 축복해 주세요. 잠깐만요, 내가 어머니 손을 잘 포개어 드릴게요…….」

그러나 노파는 로고진의 손이 닿기도 전에 자신의 오른손을 들어 손가락 세 개를 포개서 공작을 세 번이나 경건하게 축복해 주었다. 그러고는 다시 한번 상냥하고 다정하게 그에게 고개를 끄덕였다.

「자, 가세, 미쉬낀.」 로고진이 말했다. 「어머니한테 인사를 시키려고 자네를 데려온 걸세…….」 이들이 다시 층계로 나왔을 때

로고진이 말했다. 「사실 어머니는 사람들이 말하는 것을 전혀 못 알아듣네. 그리고 내가 무슨 말을 하는지도 전혀 몰라. 하지만 자네를 축복해 주었네. 그건 어머니 마음에서 우러나와서였을 거야……. 자, 이제 작별을 하세. 자네나 나나 헤어질 시간이네.」

로고진이 문을 열어 주었다.

「작별 인사로 자네를 포옹하고 싶네. 이상한 사람이군, 자네는!」 공작은 부드럽게 힐난의 눈초리를 보내며 그를 껴안으려고 했다. 그러나 로고진은 손을 올렸다가 이내 내려 버렸다. 그는 마음이 서지 않았다. 그는 공작을 바라보지 않으려고 고개를 돌렸다. 그는 공작을 포옹하고 싶지 않았다.

「걱정 말게! 내가 자네의 십자가를 가져왔지만, 시계 때문에 자네를 칼로 찌르진 않을 테니까!」 로고진은 갑자기 야릇하게 웃기 시작하며 불분명한 말을 내뱉었다. 그러나 그의 얼굴이 돌변했고 몹시 창백해졌다. 그의 입술은 떨리기 시작했고, 눈은 불타오르기 시작했다. 그는 두 손을 올리고 공작을 끌어안았다. 그리고 거칠게 숨을 내쉬며 말했다.

「그게 운명이라면 그녀를 데려가게! 그녀는 자네 것이네! 내가 양보하지……! 이 로고진을 기억해 주게!」

로고진은 공작을 그대로 두고 그를 거들떠보지도 않은 채 성급히 자기 집으로 들어가 문을 쾅 닫았다.

5

이미 늦었다. 거의 2시 반이었다. 공작은 예빤친의 집에 들렀으나 그는 나가고 없었다. 공작은 명함을 남겨 두고 〈저울〉 여관으로 가서 니꼴라이에게 물어보고, 만약 그가 거기에 없으면 그에게 메모라도 남겨 놓고 오리라고 결심을 했다. 〈저울〉 여관에

가니 하인들이 니꼴라이는 〈벌써 아침에 나갔어요. 그런데 누군가가 와서 어디 있느냐고 물어보면 3시경에 온다고 하랬어요. 만약 3시 반까지 여기에 안 오면 기차를 타고 빠블로프스끄에 있는 예빤친 장군 부인의 별장에 가서 식사하는 걸로 알고 계시라고 했어요.〉 공작은 앉아서 기다리다 그 김에 점심까지 부탁했다.

3시 반이 지나 4시가 되어도 니꼴라이는 나타나지 않았다. 공작은 밖으로 나와 발길이 닿는 대로 걸었다. 초여름의 뻬쩨르부르그에는 가끔 화창하고 고요한, 그야말로 매혹적인 날씨가 찾아온다. 그날도 일부러 골라잡은 듯이 보기 드물게 좋은 날씨였다. 공작은 얼마간 아무 목적 없이 배회했다. 그에게 이 도시는 생소했다. 그는 이따금 낯선 건물 앞 교차로나 광장에서, 또는 다리 위에서 멈춰 섰다. 한번은 휴식을 취할 셈으로 과자점에 들르기도 했다. 때로는 비상한 호기심으로 행인들을 눈여겨보기도 했으나, 한 명의 행인도 제대로 보지 못했고 자기가 어디로 가고 있는지조차 모를 때가 많았다. 그는 고통스러울 정도로 긴장과 불안에 휩싸여 있었다. 동시에 그는 그 어느 때보다도 혼자 있고 싶은 마음이 간절했다. 그는 아무런 출구도 찾지 않고 혼자서 이 고통스런 긴장에 수동적으로 푹 파묻혀 버리고 싶었다. 그는 자기 마음과 가슴속으로 물밀듯이 파고드는 질문들을 풀어 볼 생각이 전혀 없었다. 〈이 모든 것이 다 내 잘못이란 말인가?〉 그는 자기가 무슨 말을 하고 있는지도 자각하지 못한 채 혼자서 중얼거렸다.

저녁 6시경에 그는 〈황제〉 마을 역의 플랫폼에 와 있었다. 그는 더 이상 고독을 참을 수가 없었다. 그의 가슴속에서 새로운 열정이 솟았다. 일순간에 그의 영혼을 괴롭혔던 암흑이 환하게 불을 밝혔다. 그는 빠블로프스끄로 향하는 기차표를 끊어서 떠날 준비를 서둘렀다. 그러나 그는 어떤 강박 관념에 시달리고 있었다. 그것은 그가 꿈꾸었던 환상이 아니라, 바로 눈앞에 존재하는 현실이었다. 그는 객차 안에 자리를 잡자마자 방금 산 기차표를 갑자기 바닥에다 팽개치고 당혹스럽고 침울한 표정으로 정거장 밖으로 나왔다. 얼마간의 시간이 흘렀을 때 거리에 나온 그는 별안간 무언가를 상기한 듯했다. 오랫동안 그를 괴롭혀 왔던 아주 이상한 무엇인가를 갑자기 생각해 냈다. 그는 지금 이 순간까지 발견하지 못했던, 아주 오래전부터 어느 일에 몰두해 왔던 자기 자신을 갑자기 의식적으로 이해하게 된 것이었다. 이미 〈저울〉 여관에 있을 때부터 몇 시간 동안, 어쩌면 그 이전부터 그는 자기 주변에서 무언가를 찾기 시작한 것이다. 반 시간 가량 잊고 있을 때도 있었지만 불안하게 주위를 둘러보면서 무엇인가를 찾고 있었다.

그러나 공작은 방금 자신의 내면에 있는 병적인 충동, 즉 오래전부터 사로잡혀 있으면서도 지금까지 전혀 의식하지 못했던 충동을 발견했다. 그러자마자 그의 관심을 비상하게 끌었던 또 다른 기억이 갑자기 떠올랐다. 주위에서 무언가를 찾고 있는 자신을 깨달은 순간에, 그는 도로에 서서 어느 상점의 진열장 안에 있는 상품을 커다란 호기심으로 들여다보았던 것이다. 불과 5분 전에 그 상점의 유리창 앞에 자기가 서 있었는데 그것이 진짜 현실이었을까, 허상이 보였던 것은 아니었을까, 무언가 혼동한 것은 아니었을까? 그 상점과 상품은 정말로 존재하는 것일까? 그는 당장에 이 모든 것을 확인하고 싶었다. 오늘 그는 특히 병적인 상태에 있는 자신을 발견했다. 그것은 과거에 그의 병이 발작하기 전에 느끼곤 했던 상태와 똑같았다. 그는 발작 직전에 유난히 산만해지고, 특별히 신경을 써서 유심히 보지 않으면 사람과 사물들을 혼동하곤 했던 일을 기억하고 있었다. 그러나 그가 정말로 그때 상점 앞에 서 있었는지 확인하고 싶은 특별한 이유가 있었다. 상점의 진열장에 전시된 물건들 중에는 유난히 그의 시선을 끌었던 은화 60꼬뻬이까쯤 되는 물건이 하나 있었다. 그는 몽롱하고 불안한 상태에 있었음에도 불구하고 그것을 기억했다. 따라서 그 상점이 정말로 존재했고 그 상품이 다른 물건들 사이에 진열되어 있었다면, 그 상품 때문에 그가 멈춰 섰을 것이다. 그렇다면 그 상품은 그가 방금 기차역에서 나와 무겁고 몽롱한 상태에 빠져 있었을 때조차 그의 주의를 끌 만큼 그에게 강한 관심을 불러일으켰다는 것을 뜻한다. 그는 오른쪽을 바라보며 우수에 젖어 걸었다. 그의 심장은 불안한 초조감으로 고동치고 있었다. 마침내 그는 그 상점을 발견했다! 이곳으로 되돌아오려는 생각을 했을 때, 그는 상점에서 5백 보 가량 떨어진 곳에 있었다. 바로 그 60꼬뻬이까짜리 물건이 있는 곳이다. 〈물론 60꼬뻬이까밖에 안 돼. 그 이상의 가치는 없는 거야!〉 그는 속으로 이렇게 되뇌며 웃었다. 그러나 그의 웃음은 신경질적이었다. 그는 몹시 힘들어지기 시작했다. 분명하게 기억이 났다. 바로 이 진열장 앞에 서 있다가 갑자기 몸을 홱 돌렸고, 그때 로고진의 시선에 놀랐던 것이다. 그가 옳았다는 것을 확인하고(그가 이렇게 확인하기 전에도 자신의 기억이 틀림없다고 믿었지만) 그는 상점에서 성급히 물러났다. 그는 이 모든 것을 빨리 숙고해야 했다. 기차역에서 있었던 일도 결코 환각이 아니라 과거에 있었던 그의 모든 불안과 관련되어 틀림없이 그에게 벌어졌던 사건이란 게 확실해졌기 때문이었다. 그러나 극복할 수 없는 혐오감이 또다시 가슴속을 밀치고 나왔다. 그는 아무것도 생각하고 싶지 않았다. 그는 아주 다른 것에 대해 생각하기 시작했다.

그의 간질병 증후 중에는 거의 발작 직전에 오는 어떤 단계가 있었다(물론 의식이 분명한 상태에서 발작이 올 때에 한해서지만). 그 단계에 들어서면 우수와 정신적 암흑과 억압 사이에서 순간적으로 그의 뇌는 불꽃을 튀기고 모든 활력은 폭발적으로 긴장한다. 삶의 감각과 자의식은 번개처럼 이어지는 매순간 거의 10배로 증가되었다. 그의 모든 감정, 의심, 걱정은 지극한 평온함으로 바뀜과 동시에 빛을 발하는 기쁨, 조화, 희망이 되고, 그의 이성은 결정적인 원인을 이해하는 데까지 이른다. 그러나 이 순간들, 이 광채들은 발작 바로 전에 오는 결정적 1초를 예고할 뿐이다. 그 순간은 물론 견딜 수 없는 것이다. 나중에 건강한 상태에서 그 순간을 곰곰이 생각해 보면서 그는 곧잘 자기 자신에게 이렇게 말하곤 했다. 극도의 자각과 자의식이 〈최상의 삶〉의 형태로 떠오르는 이 섬광의 순간들은 정상적 육체 상태를 거부하는 병에 지나지 않는다. 만약 그렇다면 그것은 최상의 삶이 아니라 반대로 가장 저열한 것에 속하는 것이다. 하지만 공작은 마침내 극히 역설적인 결론에 도달했다. 〈그것이 병이라는 사실이 어쨌단 말인가?〉 그는 이렇게 단정했다. 〈이 긴장이 비정상적이든 아니든 그게 무슨 상관인가? 이미 건강한 상태에서 상기되고 검토되는 일순간의 감각이 최상의 조화와 아름다움으로 확인된다면, 그 결과 자체가 여태껏 들어 보지도 못하고 추측해 보지도 못한 충만과 중용과 화해의 감정과, 고귀한 삶의 합성과 혼합된 법열을 가져다 준다면, 긴장이 비정상적이든 아니든 무슨 상관인가?〉 안개에 싸인 듯한 이 표현은 상당히 설득력이 약했지만 그로서는 충분히 납득할 수 있을 것 같았다. 그것이 진정한 〈아름다움과 기도〉이자 고귀한 삶의 총체라는 것을 그는 도저히 의심할 수 없었고, 또 의심할 만한 여지도 없는 것처럼 생각되었다. 그가 존재할 수 없는 어떤 비정상적인 환영을 본 것이 아니었을까? 이성을 침해하고 영혼을 곡해하는 최면제나 아편이나 술에서 비롯되는 환영을 본 것이 아닐까? 그는 병적인 상태가 끝나자마자 거기에 대해 정상적으로 판단할 수 있었다. 이 순간들은 자의식이 특별히 강해지는 순간일 뿐이다. 그러한 상태를 한마디로 표현할 수 있다면, 그것은 자의식인 동시에 가장 직접적인 자기 자각이 극도로 강화되는 순간이라고 할 수 있다. 만약 그 1초 동안, 즉 발작이 일어나기 직전의 의식이 깨어 있는 마지막 순간에, 그가 분명히 의식적으로 〈그렇다, 이 순간을 위해 나의 모든 생을 내줄 수 있다!〉라고 말할 수 있었다면, 물론 그 순간은 그의 전 생애만큼의 가치가 있는 것이다. 그러나 그는 자신의 결론이 가지고 있는 변증법적인 면에 대해서는 개의치 않았다. 망연함, 정신적 암흑, 백치 상태가 그의 앞에 이 〈고상한 순간들〉의 선명한 귀결처럼 서 있었다. 그는 물론 그런 것에 대해서 진지하게 논쟁하지 않을 것이다. 그 결론 속에는, 즉 이 순간에 대한 그의 평가 속에는 의문의 여지없이 실수가 있었다. 그러나 감각의 현실은 그를 약간 당황하게 했다. 도대체 현실을 어떻게 처리해야 하는가? 사실 그것은 실제로 있어 왔던 일이었다. 그는 이러한 순간에 느끼는 무한한 행복을 생각한다면 이 한순간은 모든 생애에 버금가는 것이라고 말하지 않았던가! 언젠가 그는 모스끄바에서 로고진과 만났을 때 이렇게 말한 적이 있었다. 〈이 순간에, 바로 이 순간에 《시간은 얼마 남지 않았다》[79]는 심상치 않은 말이 나에게 와 닿기 시작했어.〉 그는 웃으면서 덧붙였다. 〈아마 이 순간은, 간질병 환자인 마호메트가 쓰러진 물병에서 물이 쏟아지기 전에 알라 신(神)의 모든 집들을 관찰할 여유가 있었다는 바로 그 순간일 걸세〉[80] 그렇다, 그는 모스끄바에서 로고진과 자주 만나 이것에 대해서만 말한 것이 아니었다. 〈로고진이 아까 말했지, 내가 그때는 그에게 형제였었다고. 그는 오늘 처음으로 그 말을 했어.〉 공작은 이렇게 혼자서 생각을 해보았다.

그는 〈여름〉 공원에 있는 나무 밑 벤치에 앉아 그 생각을 해보았다. 거의 7시가 되었다. 공원은 텅 비었다. 무언가 어두운 것이 일순간 지는 해를 스쳐 지나갔다. 공기는 답답했고, 멀리서 소나기가 오는 징후가 느껴졌다. 지금의 관조적 분위기가 그에게는 어떤 유혹과 같았다. 그는 외부 대상에 기억과 이성을 고정시키고, 또 그렇게 하는 것이 대단히 만족스러웠다. 그는 무언가 현실

79 요한의 묵시록, 10장 6절.

80 코란의 주석가들에 따르면, 대예언자는 7층 하늘로 들어올려졌다가 올라가는 순간 넘어뜨린 물병을 잡기 위해 때맞춰 자기 방으로 돌아왔다고 한다.

적이고 긴요한 것을 잊고 싶었던 것이다. 그러나 눈을 들어 자신의 주변을 바라보는 첫 순간에, 그가 그토록 탈피하고 싶어했던 자신의 침울한 상념을 또다시 인식하는 것이었다. 그는 아까 여관에서 식사를 하며 최근에 벌어진 극히 이상한 살인 사건에 관해 종업원과 얘기를 했던 것이 생각났다. 대단한 물의를 일으켰던 사건이었다. 그러나 그 생각이 떠오르자마자 그의 내부에 또다시 특이한 변화가 일어났다.

도저히 물리칠 수 없는 유혹과도 같은 욕망이 그의 모든 의지를 갑자기 마비시켜 버렸다. 그는 공원 벤치에서 일어나 곧바로 뻬쩨르부르그 구(區)[81] 쪽으로 걸어갔다. 아까 네바 강변에서 그는 어느 행인에게 네바 강을 거쳐 뻬쩨르부르그 구 쪽으로 가는 길을 물어보았다. 그러나 그는 행인이 가르쳐 준 대로 가지 않았다. 오늘 가봤자 아무런 소용이 없다는 것을 그는 알고 있었기 때문이다. 주소는 오래전부터 그의 손에 있었다. 레베제프의 처제라는 사람의 집을 쉽게 찾을 수는 있으나, 그는 그 여자가 집에 없을 것이라고 추측하고 있었다. 〈그 여자는 틀림없이 빠블로프스끄로 간 게야. 안 그러면 니꼴라이가 약속대로 〈저울〉 여관에 무슨 메모라도 남겨 놓았을걸.〉 때문에 그가 지금 가고 있는 것은 물론 그녀를 보기 위해서가 아니었다. 또 하나의 어둡고 고통스런 호기심이 그를 유혹하고 있었다. 갑자기 그의 머릿속에서 새로운 생각이 떠올랐다…….

그로서는 자기가 걸어서 어디론가 가고 있다는 것을 안다는 사실만으로도 아주 만족할 만한 상태였다. 그러나 1분이 지나자 그는 자기가 어떤 길로 가고 있는지 거의 의식하지 못한 채 그냥 걷고만 있었다. 〈자신의 갑작스런 생각〉을 계속 숙고한다는 것이 몹시 역겨워지고 불가능해지기 시작했다. 그는 고통스럽게 긴장된

81 뻬쩨르부르그 오른쪽 지역. 뾰뜨르 대제 시대에 건설된 도시의 일부이다.

주의력으로 시야로 들어오는 모든 것들, 하늘, 네바 강을 바라보았다. 그는 마주친 조그만 아이와 말을 하려 했다. 간질 증상이 점점 더 심해지는 듯했다. 천둥을 동반한 소나기가 느린 속도로 다가오고 있었다. 이미 멀리서 천둥소리가 들리기 시작했다. 몹시 후텁지근해졌다…….

왜 그런지 지금 그에게는 모든 것이 다 선명하게 기억 났다. 신물이 날 정도로 지긋지긋해진 음악의 한 소절이 끈질기게 떠오르듯이, 아까 보았던 레베제프의 조카가 눈앞에서 아른거렸다. 이상하게도 레베제프가 자기 조카를 소개하며 얘기해 주었던 살인범의 모습이 그를 통해 나타났다. 그는 이 사건에 대해 최근 신문에서 읽었다. 그는 러시아에 온 뒤 그와 유사한 사건들을 많이 읽었으며 많이 들어 왔다. 그는 집요하게 그런 사건들을 주시하고 있었다. 조금 전 여관 종업원과의 대화에서도 제마린 가족 살인 사건에 대해 지나칠 정도로 관심을 가졌었다. 여관 종업원이 그에게 동의했던 것이 생각났다. 그 종업원은 우둔하지 않고, 건실하고 신중한 청년이었다. 〈하지만 그가 어떤 사람인지 누가 알겠는가? 낯선 땅에서 낯선 사람들을 꿰뚫어 보기가 쉬운 일이겠는가?〉 하지만 공작은 러시아 인의 영혼을 열정적으로 믿기 시작했다. 그는 지난 6개월 동안 완전히 새롭고, 예측이 불가능한, 유례가 없는 수수께끼 같은 일을 너무나도 많이 겪었다. 그러나 타인의 마음이 암흑 같듯이, 러시아 인의 마음도 암흑 같다. 많은 사람들에게 있어서도 러시아 인의 마음은 불분명하다. 로고진의 경우를 봐도 그렇다. 그는 오랫동안 로고진과 매우 가깝게, 〈형제처럼〉 지내 왔다. 그러나 그가 과연 로고진을 알고 있다고 할 수 있는가? 아, 가끔 이 모든 것이 너무나 혼란스럽고, 황당 무계하고, 추잡하기 짝이 없지 않은가? 〈아까 레베제프의 조카라는 녀석은 왜 그리 못돼먹었는가? 그런데 나는 도대체 누구인가? (공작에게는 계속 망상이 떠올랐다.) 정말 그 녀석이 일가족 6명을 죽였는가?[82] 나는 모든 것을 혼동하고 있는 것 같다……. 너무 이상해! 머리가 왜 이렇게 핑핑 도는 거지? 레베제프의 큰딸은 참 좋게 생겼어. 얼굴도 아주 귀엽고. 아이를 안고 서 있었던 그 아가씨는 순결하고 거의 어린애 같은 표정에 어린애 같은 미소를 짓고 있었어!〉 이상하게도 공작은 그녀의 얼굴을 거의 잊고 있다가 이제 와서 다시 떠올리고 있었다. 〈레베제프는 발을 구르며 그 아이들을 야단치지만 속으로는 무척 아끼고 있는 거야. 그리고 자기 조카도 그렇게 사랑하고 있다는 것은 불 보듯 뻔한 거지.〉

그런데 공작은 왜 이렇게 그들을 속단하고 있는 것일까? 오늘 처음 나타난 그가 그들에게 왜 그런 판결을 내리고 있는 것일까? 오늘 레베제프가 화두를 던진 것이다. 과연 레베제프가 그러한 인물이라는 것을 기대했었을까? 그러한 레베제프를 공작은 예전에 알았을까? 〈레베제프와 뒤바리 백작 부인, 참 묘한 일이다! 그런데 로고진이 살인을 하면 그는 적어도 마구잡이로 하지는 않을 것이다. 6명의 일가족을 살해하는 난장판은 벌어지지 않으리라. 도면에 따라 주문해 만든 흉기와 완전히 실신하다시피 한 여섯 사람들! 과연 로고진이 도면을 주고 흉기를 주문할까? 그에게는……. 하지만 로고진이 살인을 할 거라는 가정은 가능성이 있을까? 공작은 갑자기 치를 떨었다. 〈이 같은 가정을 이처럼 냉소적이고 노골적으로 한다는 것은 저열한 죄악이다.〉 이렇게 소리치는 그의 얼굴은 부끄러움에 벌겋게 달아올랐다. 그는 경악을 하며, 못에 박힌 듯 길 위에 멈춰 섰다. 모든 것이 한꺼번에 떠올랐다. 바로 전의 빠블로프스끄 역과 니꼴라예프스끼 역,[83] 거기서 보았던 두 눈에 대해 로고진에게 직선적으로 던진 질문, 자기가 걸고 있는

82 공작의 이러한 망상은 고르스끼의 제마린 일가 살인 사건과 밀접하게 연관되어 있다.

83 니꼴라이 1세 때 설계된 뻬쩨르부르그-모스끄바 간 철도의 이름이기도 하다.

로고진의 십자가, 로고진이 직접 청하여 그의 어머니가 내린 축복, 마지막에 있었던 경련을 일으키는 듯한 포옹, 계단에서 마지막으로 했던 로고진의 말이 머릿속에서 동시에 떠올랐던 것이다. 그리고 그 후에 무언가를 끊임없이 찾고 있는 자신…… 그리고 이 상점과 이 60꼬뻬이까짜리 물건……, 이게 웬 저열한 짓이란 말인가! 〈갑작스런 생각〉에 자극받아 〈특별한 목적〉을 향해 걷고 있다니! 그의 영혼은 절망감과 고통에 사로잡혀 있었다. 공작은 한시 바삐 숙소인 여관으로 발길을 돌리고 싶었다. 그리고 그는 발길을 돌린 후 1분도 채 안 되어 제자리에 서서 곰곰이 생각을 해보다가, 다시 방향을 바꿔 아까 가던 길을 갔다.

그는 벌써 뻬쩨르부르그 구에 와 있었다. 그는 그 집에서 가까운 곳에 있었다. 지금 그는 조금 전처럼 목적을 가지고 그곳으로 가고 있는 것이 아니다, 말하자면 〈특별한 생각〉 때문이 아니라고 중얼거리고 있었다. 그것은 있을 수 없는 일이잖은가! 그렇다, 병이 재발하고 있는 것이다. 의심의 여지가 없다. 어쩌면 발작이 오늘 일어날지도 모른다. 이 발작에 그의 영혼이 몸부림치는 모든 암흑이 있는 것이고, 발작을 통해 그 〈생각〉이 싹트는 것이다! 지금 암흑은 산산이 흩어지고, 악마는 쫓겨 가고, 모든 의혹을 벗어버린 그의 가슴에는 환희만 남아 있을 뿐이다! 그는 아주 오랫동안 그녀를 보지 못했다. 그는 그녀를 보아야 했다. 때문에 그는 로고진을 만나서 그의 손을 잡고 함께 가고 싶었다……. 그의 가슴은 순결했다. 그런 그가 과연 로고진의 연적(戀敵)이 될 수 있을까? 내일 그는 로고진을 찾아가서 그녀를 보았노라고 말할 것이다. 아까 로고진이 말했듯이, 공작이 이곳으로 날아오다시피 한 것은 오로지 그녀를 보기 위해서가 아니었던가! 어쩌면 그는 그녀를 만나게 되리라. 그녀가 빠블로프스끄로 떠났을 가능성은 희박하기 때문이다!

그렇다. 이제는 이 모든 것을 명확히 해놓아야 한다. 모두들 서로의 마음을 명확히 읽어야 한다. 아까 로고진이 말한 것과 같은 암울하고 광적인 말은 없도록 해야 된다. 이 모든 것이 자유롭고 …… 공명하게 이루어지도록 해야 한다. 로고진이 정의를 모르는 사람이란 말인가? 로고진은 그녀를 사랑하는 방법이 그와는 다르고, 그녀에 대해 연민도 없고, 〈아무런 동정 따위도〉 없다고 말했다. 이후에 그는 이렇게 덧붙였다. 〈자네의 연민은 나의 동정보다 강할지 몰라.〉 하지만 그는 자신을 비방하고 있다. 흠, 로고진이 『고대 러시아 역사』를 보고 있다고? 그거야말로 〈연민〉이 아닐까? 그거야말로 〈연민〉의 시작이 아닐까? 그 한 권의 책이, 로고진이 그녀에 대한 자신의 태도를 완전히 자각하고 있다는 것을 증명해 주는 것이 아닌가? 아까 그가 했던 얘기는 어떻고? 맞다, 그에겐 열정보다 더 깊은 무언가가 있다. 〈그런데 그녀의 얼굴이 단순히 정욕만을 불러일으키는 것일까? 그 얼굴이 과연 정욕을 불러일으킬 수 있을까? 그 얼굴은 연민을 불러일으키며, 모든 영혼을 사로잡는다. 바로 그 얼굴이…….〉 고통스런 추억이 공작의 가슴을 갑자기 스치고 지나갔다.

그렇다, 고통스런 추억이었다. 그는 얼마 전 처음으로 그녀에게서 광기의 증후를 발견했을 때 느꼈던 고통을 상기했다. 이 발견으로 그는 거의 절망 상태에 빠져 있었다. 그녀가 그를 떠나 로고진에게로 도망가는 것을 어떻게 그대로 내버려 두었던 걸까? 앉아서 소식을 기다릴 게 아니라, 그녀를 찾으러 쫓아갔어야 했는데. 그러나 과연 로고진이 지금까지 그녀의 광기를 눈치 채지 못했을까……? 〈흠…… 로고진은 이 모든 것에서 또 다른 원인, 즉 육욕의 원인만을 보고 있는 것이다! 그야말로 광적인 질투다! 아까 그가 했던 가정은 과연 무슨 뜻이었나?〉 (공작은 갑자기 얼굴이 빨개졌다. 가슴속에서 경련이 일어나는 것 같았다.)

그런데 무엇 때문에 그런 것을 떠올리는 것일까? 양쪽이 다 미쳐 버린 것이다. 공작이 이 여인을 정욕 때문에 사랑한다는 것은 거의 불가능하다. 잔인하고 비인간적인 짓일 것이다. 〈그래, 맞다! 로고진은 자신을 비방하고 있다. 그에게는 괴로워하고 연민할 수 있는 넓은 가슴이 있다. 그가 모든 진실을 알아내고 상처받은 그 반 미치광이 여인이 무척이나 가련한 존재라는 사실을 믿게 될 때, 그는 지금까지 그녀로 인해 고통받았던 모든 것을 용서해 주지 않을까? 그리고 그 여인의 하인과 형제와 친구와 예언자가 되어 주지 않을까? 연민은 로고진 자신에게 새로운 삶의 의미와 교훈을 줄 것이다. 연민이야말로 모든 인간 존재에게 가장 중요하고 유일한 법칙이다.〉 아, 그는 로고진에게 용서받지 못할 비열한 죄를 지은 게 아닐까? 〈러시아 인의 영혼〉이 어두운 것이 아니라, 그의 영혼에 암흑이 맴돌고 있는 것이다. 그처럼 무서운 일을 상상할 수 있었던 것만 보아도 그렇다. 모스끄바에서 로고진은 몇 마디의 따뜻하고 진심 어린 말에 그를 자기의 형제라고 부르지 않았던가! 그런데 그는 어떤가……? 하지만 그것은 병적인 섬망 상태에서 나온 것이다. 그 모든 것은 해결될 것이다……! 로고진이 아까 자신의 〈신앙이 사라져 간다〉고 얼마나 암울하게 말했던가! 〈그런 인간은 심하게 고통받을 거다. 그는 《이 그림을 좋아한다》고 말했지만, 좋아하는 게 아니라 그래야 할 필요성을 느낀 것이다. 로고진은 단순히 정욕의 노예만은 아니다. 그는 투사이기도 하다. 그는 힘으로 자신의 잃어버린 신앙을 되돌리려는 투쟁을 하고 있다. 지금 그에게는 고통스러울 정도로 신앙이 필요하다……. 그렇다! 그는 무엇이든지 믿어야 된다! 무엇이든지 믿어야 된다! 그런데 홀바인의 그 그림은 왜 그리 이상한가……? 아, 바로 이 거리다! 바로 이 거리에 틀림없이 그 집이 있을 것이다. 16번지의 《10등관 필리소바 여사의 자택》이. 여기로구나!〉 공작은 초인종을 두드리고 나서 나스따시야를 만나러 왔다고 했다.

여주인이 직접 나와, 나스따시야는 이미 아침에 빠블로프스끄에 있는 다리야 알렉세예브나를 보러 갔는데, 〈어쩌면 거기서 며칠 동안 머무르다 올지 몰라요〉라고 말했다. 필리소바는 몸집이 작고 눈매가 날카롭고 턱이 뾰족한 마흔 살 전후의 여자였다. 그녀는 약삭빠른 눈치로 공작을 유심히 바라보았다. 그녀는 공작에게 이름을 물어보았다. 그녀의 물음에는 내밀한 뉘앙스가 서려 있는 것 같아서 공작은 선뜻 대답하기가 망설여졌으나, 곧 마음을 가다듬고 나스따시야에게 자기 이름을 꼭 전해 달라고 부탁을 했다. 필리소바는 주의를 기울여 유달리 비밀스런 표정으로 그의 부탁을 받아들였다. 그녀의 표정은 마치 〈걱정 마세요. 다 알고 있으니까요〉라고 말하는 듯했다. 공작의 이름을 듣고 나서 그녀는 틀림없이 심한 충격을 받았을 것이다. 공작은 그녀를 멀거니 바라본 후 뒤돌아 서서 여관을 향해 갔다. 그러나 돌아가는 그의 표정은 초인종을 누를 때의 모습이 아니었다. 순식간에 심상치 않은 변화가 찾아온 것이다. 다시 창백해지고, 허약해진 그는 괴로워하며 걷고 있었다. 그의 무릎은 후들거렸고 파래진 입술에는 흐릿하고 불안한 미소가 떠올랐다. 그의 〈갑작스런 생각〉이 증명되고 실현되었던 것이다. 그는 또다시 자신의 악마를 믿기 시작했다.

그러나 진정으로 확인되었단 말인가? 무엇이 실현되었단 말인가? 왜 공작은 또다시 몸을 떨고, 식은땀을 흘리는 것일까? 그의 마음이 이렇게 어두워지고 차가워지는 이유는 무엇일까? 또다시 그가 아까의 두 눈을 보았기 때문인가? 그러나 그가 〈여름〉 공원에서 여기로 온 이유는 오로지 그 두 눈을 보기 위해서가 아니었는가? 바로 그것이 그의 〈갑작스런 생각〉이었다. 그는 〈아까의 두 눈〉을 집요하게 보고 싶어했다. 바로 그 눈을 이 집에서 반드시 볼 수 있다는 것을 최종적으로 확인하기 위해서였다. 그것을 노심초사하며 바라 왔던 것이다. 그런데 실제로 그 눈을 방금 보고서 그는 왜 그리 억눌려 있고, 놀란 마음을 금치 못하는 것인가? 마치 예기치 못한 것처럼! 그렇다, 그것은 오늘 아침 그가 니꼴라예프스끼 기차역에서 내릴 때 사람들 틈에서 번쩍거렸던 바로 그 눈이었다(바로 그 눈이라는 사실은 이제 추호의 의심도 없는 사실이다). 그리고 아까 로고진의 집에서 의자에 앉을 때 어깨 너머로 포착했던 바로 그 눈(정말로 똑같은 그 눈)이었다. 로고진은 아까 부인(否認)을 했었다. 그는 일그러지고 얼음같이 찬 미소를 띠며 물었다. 〈대체 그게 누구의 눈이었을까?〉 공작은 아까 〈황제〉 마을역에서 아글라야를 보러 기차에 올라타면서 이날 세 번째로 또다시 그 눈을 보았다. 그때 그는 로고진을 찾아가 〈그게 대체 누구의 눈이지?〉라고 묻고 싶었다. 그러다가 공작은 역에서 칼을 파는 그 상점 앞에까지 다다르게 되었다. 그는 거기 서서 사슴뿔 자루가 달린 칼이 60꼬뻬이까라는 것을 읽고 있었다. 마침내 기이하고 몸서리쳐지는 악마가 그에게 달라붙어 더 이상 그를 떠나려 하지 않았다. 그 악마는 그가 〈여름〉 공원의 보리수 아래서 망상에 젖어 있었을 때 다음과 같이 속삭였다. 만약 로고진이 아침부터 그를 쫓아다니며 그의 동태를 일일이 감시할 필요가 있었다면, 그가 빠블로프스끄로 가지 않는 것을 알아낸 다음(이것은 물론 로고진에게는 운명을 결정짓는 중대한 일이다), 로고진은 뻬쩨르부르그 구에 있는 그 집으로 가서, 아침에 그가 로고진에게 〈그녀를 더 이상 보지 않을 거야〉 그리고 〈내가 뻬쩨르부르그에 온 것은 그 일 때문이 아니었어〉라고 한 말을 확인하려고 할 것이다. 공작은 발작적으로 그 집을 향해 달려갔다. 그가 거기서 정말로 로고진을 만난 것일까? 공작은 오로지 불행한, 암울하지만 납득할 수 있는 생각들로 고통받는 사내를 보았을 뿐이다. 이 불행한 사내는 이제 자신을 감추려 들지도 않았다. 솔직히, 로고진은 아까 자신을 숨기고 거짓말을 했으나, 〈황제〉 마을역에서는 거의 숨지도 않고 그대로 서 있었다. 로고진이 아니라 오히려 공작이 자신의 몸을 숨기려 들었다. 이제 집 근처에 다가온 로고진은 공작과 50보 가량 떨어진 반대편 인도에서 팔짱을 끼고 기회를 엿보고 있었다. 로고진의 모습은 확연하게 보였으며, 고의로 자신의 모습을 드러내고 싶어하는 태도였다. 그는 흡사 폭로자나 재판관처럼 서 있었다. 달리 그의 태도를 해석할 수가 없었다.

그런데 공작은 왜 로고진에게 직접 다가가지 않고, 마치 아무것도 눈치 채지 못한 듯이 그에게서 몸을 돌렸을까? 그들은 눈이 서로 마주치기까지 했다. (그렇다, 이들의 눈이 서로 마주쳤다! 이 둘은 서로 상대방을 바라보았다.) 사실 그는 아까부터 로고진의 손을 잡고 함께 〈그곳〉으로 가고 싶어하지 않았던가? 그는 내일 직접 로고진에게 찾아가서 그녀의 집에 갔다 왔다는 얘기를 해주려 하지 않았던가? 그는 영혼의 희열을 불현듯 만끽했을 때 그곳으로 가는 길 한가운데 서서 악마의 권유를 뿌리치지 않았던가? 아니면 정말로 로고진이라는 인간 안에, 다시 말해 오늘 보여주었던 그의 총체적 이미지 속에, 즉 총체적인 그의 말, 움직임, 행위, 시선 속에, 공작의 불길한 예감과 악마의 선동적 속삭임을 받아들이는 그 무엇이 있었던 것이 아닐까? 그 무엇이라는 것은 저절로 보여지지만 분석하거나 얘기해 주기가 곤란한 것이며, 충분한 이유를 들어도 수용하기가 불가능한 것이다. 그러나 그것은 그와 같은 곤란함과 불가능함에도 불구하고 지워 버릴 수 없는 완벽한 인상을 주며, 어느 사이에 완전 무결한 신념으로 전환되어 버린다.

신념, 무엇에 대한 신념인가? (오, 괴상하고 굴욕적인 이 신념, 이 저속한 예감이 공작을 얼마나 괴롭혀 왔는가! 그래서 공작은 자신을 얼마나 탓했던가!) 〈용기가 있으면 말해 봐. 무엇에 대한 신념인지!〉 그는 질책하는 듯하면서도 도전적인 목소리로 자신에게 끊임없이 말했다. 〈자신의 사상을 분명히, 정확히, 주저 없이 표현해 보란 말이다! 오, 나는 정직하지 못해!〉 그는 얼굴을 붉히며 분개하여 되풀이했다. 〈앞으로 그를 무슨 낯으로 볼까? 무슨 이런 날이 다 있담? 정말 악몽 같은 날이야!〉

빼쩨르부르그 구에서 이어지는 괴롭고 지루한 길이 끝나 갈 무렵 공작은 일순간 물리칠 수 없는 욕망에 사로잡혔다. 로고진에게 가서 그가 올 때까지 기다렸다가 수치와 눈물로 그를 포옹하고, 그에게 모든 것을 말함으로써 모든 것을 한번에 마무리 짓고 싶다. 그러나 그는 이미 여관 앞에 서 있었다……. 아까 이 여관이 왜 그리 싫었을까? 복도하며 건물과 방이 처음 볼 때부터 마음에 들지 않았다. 그는 이날 이곳으로 돌아와야 된다는 생각이 떠오를 때마다 몇 번씩이나 이상한 혐오감을 느끼곤 했다……. 〈오늘은 내가 히스테릭한 정신병에 걸린 여자처럼 온갖 예감을 믿다니, 이게 어떻게 된 영문인가?〉 그는 대문에 멈춰 서서 신경질적인 조소를 머금은 채 잠시 생각을 했다. 절망감 같은 참을 수 없는 수치심이 밀물처럼 새롭게 밀려왔다. 그는 대문 입구에서 못에 박힌 듯 꼼짝 않고 서 있었다. 가끔 가다 누구에게나 자기도 모르게 불현듯 떠오르는 수치스런 회상이 한순간 사람을 꼼짝 못하게 만드는 경우가 있듯이, 공작도 그런 상황에 처한 것이다. 〈그렇다. 나는 인정머리도 없고 게다가 겁쟁이다!〉 그는 침울하게 이 말을 되풀이하며 홱 발걸음을 떼었다. 그러나 곧 멈춰 섰다…….

대문 근처는 유난히 컴컴했다. 그러잖아도 대문의 색은 칙칙한 편이었다. 밀려오는 소나기 먹구름이 황혼 빛을 삼켜 버렸다. 이때 공작은 여관으로 다가갔다. 요란한 소음을 내며 먹구름에서 비가 쏟아졌다. 그가 발을 뗌과 동시에 그는 길가에 맞닿은 대문 바로 앞에 서게 되었다. 별안간 그는 대문 깊숙한 곳에서, 어두컴컴한 층계 입구에서 한 사람을 보았다. 그 사람은 누군가를 기다리고 있다가 눈 깜짝할 사이에 사라졌다. 공작은 그 사람을 분명히 알아볼 수 없었다. 물론 그가 누구인지도 추측할 수 없었다. 게다가 그곳을 지나다니는 사람이 어디 한두 사람이랴. 거기는 여관인 데다가 사람들이 끊임없이 복도를 왔다갔다했다. 그러다 갑자기 그는 확신하게 되었다. 그 사람이 누구인지 알아냈던 것이다. 그는 틀림없이 로고진이었다. 잠시 후 공작은 그를 쫓아 계단으로 뛰어 올라갔다. 심장이 멎을 것만 같았다. 〈이제 모든 것이 해결될 것이다!〉 그는 모호한 확신을 가지며 혼잣말을 했다.

공작이 대문 아래에서 뛰어 올라간 층계는 1층과 2층의 복도로 연결되어 있었다. 그 복도를 따라 여관 방들이 늘어서 있었다. 오래전에 세운 건물들이 다 그렇듯이, 어두컴컴하고 비좁은 이 건물의 층계는 굵은 돌기둥을 중심에 두고 위로 구불구불하게 나 있었다. 층계가 처음으로 휘어지는 곳에 어른 한 명 크기, 가로 한 보, 깊이 반 보 가량의 구멍이 파여 있었다. 상당히 컴컴하기는 했지만 단숨에 그곳까지 달려 올라간 공작은 누군가가 그 구멍 속에 숨어 있는 것을 알아냈다. 갑자기 공작은 오른쪽은 보지 않은 채 그 옆으로 지나쳐 가고 싶었다. 그러나 한 발자국도 채 못 가서 참지 못하고 돌아보았다.

아까의 두 눈이, 바로 그 두 눈이 갑자기 공작의 눈과 마주쳤다. 구멍 속에 숨어 있던 사람도 벌써 거기서 한 발자국 나와 있었다. 두 사람은 순간 마주섰다. 갑자기 공작이 그의 어깨를 붙잡고 환한 층계 쪽으로 그의 몸을 돌렸다. 공작은 좀 더 분명하게 그의 얼굴을 보고 싶었다.

로고진의 눈이 빛나기 시작했다. 광기가 도는 미소는 그의 얼굴을 일그러뜨렸다. 그의 오른손이 치켜 올라가고 거기서 무엇인가가 번쩍였다. 공작은 그 손을 저지할 생각을 하지 않았다. 단지 한 가지만 기억할 수 있었다. 소리를 쳤던 것 같은 기억…….

「빠르펜 로고진, 믿을 수가 없어!」

그리고 갑자기 무엇인가가 그의 앞에서 전개되었던 것 같았다. 비상한 〈내면의〉 빛이 그의 영혼을 비춰 주었던 것이다. 이 순간은 아마 0.5초 가량 지속되었을 것이다. 하지만 그는 자기의 가슴 속에서 그 어떤 힘으로도 억제할 수 없이 저절로 터져 나온 무서운 비명의 첫마디를 분명히 기억했다. 그런 직후에 그의 의식은 순간적으로 사위어 버렸고 완전한 암흑에 묻혀 버렸다.

이미 오래전에 없어졌던 간질병 발작이 일어난 것이었다. 잘 알다시피 간질병 발작은 순간적으로 온다. 이 순간에는 갑자기 얼굴, 특히 시선이 유난히 일그러진다. 전신과 모든 안면 근육은 경련을 일으킨다. 그 무엇과도 견줄 수 없는 상상 불가능한 무서운 비명이, 인간적인 모든 것을 일순간에 토해 버리려는 듯 한꺼번에 가슴속에서 터져 나온다. 그래서 이 광경을 지켜보고 있는 사람조차 그것이 바로 이 사람의 비명이라는 것을 상상하지 못한다. 이 사람의 내부에 있는 다른 누군가가 비명을 지르는 것 같은 생각을 들게 한다. 많은 사람들은, 간질병 발작을 일으키는 사람들 대부분이 무언가 신비스러운 듯한, 지독한 공포감을 일으킨다고 한다. 그래서 추정할 수 있듯이, 그처럼 지독한 인상을 수반하는 공포감이 갑자기 로고진을 그 자리에서 마비시켰다. 이로써 공작은 이미 로고진이 뽑아 든 피할 수 없는 칼 세례를 면할 수 있었다. 로고진은 그게 간질병 발작이라는 것을 생각해 볼 겨를도 없이, 공작이 비틀거리며 뒤로 벌렁 자빠져 층계 아래로 굴러 떨어져 돌계단에 뒤통수를 부딪히는 것을 보고, 넘어진 공작을 우회하여 허둥지둥 여관에서 도망쳤다.

환자의 몸은 경련과 발작으로 열다섯 계단쯤 되는 층계참까지 굴렀다. 아주 빨리, 5분도 채 안 되어 사람들은 그를 발견하고 모여들기 시작했다. 머리 부근에 낭자하게 고인 피를 본 사람들은 의아해 했다. 이 사람 자신이 층계에서 굴러 떨어진 것인지, 아니면 무슨 〈범죄 행위〉가 있었던 것인지 궁금해 했다. 그러나 사람들은 그 원인이 간질병 발작 때문이라는 것을 곧 알아챘다. 이어서 여관 종업원 하나가 공작이 오늘 아침에 자기네 여관에 투숙했다는 사실을 말했다. 소동은 어떤 다행스런 일 덕분에 아주 원만하게 해결되었다.

4시경에 〈저울〉 여관으로 오겠다고 약속했다가 빠블로프스끄로 떠났던 니꼴라이는, 갑작스런 심경 변화로 예빤친 장군 부인 리자베따 쁘로꼬피예브나의 식사 초청을 사양하고 뻬쩨르부르그로 되돌아와 여관으로 서둘러 갔다. 그가 여관에 나타난 시간은 7시쯤이었다. 공작이 시내에 있다는 메모를 받고 그는 메모에 씌어 있는 주소대로 그를 찾아온 것이다. 공작이 외출했다는 소리를 종업원에게 듣고 그는 아래로 내려가, 간이 식당에서 차를 마시며 오르간 연주를 들으면서 공작을 기다렸다. 누군가가 발작으로 쓰러져 있다는 소리를 우연히 듣고 니꼴라이는 짚이는 데가 있어서 그 장소로 달려갔다. 역시 공작이었다. 즉각 응급 조치를 취하고 공작을 그의 방으로 옮겼다. 공작은 의식이 들었지만 완전히 제정신으로 돌아오기까지는 상당히 오랜 시간이 걸렸다. 머리의 타박상을 진찰하러 온 의사는 상처에 찜질을 해준 후 타박상 자체는 조금도 우려할 것이 없다고 했다. 한 시간 후에 공작이 상황을 이해하기 시작했을 때, 니꼴라이는 그를 여관에서 데리고 나와 마차에 태운 후 레베제프의 집으로 옮겼다. 레베제프는 굽실거리며 환자를 열성적으로 맞이해 주었다. 공작을 위해 별장으로의 출발을 앞당겼다. 이미 사흘 후에는 모두들 빠블로프스끄에 와 있었다.

6

레베제프의 별장은 그다지 크지는 않았으나 편안하고 아름다웠다. 세를 주기로 한 방은 특히 손질이 잘되어 있었다. 거리에서 방으로 들어가는 입구에 제법 크게 자리잡은 테라스에는 커다란 초록색 나무통들에 심어 놓은 등자, 레몬, 재스민 등의 관목들이 늘어서 있었다. 그것은 손님을 끌기 위한 레베제프의 계산에서 나온 것이었다. 이들 관목 중 몇 그루는 집을 살 때 함께 구입한 것이지만, 레베제프는 그것들이 테라스에 주는 효과에 매료되어, 보다 구색을 맞추기 위해 경매장에서 그와 똑같은 나무들을 더 보충했다. 마침내 나무들이 그의 별장에 가지런히 정돈되던 날, 그는 몇 번씩이나 테라스 층계에서 거리로 뛰어 내려가 자신의 소유물을 흐뭇하게 바라보았다. 그러면서 미래의 별장 세입자가 지불하고 들어오겠다는 가격을 속으로 올려 보았다. 심신이 쇠약해지고, 몸까지 다친 공작에게 별장은 더할 나위 없이 안성맞춤이었다. 사실 빠블로프스끄로 옮겨 가는 날, 즉 발작이 있고 나서 사흘째 되던 날 공작은 겉으로 보기에는 거의 건강한 사람이었다. 그러나 물론 심리적으로는 여전히 회복되지 않은 상태였다. 그는 사흘간 자기 주위의 사람들을 보고 좋아했다. 그의 곁을 줄곧 지켜 주었던 니꼴라이가 좋았고, 레베제프의 가족 모두와 레베제프마저 마음에 들었다. (다만 어디론가 사라지고 없는 그의 조카만은 아니었다.) 심지어 그는 시내에 있을 때 문병을 온 이볼긴 장군까지 몹시 반겼다. 빠블로프스끄로 옮겨 온 날, 거기에 도착한 것은 이미 저녁 무렵이었지만, 테라스에 있는 공작은 꽤나 많은 손님들에게 둘러싸여 있었다. 처음으로 가브릴라가 왔다. 공작은 그를 간신히 알아봤다. 그동안 가브릴라는 얼마나 야위었는지 전혀 다른 사람이 되어 있었다. 그리고 가브릴라의 누이동생 바르바라와 그녀의 남편이 된 쁘찌찐이 나타났다. 이들 역시 그때 빠블로프스끄에서 별장 생활을 하고 있었다. 이볼긴 장군도 거의 낮과 밤을 가리지 않고 레베제프의 집에 와 있었다. 그는 아예 작정하고 레베제프와 함께 이곳으로 온 것 같아 보였다. 레베제프는 이볼긴을 공작에게로 들여보내지 않고 자기 곁에 붙잡아 두려고 했다. 레베제프가 이볼긴에게 별 허물없이 대하는 것으로 봐서 이들은 이미 오래전부터 알고 지낸 사이였음이 분명했다. 공작은 이들이 지난 사흘 동안 이따금 긴 대화에 들어가, 종종 고함을 치기도 하고 심지어는 유식한 주제를 놓고 논쟁까지 벌이는 것을 보았다. 레베제프는 그러한 논쟁을 하는 자신을 대견스러워 하고 있음이 분명했다. 레베제프는 오히려 이볼긴에게 필요한 사람이라는 생각마저 들었다. 그러나 레베제프는 별장으로 옮겨 온 첫날부터 공작의 주위를 경계하듯, 자기의 가족들에게도 경계를 게을리하지 않았다. 레베제프는 공작을 방해하지 않는다는 구실로 아무도 그에게 접근시키지 않았다. 그는 애를 안고 있는 베라까지 포함해서 딸들이 공작이 있는 테라스 쪽으로 조금이라도 가려는 기미가 보이면 발을 동동 구르며 달려와 그들을 쫓아내곤 했다. 공작이 제발 그러지 말라고 부탁했는데도 막무가내였다.

「첫째, 마음대로 들락날락거리게 하면 아무런 존경심을 갖지 않게 돼요. 그리고 둘째는 버르장머리가 없어져요…….」 그는 공작의 항의에 그렇게 대답했다.

「그럴 필요가 있나요?」 공작은 그를 힐난했다. 「당신이 그렇게 경계하고 감시해 줘서 고맙긴 하지만 그게 나에겐 괴로움만 줄 뿐이에요. 혼자 있기가 심심하다고 벌써 몇 차례나 말했잖아요. 그런데 자꾸 손을 흔들어 사람들을 내쫓고 발뒤꿈치로 걸어다니기나 하니까 나는 더욱 적적해지잖아요.」

공작이 그렇게 힐난할 만도 했다. 레베제프는 환자에게 필요한 안정을 준다는 구실로 집안 식구들을 모두 쫓아 보내면서, 자기는 이 사흘 동안 거의 1분이 멀다 하고 공작의 방을 드나들었다. 그는 습관적으로 맨 처음에는 문을 열고 머리를 들이밀고서는 공작이 방 안에 그대로 있나, 혹시 도망이나 치지 않았을까 확인하듯이 방 안을 훑어보았다. 그러고 나서는 발뒤꿈치를 들고 살금살금 안락의자로 다가오곤 하여 공작을 놀라게 할 때가 가끔 있었다. 또한 레베제프는 공작에게 필요한 것이 없느냐고 끊임없이 물어보았다. 공작이 결국 자기를 제발 좀 조용히 있게 내버려 둬 달라고 하면, 그는 아무 말 없이 순종적으로 뒤돌아서서 발꿈치를 들고 문 밖으로 되돌아갔다. 그렇게 걸으면서 레베제프는 두 손을 흔들어 보였다. 그것은 이제 한마디도 하지 않고, 이렇게 바깥으로 나가 다시 들어오지 않겠다는 자신의 의도를 나타내는 듯했다. 그러나 10분이 지나거나 늦어도 15분이면 또다시 나타나곤 했다. 그런 상황에서 니꼴라이가 공작의 방에 자유로이 출입할 수 있다는 것은 레베제프에게 커다란 불만이자 치욕이기까지 했다. 니꼴라이는 공작과 자신의 대화를 레베제프가 반시간 동안이나 문 밖에서 엿듣는다는 것을 눈치 채고 공작에게 그 사실을 알려 주었다.

「당신은 나를 붙잡아서 가둬 놓은 거나 마찬가지요. 적어도 별장에서는 그렇게 행동하지 않았으면 좋겠어요. 한 가지 분명히 해두지만, 나는 여기 찾아오는 사람을 마음대로 만나고 어디든지 외출할 거요.」 공작이 항의를 했다.

「그거야 여부가 있겠습니까?」 레베제프가 두 손을 내저었다.

공작은 그를 머리부터 발끝까지 훑어보았다.

「루끼얀 찌모페예비치 레베제프, 당신의 침대 머리맡에 걸려 있던 조그만 책장을 이리로 가져왔나요?」

「아니오, 안 가져왔습니다.」

「그럼 그대로 놓고 왔단 말인가요?」

「그건 가져올 수가 없어요. 벽에서 뜯어내야 되는데…… 워낙 견고하게 붙어 있어서…….」

「그럼 여기에도 그런 것이 있나요?」

「오히려 더 좋은 게 있지요. 별장을 살 때 함께 산 것이죠.」

「아, 그런데 한 시간 전쯤에 누가 찾아왔는데 나한테 들여보내지 않았지요?」

「그…… 그분은 이볼긴 장군이었습죠. 일부러 들여보내질 않았습니다. 그런 사람은 공작에게 아무 쓸모가 없어서. 하지만 공작, 나는 그 사람을 아주 존경합니다……, 훌륭한 사람이지요. 곧이 들리지 않으세요? 앞으로 아시게 될 겁니다. 하지만 어쨌든 그런 사람은 만나시지 않는 게 좋으실 겁니다.」

「왜 그런지 그 이유를 말해 주지 않겠어요? 그리고 레베제프, 당신은 왜 그렇게 발뒤꿈치를 들고 항상 나에게 다가오는 거지요? 마치 내 귀에다 무슨 비밀 얘기를 속삭여 줄 것처럼요.」

「열등해서 그렇습니다. 나도 그걸 느껴요.」 레베제프는 돌연히 자기 가슴을 두드리며 한탄하듯 말했다. 「그런데 장군이 공작에게 지나친 친절을 베풀지 않을까요?」

「지나친 친절을 베풀다니요?」

「환대를 잘한다는 말입니다. 첫째, 그는 우리 집에서 살다시피 하려고 해요. 그건 그렇다 치고, 그는 아주 흥분을 잘해서 사람을 만나면 금방 자기 친척이라고 떠벌린답니다. 나는 벌써 몇 번이나 그 사람하고 친척이 되었는데 우리가 동서뻘이 된다나요. 공작도 따져 보니 외가 쪽으로 자기 조카가 된다고 어제 그러더군요. 만약 공작이 그의 조카가 된다면 공작과 나도 결국은 친척이 된다는 얘기입니다. 하지만 그까짓 것은 사소한 약점에 지나지 않아요. 그렇지만 그가 어제 한 얘기를 들어 보세요. 자기가 소위보 시절부터 지난해 6월 11일까지 하루도 거르지 않고 자기 집에서 적어도 2백 명이 식사를 했다는 거예요. 그 많은 사람들이 쉴 새도 없이 하루에 열다섯 시간씩 점심과 저녁을 먹고 차를 마시느라고 식탁보를 갈아치울 여유도 없었다는 거예요. 한 사람이 일어나서 나가면 다른 사람이 들어오곤 해서 휴일이나 명절에는 3백 명 가까이 되는 사람들이 찾아왔다고 하더군요. 게다가 러시아 건국 천년제 때에는 손님을 7백 명이나 받았다는 겁니다. 대단한 허풍입니다. 그런 얘기는 아주 나쁜 징후입니다. 그렇게 환대를 잘 하는 사람들을 집에 들이는 것은 두렵기까지 해요. 공작이나 나에게 지나치게 환대를 베풀지 않을까 하고 물어본 겁니다.」

「한데 당신은 그분과 사이가 좋은 것 같던데요.」

「형제처럼 지내니까 우리가 동서지간이라는 농담도 받아 주고 있습니다. 우리가 서로 그런 사이라면 나에게 오히려 영광스런 일이 아닙니까? 나는 그가 2백 명의 손님이니, 러시아 건국 천년제[84]니 하며 허풍을 떨어도 아주 훌륭한 사람이라는 것을 알 수 있어요. 진심으로 말하는 겁니다. 공작은 방금 내가 마치 비밀이라도 전해 주려는 듯이 접근한다고 하셨지요. 아닌 게 아니라 비밀이 있어서였습니다. 어떤 분께서 지금 공작과 비밀리에 꼭 좀 만나고 싶다고 전해 달라 하십니다.」

「왜 비밀리에 만나야 되지요? 절대로 그럴 필요는 없어요. 내가 당장 오늘이라도 그분 댁에 가봐야겠소.」

「절대로 그러시면 안 됩니다.」 레베제프가 손을 저었다. 「공작께서 생각하고 있는 걸 그분께서 두려워해서가 아닙니다. 그 불한당이 공작의 건강을 물어보려고 매일같이 오고 있는 걸 혹시 아십니까?」

「당신은 그를 보고 불한당이라는 말을 자주 쓰는데 난 그 영문을 모르겠군요.」

「영문을 몰라 하실 게 전혀 없습니다.」 레베제프가 즉각 변명을 했다. 「나는 단지 그분께서 그자가 아니라 완전히 다른 사람을 두려워하고 계시다는 걸 알려 드리고 싶었습니다!」

「그게 무슨 뜻인지 어서 말해 봐요.」 공작이 말꼬리를 빼는 레베제프를 초조하게 바라보면서 다그쳤다.

「바로 거기에 비밀이 있는 겁니다.」

레베제프가 헤헤거리며 웃었다.

「누구의 비밀이지요?」

「당신의 비밀이지요. 당신 자신이 나에게 당신 면전에서 그런 말을 해서는 안 된다고 명하셨어요.」 레베제프는 중얼거렸다. 그는 상대방이 참을 수 없을 정도로 병적인 호기심을 갖게 되자 매

84 러시아 건국 천년제는 1862년 9월 8일이었다.

우 흡족해 했다. 그러다 갑자기 말을 끝맺었다.「그분은 아글라야 양을 두려워하고 있어요.」

공작은 인상을 쓰고 1분 정도 입을 다물고 있었다.

「이럴 수가! 레베제프, 나는 당신의 별장을 떠나겠어요.」 공작은 갑자기 이렇게 말했다.「가브릴라와 쁘찌찐 부부는 어디 있지요? 당신 집에 있나요. 그들도 당신 집으로 유인했나요?」

「오고 있습니다, 오고 있다고요. 이볼긴 장군도 그들을 좇아서 옵니다. 이제 모든 문을 다 열어 두고 우리 딸들하고 전부 다 불러 드리겠습니다.」 레베제프가 한쪽 문에서 다른 쪽 문으로 허둥거리며 겁을 먹은 듯 두 손을 내저으며 속삭였다.

이 순간 거리에서 테라스로 들어온 니꼴라이가 나타났다. 그는 뒤에 예빤친 장군 부인이 세 딸을 대동하고서 오고 있다고 말했다.

「쁘찌찐 부부와 가브릴라를 들여보낼까요 말까요? 이볼긴 장군을 들여보내도 될까요?」 레베제프는 그 소식에 놀라 펄쩍 뛰며 다가왔다.

「그렇게 해서 안 될 이유가 있나요. 모두들 원하는 대로 하게 내버려 두세요! 분명히 말해 두지만, 당신은 애초에 사람들과 나의 관계를 무언가 잘못 이해하고 있어요. 당신은 줄곧 오판을 해 왔어요. 나는 그 누구의 눈을 피하거나 숨어야 할 이유가 조금도 없어요.」 공작이 웃었다.

공작을 바라보며 레베제프는 자기도 따라 웃어야 할 의무가 있다고 생각했다. 레베제프 역시 극도로 흥분해 있음에도 불구하고 대단히 만족해 하는 빛을 보였다.

니꼴라이가 전해 준 소식은 사실이었다. 그는 예빤친 장군의 가족들보다 겨우 몇 발자국 앞서 왔던 것이다. 손님들이 갑자기 양쪽에서 나타났다. 테라스 쪽에서는 예빤친 가족이, 방 쪽에서는 쁘찌찐 부부와 가브릴라 그리고 이볼긴 장군이 나타났다.

예빤친 가족은 니꼴라이를 통해 이제서야 공작의 병과 그가 빠블로프스끄에 와 있었다는 것을 알았다. 이전까지 리자베따 쁘로꼬피예브나는 깊은 의혹에 사로잡혀 있었다. 예빤친 장군은 사흘째 되던 날에야 공작의 명함을 가족에게 전해 줬다. 명함을 받고 리자베따 쁘로꼬피예브나는 공작이 반드시 이들 가족을 만나러 직접 빠블로프스끄로 급히 올 것이라는 확신을 얻었다. 그러나 딸들은 그렇게 생각하지 않았다. 반년 이상이나 편지 한 통 보내지 않던 사람이 그렇게 서둘러 올 리가 만무하고, 아마 지금 그에게는 이들을 찾아오는 일 말고도 뻬쩨르부르그에서 해야 할 일이 많기 때문에 그렇게 빨리 찾아오지 못할 것이라고 생각했다. 그의 일을 어떻게 알 수 있겠냐고 딸들은 어머니를 달랬다. 장군 부인은 딸들의 말을 듣고 버럭 화를 내며, 공작이 적어도 다음날에는 〈늦는 한이 있더라도〉 꼭 나타날 것이라고 장담하면서 내기라도 걸 태세였다. 다음날 그녀는 아침 내내 공작을 기다렸고, 그가 나타나지 않자 점심때, 저녁때까지 기다렸다. 날이 완전히 저물었을 때 리자베따 쁘로꼬피예브나는 모든 일에 짜증을 내며 온 식구들과 번갈아 가며 말싸움을 했다. 물론 싸움을 하면서 공작 이야기는 한마디도 꺼내지 않았다. 사흘째 되던 날에도 하루 종일 그에 관해서 단 한 마디도 하지 않았다. 점심을 먹으며 아글라야가 공작이 오지 않아서 어머니가 화를 내고 있다는 말을 불쑥 꺼내자, 장군은 〈사실 그 친구 잘못은 아니지〉라고 한마디했고, 리자베따 쁘로꼬피예브나는 자리에서 벌떡 일어나 화가 난 채로 식탁을 떠났다. 그날 저녁 니꼴라이가 찾아와 그가 알고 있는 공작의 소식을 모두 다 상세히 전해 주었다. 그 결과 리자베따 쁘로꼬피예브나 부인은 의기양양해졌지만 니꼴라이는 혼쭐이 났다. 〈매일 이곳을 뻔질나게 드나들면서 그렇게 시치미를 뗄 수가 있어? 본인이 못 올 것 같으면 다른 사람을 시켜서라도 알려 줘야지.〉 니꼴라이는 〈시치미를 떼다〉라는 말에 화를 내려고 했으나 다음 기회로 미루기로 했다. 그런 투의 말이 모욕적이지만 않았더라도 모두 용서할 수 있었을 것이다. 그러나 공작이 아프다는 소식에 리자베따 쁘로꼬피예브나가 몹시 걱정을 하는 모습이 그의 마음에 들었다. 그녀는 당장에 사람을 뻬쩨르부르그로 보내 내일 아침 첫 기차로 의학계의 최고 권위자를 데려와야 된다고 한참 동안 고집을 피웠다. 그러나 딸들이 간신히 만류를 했다. 하지만 어머니가 곧 환자를 방문할 채비를 차리자 딸들은 어머니를 혼자 가게 내버려 둘 수가 없었다.

「그 사람이 임종을 맞고 있다는구나.」 리자베따 쁘로꼬피예브나는 부산을 떨며 말했다. 「우리가 여기서 체면만 차려서야 되겠니? 그 사람은 우리 가족의 친구가 아니니?」

「개울이 어떤지 물어보기도 전에 몸부터 먼저 들어가면 안 되잖아요![85]」 아글라야가 말했다.

「그럼 가지 마라. 그게 더 좋을지도 모르겠다. 예브게니가 올 텐데 너라도 남아서 맞아 주어야지.」

이 말이 끝나기가 무섭게 아글라야는 즉각 이들을 따라 나섰다. 어머니가 그런 말을 하지 않아도 가볼 생각이었다. 아젤라이다와 앉아 있던 S공작은 숙녀들을 수행해 달라는 그녀의 요청에 즉시 동조했다. 그는 이미 예빤친 가족과 사귀기 시작할 때부터 이들이 공작에 대해 하는 얘기를 듣고 강한 흥미를 느끼고 있었다. 알고 보니 그는 공작과 아는 사이였다. 그들은 얼마 전에 어딘가에서 통성명을 하고, 어느 작은 고장에서 2주일 정도나 함께 체류했다. 그것은 약 3개월 전의 일이었다. S공작은 공작에 대해 많은 얘기를 해줄 수 있을 정도였고, 그를 매우 호평하고 있었다. 때문에 그는 기쁜 마음으로 구면인 공작을 방문하러 가고 있었다. 이때 예빤친 장군은 집에 없었다. 예브게니 역시 아직 집에

85 러시아 속담.

도착하지 않았다.

예빤친 장군의 별장에서 레베제프의 별장까지는 3백 보도 채 안 되었다. 리자베따 쁘로꼬피예브나는 공작의 거처에 많은 손님들이 와 있어서 우선 불쾌한 인상을 받았다. 말할 것도 없이 그 손님들 중에는 몹시 혐오스런 사람들이 두서너 명 정도 있었다. 두 번째 인상은, 그녀가 생각하던 임종의 병상에서 죽어 가는 사람 대신, 건강하고 멋있게 치장한 웃음 띤 청년이 그들을 맞아 주는 순간 느꼈던 놀라움이었다. 그녀는 어리둥절해서 발걸음까지 멈춰 섰다. 니꼴라이는 그녀의 그러한 모습이 흡족스러웠다. 니꼴라이는 물론 그녀가 자기 별장에서 떠나기 전에 아무도 죽어 가지 않고 임종의 병상 따위도 존재하지 않는다고 상세히 설명해 줄 수도 있었지만, 부인이 자기의 진정한 친구라고 여기는 공작이 건강하다는 것을 알고 분통을 터뜨릴 것이라는 계산에서 일부러 그러지 않았다. 이때 그녀의 표정이 무척이나 우스꽝스럽게 보일 것이라고 니꼴라이는 미리 예상했고, 그는 그러한 그녀의 모습을 보고 싶었던 것이다. 니꼴라이와 부인은 그들 사이에 맺어진 우정에도 불구하고 곧잘 신랄한 말투로 상대방의 약점을 찌르곤 했다. 이때도 니꼴라이는 리자베따 쁘로꼬피예브나를 곯려주고 싶어 그다지 우아하지 않게 행동한 것이다.

「기다려. 그렇게 성급하게 잘난 척하기에는 아직 일러!」 리자베따 쁘로꼬피예브나는 이렇게 말하면서 공작이 권해 주는 안락의자에 앉았다.

레베제프와 쁘찌찐과 이볼긴 장군은 아가씨들에게로 달려와 의자를 권했다. 레베제프는 S공작에게 의자를 내주었다. 그러면서 잊지 않고 허리를 굽혀 각별한 존경심을 표시했다. 바르바라는 평상시대로 아주 반갑게 아가씨들과 나직한 소리로 인사를 나눴다.

「사실이에요, 공작. 나는 병상에서 거의 죽어 가는 당신을 볼 줄 알았어요. 그래서 보통 겁이 났던 게 아니었어요. 난 거짓말을 못 하는 성미라서 하는 말인데, 당신이 이렇게 행복한 얼굴을 하고 있는 걸 보니 아주 괘씸한 생각마저 들었어요. 하지만 이것은 상황 판단을 하기 전의 몇 분 간만 그랬죠. 나는 상황을 잘 이해하고 나면 언제나 현명하게 처신하고 말하죠. 당신도 그럴 것 같아요. 만약 나에게 친아들이 있어 그 아이가 병에서 회복되었다고 해도 지금보다는 덜 기쁠 거예요. 만약 당신이 이 말을 믿지 않는다면, 그건 내가 아니라 당신에게 큰 모욕이 될 거예요. 그런데 저 심술궂은 애송이가 나를 놀리지 않았겠어요. 당신은 그래도 저 아이 편을 드는 것 같지만 한 가지만 미리 말해 두겠어요. 언젠가 나는 저 아이하고 완전히 절교를 하고 말 거라고요.」

「내가 무엇을 잘못했지요?」 니끌라이가 소리쳤다. 「내가 공작이 아무리 건강하다고 말했어도 부인께서는 그 말을 믿으려고 하지 않았을 거예요. 부인께는 공작이 임종의 병상에 누워 있는 게 훨씬 더 재미가 있었을 테니까요.」

「여기서 오랫동안 있을 건가요?」 리자베따 쁘로꼬피예브나가 공작에게 말했다.

「한여름 내내 있을 거예요. 아니면 좀 더 있을지도 몰 라요.」

「당신은 아직 혼자지요? 미혼이지요?」

「네, 결혼을 안 했어요.」 공작은 부인의 독설이 순진하다는 생각에서 미소를 지었다.

「그렇게 웃을 이유가 없어요. 흔히 있는 일이니까요. 별장에 대한 얘긴데, 우리 별장으로 올 순 없나요? 그러잖아도 별장 바깥채가 비어 있으니 마음대로 하세요. 지금 이곳은 저 사람한테 세를 든 건가요? 저 사람한테서요? 저 사람 얼굴이 왜 저리 일그러지는 거예요?」 그녀는 레베제프 쪽을 고개로 가리키며 나직한 소리로 물었다.

이 순간 베라가 방에서 테라스로 나왔다. 그녀는 항상 그렇듯이 아기를 안고 있었다. 의자들 옆에 서서 안절부절못하던 레베제프는 몸 둘 바를 몰라 했지만 그렇다고 이 자리를 뜨고 싶은 생각은 없었다. 그는 베라를 보자 부리나케 그쪽으로 달려가 그녀에게 팔을 내저으며 테라스에서 나가라고 했다. 심지어는 정신없이 발을 동동 굴러 댔다.

「저 사람 미친 거 아니에요?」 장군 부인이 갑자기 덧붙였다.

「아니에요. 저이는…….」

「그럼 술에 취한 모양이지요? 당신의 손님들은 고상하지가 못하군요.」 그녀는 나머지 손님들을 보고 냉랭하게 말했다. 「그런데 저 아가씨 참 귀엽게 생겼더군요! 누구예요?」

「베라 루끼야노브나라는 아가씬데 여기 이 레베제프의 딸입니다.」

「아, 그래요……! 아주 귀엽게 생겼어요. 그 아가씨와 알고 지냈으면 해요.」

레베제프는 리자베따 쁘로꼬피예브나의 칭찬을 듣자마자 이내 딸을 끌다시피 하여 데리고 나왔다.

「고아예요, 고아요!」 그는 온통 환한 웃음을 지으며 다가왔다. 「이 아이 팔에 안긴 아이는 고아예요. 이 애의 여동생 류바랍니다. 죽은 제 처 엘레나와의 사이에서 태어난 딸입죠. 제 처는 한 달 반 전에 산후 조리가 여의치 않아 하느님의 부름을 받고 저 세상으로 갔습니다. 그래서 이 애가 어머니 대신에……, 아직 엄마라고 하기에는 나이가 어린 그런 언니가…….」

「이봐요, 당신은 바보 같군요. 너무 솔직히 말해서…… 뭐, 그만두죠. 본인 스스로 잘 이해할 거라고 생각해요.」 리자베따 쁘로꼬피예브나가 극도로 분개하며 갑자기 말을 끊었다.

「이건 정말입니다!」 레베제프가 극진히 받들어 모시듯 머리를 조아리고 말했다.

「내 말 좀 들어 봐요, 레베제프 씨. 당신이 묵시록을 해석한다는 게 사실이에요?」 아글라야가 물었다.

「네, 정말입니다……. 15년째나 되지요.」

「나는 당신에 대한 얘기를 들었어요. 신문에 당신에 관한 기사가 실린 것 같은데, 진짜예요?」

「아닙니다. 그건 다른 사람에 관한 기사였습니다. 다른 사람요. 그 사람은 지금 죽고 없어요. 난 지금 그 사람 몫을 하고 있는 겁니다.」 레베제프는 기뻐 어쩔 줄 몰라 하며 말했다.

「그럼 며칠 내로 묵시록에 씌어 있는 대로 나의 운명을 풀이해 주세요. 우리 다 같이 이웃에 사는 처지니까요. 나는 묵시록을 전혀 이해하지 못해요.」

「아글라야 양, 미리 말해 두겠지만 이 사람의 풀이는 사기예요. 내 말을 믿어 주세요.」 바늘방석에 앉은 듯 안절부절못하면서 어떻게 해서든 대화에 끼고 싶어했던 이볼긴 장군이 갑자기 재빠르게 끼어들었다. 그는 마침 아글라야와 같이 나란히 앉아 있었다. 「물론 별장에서는 무슨 말을 하든 자유입니다. 하지만 이같이 지독한 사이비가 묵시록 해석을 한다는 것은 다 꾸며 낸 짓입니다. 꾸며 내는 솜씨는 멋지죠. 하지만 나는……, 그런데 놀란 눈으로 나를 보는 것 같군요. 나는 이볼긴 장군이라고 합니다. 이렇게 만나 뵙게 되어 영광입니다. 나는 당신을 안아 준 적도 있었습니다, 아글라야 양.」

「대단히 반갑군요. 나는 장군님의 딸 바르바라와 부인이신 니나를 알고 있습니다.」 아글라야가 터져 나오려는 웃음을 간신히 참으며 중얼거리듯 말했다.

리자베따 쁘로꼬피예브나는 분통이 터졌다. 그녀의 마음속에서 오랫동안 축적되었던 것이 갑자기 분출했다. 그녀는 언젠가 옛날에, 아주 오래전에 이볼긴 장군을 알았기 때문에 더 이상 그의 말을 참을 수가 없었다.

「여전히 거짓말을 잘도 하시는군요. 당신이 저 애를 언제 안

아 줬단 말이에요?」 그녀는 분을 참지 못하고 그에게 정면으로 쏘아붙였다.

「어머니가 잊으신 거예요. 뜨베리에 있었을 때 안고 다닌 적이 있었어요.」 아글라야가 장군을 두둔했다. 「그때 우리는 뜨베리에서 살았잖아요. 그때 내 나이가 여섯 살이었던 걸로 기억돼요. 이 분은 그때 나에게 활과 화살을 만들어서 활 쏘는 법을 가르쳐 주셨어요. 나는 그때 비둘기 한 마리를 떨어뜨린 적이 있어요. 우리가 그때 비둘기를 쏘았던 것을 기억하시지요?」

「나는 그때 종이로 만든 투구와 나무로 만든 검을 받은 기억이 나요!」 아젤라이다가 소리쳤다.

「나도 그걸 기억해요!」 알렉산드라도 거들었다. 「너희들은 그때 다친 비둘기를 놓고 말다툼을 해서 구석에서 벌을 섰지. 아젤라이다는 투구를 쓰고 검을 찬 채로 서 있었지.」

장군은 그가 아글라야를 안아 준 적이 있다고 말했지만, 이것은 오로지 대화를 시작하기 위해서 그렇게 꾸며 댄 것일 뿐이었다. 그는 젊은이들과 사귈 필요가 있다고 생각할 때면 언제나 그런 수법을 써먹었다. 그런데 이번만은 우연하게도 그의 말이 사실이었다. 그런데 공교롭게도 이볼긴 자신은 정말로 그런 일이 있었다는 사실을 새까맣게 잊어먹고 있었다. 아글라야가 갑자기 둘이서 비둘기를 쏜 적이 있다는 얘기를 해주었을 때에서야 그의 기억이 환하게 되살아나 그때 있었던 일을 상세하게 생각해 낼 수 있었다. 그것은 흔히 노인들이 나이 탓으로 먼 과거를 잊어버렸다가 갑자기 생각이 떠오를 때와 같았다. 평상시와 같이 약간 술에 취한 상태의 불쌍한 장군에게 회상의 어느 부분이 그렇게 강하게 작용했는지 알 수는 없지만, 그는 갑자기 큰 감동을 받았다.

「기억해요! 모든 걸 다 기억하겠군요!」 그가 소리쳤다. 「나는 그때 이등 대위였어요. 당신은 조그맣고 아주 귀여웠지요. 아내 니나와…… 가브릴라도…… 당신 집에 드나들었지요. 예빤친 장군은…….」

「이것 봐요. 지금 당신 처지가 어떤지나 먼저 생각해 봐요!」 예빤친 장군 부인이 말을 가로챘다. 「옛날을 회상하며 그처럼 감동하는 걸 보니 고상했던 그 감정들을 팔아서 죄다 술을 마셔 버리진 않았군요. 그런데 부인을 무척이나 괴롭혔지요? 빚을 져서 감옥을 드나드는 주제에 아이들을 옳은 길로 인도해 줄 수 있다고 생각해요? 털끝만큼이라도 양심이 있다면 당장 이 자리에서 나가 문 뒤 어디엔가 숨어서 죄 없던 옛 시절이나 회상해 보세요. 그러면 하느님이 용서해 줄지도 몰라요. 자, 어서 나가요. 내가 하는 말은 절대로 농담이 아니에요. 회개하며 과거를 회상하는 것보다 더 좋은 속죄 방법은 없어요.」

이볼긴은, 만성적으로 술에 취해 있는 사람들에게서 흔히 볼 수 있듯이 매우 감수성이 강했고, 극도로 타락한 술꾼들이 그렇듯이 행복했던 과거의 추억을 쉽게 추슬러 내지 못했다. 그는 일어나서 순순히 문 쪽으로 걸어갔다. 그러자 리자베따 쁘로꼬피예브나는 그가 불쌍해지기 시작했다.

「이볼긴 씨, 나 좀 봐요!」 그녀는 이볼긴의 등 뒤에 대고 소리쳤다. 「잠깐 멈춰 봐요. 우리는 모두 죄인이에요. 그러니까 양심의 가책이 경감되었다고 생각하면 나를 찾아오세요. 그때 함께 앉아 옛일에 대해 이야기해요. 어쩌면 나는 당신보다 50배나 더 죄가 많을지도 몰라요. 자, 그럼 헤어져요. 어서 가세요. 여기는 당신이 있을 자리가 전혀 아니에요.」 그녀는 이볼긴이 몸을 돌리려 하자 깜짝 놀라며 덧붙였다.

「자네 그냥 가만히 있는 게 좋을 거네.」 공작은 아버지를 쫓아 나가려던 니꼴라이를 만류했다. 「안 그러면 아버지가 1분도 못 가서 화를 내고 그 순간 뉘우친 게 허사가 되어 버릴 걸세.」

「그 말이 맞아. 그냥 내버려 둬. 30분 후에나 가봐라.」 리자베따 쁘로꼬피예브나가 나름대로 판단을 했다.

「평생 동안 단 한 번 거짓말을 하지 않은 게 눈물이 날 정도로 감동적이군!」 레베제프가 용기를 내어 한마디했다.

「내가 들었던 게 사실이라면 당신은 틀림없이 좋은 사람일 거예요.」 리자베따 쁘로꼬피예브나는 당장에 콧대를 꺾듯이 말했다.

공작의 주위에 모인 손님들의 상호 관계는 조금씩 명확해져 갔다. 공작은 물론 장군 부인과 딸들이 그에게 보여 준 관심의 정도를 고맙게 여기고 있었고, 완쾌되지 못한 그의 병과 늦은 시간에도 개의치 않고 오늘 중으로, 즉 그들이 이곳을 찾아오기 전에 이미 그들을 방문할 생각이었다고 진심으로 말했다. 리자베따 쁘로꼬피예브나는 손님들을 흘끗 바라보고는 지금이라도 그런 계획을 실천할 수 있다고 대답했다. 쁘찌찐은 예절 바르고 상대방을 공경할 줄 아는 사람이었기에 곧바로 자리에서 일어나 레베제프가 쓰는 안채로 향했다. 레베제프를 그 자리에서 데리고 나가고 싶어서였다. 레베제프는 곧 따라가겠다고 약속을 했다. 바르바라는 레베제프의 딸들과 얘기를 하느라고 남아 있었다. 그녀와 가브릴라는 아버지인 이볼긴 장군의 퇴장을 기뻐했다. 가브릴라 역시 쁘찌찐의 뒤를 바삐 좇아갔다. 예빤친 가족과 테라스에 있었던 그 몇 분 동안 그는 겸손하고 점잖게 처신을 했으며, 그를 머리부터 발끝까지 훑어보던 리자베따 쁘로꼬피예브나의 단호한 시선에도 전혀 당황하지 않았다. 그를 전부터 알고 있었던 사람들은 정말로 그가 상당히 변했다고 생각하고 있었다. 그것이 무척 아글라야의 마음에 들었다.

「지금 자리를 뜬 사람이 가브릴라 아르달리오노비치인가요?」 그녀는 느닷없이 물어보았다. 그녀는 이따금 그렇게 질문함으로써 다른 사람들의 대화를 끊고 개인적으로는 아무에게도 주의를 기울이지 않으면서 호들갑 떨기를 좋아했다.

「그래요.」 공작이 대답했다.

「그 사람을 못 알아볼 뻔했어요. 사람이 많이 변했어요. 꽤 괜찮아졌는데요.」

「나도 그 사람에 대해 아주 기쁘게 생각해요.」 공작이 말했다.

「오빠는 몹시 앓았어요.」 바르바라가 위로가 섞인 소리로 반갑게 말했다.

「뭐가 괜찮게 변했다는 거니?」 리자베따 쁘로꼬피예브나가 화가 나기도 하고 짐짓 놀라기도 한 소리로 영문을 모르겠다는 듯이 물었다. 「어떻게 그런 생각을 했지? 나아진 구석이라곤 조금도 없어! 네가 보기에 뭐가 나아졌다는 거니?」

「이 세상에 〈가난한 기사〉보다 더 나은 게 있나요?」 리자베따 쁘로꼬피예브나의 의자 곁에 계속 서 있던 니꼴라이가 불쑥 한마디를 던졌다.

「나 역시 그렇게 생각해요.」 S공작이 이렇게 말하며 웃었다.

「나도 그 의견에 찬성이에요.」 아젤라이다가 의기양양하게 말했다.

「어떤 〈가난한 기사〉를 말하는 거니?」 장군 부인이 이해를 못하겠다는 듯이 못마땅한 표정으로 사람들을 둘러보며 물었다. 그러나 아글라야가 발끈하는 것을 보자 화를 내며 이렇게 덧붙였다. 「다 헛소리다! 무슨 놈의 〈가난한 기사〉가 있다고 그래?」

「어머니의 애물 단지인 저 애송이가 남의 말을 멋대로 인용하는 게 이번이 처음인가요?」 아글라야가 화를 내며 가소롭다는 듯이 말했다.

아글라야의 화난 언동 속에는(그녀는 자주 화를 냈다) 언제나 차갑고 심각한 얼굴 표정과는 상관없이 어설프게 자신의 감정을 숨기고 있는 성질 급한 초등학생 같은 구석이 있었다. 이러한 그녀의 언동을 지켜보는 사람들은 웃지 않고는 못 배길 지경이었다. 아글라야는 사람들의 그러한 태도에 몹시 신경질이 났다. 〈도대체 왜들 저리 웃는 거야? 감히 어떻게 저렇게 웃을 수가 있단 말인가?〉 지금은 언니들과 S공작, 심지어는 웬일인지 얼굴이 빨갛게 달아오른 미쉬낀 공작까지 웃기 시작했다. 니꼴라이는 의기양양해 하며 깔깔거렸다. 아글라야는 정말로 화를 냈지만, 그럴수록 그녀의 귀여움은 배가되었다. 그녀의 당황한 표정과 자신의 그러한 모습을 참지 못하는 그녀의 태도가 너무 잘 어울렸다.

「저 애는 어머니가 한 말을 얼마나 엉뚱하게 써먹는 줄 아세요?」 그녀가 덧붙였다.

「내가 인용한 것은 당신 말이었어요!」 니꼴라이가 소리쳤다. 「한 달 전에 당신은 『돈키호테』를 뒤적거리며 그 말을 외쳤어요. 〈가난한 기사〉보다 더 좋은 것은 없다! 하고 말이에요. 누구를 두고 당신이 그렇게 말했는지 모르겠어요. 돈키호테나 예브게니를 두고 하는 말인지, 아니면 다른 누구를 두고 한 말인지. 아무튼 누군가를 염두에 두고 한 말이었어요. 그때 길게 말을 했어요.」

「내가 보기에 너는 혼자서 억측을 지나치게 많이 하고 있는 거야.」 리자베따 쁘로꼬피예브나가 못마땅한 표정으로 말했다.

「그게 나 혼자만 그런가요?」 니꼴라이는 다소곳해지지 않았다. 「모두들 그때 그렇게 말했고, 지금도 그렇게 말하잖아요. 방금 S 공작과 아젤라이다도 모두들 〈가난한 기사〉 편에 서 있다고 했어요. 그렇다면 〈가난한 기사〉는 실제로 존재하고 있다는 겁니다. 반드시 있어요. 내 생각에 아젤라이다가 그 말을 들었다면 〈가난한 기사〉가 구체적으로 누구라는 것을 우리 모두가 다 알았을 거예요.」

「내가 뭘 잘못한 거구나.」 아젤라이다가 웃었다.

「초상화를 그리고 싶지 않다고 했어요. 바로 그게 잘못된 거예요! 아글라야가 당신에게 〈가난한 기사〉의 초상화를 그려 달라고 부탁하며 자기가 지어낸 그림의 주제에 대해 얘기해 주기까지 했어요. 그 주제를 기억하시나요? 그런데 거절했잖아요…….」

「글쎄, 내가 누굴 그릴 수 있단 말이야? 그 주제에 따르면 〈가난한 기사〉는 그 누구 앞에서도 얼굴에서 강철 투구를 벗지 않았어. 여기에 얼굴이 어디 있어? 무얼 그리란 말이야? 투구를 그리라고? 익명의 주인공을?」

「투구는 또 뭐냐? 영 이해가 안 가는군!」〈가난한 기사〉(틀림없이 오래전부터 누군가를 두고 써먹었던 칭호)가 누구를 뜻하는지 아주 명료하게 이해하기 시작한 장군 부인이 소리쳤다. 특히 미쉬낀 공작마저 당황하여 열 살 먹은 아이처럼 몸 둘 바를 몰라 하는 것을 보자 화가 폭발했다. 「그 멍청한 소리 아직도 끝나지 않았니? 그래, 그 〈가난한 기사〉가 어떻게 됐는지 나에게 설명을 해주지 못하겠니? 그게 내가 알아서는 안 될 무서운 비밀이라도 된다는 거니?」

그러나 모두들 계속 웃기만 했다.

「아주 단순한 겁니다. 〈가난한 기사〉를 노래한 이상한 러시아 시가 한 편 있는데.」 마침내 이런 대화를 빨리 진정시키고 화제를 바꿔야겠다는 의도에서 S공작이 나섰다. 「밑도 끝도 없는 인용이에요. 한 달 전쯤에 모두 모여서 점심을 먹고 웃으며 놀다가 아젤라이다가 그리게 될 그림의 주제를 여느때처럼 찾고 있었지요. 아시다시피 오래전부터 우리 가족의 공동 과제는 아젤라이다의 그림 주제를 찾아 주는 일이지요. 그때 우연히 〈가난한 기사〉 얘기가 나왔는데 누가 먼저 꺼냈는지는 기억이 안 나는군요…….」

「아글라야 이바노브나가 꺼냈어요!」 니꼴라이가 소리쳤다.

「그럴지도 몰라요. 하지만 기억이 잘 나지는 않아요.」 S공작이 계속했다. 「우리 중 일부는 〈가난한 기사〉라는 주제를 무시해 버렸고, 일부는 그 주제보다 더 고상한 것은 없다고 했어요. 그런데 그 기사를 그리려면 어찌 되었든 얼굴이 필요했습니다. 그래서 아는 사람들 중에서 적합한 얼굴을 찾아보았지만 하나도 걸맞지 않았어요. 그걸로 그 일은 다 끝나 버리고 말았어요. 니꼴라이의 머릿속에 갑자기 그 일이 왜 떠올라서 인용까지 하게 되었는지는 이해가 안 가는군요. 전에는 우스웠는데 지금은 전혀 재미가 없는데요.」

「거기에 가시 돋친 뭔가가 있겠죠. 모욕적이고 멍청한 뭔가가.」 리자베따 쁘로꼬피예브나가 말을 끊었다.

「멍청한 것은 없어요. 깊은 존경심밖에 없다고요.」 느닷없이 엄숙하고 심각한 아글라야의 목소리가 들렸다. 그녀는 완전히 냉정을 되찾았다. 아까의 당혹감은 더 이상 없었다. 게다가 그녀는, 몇 가지 태도로 미루어 농담이 깊어져 가고 있는 것을 내심 반기는 눈치였다. 그녀의 기분이 이처럼 뒤바뀐 것은 공작이 당황해하는 정도가 점점 더 심해져 가는 것이 확연히 드러나던 순간이었다.

「배꼽을 쥐고 깔깔대며 웃다가 갑자기 깊은 존경심이라고! 미쳤어! 존경심은 무슨 존경이야? 말해 봐. 무엇 때문에 다짜고짜 깊은 존경심이 우러나왔는지!」

「왜 깊은 존경심이 우러나왔느냐 하면요,」 아글라야는 화가 난 어머니의 질문에 여전히 엄숙하고 심각하게 대답했다. 「그 시에는 이상을 가질 수 있는 남자가 똑바로 묘사되어 있기 때문이에요. 둘째로, 그 남자는 한번 이상을 세우면 그것을 믿고, 또 그 이상을 믿게 되면 평생 그것을 위해 목숨을 바칠 만한 사람이에요. 그런 사람은 매우 드물지요. 〈가난한 기사〉의 이상이 시에 씌어 있지는 않지만 그것은 빛나는 형상, 〈순결한 미〉의 형상일 거예요. 사랑에 빠진 기사는 목도리 대신 묵주를 목에 걸고 다녔어요. 그리고 그의 방패에는 무언가 압축된 검은 문자가 씌어 있었다고 하는데, 그 문자는 A. N. B였어요…….」

「A. N. D예요.」 니꼴라이가 정정했다.

「그냥 A. N. B라고 말하겠어요. 그렇게 말하고 싶어요.」 아글라야가 못마땅해 하며 말을 막았다. 「어찌 되었든 간에 한 가지 분명한 것은, 자기의 숙녀가 누구이든 또 그녀가 무슨 짓을 하든 간에 이 〈가난한 기사〉는 중요시하지 않는다는 거예요. 또한 그 기사는 자기가 그녀를 택했다는 것과 그녀의 〈순결한 아름다움〉[86]을 믿어 영원히 그녀 앞에 무릎을 꿇는 것에 만족한다는 거지요. 또 하나 괜찮은 것은 그녀가 도둑년이라 하더라도 그 기사는 그녀를 믿으며 그녀의 순결한 미를 위해 창을 꺾는다는 겁니다. 시인은 어느 고결하고 고상한 기사가 중세식 플라토닉한 사랑을 하는 것에 대단한 의미를 두고 그것을 특별하게 형상화시키고 싶었을 거예요. 물론 그 모든 것이 이상이에요. 그러한 감정이 〈가난한 기사〉에게는 이미 마지막 단계인 금욕주의에까지 이르렀지요. 솔직히 말해서, 그러한 감정을 지닐 수 있는 능력은 많은 것을 의미해요. 그러한 감정은 한편으로 극히 칭찬받을 만해요. 물론 돈키호테는 말할 나위도 없지요. 〈가난한 기사〉는 돈키호테와 같은 인물이지만, 희극적인 면은 없고 오로지 심각한 면만 있을 따름이에요. 나는 처음엔 이해도 못 하면서 웃었어요. 그런데 지금은 〈가난한 기사〉를 사랑해요. 무엇보다도 그의 공적을 찬양해요.」

아글라야는 이렇게 말을 마쳤다. 그녀의 얼굴을 보면 그녀가 심각하게 말을 하고 있는지, 아니면 농담조로 하는지 분간하기가 어려웠다.

「하지만 그 기사라는 작자나 그의 공적은 바보 짓일 따름이야!」 장군 부인이 말했다. 「그런데 너도 허풍을 떠는구나. 일장 연설을 늘어놓다니. 너한테 어울리지 않는다는 생각이 드는구나. 그 어떤 경우에도 용납될 수 없는 거야. 어떤 시라고? 한번 읊어 봐라. 틀림없이 외우고 있을 테니까! 그 시를 꼭 들어 보고 싶구나. 나는 한평생 시라면 이가 갈렸는데, 다 그럴 만했구나. 공작, 참읍시다. 나나 당신이나 참지 않으면 안 돼요.」 그녀는 미쉬낀 공작을 바라보고 말했다. 그녀는 대단히 화가 나 있었다.

미쉬낀 공작은 무슨 말인가 해보려고 했으나 계속 이어지는 당

86 아글라야는 뿌쉬낀의 이 문구를 세 번씩이나 인용하면서 화제를 바꾸고 있다. 이 문구는 A. P. 께른의 훈계서에 나온다.

혹감으로 아무 말도 꺼낼 수가 없었다. 다만 자신의 〈연설〉에서 많은 의견을 발표한 아글라야만이 조금도 당혹스러워하지 않았다. 그녀는 오히려 기뻐하는 것 같았다. 여전히 심각하고 근엄한 표정을 짓고서 그녀는 즉시 일어섰다. 그 시를 암송할 준비를 하고 누군가가 불러 주기만을 기다린 듯했다. 그녀는 테라스 한가운데로 나가 안락의자에 계속 앉아 있던 공작 맞은편에 섰다. 모두들 놀란 표정으로 그녀를 바라보았다. S공작, 언니들, 어머니, 거의 모두는 그녀가 새로 준비한 장난을 꺼림칙한 기분으로 지켜보았다. 그 장난은 무언가 한참 빗나가 있는 듯했다. 그러나 아글라야는 시 낭독을 시작하는 자신의 이 모든 과장된 행동이 마음에 들었다. 리자베따 쁘로꼬피예브나는 아글라야를 제자리로 쫓아 버리려고 했으나, 바로 그때 그녀가 유명한 발라드를 낭독하기 시작한 순간 두 명의 손님이 큰 소리를 지르며 거리에서 테라스로 올라왔다. 예빤친 장군과 그 뒤를 따라서 한 청년이 들어오고 있었다. 가벼운 동요가 일었다.

7

장군을 따라온 청년은 스물여덟 살 가량 되어 보였다. 그는 훤칠하고 늘씬했으며 얼굴이 아름답고 영리하게 생겼다. 그의 초롱초롱한 검은 눈에는 기지와 냉소가 가득 차 보였다. 아글라야는 그 청년에게 눈길조차 주지 않고 계속 발라드를 낭송하며 과장된 표정으로 오로지 공작 한 사람만 줄곧 쳐다보았다. 공작은 그녀가 무슨 특별한 계산이 있어서 이렇게 행동하고 있다는 것을 이해했다. 그러나 적어도 새로 온 손님들은 어색한 분위기를 약간 완화시켜 주었다. 공작은 이들을 보고 몸을 반쯤 일으켰다. 그는 멀리서 장군을 보고 고개를 상냥하게 숙이며 낭송하는 것을 방해하지 말아 달라는 표시를 했다. 그러고는 다시 안락의자 뒤로 가서 왼팔을 등받이에 기댄 채 발라드 낭송을 계속 들었다. 그것이 앉아 있는 것보다 편했고 그렇게 〈우스꽝스럽게〉 보이지도 않았다. 한편 리자베따 쁘로꼬피예브나는 들어오는 사람들에게 두 번이나 손을 흔들어 제자리에 서 달라는 명령조의 제스처를 했다. 공작은 장군을 따라온 새로운 손님에게 무척이나 신경이 쓰였다. 공작은 그가 이미 여러 차례 들었던, 누차 마음속에 떠올려 보았던 예브게니 빠블로비치 라돔스끼일 거라고 추측했다. 다만 이상한 것은 예브게니가 무관이라고 들었는데 지금은 사복을 입고 있었던 것이다. 시 낭송이 계속되는 동안 이 새로운 손님의 입가에는 조롱기 섞인 미소가 맴돌았다. 마치 〈가난한 기사〉에 대해 이미 아는 바가 있다는 표정이었다.

공작은 속으로 〈어쩌면 저 사람이 만들어 낸 얘긴지도 몰라〉라고 생각했다.

그러나 아글라야는 사정이 달랐다. 시를 낭송하러 나왔을 때의 과장되고 거만해 보였던 모습은 사라지고, 시의 정신과 사상에 몰입하는 진지함이 그녀를 지배하고 있었다. 그녀는 한 단어마다 의미를 부여하며 전혀 꾸밈이 없는 어조로 낭송했고, 급기야는 모든 사람들의 주의를 끌었을 뿐만 아니라, 테라스 한가운데로 나왔을 때의 거만함은 온데간데없이 이 발라드의 높은 정신을 전달하는 데 몰두했다. 그녀의 거만한 태도는 이제 그녀가 전달하려는 것에 대한 순진한 경외심으로 바뀌었다. 그녀의 두 눈은 반짝였고, 환희와 영감에서 나오는 보일 듯 말 듯한 가벼운 경련이 아름다운 그녀의 얼굴을 두 번쯤 스치고 지나갔다.

그녀의 발라드는 이러했다.

언젠가 과묵하고 소박한
가난한 기사가 살았네.

우울하고 창백해 보였으나
대담하고 강직한 기사였네.

이성으로 헤아릴 수 없는
환영을 기사는 보았네.
씻을 수 없이 깊은 인상이
그의 가슴속에 새겨졌네.

그 순간부터 영혼을 불태우며
기사는 그 어떤 여인에게도 무심하여,
무덤으로 가는 날까지
한마디도 하고 싶어하지 않았네.

기사는 목도리 대신 목에다
묵주를 걸고 다녔고
얼굴에는 강철 투구를 쓰고
그 누구 앞에서도 벗지 않았네.

순수한 사랑에 충만하고
달콤한 꿈에 젖어
기사는 방패에다 자신의 피로
A. M. D.라고 새겨 넣었네.

그리고 팔레스타인의 광야에서
말을 탄 용사들이 바위 틈을 헤치고
싸움터를 향해 가며
소리 높여 숙녀들의 이름을 외쳤네.
〈하늘의 빛이여, 성스런 장미여! Lumen coeli, sancta Rosa!〉

야성적이고 열정적인 우리의 기사는
이렇게 외쳤고 벼락 같은 그의 고함은
무슬림들을 패퇴시켰네.

머나먼 자기의 성으로 돌아온
기사는 성문을 걸어 잠그고
광인처럼 줄곧
말없이 우수에 젖어 죽었네.[87]

나중에 이때를 회상할 때마다 공작은 깊은 의혹에 사로잡혀 풀리지 않는 수수께끼와 오랫동안 씨름을 했다. 저같이 진실되고 아름다운 감정이 어떻게 그처럼 노골적이고 독기 어린 조소와 공존할 수 있을까? 공작이 보기에 조소를 띠고 있다는 것은 의심의 여지가 없었다. 공작은 그것을 잘 이해하고 있을 뿐더러, 그렇게 생각할 만한 이유도 있었다. 아글라야는 낭송을 하면서 A. M. D.를 N. F. B.로 바꿨던 것이다(N. F. B.는 나스따시야 필리뽀브나 바라쉬꼬바의 약자이다). 아글라야가 그렇게 바꿔 읽은 것을 공작이 잘못 들을 리가 없었다(나중에 그 사실은 증명되었다). 어쨌든 아글라야의 행동은 — 물론, 농담이었다. 비록 그것이 지나치게 신랄하고 경솔하게 만들어진 것이지만 — 미리 의도된 것이었다. 〈가난한 기사〉에 대해서는 이미 한 달 전부터 모두들 이야기해 왔다(웃음거리도 되었다). 나중에 공작이 곰곰이 생각해 보았지만, 아글라야는 그 약자에 대해 장난을 치거나 조롱하는 빛을 띠지 않고, 심지어는 이 약자에 숨은 뜻을 강조하려고 특별한 강세를 주지도 않고 발음했다. 반대로 그녀는 매우 진지하고 순진하고 소박한 어조로 발음했다. 때문에 그러한 약자가 정말로

87 뿌쉬낀의 『중세의 장면들』(1835)에서 발췌된 시.

발라드 속에 포함되어 있고, 책 속에 그대로 인쇄되어 있는 듯한 착각이 들 정도였다. 무언가 육중하고 불쾌한 것이 공작을 짓누르는 것 같았다. 리자베따 쁘로꼬피예브나는 물론 이해를 하지 못했을 뿐더러, 문자가 바뀐 것과 거기에 내포된 암시를 알아차리지도 못했다. 예빤친 장군은 단지 시를 낭독했다는 사실만 이해했다. 청중들 가운데 대다수는 그녀의 대담한 태도와 의도에 놀랐으나 입을 다물고 내색을 하지 않았다. 그러나 예브게니는 알아차렸을 뿐만 아니라 그것을 겉으로 드러내려 하기까지 했다(공작이 본 바에 따르면 틀림없이 그랬다). 그는 지나치게 조롱기를 띠고 웃었다.

「대단히 멋있구나!」 장군 부인은 낭독이 끝나자마자 진정으로 환희에 차서 감탄을 했다. 「그게 누구의 시지?」

「뿌쉬낀의 시도 모르세요, 어머니? 남보기가 부끄럽네요!」 아젤라이다가 소리쳤다.

「너희들과 같이 있으면 내가 바보가 된다니까!」 리자베따 쁘로꼬피예브나가 씁쓸하게 대답했다. 「수치스럽구나! 집에 가자마자 나한테 뿌쉬낀 시집을 보여 줘!」

「우리 집에는 뿌쉬낀 시집이 한 권도 없는 것 같은데요.」

「예전에 너덜너덜한 책 두 권이 나돌아다니긴 했어요.」 알렉산드라가 거들었다.

「그러면 즉시 표도르나 알렉세이를 시켜서 첫 기차로 시내에 가서 사오라고 해. 알렉세이를 시키는 편이 낫겠다. 아글라야, 이리 오너라! 나에게 키스를 해주렴. 멋지게 낭송했다. 네가 진심으로 읽은 거라면, 나는 너를 불쌍히 여길 것이다. 네가 장난으로 낭송했다면 난 네 감정을 이해할 수가 없구나. 그렇다면 아예 낭송하지 않는 편이 더 좋았을 것이다. 알겠니? 가봐라. 또 얘기하기로 하자. 여기에 우리끼리 너무 오래 있었다.」 리자베따 쁘로꼬피예브나는 귀에 대고 속삭였다.

그러는 사이에 공작은 예빤친 장군과 인사를 나눴다. 장군은 그에게 예브게니 빠블로비치 라돔스끼를 소개했다.

「도중에 만나서 이렇게 붙잡았소. 방금 기차에서 내렸다고 하더군. 내가 여기로 가고 있고 또 우리 가족이 여기에 있다는 것을 알아내곤…….」

「당신도 여기 있다는 것을 알았지요.」 예브게니가 장군의 말을 가로챘다. 「나는 오래전부터 당신과 친하게 알고 지내고 싶었습니다. 하지만 시간이 없었어요. 몸이 안 좋으시다고요? 조금 전에야 알았습니다…….」

「완전히 다 나았습니다. 그리고 뵙게 되어 정말 기쁩니다. 말씀 많이 들었어요. S공작과는 당신 얘기를 했어요.」 미쉬낀이 손을 내밀며 말했다.

두 사람은 정중한 인사말을 교환했고, 악수를 하면서 서로 상대방을 유심히 쳐다보았다. 금세 대화는 모든 사람들에게로 퍼졌다. 공작은 예브게니의 평복[88]을 보고 사람들이 적지 않게 놀라고 있다는 것을 눈치 챘다(공작은 이제 모든 것을, 어쩌면 있지도 않는 것까지도 놀라울 정도로 잽싸게 눈치 챘다). 사람들이 몹시 놀라는 바람에 예브게니에 관한 다른 인상은 완전히 사라져 버렸다. 그가 복장을 바꿔 입은 데에는 틀림없이 중대한 까닭이 있었으리라고 그는 생각했다. 아젤라이다와 알렉산드라는 영문을 모르겠다는 표정으로 예브게니에게 이것저것 물어보았다. 그의 친척인 S공작은 상당히 불안한 얼굴이었다. 장군은 거의 흥분 섞인 목소리로 말했다. 그러나 아글라야 혼자만이 호기심에서, 그러나 상당히 태연하게 예브게니를 약 1분 간 바라보았다. 평복과 무관복 중에서 어떤 옷이 더 잘 어울릴까 하고 살피는 듯했다. 그러다가 아글라야는 눈길을 돌리고 더 이상 그를 거들떠보지도 않았

88 현직에 있는 군인들은 외국에 나갈 때에만 평복 착용이 허가되었다.

다. 리자베따 쁘로꼬피예브나 역시 아무것도 물어보고 싶어하지 않았다. 물론 그녀는 약간 궁금해 했을지도 모른다. 공작이 보기에 예브게니는 리자베따 쁘로꼬피예브나의 호감을 사지 못하고 있는 것 같았다.

「난 아주 놀랐어요!」 예빤친 장군이 사람들의 놀라움을 대신하듯 이렇게 말했다. 「아까 뻬쩨르부르그에서 이 사람을 만났을 때 믿어지지가 않았어요. 갑자기 이게 무슨 일인가? 하고 물었더니 이 사람이 대뜸, 더 이상 사무실 의자를 망가뜨릴 수 없다[89]고 소릴 지르는 거였어요.」

이때 오간 대화들로 미루어 볼 때, 예브게니는 이미 오래전부터 사의(辭意)를 표해 왔지만 거기에 대해서 별로 심각하지 않게 매번 말했기 때문에 그 말을 믿을 수가 없었던 모양이다. 그는 심각한 말을 할 때마다 장난기 어린 표정을 지었으므로 그의 말뜻을 정확히 헤아리기 힘들었고, 특히 상대방이 그의 말을 정확히 파악하는 것을 원하지 않을 때는 더욱 그랬다.

「나는 얼마간, 몇 개월 동안, 길어야 1년 동안 자리를 떠나 있을 겁니다.」 예브게니가 웃으며 말했다.

「하지만 그럴 필요가 전혀 없는 것 같은데. 적어도 내가 보기에는 그렇소.」 장군이 계속 열을 내며 말했다.

「그럼 영지를 돌아보는 것은 어떨까요? 장군님도 그렇게 조언하셨잖아요. 거기다 나는 외국엘 나갔다 오고 싶어요…….」

화제는 곧 바뀌었지만 여전히 심상찮은 불안감이 감돌고 있었다. 이 모든 것을 지켜보던 공작의 생각으로는 거기엔 특별한 의미가 담겨져 있는 것 같았다.

89 이 표현은 고골의 희곡 「검찰관」에서 빌려 온 것이다. 제1막 제1장에서 사람들은 역사 선생에 대해 이야기하며, 그가 마케도니아의 알렉산드로스 대왕에 관해 설명하다가 흥분하여 〈의자를 부쉈다〉고 비난한다. 보통 〈의자를 부순다〉는 말은 적절치 못한 기운 낭비를 뜻한다.

「그럼 〈가난한 기사〉가 다시 무대에 등장했다는 말인가요?」 예브게니가 아글라야에게 다가가며 물었다.

아글라야는 납득할 수 없다는 듯이 의아한 표정으로 그를 바라보며, 〈가난한 기사〉에 관한 얘기는 이들 사이에 없었다는 점을 분명히 하려는 것 같았다. 그녀는 질문 자체도 이해하지 못하겠다는 듯이 반응했는데 이러한 그녀의 태도는 공작을 놀라게 했다.

「이제는 너무 늦었어요. 이렇게 늦은 시각에 무슨 뿌쉬낀의 시집을 구하러 시내로 사람을 보낸단 말인가요? 늦었어요!」 니꼴라이가 리자베따 쁘로꼬피예브나와 소리 높여 언쟁을 벌였다. 「수천 번 반복해서 말해 봤자 늦은 것은 늦은 거예요!」

「네, 맞아요. 이제 시내로 사람을 보내기에는 너무 늦었어요.」 이때 예브게니가 재빨리 아글라야를 따돌리고 이들의 언쟁에 끼어들었다. 「지금 뻬쩨르부르그의 상점들은 문을 닫았을 거예요. 벌써 8신데요.」 그는 시계를 꺼내 확인하며 덧붙였다.

「여태껏 기다렸는데 내일까지는 충분히 참을 수 있을 거예요.」 아젤라이다가 나섰다.

「그리 고상한 일이 아니에요.」 니꼴라이가 덧붙였다. 「상류 사회 사람들이 문학에 심취하는 것 말이에요. 예브게니에게 물어보세요. 빨간 바퀴가 달린 노란 마차가 훨씬 고상해 보일 거예요.」

「니꼴라이, 책을 또 인용하는군.」 아젤라이다가 지적했다.

「그는 책에서 인용하지 않으면 말을 못해요.」 예브게니가 거들었다. 「비평문의 기다란 문장들을 그대로 인용하니까요. 나는 오래전부터 이 사람과 대화를 해왔지만 이번만은 책에서 따온 문장을 써먹은 게 아니에요. 니꼴라이는 분명히 빨간 바퀴가 달린 내 노란 마차를 비꼬고 있는 거예요. 하지만 나는 방금 그 마차를 바꿨는데, 당신이 약간 늦었소, 니꼴라이.」

공작은 예브게니 라돔스끼가 말하는 것을 주의 깊게 듣고 있었다……. 예브게니는 겸손하고 명랑하게 처신을 잘하고 있는 것 같았다. 특히 대들듯이 달려드는 니꼴라이에게 대등한 입장에서 다정하게 말하는 것이 마음에 들었다.

「이게 뭐야?」 리자베따 쁘로꼬피예브나는 레베제프의 딸 베라를 보고 말했다. 베라는 두 손에 멋지게 장정된 몇 권의 새 책을 들고 그녀 앞에 서 있었다.

「뿌쉬낀이에요.」 베라가 말했다. 「우리 집에 있는 책이에요. 아빠가 갖다 드리라고 했어요.」

「어떻게 이럴 수가? 어떻게 나한테?」 리자베따 쁘로꼬피예브나가 놀라는 표정을 지었다.

「선물이 아닙니다. 선물은 아니라고요! 어떻게 감히 그걸 선물할 수가 있겠습니까?」 레베제프가 딸의 등 뒤에서 튀어나왔다. 「책 값을 받고 드리려는 겁니다. 이것은 우리 가족에게 친숙한 안넨꼬프 판[90] 뿌쉬낀이지요. 이제는 이 판을 구할 수가 없지요. 적절하게 책 값을 받겠습니다. 이로써 마님의 고결한 문학적 감상의 갈증을 해소시킬 수 있다면 그걸 영광으로 여기고 기꺼이 팔겠습니다.」

「그렇게 팔겠다니 고맙군요. 손해 보지는 않을 거예요. 한데 그렇게 이상하게 몸을 비비꼬지는 마세요. 당신에 대해 들은 바가 있어요. 당신은 아주 책을 많이 읽었다고들 하더군요. 시간이 있으면 같이 얘기를 해봐요. 이 책을 우리 집까지 가져다 줄 수 있지요?」

「그런 분부를 하시니 영광입니다.」 레베제프는 딸에게서 얼른 책을 가로채면서 아주 흡족스런 표정을 지으며 씩 웃었다.

「그렇게 굽실거리지 않아도 되니까, 약속대로 꼭 갖다 주기나 하세요.」 리자베따 쁘로꼬피예브나는 그를 찬찬히 바라보며 말했다. 「우리 집 문턱까지만 오고 더 이상 들어오면 안 돼요. 오늘 당

90 F. 안넨꼬프가 1855년부터 1857년 사이에 펴낸 대시인 뿌쉬낀의 작품 비평판본.

신을 집 안으로 맞아들일 생각은 없어요. 하지만 괜찮다면 딸 베라는 오늘이라도 보내 줘요. 이 아이는 맘에 쏙 들어요.」

「아버지, 왜 저기서 기다리는 사람들에 대해 말씀을 안 하시는 거지요?」 베라가 참지 못하고 아버지를 보며 말했다. 「그냥 내버려 두면 자기네들 발로 집 안으로 들어올 텐데요. 떠들썩한 소리가 들리잖아요.」 그녀는 이미 모자를 집어 든 공작에게 말했다. 「밖에 아까부터 공작을 보겠다고 누군가가 와 있어요. 네 사람이나 되는데 저기서 기다리며 욕지거리를 해대고 있어요. 그런데 아버지가 못 들어오게 하고 있어요.」

「어떤 손님들인가요?」 공작이 물었다.

「일이 있어서 왔다고들 하던데요. 저들을 지금 들여보내지 않으면 길을 막을 거예요. 공작, 지금 만나 보신 다음에 적당히 내쫓아 버리는 편이 좋을 거예요. 가브릴라와 쁘찌찐이 설득한다 해도 막무가내일 겁니다.」

「빠블리쉬체프의 아들 녀석이에요! 빠블리쉬체프의 아들이라고요! 그럴 필요가 없어요!」 레베제프가 손을 내저었다. 「저런 녀석들의 말은 들어 줄 가치가 없습니다, 공작. 저놈들에게 신경을 써주는 것은 위신이 떨어지는 짓입니다, 공작. 일고의 가치도 없는 짓입니다…….」

「빠블리쉬체프의 아들이라고요? 어휴!」 공작이 극히 당황하여 소리쳤다. 「나도 알고 있지만, 이 일은 가브릴라에게 맡겼는데. 방금 가브릴라가 나에게 말하기를…….」

그러나 가브릴라는 이미 방에서 나와 테라스로 걸어오고 있었다. 그 뒤로 쁘찌찐이 쫓아왔다. 옆방에서는 소란스러운 소리가 들렸고, 이볼긴 장군의 목소리도 들려왔다. 그의 목소리는 유난히 커서 다른 사람들의 목소리를 꺾어 버리려는 듯했다. 그러자 니꼴라이가 그쪽으로 뛰어갔다.

「이거 아주 재미나겠는걸!」 예브게니가 큰 소리로 말했다.

공작은 〈필시 저 사람도 이 일을 알고 있는 거야!〉라고 생각했다.

「빠블리쉬체프의 어떤 아들이란 말이오? 그 아들이 어떻다는 거요?」 예빤친 장군은 납득할 수 없다는 표정으로 물었다. 그는 궁금하다는 듯이 모든 사람들의 얼굴을 번갈아 보며, 오로지 자기만 이 사실을 모르고 있었다는 것에 놀랐다.

사실 이 사건은 모두의 관심을 불러일으키고 있었다. 공작은 사람들이 자신의 지극히 개인적인 일에 그처럼 강한 호기심을 보이는 데 몹시 당황했다.

「지금 당장, 당신이 직접 이 일을 마무리 짓는 게 제일 좋을 거예요.」 아글라야가 매우 심각한 표정을 지으며 공작에게 다가오더니 이렇게 말했다. 「우리 모두가 당신의 증인이 되겠어요. 저 사람들은 당신의 얼굴에 먹칠을 하려는 거니까, 당신은 떳떳하게 자신의 정당성을 밝혀야 해요. 나는 당신이 그렇게 하리라고 믿어요.」

「나 역시 이 역겨운 배상 청구 사건이 종결되었으면 하는 마음이에요.」 예빤친 장군 부인이 소리쳤다. 「그런 놈들을 용서하면 안 돼요, 공작! 이 사건 이야기를 얼마나 들었는지 이제는 귀에 못이 박일 지경이에요. 내가 얼마나 애를 태웠는지 알아요? 어쨌든 저 녀석들의 얼굴을 보는 것도 흥미로울 거예요. 저 녀석들을 불러와요. 우린 그냥 앉아 있을 테니까요. 아글라야가 생각을 잘 했어요. 당신은 이 사건에 대해 뭔가 들은 말이 있나요, 공작?」 그녀는 S공작을 보고 말했다.

「물론 들었지요, 댁에서요. 하지만 나는 이 젊은 친구들이 궁금하군요.」 S공작이 대답했다.

「이들은 바로 니힐리스트[91]가 아닌가요?」

91 니힐리스트라는 말은 당시 뚜르게네프가 유행시켰다고 하는데 참신하게 받아들여졌다.

「아닙니다. 이놈들은 니힐리스트가 아닙니다.」 레베제프가 앞으로 걸어 나왔다. 그 역시 흥분으로 몸을 떨다시피하고 있었다. 「이 치들은, 내 조카의 말에 따르면 다른 종류의 인간들입니다. 니힐리스트 근처에도 못 가는 자들입니다. 당신은 증인 자격으로 옆에 앉아 있으면 놈들이 당황할 것이라고 생각하시지만 다 소용없는 짓입니다. 놈들은 그만한 일로 당황하는 인간들이 아닙니다. 그래도 니힐리스트 중에는 학식이 있다는 말을 들을 만한 자가 있지만 이 치들에게는 그런 구석이 전혀 없습니다. 첫째, 놈들은 매우 현실적이기 때문이지요. 물론 그것도 결국은 니힐리스트 사상의 찌꺼기에 불과하지만요. 놈들은 정도를 걷질 않았어요. 어디서 주워들은 상식 아니면, 수박 겉핥기 식으로 니힐리즘을 약간 아는 정도에 지나지 않지요. 게다가 잡지에다 논문 따위라도 게재하여 자신들의 의견을 표명하는 방식을 취하지 않고, 곧바로 행동으로 자신들의 생각을 옮겨 보자는 주의이지요. 예를 들어 뿌쉬낀 같은 자는 무의미하다느니,[92] 러시아를 반드시 분할해야 된다느니 하며 설쳐 대는 것과는 또 다른 문제지요. 만약 무언가를 실행하고 싶다면 그것을 위해서 그 어떤 장애에도 구속받지 않고, 설사 사람을 8명이나 죽인다 하더라도 그것을 실천에 옮기는 것을 자기네들의 권리라고 간주하는 자들이지요. 공작, 어쨌든 나는 그런 놈들을 만나서는 안 된다고 생각합니다…….」

그러나 공작은 이미 걸어 나가서 손님들에게 문을 열어 주었다.

「당신은 중상을 하고 있는 거요, 레베제프.」 공작이 웃으며 말했다. 「당신의 조카가 무척 섭섭하게 했던 모양이에요. 리자베따 쁘로꼬피예브나, 저 사람 말을 믿지 마세요. 고르스끼나 다닐로프의 사건은 그야말로 우연입니다. 저 사람들은 틀림없이 무언가

92 1865년경 떠들썩했던 뻬사레프의 논쟁을 말한다. 허무주의 비평의 주도자였던 뻬사레프는 시에 대한 숭앙을 비판하고 뿌쉬낀의 명성을 격렬하게 공격했다.

를 잘못 알고 있는 겁니다……. 하지만 여기 여러분들 앞에서 저 사람들과 얘기를 하고 싶지 않군요. 죄송합니다, 리자베따 쁘로꼬피예브나. 저 사람들이 들어오면 잠깐 얼굴을 보여 드리고 다른 곳으로 가겠습니다. 미리 여러분들의 양해를 구하는 바입니다!」

오히려 그는 다른 생각 때문에 괴로워하고 있었다. 바로 이 순간에 그가 망신당할 것을 예견하고, 이렇게 많은 손님들 앞에서 누군가가 의도적으로 이런 사건이 벌어지게 한 것은 아닐까? 동시에 그는 자신의 〈기이하고 비뚤어진 의심〉 때문에 서글퍼졌다. 마음속에 그런 생각이 숨겨져 있다는 것을 남들이 알아채면 그는 죽어 버렸으리라. 그리고 새로운 손님들이 테라스로 들어오는 순간, 그는 주위의 모든 사람들 중에서 자기가 도덕적으로 가장 열등하다는 생각을 했다.

다섯 사람이 테라스로 들어왔다. 그 중 네 명은 낯설었고, 그들 뒤로 몹시 열이 나 있는 이볼긴 장군이 흥분을 하여 심한 발작을 일으킨 듯 고래고래 소리를 질러 대며 들어왔다. 공작은 미소를 지으며 〈이 사람이야말로 틀림없이 내 편이구나!〉라고 생각했다. 니꼴라이도 사람들과 함께 미끄러지듯이 들어왔다. 그는 방문객들 사이에 있던 이뽈리뜨와 열심히 얘기를 나누었다. 이뽈리뜨는 그의 말을 듣고 빙그레 웃었다.

공작은 손님들을 자리에 앉혔다. 그들은 모두 미성년의 애송이 들이어서 예절을 갖춰 이들을 맞아들인 게 우스울 정도였다. 예를 들어 〈새로운 사건〉을 전혀 이해하거나 눈치 채지도 못했던 예빤친 장군은 그처럼 새파란 아이들을 보고 노기를 띠기까지 했다. 만약 아내가 공작의 특별한 이해 관계에 이상하리만큼 열정적인 관심을 보이지 않았다면 어떻게든 야단을 치고 말았을 것이다. 그는 한편으로는 호기심 때문에, 또 한편으로는 마음이 좋아서 그 자리에 남아 있었다. 그는 자기가 도움까지 줄 수 있고, 자신의 권위가 먹혀 들어가리라고 생각했다. 그러나 멀리서 들어오는 이볼긴 장군이 그에게 고개 숙여 인사를 했을 때 그는 또다시 불쾌한 마음을 금할 수 없었다. 그는 인상을 찌푸리며 입을 꼭 다물고 있겠다고 결심했다.

하지만 네 명의 애송이 방문객 중에는 서른 살 가량 되어 보이는 사람이 한 명 있었는데, 그는 로고진의 무리 속에 있었던 복서로, 부탁을 하는 사람들이 있을 경우에는 15루블을 받고 권투 지도를 해주는 퇴역 중위였다. 그가 이 청년들을 따라온 것은 진정한 친구 자격으로 그들의 사기를 북돋아 주고 필요할 경우 지원을 해주기 위해서라는 것을 알 수 있었다. 나머지 세 명 중에서 주도적 역할은 자신을 안찌쁘 부르도프스끼라고 소개한, 일명 〈빠블리쉬체프의 아들〉이라고 불리는 자가 맡고 있었다. 그는 초라한 옷차림에 다소 지저분해 보였다. 프록코트는 팔꿈치가 기름때에 절어 있었고, 맨 윗단추까지 채운 조끼를 입고 내의는 어디론가 사라져 버린 데다, 땟국이 흐르는 시커먼 비단 머플러를 두르고 있었다. 얼굴은 여드름투성이에다, 손은 전혀 씻지 않은 채였고 머리털은 희뿌연했다. 게다가 시선은, 표현이 적절할지는 모르겠지만, 순진하리만치 뻔뻔스러워 보였다. 나이는 스물두 살쯤 되어 보였고, 몸은 말랐지만 키는 작은 편이 아니었다. 그의 얼굴에는 어떠한 냉소나 자성의 빛도 없었다. 반대로 자신의 권리에 대한 자아 도취의 빛이 어려 있었고, 다른 한편으로는 자기를 언제나 모욕당하는 자로 여기고 싶어하는 무언가 이상한 바람이 엿보였다. 그는 흥분된 어조로 말을 하는 데다 너무 서두르고 더듬거려서 마치 아무것도 표현하지 못하는 사람처럼 보였다. 때문에 순수한 러시아 인임에도 불구하고 말더듬이 아니면 외국인 같아 보였다.

그를 수행한 자들 중에는 첫째로 이미 독자들에게 알려진 레베제프의 조카가 있었고, 둘째로는 이뽈리뜨가 있었다. 이뽈리뜨는 열일곱 살 가량 된 젊은이였다. 어쩌면 열여덟 살이었는지도 모른다. 그의 얼굴은 영리해 보였지만 항상 화가 나 있었고, 완연한 병색을 드러내고 있었다. 그는 해골처럼 비쩍 말라 있었으며, 안색이 창백하고 누르스름했다. 그의 눈은 반짝거렸으며 양볼에는 두 개의 빨간 반점이 있었다. 그는 끊임없이 기침을 해댔다. 그가 한마디씩 말을 할 때마다, 그리고 숨을 한 번씩 쉴 때마다 그르렁거리는 소리가 들렸다. 한눈에 폐병 상태가 매우 심각하다는 것을 알아차릴 수 있었다. 그는 2, 3주 이상은 못 살 것 같아 보였다. 그는 매우 피로한 상태여서 제일 먼저 자리에 앉았다. 나머지 일행은 들어오면서 약간 격식을 차리며 당황스러워했지만, 그래도 점잖게 보이려고 애썼다. 이러다가는 위신이 떨어지지 않을까 하고 몹시 걱정하는 모습이 역력했다. 그러한 태도는 사교계의 무익한 격식들이나 편견, 더 나아가서는 자신들의 이익을 제외한 이 세상의 모든 것을 부정한다는 이들의 평판과는 이상하게도 어울리지 않는 것이었다.

「안찌쁘 부르도프스끼입니다.」 〈빠블리쉬체프의 아들〉은 더듬거리면서 황급히 자신을 소개했다.

「블라지미르 독또렌꼬라고 합니다.」 레베제프의 조카는 독또렌꼬라는 것이 자랑스럽기라도 한 듯 또랑또랑한 목소리로 분명하게 말했다.

「껠레르요.」 퇴역 중위가 우물거리는 소리로 말했다.

「이뽈리뜨 쩨렌찌예프예요.」 맨 마지막으로 이뽈리뜨가 찢어지는 소리로 느닷없이 외쳤다. 이렇게 이들은 공작 맞은편 의자에 앉아서 자신들을 소개하고는 즉시 인상을 찌푸렸다. 이들은 용기를 복돋우려 하기 위함인지 모자를 한 손에서 다른 한 손으로 옮겨 쥐며 담판을 벌일 기세를 보였다. 그러나 이들은 도전적인 표정으로 무언가를 기다리며 입을 다물고 있었다. 이들의 표정은 흡사 〈이봐, 거짓말해 봐도 말짱 헛거야. 우린 속지 않아!〉

라고 말하는 것 같았다. 이때 누군가가 한마디라도 꺼내기만 한다면 이들은 즉시 서로 말을 하겠다고 난리를 칠 기세였다.

8

「여러분, 여러분이 오실 줄 전혀 몰랐습니다.」 공작이 말을 시작했다. 「나는 오늘까지 몸이 아팠습니다. 그리고(공작은 안찌쁘 부르도프스끼를 바라보며 말했다) 당신의 문제는 이미 1개월 전에 가브릴라 이볼긴에게 위임을 했어요. 거기에 대해서는 즉시 당신에게 통지를 했지요. 그렇다고 지금 내가 개인적인 해명을 피하려는 건 아니에요. 단지 때가 때이니만큼…… 나와 함께 다른 방으로 잠시 가시지요. 여기에 있는 분들은 나의 친구들이니까 그렇게 아시고…….」

「친구들이라……. 좋을 대로 하세요.」 레베제프의 조카는 완강한 어조였지만 나지막한 소리로 끼어들었다. 「하지만……, 우리들을 보다 정중하게 대해 주셨으면 좋겠습니다. 하인방에서 두 시간씩 기다리게 하지 마시고…….」

「물론…… 나도…… 이게 공작의 방식이군! 그리고 당신은 장군이군요! 하지만 나는 당신의 하인이 아니오! 나, 나는…….」 몹시 흥분해 있던 안찌쁘 부르도프스끼는 갑자기 입술을 떨며 모욕당해 분하다는 듯한 목소리로 침을 튀기며 투덜거렸다. 그는 당장이라도 온몸이 터져 버릴 것 같았다. 그러나 몹시 서둘러 말하는 바람에 10마디째부터는 무슨 소리를 하는지 알아들을 수가 없었다.

「공작은 다 그런 거라고!」 이뽈리뜨가 날카로운 금속성의 목소리로 외쳤다.

「만약 나한테 이런 일이 벌어졌다면…….」 복서 퇴역 중위가 으르렁거리듯 말했다. 「다시 말해 이런 일이 나하고 직접적으로 연관

되었다면, 내가 부르도프스끼의 입장이었다면, 나는 신사로서……
그냥…….」
「여러분, 나는 여러분이 여기에 오셨다는 것을 겨우 1분 전에야 알았습니다.」 공작이 다시 해명을 했다.
「공작, 우리는 당신의 친구들이 누구든 간에 그들을 두려워하지 않아요. 우리는 나름대로의 권리가 있기 때문이지요.」 다시 레베제프의 조카가 말했다.
「그런데 당신은 어떤 권리를 가지고 있는지 묻고 싶군요.」 이뽈리뜨가 극도로 화가 난 소리로 사납게 말했다. 「부르도프스끼의 문제를 당신 친구들의 판단에 맡기는 권리인가요? 하지만 우리는 당신 친구들의 심판을 원하지 않아요. 그들의 재판이 무엇을 의미하는지는 너무도 명료하기 때문이지요!」
「하지만 부르도프스끼 씨, 여기서 말하길 원치 않으신다면,」 이 젊은이들이 꺼낸 말 첫머리에 놀란 공작이 겨우 끼어들었다. 「방금 제안했듯이 다른 방으로 갑시다. 되풀이하지만 당신들에 관해서는 방금 들었을 뿐이오…….」
「그러나 당신은 권리가 없소! 권리가 없어요! 권리가 없다고요! 당신 친구들의……, 그거……!」 부르도프스끼는 별안간 더듬거리며 말했다. 그는 험악하고 경계하는 듯한 표정으로 주위를 살폈다. 그리고 열을 올리면 올릴수록 상대방을 더욱더 불신하며 난폭해져 갔다. 「당신은 권리가 없소!」 그는 이 말을 하고 잠잠해졌다. 마치 혀가 끊어진 것 같았다. 그는 굵은 핏줄이 뻘겋게 드러난 툭 불거져 나온 근시안을 동그랗게 뜨고 온몸을 앞으로 내밀곤, 대답을 기다리듯 공작을 빤히 쳐다보았다. 이에 공작은 너무나 놀라서 입을 다물어 버리고는 휘둥그렇게 뜬 눈으로 상대방을 바라보았다.
「레프 니꼴라예비치!」 리자베따 쁘로꼬피예브나가 갑자기 공작을 불렀다. 「이걸 읽어 봐요. 이건 바로 당신의 일과 직접적으로 관련이 있는 거예요.」

그녀는 유머 주간지 한 장[93]을 그에게 내밀며 손가락으로 어느 기사를 가리켰다. 이 잡지는 레베제프가 리자베따 쁘로꼬피예브나에게 건네준 것인데, 그는 리자베따 쁘로꼬피예브나의 비위를 맞출 기회를 엿보고 있다가 손님들이 집 안으로 들어오고 있을 때 말 한마디 입 밖에 내지 않고 자기 호주머니에서 이 잡지를 꺼내 그녀에게 들이밀었다. 그는 밑줄 친 기사를 그녀에게 가리켜 보였다. 리자베따 쁘로꼬피예브나는 그것을 읽고 나서 경악과 흥분을 감추지 못했다.

「하지만 큰 소리로 읽지 않는 편이 낫지 않을까요?」 당황한 공작이 소곤대듯 말했다. 「나중에…… 혼자 읽어 보겠습니다.」

「그러면 네가 읽는 게 낫겠다. 어서 소리 내어 읽어 봐! 큰 소리로!」 리자베따 쁘로꼬피예브나는 공작이 그것을 가까스로 붙잡자마자 잽싸게 다시 빼앗아 니꼴라이에게 주었다. 「모두가 들을 수 있도록 큰 소리로 읽어!」

리자베따 쁘로꼬피예브나는 다혈질에다 무엇에든 쉽게 몰두하는 성격이어서, 마치 날씨를 고려하지 않고 무턱대고 망망 대해로 항해를 시작하듯이, 때로는 전후 사정을 살피지 않고 내키는 대로 행동을 했다. 예빤친 장군은 불안한 기색을 감추지 못했다. 모두가 꼼짝도 않고 궁금한 표정으로 사태의 추이를 기다리는 동안, 니꼴라이는 잡지를 펼쳐 들고 레베제프가 펄쩍 뛰어와 지적해 준 곳을 큰 소리로 읽기 시작했다.

프롤레타리아와 벼락 부자, 밤낮 없이 벌어지는 강도 사건! 진보! 개혁! 정의!

93 러시아의 시인 V. S. 꾸로츠낀과 풍자 작가 N. A. 스쩨빠노프의 감수로 1859~1873년 동안 뻬쩨르부르그에서 발행되었던, 혁명적이고 민주적인 경향을 띤 잡지 『불꽃』을 암시한다.

이상한 사건들이 오늘날의 개혁과 기업 융성의 시대에, 민족 자각의 시대에, 수백만 루블이 외국으로 유출되는 시대에, 상업이 장려되고 노동자의 일손이 마비되는 시대에, 이른바 우리의 신성한 러시아에서 벌어지고 있다. 독자 여러분이여, 지금이 어떤 시대인지 그것을 일일이 열거하기는 불가능하므로 일단 본론으로 들어가겠다. 이상한 사건이 또 하나 발생했다. 이것은 우리나라에서 구시대의 유물이 된 지주 계급의 어느 후손에 관한 사건이다. 그 후손들의 어떤 할아버지들은 도박장의 룰렛 게임에서 전재산을 날리고, 아버지들은 어쩔 수 없이 군에 입대해 예비 사관이나 중위로 복무를 하다가 공금을 잘못 관리하여 군법에 회부되어 결국에는 죽어 가곤 했다. 그런데 이들의 자식들은 이 글의 주인공처럼 백치로 자라든가 심하면 형사 사건에 말려들기도 한다. 물론 후자의 경우에는 배심원들이 잘 설득하면 개선되는 경우가 많다고 한다. 또 어떤 후손들은 몹시 어이없는 짓을 하여 세상 사람들을 놀라게 하고 그러잖아도 오염될 대로 오염된 우리 시대를 더욱 수치스럽게 한다. 우리의 후손은 반년 전쯤 겨울에 외국식 각반을 착용하고 홑겹 망토에 몸을 떨며, 백치 증세를 치료받았던 스위스에서 러시아로 돌아왔다. 고백컨대 그에게는 커다란 행운이 뒤따랐다. 왜냐하면 스위스에서 치료받았던 흥미로운 병은 언급하지 않더라도(하지만 백치를 치료하다니, 상상이 가는가?), 그는 〈바보에게 복이 온다!〉라는 러시아 속담을 실제로 입증할 수 있었기 때문이다. 독자 스스로 판단해 보기 바란다. 여기 아버지가 죽고 갓난아이가 남아 있다. 그런데 그 아버지는 중위로 복무하며 중대의 공금을 도박장에서 탕진했거나, 부하를 심하게 구타한 죄로(여러분, 구시대를 기억해 보시라! 그런 일들이 얼마나 비일비재했는지) 군법에 회부되어 죽게 된다. 갓난아이는 부유한 러시아 지주 중의 한 사람에게서 자비를 얻어 길러지게 된다. 그 러시아 지주는, 일단 P라고 부르자, 과거의 황금 시대에는 4천 명의 농노를 소유했었다(농노! 여러분, 그와 같은 표현을 이해하겠는가? 나는 이해 못 하겠다. 대사전을 찾아봐야겠다. 〈신화 시대의 얘기는 아니지만 믿겨지지 않으니 하는 말이다〉[94]). P지주는 여름이면 온천에서, 겨울이면 파리의 샤토 데 플뢰르에서 엄청난 돈을 뿌리며 쾌락의 나날을 보내는 러시아판 나태족이나 기생족(寄生族)의 한 사람이었음이 분명했다. 적어도 이 지주가 농노 영지에서 벌어들이는 수입의 3분의 1을 샤토 데 플뢰르의 경영자에게 주었다고 생각하면 된다(그러니 그 경영자도 행운아인 셈이다!). 어떻든 무사 태평한 그 지주는 고아 남작을 왕자처럼 키웠다. 그를 위해 남녀 가정교사들(물론 의문의 여지없이 멋진 인물들인 이들)을 파리에서 직접 고용하여 데려왔다. 그러나 이 귀족 가문의 마지막 후손은 불행히도 백치였다. 샤토 데 플뢰르에서 온 여자 가정교사들도 속수무책이었다. 우리의 양육아는 스무 살이 되도록 그 어느 나라 말도 배우지 못했다. 러시아 어도 예외는 아니었다. 그래도 러시아 어를 못한다는 것은 용납할 수 있는 일이다. 마침내 러시아의 농노 소유자 P씨의 머릿속에 환상이 떠올랐다. 스위스에서 백치에게 지성을 가르칠 수 있다는 대단히 논리적인 환상이 떠올랐던 것이다. 그 착취자 기생 인간은 돈이면 시장에서 인간의 지성까지도 살 수 있다는 상상을 자연스럽게 할 수 있었다. 더욱이 스위스에서라면. 그 백치는 스위스의 유명한 교수에게서 5년 동안 치료를 받으며 수만 루블의 돈을 낭비했다. 물론 백치는 영리해지지 않았다. 그가 제법 사람다워졌다는 말을 하는 사람들이 있지만 그가 여전히 반쪽 인간임은 의심의 여지가 없다. 그런데 P씨가 별안간 숨을 거둔 것이었다. 물론 아무런 유언도 남겨 놓지 않았다. 으레 그렇듯이 난리가 벌어졌다. 탐욕스런 유산 상속자들이 벌 떼처럼 모여들었으

94 그리보예도프의 희극 『지혜의 슬픔』에서 빌려 온 상투적인 문장.

나, 이들 중 누구도 고인의 호의로 스위스에서 백치 증상을 치료받고 있는 마지막 귀족의 후손 따위에는 손톱만큼도 관심을 갖지 않았다. 마지막 후손은 백치이면서도 교활하게도 은인의 사망 소식을 숨기고 교수를 속여서 2년이나 무료로 치료를 받았다고 한다. 그러나 그 교수 역시 능수 능란한 모사꾼인지라, 자신의 환자가 무일푼이라는 사실에서라기보다 스물다섯 살의 왕성한 식욕의 소유자라는 사실에 겁을 먹고, 그에게 낡은 각반을 신기고, 다 떨어진 자기의 낡은 망토를 선물하고, 3등칸 표를 사서 러시아로 nach Russland 보내 주었다. 진드기를 떼내듯 스위스에서 쫓아 버린 것이다. 행운이 우리의 주인공에게 등을 돌린 것처럼 보였다. 그러나 안 그랬다. 기근으로 여러 군(郡)을 아사시켰던 운명의 여신이 자신의 선물을 이 귀족에게 한꺼번에 퍼부었다. 마치 끄릴로프의 우화에 나오는 먹구름[95]이 바싹 마른 들판을 지나 대양 위에 비를 퍼부어 대듯이. 그가 스위스에서 뻬쩨르부르그로 옮겨 왔던 바로 그 순간쯤 모스끄바에서 외가 쪽 친척이 사망했다. 그 친척은 자식이 없는 상인으로(귀족의 어머니 역시 상인 출신이었음) 털보 분리파 교도였으며, 현금으로 수백만 루블을 유산으로 남겨 놓았다. 이 모든 것이 우리의 후손에게, 이 모든 것이 스위스에서 백치 증상을 치료받았던 우리의 남작에게 돌아갔던 것이다! 그렇게 되니까 사람들의 태도가 돌변했다. 각반을 차고 낡은 구두를 끌고 다니며, 남의 첩인 어느 미모의 여인을 쫓던 우리의 남작 주위로 갑자기 엄청난 친구들이 모여들었다. 심지어는 친척들이라고 자칭하는 자들까지 나타났다. 그리고 무엇보다 가관인 것은 그와 결혼을 갈망하는 명문 집안의 처녀들이 한 떼나 되었다. 하기야 귀족에다 백만장자, 거기다 백치라니, 이와 같은 자질을 갖춘 남편은 눈에 불을 켜고 찾아봐도, 아니 특별히 주

95 「구름」(1815)은 러시아의 위대한 우화 작가 N. A. 끄릴로프가 쓴 유명한 우화들 중 하나이다

문을 해도 구하기가 어렵지 않겠는가……!

「이…… 이건 도무지 납득할 수 없어!」 예빤친 장군이 몹시 분노하여 외쳤다.

「그만 하게, 니꼴라이!」 공작이 애원하듯이 말했다. 이쪽저쪽에서 탄식이 들려왔다.

「읽어 봐! 어찌 되었든 간에 계속 읽어야 해!」 리자베따 쁘로꼬피예브나가 자신을 극도로 자제하려고 애쓰며 말을 끊었다. 「공작, 만약 끝까지 못 읽게 한다면, 싸움도 불사하겠어요.」

어쩔 도리가 없었다. 잔뜩 흥분하여 얼굴이 벌개진 니꼴라이가 떨리는 목소리로 계속 읽기 시작했다.

그런데 이 벼락 부자가 하늘을 훨훨 나는 듯한 기분에 빠져 있었을 때 예기치 않은 일이 벌어졌다. 어느 날 그에게 방문객이 찾아왔다. 침착하고 엄격한 얼굴을 한 그 신사는 점잖고 사리가 분명한 말을 했다. 옷차림은 수수하면서 고상해 보였으며, 사상에 있어서는 진보적인 성향이 강하게 느껴졌다. 그는 자신의 방문 이유를 간단히 설명했다. 그는 유명한 변호사인데, 한 청년으로부터 어느 사건을 위탁받아 그의 이름으로 나타난 것이었다. 청년은 지금 다른 성을 사용하고 있지만, 실제로는 고인이 된 P씨의 친자였다. 호색한이었던 P씨는 젊은 시절에 정숙하고 가난했지만 유럽 식 교육을 받았던 하녀와 통정을 한 후(물론 과거 농노제 시대였으므로 거기에는 귀족의 권력이 개입되었다) 불가피하게 벌어질 가까운 장래의 결과를 예측하고는, 이 아가씨를 오래전부터 사랑해 왔던 꽤 괜찮은 사람인 어느 하급 상인에게 시집보냈다. 처음에 P씨는 이들 신혼 부부를 도와주었다. 그러나 마음이 곧았던 그 신랑은 곧 도움을 거절했다. 그 후 얼마의 세월이 지나자 P씨는 조금씩조금씩 그녀와 자기 사이에서 낳은 자기 아들을 망각해 갔고, 그 다음에는 잘 알려져 있다시피 일언반구도 없이 세상을 떠났다. 그런데 결혼 후 태어난 P씨의 아들은 어머니의 정직한 남편의 친자로 입적되었다. 그러나 의붓아버지가 사망하자 그 아들은 변변치 않은 재산에 발을 못쓰는 병든 어머니와 함께 멀리 떨어진 어느 시골에 남게 되었다. 그는 수도로 올라와 어느 상인 집에서 가정교사 노릇을 하며 근면하게 일을 하여 돈을 벌었다. 그리하여 먼저 중학교에 들어갔다가 다음에는 미래를 내다보고 유익한 강좌를 듣는 수강생이 되었다. 그러나 러시아 상인의 집에서 가정교사 노릇을 하여 받는 보수가 10꼬뻬이까밖에 안 되었으니 그것으로 발을 못쓰는 병든 어머니와의 생활에 드는 비용을 충분히 감당하겠는가? 후에 어머니가 멀리 떨어진 시골에서 세상을 떠났지만 그래도 쪼들리긴 마찬가지였다. 이제 이런 의문이 제기되고 있다. 우리의 후손은 이 문제를 얼마나 공정하게 처리해야 되는가? 독자 여러분은 그가 이렇게 말했으리라고 생각할 것이다. 〈나는 평생 P씨에게서 온갖 혜택을 다 받아왔다. 나의 양육비하며 가정교사비, 그리고 스위스에서 백치 증상을 치료하는 데만도 수만 루블을 썼다. 이제 나는 백만장자가 되었다. 그런데 경솔하고 쉽게 과거를 잊는 아버지의 소행으로 인해 태어난, 결백하기 그지없는 고결한 정신의 소유자인 친아들은 가정교사 수입으로 근근이 끼니를 이어 가다시피하고 있다. 나에게 왔던 모든 것은 그에게로 돌아가야 공정할 것이다. 나를 위해 쓰여진 그 엄청난 돈은 사실 내 것이 아니었다. 그것은 단지 운명의 여신이 눈이 멀어 실수를 저질렀기 때문에 일어난 일이다. 그 돈은 당연히 친아들에게로 돌아가야 한다. 그를 위해 쓰였어야 했던 돈이다. 그 돈이 나를 위해 쓰였던 것은 P씨의 경솔하고 과거를 잘 잊어버리는 망상적 변덕의 소행에서 비롯된 것이다. 내가 고결하고 세심하고 공정한 사람이라면 내가 받은 유산의 절반을 그의 친아들에게 넘겨줘야 한다. 그러나 나는 이해 타산적인 데다가, 이 사건이 법적으로 근거가 없다는 것을 너무나 잘 알고 있기 때문에, 내 재산의 절반을 넘겨주지 않겠다. 그러나 적어도, P씨가 백치 증상의 치료에 쓴 수만 루블이라도 그의 친아들에게 돌려주지 않는다면 나는 비열하고 몰염치한 인간이 될 것이다(귀족의 후손은 자기가 타산적이지 않을 거라는 말을 잊어먹었다). 이것은 오로지 양심과 정의의 문제이다! 만약 P씨가 나를 양육시키지 않고 오로지 자기의 아들만 돌보아 주었다면 나는 어떻게 되었을까?〉

하지만 독자 여러분, 일이 그렇게 돌아가지 않았다! 귀족의 후손은 그렇게 생각하지 않았다. 우정 때문에, 거의 그 청년의 만류에도 불구하고 자진해서 사건을 수임한 이 변호사가 후손에게 명예니 고결함이니 공정함이니 심지어는 단순한 계산을 들어 그에게 의무를 지켜 줄 것을 요망했지만, 스위스에서 돌아온 이 양육아는 들은 척도 하지 않았다. 하지만 그 정도는 약과였다. 그 어떤 이상한 병이 들어서 그랬다 해도 도무지 용서할 수 없는 것이 있었다. 불과 얼마 전까지만 해도 자신의 스승이 하사한 각반을 질질 끌고 다니던 백만장자는, 가정교사 노릇을 하며 죽지 못해 사는 그 고결한 성품의 청년이 구걸을 하거나 도움을 요청하는 것이 아니라, 비록 법적 근거는 없지만 자신의 당연한 권리를, 그것도 자기 스스로가 아니라 친구들이 대신해서 요청하고 있다는 지극히 단순한 사정을 헤아려 줄 수도 없다는 것이다. 자신의 수백만 루블로 사람들을 태연히 압박할 수 있는 기회를 얻은 우리의 후손은 근엄하고 활기에 찬 표정으로 50루블 지폐 한 장을 꺼내 적선이라도 하듯 거만하게 고결한 성품의 청년에게 보냈다. 여러분, 과연 믿을 수 있겠는가? 여러분은 분노하고 모욕받은 심정에서 격한 비명을 지를 것이다. 그러나 후손이란 자는 그런 짓을 서슴지 않았다. 물론 50루블은 즉시 되돌아왔다. 말하자면 그의 면상에 내동댕이쳐졌다. 도대체 이 문제를 어떻게 해결해야 될 것인가? 이것은 법률적인 문제가 아니다. 이것은 오로지 여론의 심판을 받아야 될 문제이다! 우리는 이 사연을 독자 대중에게 전달하면서 사실의 정확성을 보증하는 바이다. 일설에 따르면 어느 유명한 해학가가 이 사건을 주제로 지방지뿐만 아니라 중앙지의 비평란에 실릴 만한 감탄스런 풍자시를 썼다고 한다.

레프는 슈나이더의 망토를
5년 동안 가지고 놀면서
하릴없이 시간만 때우다
각반 달린 신발을 끌고 귀국하여
백만의 유산을 받고
하느님께 기도를 드리곤
학생들의 돈을 약탈했네.

니꼴라이는 이 기사를 다 읽자마자 잡지를 재빨리 공작에게 넘겨준 뒤 한마디 말도 없이 구석으로 부랴부랴 달려가 몸을 숨기고 두 손으로 얼굴을 가렸다. 그는 참을 수 없이 수치스러웠다. 아직까지 더러움에 익숙해 있지 않은 그의 소년다운 표정은 형언할 수 없을 정도로 분노에 차 있었다. 그에게는 모든 것을 일순간에 붕괴시켜 버린 심상찮은 사건이 터진 것처럼 보였다. 그래서 그런 기사를 읽었다는 한 가지 사실만으로도 그 자신이 그러한 사건의 원인이 되지나 않았을까 하는 마음까지 들었다.

그러나 모두들 그와 비슷한 심정을 가지고 있는 것 같았다.

예빤친의 딸들도 부끄러워서 어찌할 바를 모르고 있었다. 리자베따 쁘로꼬피예브나는 끓어오르는 분노를 간신히 참아 내고 있었다. 어쩌면 공작의 사건에 휘말려 든 것을 지독하게 후회하고 있는지도 몰랐다. 지금 그녀는 입을 다물고 있었다. 공작은 지나치게 수줍은 사람들이 그와 비슷한 경우에 당하는 느낌을 그대로 겪고 있었다. 그는 타인의 행동과 젊은 방문객들의 행위가 너무나 부끄러워 처음 한순간에는 그들을 쳐다보기가 겁이 날 정도였다. 쁘찌찐, 바르바라, 가브릴라, 심지어는 레베제프까지 약간은 당혹스러워하는 듯한 표정을 감추지 못했다. 이상하게도 이뽈리뜨와 〈빠블리쉬체프의 아들〉마저 무엇엔가 대경실색을 한 듯했다. 레베제프의 조카 역시 만족스럽지 못한 얼굴이었다. 다만 복서 혼자만이 아주 태연스럽게 앉아서 거만한 태도로 눈을 약간 내리깔고 콧수염을 말아 올리고 있었다. 그의 이러한 태도는 당황스러움에서 나온 것이 아니라, 그 반대로 지나치게 명백한 승리에서 빚어진 고상한 겸손에서 나온 것처럼 보였다. 모든 걸로 미루어 볼 때 그 기사가 이 복서 퇴역 중위의 마음에 무척 들었던 것이다.

「그걸 누가 믿겠어, 제기랄!」 예빤친 장군이 속삭이듯 넋두리를 했다. 「마치 종놈들이 50명쯤 모여서 지어낸 얘기 같군.」

「실 — 실례합니다만, 〈존경하는 장군님〉. 어떻게 그런 언변으로 사람을 모욕할 수 있습니까?」 이뽈리뜨가 온몸을 부르르 떨며 말했다.

「그건, 그건, 그건 고결한 인간에겐 매우 모욕적인 말씀입니다, 장군님!」 역시 갑자기 몸을 떨기 시작한 복서가 콧수염을 말아 올리며 어깨를 움찔거리다 볼멘소리를 했다.

「첫째, 나는 당신들한테 〈존경하는 장군님〉이 아니오. 둘째, 나는 당신들에게 어떠한 해명도 할 의향이 없소.」 갑자기 울화가 치밀어 오른 장군이 날카롭게 대답하며 자리에서 일어났다. 그는 한마디도 하지 않고 테라스의 출구 쪽 제일 윗계단으로 올라가 사람들을 등지고 섰다. 그는 아직까지도 자리에서 움직일 생각을 하고 있지 않는 아내 리자베따 쁘로꼬피예브나에게 몹시 화가 나 있었다.

「여러분, 여러분, 나에게 한마디 할 기회를 주십시오.」 우수에

차 있던 공작이 흥분된 어조로 말했다. 「제발 서로가 이해할 수 있도록 얘기를 합시다. 여러분, 이런 기사 따위는 접어 둡시다. 나는 아무렇지도 않아요. 다만 이 기사에 씌어 있는 말은 모두 거짓입니다. 여러분 스스로 잘 알 거라고 생각합니다. 입 밖에 내기조차 수치스럽습니다만, 여러분 중에 누군가가 이 글을 썼다면 나로선 보통 놀랄 일이 아닙니다.」

「나는 이 순간까지도 이 기사에 대해서는 아는 것이 하나도 없었어요.」 이뽈리뜨가 말했다. 「나는 이 기사를 사주하지 않았어요.」

「나는 이런 글이 씌어졌다는 사실은 알았지만 나 역시 그런 글을 게재하라고 권유하지 않았어요. 왜냐하면 그러기엔 시기상조이기 때문이었지요.」 레베제프의 조카가 덧붙여 말했다.

「나는 알고 있었소. 하지만 나는 권리가 있어요……. 나는…….」 〈빠블리쉬체프의 아들〉 부르도프스끼가 웅얼거렸다.

「뭐라고요! 당신이 이 모든 것을 지어냈단 말이오?」 공작이 부르도프스끼를 궁금한 얼굴로 쳐다보며 물었다. 「세상에 이럴 수가!」

「그럴 수도 있어요. 하지만 당신은 그와 같은 질문을 할 권리가 없습니다.」 레베제프의 조카가 끼어들었다.

「난 부르도프스끼 씨가 이런 일을 한 데 대해 놀라움을 표현했을 뿐입니다. 당신은 이 문제를 이미 공개적으로 밝혀 놓고서는 내가 친구들이 있는 데서 이에 관해 말을 하니까 화를 냈지요? 그렇게 화를 낼 이유가 있는 겁니까?」

「맞아요!」 리자베따 쁘로꼬피예브나가 분에 찬 소리로 외쳤다.

「공작, 잊으시면 안 될 게 있어요!」 레베제프가 더 이상 참을 수 없다는 듯이 몹시 흥분하여 의자들을 비집고 앞으로 미끄러지듯 나왔다. 「이자들을 이렇게 맞이하여 자기들 하고 싶은 말을 다 들어 준 것만으로도 그 어디에 견줄 수 없는 대단한 호의였다는 사실을 잊으시면 안 됩니다요. 이자들은 공작에게 그 무엇도 요구할 권리가 없어요. 이 사건에 관한 한 이미 가브릴라에게 모든 것을 위임하셨는데, 그 자체만으로도 대단한 인정을 베푸신 겁니다. 그러니 이제 공작, 당신의 선택된 친구들이 있는 마당에 더 이상 이런 무리들의 희생이 되실 수는 없는 노릇입니다. 이 집 주인의 자격으로 당장 이자들을 기꺼이, 아주 즐거운 마음으로 현관 밖으로 내보낼까요?」

「당연히 그래야지!」 방 한가운데서 이볼긴 장군이 갑자기 쩌렁쩌렁 울리는 소리로 맞장구를 쳤다.

「됐어요, 레베제프, 됐어요, 됐어요…….」 공작은 말을 시작하려 했으나, 분노에 찬 목소리들이 일시에 터져 나와 그의 말을 삼켜 버렸다.

「아니에요, 공작. 용서하세요, 이제 됐다고 그냥 넘길 때가 아니라고요!」 레베제프의 조카가 모든 사람들에게 거의 고함치듯이 말했다. 「이제 문제를 분명하고 확고하게 규정지어야 해요. 아직도 이 문제를 분명히 직시하지 못하고 있기 때문이에요. 권리가 어쩌고 저쩌고 하면서 그걸 이용해 우리를 현관 밖으로 내쫓으려고 한다는 것은 있을 수 없는 일이에요! 당신은 우리를, 우리의 이 문제가 얼마나 법적인 근거가 없는지, 또 당신에게서 법적으로 단 한 푼도 요구할 권리가 없다는 것을 전혀 모르는 멍청이라고 생각하는 겁니까? 하지만 우리에게 법적인 권리는 없을지언정, 인간적이고 자연적인 권리, 상식과 양심의 목소리에서 우러나오는 권리는 있어요. 우리의 이러한 법칙은 인간의 그 어떤 썩은 법전에도 씌어 있지 않아요. 그렇지만 고결하고 정직한 사람은, 말하자면 상식적으로 사고하는 사람은 법전에 씌어져 있지 않은 상황에서도 고결하고 정직해야 할 의무가 있습니다. 그래서 우리는(당신들이 위협하듯이) 현관 밖으로 쫓겨날 것을 두려워하지 않고 여기로 들어온 것입니다. 당신네들은 우리가 이 늦은 시간에 다짜고짜 찾아와(사실은 늦게 찾아온 게 아니라 당신네들이 우리를 하인 방에 기다리게 했던 거요) 구걸을 하지 않고 요구한다고 생각하지요? 그렇지만 우리는 당신이 상식이 있고, 양심과 염치가 있는 사람이라고 믿고 있었기 때문에 아무것도 두려워하지 않고 찾아온 것입니다. 실제로 우리는 여기로 들어올 때 당신한테 구걸이라도 하는 인간처럼 눈치를 보지는 않았습니다. 그 반대로 자유로운 인간으로서 고개를 떳떳이 들고 들어왔지요. 우리는 절대로 구걸을 하는 게 아니라 자유롭고 떳떳하게 요구하는 겁니다. (들으셨지요. 구걸이 아니라 요구입니다. 그걸 명심하세요!) 스스로의 체신을 지키고 있는 우리는 단도직입적으로 질문하겠습니다. 당신은 부르도프스끼 문제에 관해 자신이 옳다고 생각합니까? 아니면 옳지 않다고 생각합니까? 당신은 빠블리쉬체프에게서 은혜를 받고, 죽음으로부터 구원까지 받았다는 사실을 인정합니까? 만약 인정한다면(분명히 인정하겠지만), 양심적으로 공평하게 수백만 루블을 물려받은 자로서 빠블리쉬체프의 궁핍한 아들에게 보상을 해줄 의도가 있습니까? 물론 지금 그는 부르도프스끼라는 성을 사용하고 있지만 말입니다. 예입니까? 아니오입니까? 만약에 예라고 대답한다면, 다시 말해 당신네들이 명예니 양심이라고 부르는 것, 즉 우리들 말로는 상식이라고 일컬어지는 것이 있다면, 우리의 요구를 충족시켜 주십시오. 그걸로 문제는 끝이 나는 거니까요. 우리에게 청원이나 감사의 말은 없는 걸로 해주세요. 그런 말들을 우리에게 기대하지 마십시오. 왜냐하면 당신은 우리를 위해서가 아니라 매사에 공정성을 기하기 위해서 그렇게 행동하는 거니까요. 만약 당신이 우리의 요구를 충족시켜 주길 원치 않는다면, 즉 아니오라고 대답한다면, 우리는 지금 나가 버리고 문제는 그걸로 끝이 나는 겁니다. 당신의 면전에서 당신의 모든 증인들 앞에서 하는 말이지만, 그러면 당신은 비열한 정신과 다듬어지지 않은 저급한 품격을 갖춘 인간이 되는 겁니다. 당신은 명예와 양심을 가진 인간이라고 불릴 생각도 하지 마시고, 또 그럴 권리도 없습니다. 당신은 그런 권리를 지나치게 싼 값으로 사려고 합니다. 이제 내 말은 끝났습니다. 문제는 이미 제기되었습니다. 용기가 있으면 우리를 현관 밖으로 내쫓으십시오. 당신은 그럴 권리도 있고, 능히 그럴 수도 있습니다. 하지만 우리는 구걸하는 게 아니라 요구하고 있다는 사실을 상기하십시오. 구걸이 아니라 요구하고 있단 말입니다…….」

레베제프의 조카는 무척이나 흥분해 있는 상태에서 말을 멈췄다.

「우리는 요구하고 있는 거요. 구걸이 아니고 요구, 요구라고요!」 얼굴이 새빨갛게 상기된 부르도프스끼가 더듬거리며 소리 질렀다.

레베제프의 조카가 일장 연설을 늘어놓고 나자 사람들 사이에서 약간의 동요가 일었고, 불평의 소리까지 들려왔다. 그러나 모두들 이 문제에 직접적으로 개입하길 꺼리는 눈치였다. 다만 조금 전까지 극도로 흥분해 있던 레베제프만은 예외였다. (이상하게도 분명히 공작의 편을 들었던 레베제프가 조카의 말에 마치 가족적인 자긍심까지 느끼는 것 같았다. 그가 사람들을 바라보는 표정 속에는 적어도 그러한 만족감이 배어 있었다.)

「내 견해는 이렇습니다.」 공작이 상당히 나직한 소리로 말을 꺼냈다. 「내 견해로, 독또렌꼬 씨, 당신이 방금 말한 것의 절반은 완전히 옳습니다. 아니 절반 이상 동의하는 바입니다. 만약 당신이 무언가를 빠뜨리지 않았다면 나는 전적으로 동의했을 것입니다. 구체적으로 당신이 무엇을 생략했는지 나는 그것을 정확히 표현할 수는 없습니다. 그러나 당신의 말이 전적으로 옳았다고 하기에는 무언가 부족한 점이 있습니다. 하지만 젊은 양반들, 이 사건에다 초점을 맞춰 봅시다. 당신네들이 왜 이 기사를 실었는지 그 이유를 말해 주십시오. 이 기사 속에 중상모략이 아닌 말이 단 한 마디라도 있습니까? 이보시오, 당신네들은 내 생각에 아주 저열한 짓을 저질렀습니다.」

「잠깐만요!」

「존경하는 공작!」

「그건…… 그건…… 그건…….」 흥분한 젊은 손님들의 목소리가 동시에 들려왔다.

「기사에 관해서는,」 이뽈리뜨가 금속성의 목소리를 냈다. 「그 기사에 관해서는 이미 말씀드렸다시피 나와 다른 친구들은 전혀 동의하지 않았어요! 그것은 바로 이 사람이 쓴 거예요.」 그는 옆에 나란히 앉아 있는 복서를 가리켰다. 「단정하지 못한 글이라는 걸 인정합니다. 무식하게 썼지요. 그런 글이란 이 사람처럼 은퇴한 군인들이나 쓰는 거지요. 이 사람은 멍청한 데다가 음모가입니다. 나는 그 사실을 인정합니다. 나는 이 사람한테 날마다 면전에 대고 말했어요. 하지만 이 사람에게도 절반 정도는 그럴 권리가 있지요. 공개를 한다는 것은 모든 사람들의 법적 권리이지요. 그렇다면 부르도프스끼도 마찬가지이겠지요. 만약 엉뚱한 소리를 늘어놓았다면 그 당사자가 책임을 져야겠지요. 내가 우리 친구들을 대신하여 아까 당신의 친구분들이 함께 있는 것에 대해 항의를 했던 것에 대해서는, 존경하는 공작, 지금 내가 해명을 하는 게 도리라고 봅니다. 나는 오로지 우리의 권리를 선언하기 위해 항의를 했던 것입니다. 그러나 실질적으로는 증인들이 입회해 주길 무척 바랐습니다. 아까 여기에 들어오기 전에 우리는 그 문제에 대해 의견의 일치를 본 바가 있지요. 당신의 증인이 누구이든 간에, 비록 당신의 친구들이라 하더라도, 부르도프스끼의 권리에 대해서는 동의하지 않을 수 없을 겁니다(그것은 수학적으로 명백하기 때문이지요). 오히려 증인들이 당신의 친구들이라면 더욱 좋을 수도 있습니다. 진위의 판단 여부가 더욱 뚜렷해지기 때문이지요.」

「그 말은 사실이에요. 우리 모두 그렇게 의견의 일치를 보았어요.」 레베제프의 조카가 확인을 해주었다.

「그런데 아까는 왜 첫마디부터 그렇게 고함을 치며 소란을 떨었지요? 자신의 권리는 그렇게 주장을 하면서!」 공작이 놀란 듯이 말했다.

「그 기사에 관해서는, 공작,」 복서가 끼어들었다. 아까부터 끼어들려고 몹시 별러 왔던 그는 생기를 띠며 말했다. (여자들이 지켜보고 있다는 사실에 무척이나 고무된 모양이었다.) 「기사에 관해 고백하자면 그걸 쓴 사람은 정말로 나였소. 이뽈리뜨는 그 기사를 사정없이 비난했지만 나는 이 친구의 병약한 몸 상태를 참작하여 그냥 봐주고 있는 거요. 어쨌든 나는 그 기사를 직접 써서 내 친구가 맡고 있는 잡지에 통신문의 형식으로 기고를 했소. 다만 시구는 내가 쓴 게 아니오. 그것은 유명한 해학가가 쓴 글이었소. 부르도프스끼에게 그 글을 읽어 주자마자 그는 잡지에 게재할 것을 즉각 동의했소. 공개란 만인이 가지는 고상하고 합당한 권리입니다. 진보적인 공작도 그 점만은 부정하지 않으리라고 믿어요…….」

「아무것도 부정하지 않아요. 하지만 그 기사에서 당신이 인정해야 될 것은…….」

「너무 신랄하다고 말하려는 거지요? 하나 말이 나왔으니까 하는 말인데, 이익은 사회로 가야 된다는 것에 동의하겠지요. 그런 의미에서 이처럼 좋은 기회를 놓칠 수 있겠소? 죄를 지은 사람이 나쁘게 되면 될수록, 사회는 그만큼 더 이익을 보는 거지요. 몇 가지 정확하지 못한 세부 사항, 즉 과장이라고 생각하는 부분에 관해서는 이니셔티브가 보다 중요하다는 사실에 동의를 해야 돼요. 즉 무엇보다 목적과 의도가 지엽적인 문제보다 훨씬 중요하다는 겁니다. 처음에는 우선 커다란 동기를 보고 나중에는 세부 사항을 분석해 봅시다. 그런 다음에 문장이라는 게 있고 유머 감각이 필요한 것이오. 모두들 글을 쓸 때는 그렇게 쓰고 있다는 것을 인정하지요? 하하하!」

「그런 방법론은 완전히 거짓이오.」 공작이 소리쳤다. 「당신네들한테 분명히 해두는 바이지만, 당신은 내가 무슨 일이 있더라도 부르도프스끼 씨의 요구를 절대 들어주지 않을 거란 가정 하에 기사를 썼어요. 그 대신 나를 협박하고 내게 복수하려 했죠. 하지만 내가 부르도프스끼 씨의 요구를 들어줄지 어떻게 압니까? 나는 모든 사람들이 입회한 가운데 당신의 요구를 충족시켜줄 것을 선언합니다…….」

「오, 마침내 현명하고 고결하기 그지없는 사람의 입에서 현명하고 고결한 말이 나왔군요!」 복서가 환호했다.

「오, 맙소사!」 리자베따 쁘로꼬피에브나의 입에서 탄식이 나왔다.

「이거 참을 수 없는 일이군!」 예빤친 장군이 중얼거렸다.

「여러분, 제발 진정해 주십시오. 이 문제를 상세히 설명하겠습니다.」 공작이 애원하듯 말했다. 「부르도프스끼 씨, 5주일 전쯤 Z에 있던 나에게 체바로프라는 당신의 대리인이 찾아왔었어요. 껠레르 씨, 당신은 그 사람에 대해 상당히 그럴듯하게 기사에다 쓰셨더군요.」 공작이 갑자기 웃기 시작하더니 복서 쪽을 바라보며 말했다. 「하지만 나는 그 사람이 영 마음에 안 들었어요. 부르도프스끼 씨, 나는 첫눈에 체바로프라는 사람이 이 문제를 일으킨 장본인이라는 것과 순진한 당신을 충동질해 이 일을 꾸며 냈다는 사실을 알았어요.」

「당신은 그, 그렇게…… 말할 권리가 없어요. 나, 나는 그렇게…… 단순한 사람이 아, 아, 니오.」 흥분한 부르도프스끼가 더듬거렸다.

「당신은 그런 가정을 할 권리가 없어요.」 레베제프의 조카가 나무라는 말투로 끼어들었다.

「그건 지극히 모욕적인 언사요!」 이뽈리뜨는 금속성의 목소리를 냈다. 「그런 억측은 모욕적이고 기만적이고 적절치 못한 것이오!」

「여러분, 내가 잘못했어요. 내 잘못이에요.」 공작은 황급히 사과를 했다. 「제발 용서하세요. 나는 우리가 서로서로 완전히 솔직해지는 게 낫지 않을까 해서 한 얘기였어요. 하지만 당신네들의 의사가 그렇지 않다면 할 수 없지요. 나는 체바로프에게, 내가 뻬쩨르부르그에 있지 않은 관계로 즉시 내 친구에게 의뢰하여 이 문제를 해결한 뒤 당신, 부르도프스끼 씨에게 그 결과를 통보해 주겠노라고 얘기했어요. 여러분에게 솔직히 말하지만, 이 사건에 사기성이 농후하게 깔려 있다는 느낌이 들었어요. 바로 체바로프가 개입되어 있기 때문에 그랬지요……. 아, 너무 화내지 마세요, 여러분! 기분 나쁘게 생각하지 마세요!」 공작은 또다시 화가 나서 당황해 있는 부르도프스끼와 흥분해서 항의를 하려 하는 그의 친구들을 보고 놀라서 소리쳤다. 「내가 사기성이 농후한 사건이라고 말한다 해도 이 일은 여러분 자신들과는 관계가 없습니다! 사실 나는 그때까지 당신들 중 누구도 알지 못했으니까요. 당신들의 성(姓)조차 몰랐어요. 나는 체바로프 한 사람만 보고 판단했어요. 나는 전반적인 이야기를 하는 겁니다. 왜냐하면…… 유산을 상속받은 이래로 내가 얼마나 지독하게 사기를 당해 왔는지 여러분은 모릅니다.」

「공작, 당신은 지나치게 순진합니다.」 레베제프의 조카가 조롱기 섞인 말투로 한마디 내던졌다.

「게다가 공작은 백만장자입니다! 사실 당신이 매우 선량한 마음씨를 가졌는지는 모르지만 보편적인 법칙은 피할 수가 없어요.」

이뽈리뜨가 선언하듯 말하자 공작이 서둘러 덧붙였다.

「그럴 수 있지요. 아주 가능한 일입니다, 젊은 양반들! 당신이 말하는 보편적인 법칙이 무엇인지는 모르겠지만 계속 말을 하겠습니다. 쓸데없이 화를 내지는 마세요. 나는 당신들을 모욕하고 싶은 생각이 추호도 없어요. 당신네들은 내가 진실된 말을 한마디라도 하면 그 즉시 화를 내곤 하는군요! 하지만 끔찍스러우리만치 놀라운 것은 〈빠블리쉬체프의 아들〉이 존재하고 있다는 사실, 그것도 체바로프가 나에게 설명한 것처럼 참담하게 존재한다는 사실입니다. 빠블리쉬체프는 나의 은인이자 아버지의 친구였습니다. (오, 껠레르 씨, 당신은 내 아버지에 대해 왜 그런 거짓말을 썼지요? 내 아버지는 중대의 공금을 횡령한 적도 부하들을 굴욕적으로 대한 적도 없어요. 그 사실만큼은 확신하고 있어요. 그런데 당신은 어떻게 그처럼 중상모략적인 글을 쓸 수 있는 거지요?) 게다가 빠블리쉬체프에 대해 당신이 쓴 글은 도저히 참을 수가 없더군요. 당신은 그처럼 고결하신 분을 감히 음탕하고 경거망동하다고 썼어요. 마치 당신이 사실을 올바로 말하고 있다는 듯이 말이에요. 그분이야말로 이 세상에서 보기 드물게 순결한 분이었어요! 또한 뛰어난 학자이기까지 했어요. 그분은 다수의 존경받는 학계 인사들과 친분을 맺고 있었으며, 많은 돈을 과학 발전 기금에 썼어요. 그분의 마음씨나 그분의 선량한 행동에 관해서는 당신이 똑바로 썼어요. 당시에 나는 거의 백치였던 데다가 아무것도 이해하지 못했으니까요(그래도 나는 러시아 어를 말하고 해독할 줄은 알았어요). 그러나 지금 나는 기억 속에 남아 있는 모든 것을 올바로 분별할 수 있어요…….」

「잠깐만,」 이뽈리뜨가 다시 금속성의 목소리를 냈다. 「지금 너무 감정이 앞선 게 아닐까요? 우리는 아이들이 아닙니다. 당신은 곧바로 본론에 들어가겠다고 했어요. 벌써 9시예요. 기억 나세요?」

「알았어요, 알았어요, 젊은 양반들.」 공작이 그 말에 수긍했다. 「처음에 나는 못 미더워했지만 내가 실수를 하고 있을지도 모른다는 생각을 했어요. 빠블리쉬체프에게 정말로 아들이 있을 수 있다는 생각이 들었지요. 그러나 한 가지 몹시 놀랐던 것은 그 아들이 그렇게 쉽게, 그렇게 공개적으로 자신의 출생에 얽힌 비밀을 털어놓았다는 사실과, 무엇보다도 자신의 어머니를 그처럼 욕되게 만들었다는 사실이었습니다. 그게 내가 말하고 싶은 것이오. 당시에 체바로프는 그런 사실들을 공개하겠다고 나에게 겁을 주었습니다…….」

「말 같지도 않은 소리요!」 레베제프의 조카가 소리쳤다.

「당신은 권리가 없어요……. 권리가 없다고요!」 부르도프스끼가 외쳤다.

「아들이 어떻게 아버지의 방탕했던 행위에 책임을 질 수 있단 말이오. 어머니는 아무 죄가 없어요.」 이뽈리뜨가 열을 내어 쩌렁쩌렁한 소리를 내며 말했다.

「그렇다면 그런 짓은 더욱 삼가야 한다고 보는데요…….」 공작이 조심스럽게 말했다.

「공작, 당신은 순진한 정도가 아니군요. 어쩌면 그 이상인데요.」 레베제프의 조카가 악의를 띤 웃음을 지었다.

「어떻게 당신이 그럴 권리를 가질 수 있지요?」 이뽈리뜨가 아주 부자연스런 소리로 외쳤다.

「난 아무런 권리도 가지고 있지 않아요!」 공작이 서둘러 말을 막았다. 「그건 사실 당신 말이 맞아요. 하지만 나로선 어쩔 수가 없었습니다. 나는 즉시 나 자신에게 말했어요. 내 사적인 감정이 이 일에 영향을 끼쳐서는 안 된다고. 내가 빠블리쉬체프를 기리는 마음에서 부르도프스끼 씨의 요구를 충족시켜 줘야 한다면, 나는 무슨 일이 있더라도, 즉 부르도프스끼 씨를 존중하느냐에 관계없이 충족시켜 줘야 되는 겁니다. 그러나 아들이 그처럼 공개적으로 어머니의 비밀을 털어놓는다는 것이 아무래도 부자연스럽게 느껴졌습니다……. 한마디로 말해 중요한 것은, 체바로프가 이 사건의 주모자이며, 그가 부르도프스끼 씨를 기만함으로써 이러한 사기 행각으로 끌어들였다는 사실을 확신한다는 것입니다.」

「이젠 더 이상 못 참겠네!」 젊은 방문객들 쪽에서 터져 나온 소리였다. 그들 중 누군가는 자리를 박차고 벌떡 일어서기까지 했다.

「여러분! 불쌍한 부르도프스끼 씨는 단순하고 의지할 곳이 없는, 게다가 쉽게 사기꾼에게 넘어가는 사람이라고 단정하게 됐습니다. 따라서 나는 이 사람을 〈빠블리쉬체프의 아들〉로서 도와주어야 할 의무를 느꼈습니다. 그렇게 함으로써 첫째 체바로프 씨에게 반격을 가하고, 둘째 나의 신의와 우정으로 부르도프스끼 씨를 인도하고, 셋째 그에게 1만 루블을 주는 것입니다. 그 액수는 내 계산으로 빠블리쉬체프가 나에게 썼던 돈의 전부입니다…….」

「뭐라고요! 겨우 1만 루블이라고요!」 이뽈리뜨가 소리쳤다.

「공작, 셈이 그리 빠르지 않으시군요. 아니면 대단히 빠르거나요. 겉으로는 꽤 어수룩해 보이는데!」 레베제프의 조카가 거들었다.

「나는 1만 루블에 동의할 수 없어요.」 부르도프스끼가 말했다.

「이봐, 부르도프스끼! 동의해!」 복서가 이뽈리뜨의 의자 등받이 뒤에서 상체를 수그리고 빠르지만 분명한 소리로 속삭였다. 「일단 동의하고 다음에 또 보자고!」

「내 말 좀 들어 보시오, 미쉬낀 씨.」 이뽈리뜨가 금속성 소리를 냈다. 「우리는 바보가 아니라는 걸 알아야 해요. 우리는 여기에 모인 당신의 손님들과 부인들이 생각하는 것만큼 비굴한 바보가 아니에요. 당신들은 그처럼 성난 얼굴을 하고 우리를 보며 조소를 하고 있어요. 특히 여기 계시는 상류층 인사분이 그러신데(그는 예브게니를 가리켰다), 아직 이분과 알게 될 영광을 갖지는 못했지만 무언가 들은 바는 있습니다…….」

「진정하세요, 진정하세요. 여러분은 아직 나의 말뜻을 이해하지 못했어요!」 공작이 젊은 방문객들을 향해 상기된 목소리로 말했다. 「첫째, 껠레르 씨, 당신은 기사에 내 재산에 대해 극히 부정확하게 썼습니다. 나는 수백만 루블을 만져 본 적이 없어요. 아마 내 재산은 당신네들이 생각하고 있는 액수의 8분의 1 아니면 10분의 1밖에 안 될 겁니다. 둘째, 스위스에서 나한테 쓴 돈이 수만 루블이라는 것은 터무니없는 소리예요. 슈나이더 교수는 1년에 6백 루블을 받았지만 그것도 처음 3년 동안만 그랬어요. 그리고 빠블리쉬체프가 미녀 가정교사를 구하러 파리로 간 적은 한번도 없었어요. 그것 역시 새빨간 거짓말입니다. 나에게 쓴 돈은 1만 루블에도 훨씬 미치지 못해요. 하지만 난 1만 루블을 책정해 놓았어요. 여러분들도 동의하실 겁니다. 내가 부르도프스끼 씨에게 아무리 마음을 쓴다 해도 빚을 청산하는 데 있어서 나는 그 이상을 제시할 수가 없어요. 그것은 내가 그에게 적선을 하는 것이 아니라 빚을 갚는다는 미묘한 감정이 작용하고 있기 때문이지요. 여러분, 나는 당신들이 내 의도를 어떻게 이해할는지 모르겠어요! 대신 나는 불행한 부르도프스끼 씨의 운명에 실질적으로 참여하여 우정으로 보상을 하고 싶습니다. 그는 기만당했어요. 기만당하지 않고서야 이렇게 저열한 짓에 동참했을 리가 없습니다. 예를 들어 그는, 오늘 껠레르 씨의 기사에서 보듯 어머니의 비밀을 공개했어요……. 당신들은 아직도 머리끝까지 화가 나 계신가요? 그래 가지고 우리가 서로서로를 이해하겠습니까? 역시 그렇군요! 이제 내 두 눈으로 내 추측이 들어맞았다는 것을 확신했습니다.」 흥분한 공작이 말을 끝맺었다. 그는 상대방의 동요를 가라앉히려고 했으나 오히려 그 반대의 효과를 내고 있다는 것을 눈치 채지 못했다.

「뭐라고요! 무얼 확신했다고요?」 포악할 정도로 다그치는 소리가 들려왔다.

「자, 내 말을 들어 보세요. 나는 직접 부르도프스끼 씨를 요모조모로 뜯어봤어요. 나는 그가 어떤 사람인지 이제 알아요……. 그는 결백한 사람이지만 사람들이 그를 기만하고 있어요! 의지할

데 없는 사람이에요……. 나에겐 이 사람을 관용으로 받아 줄 의무가 있어요. 둘째 내가 이 문제에 관해 모든 것을 위임한 가브릴라 아르달리오노비치가 있어요. 하지만 그에게서 오랫동안 소식을 듣지 못했어요. 내가 여행을 한 데다가 뻬쩨르부르그로 온 지난 사흘 동안은 몸이 아팠기 때문입니다. 바로 한 시간 전에야 우리는 처음으로 만나게 되었어요. 나는 그때서야 갑작스레 보고를 들었지요. 가브릴라는 체바로프의 간계를 밝히고 물증을 잡았다고 알려 줬어요. 결국 체바로프는 내가 추측했던 그대로의 인물이었습니다. 여러분, 나는 많은 사람들이 나를 백치로 취급하는 것을 알고 있습니다. 그런 소문을 들은 체바로프는 내가 쉽사리 돈을 내줄 것이라고 생각했고, 빠블리쉬체프에 대한 나의 고마움을 이용하면 나를 아주 수월하게 기만할 수 있을 것이라고 계산했던 것입니다. 하지만 중요한 것은, 내 말을 끝까지 들어 주세요, 끝까지요! 가장 중요한 것은 지금 갑자기 알려진 사실인데, 부르도프스끼 씨가 전혀 빠블리쉬체프의 아들이 아니라는 것입니다! 방금 가브릴라가 나에게 이 사실을 알려 왔고, 확실한 증거까지 입수했다는 말을 했습니다. 지금까지 여러분이 벌여 왔던 일을 생각해 보면 도무지 믿을 수가 없으시겠지요? 그래서 확실한 증거가 있다고 하는 것입니다! 나 역시 아직까지 믿고 있지 않아요. 믿어지지가 않아요. 아직까지 의심스러운 까닭은 가브릴라가 미처 나에게 상세한 내용을 설명해 주지 않고 있기 때문이지요. 하지만 체바로프가 협잡꾼이라는 사실만은 털끝만큼도 의심의 여지가 없어요. 그는 불행한 부르도프스끼 씨와 친구를 지원해 주기 위해(부르도프스끼 씨는 분명히 도움이 필요하다는 것을 나는 충분히 이해하고 있어요!) 참된 마음에서 여기에 온 여러분 모두를 속였습니다. 그는 여러분 모두를 기만하여 이와 같은 사기 행각으로 끌어들였어요. 이 사건은 그야말로 협박이자 사기입니다!」

「사기라니……? 〈빠블리쉬체프의 아들〉이 아니라고? 어떻게 그럴 수가 있소?」 고함소리가 마구 들려왔다. 부르도프스끼의 일행은 표현할 수 없는 혼돈 상태에 빠졌다.

「물론 사기입니다! 부르도프스끼 씨가 〈빠블리쉬체프의 아들〉이 아니라는 사실이 판명된 이 마당에, 그의 요구는 당연히 사기가 아닌가요?(물론 그 진실을 알게 될 경우에 그렇다는 말이지요!) 하지만 문제는 그가 기만당했다는 데 있습니다. 그래서 나는 그의 무죄를 주장합니다. 그는 너무 단순해서 동정받을 만해요. 그리고 도움을 받아야 해요. 안 그러면 그는 이 사건에 연루되어 진짜 사기꾼이 되어 버려요. 확신하는 바이지만, 그는 아무것도 이해하지 못하고 있어요! 나도 스위스로 떠나기 전에는 그러한 상태였어요. 나 역시 말도 안 되는 소리를 지껄였어요. 그리고 무언가 하고 싶은 말이 있어도 그걸 제대로 표현하질 못했어요……. 나는 이해해요. 나 역시 그러했기 때문에 그를 무척 동정합니다. 결론적으로, 〈빠블리쉬체프의 아들〉이 더 이상 존재하지 않고, 이 모든 것이 허위였다는 사실이 드러났음에도 불구하고, 나는 나의 결심을 번복하지 않고 빠블리쉬체프를 기리는 마음으로 1만 루블을 드리겠습니다. 나는 빠블리쉬체프의 추억을 되살려 부르도프스끼 씨 사건이 있기 전까지는 이 돈을 장학 사업에 쓰려고 했어요. 이제는 그 돈을 장학 사업에 쓰든 부르도프스끼 씨에게 주든 마찬가지라고 생각합니다. 부르도프스끼 씨가 〈빠블리쉬체프의 아들〉이 아니라 해도, 그는 거의 〈빠블리쉬체프의 아들〉이나 진배없기 때문이지요. 그 스스로가 심하게 기만당해서 자기 자신을 진짜 빠블리쉬체프의 아들로 간주하고 있기 때문입니다! 여러분, 이제부터 가브릴라의 말을 들어 주십시오. 이로써 이 문제를 매듭지읍시다. 화를 내거나 흥분하지 마십시오! 앉아 주세요! 이제 가브릴라가 모든 것에 대해 우리에게 설명해 줄 것입니다. 솔직히 말해, 나 자신도 모든 것을 상세히 알고 싶어요. 부르도프스끼 씨, 가브릴라는 당신의 어머니를 뵈러 직접 쁘스꼬프까지 갔다 왔다고 했어요. 당신의 어머니는 조금 전 읽은 기사에 씌어 있는 것처럼 죽어 가는 중환자가 아니더군요……. 여러분, 앉으세요, 앉으세요!」

공작은 자리에 앉았다. 그리고 자리를 박차고 일어났던 부르도프스끼의 일행을 다시 제자리에 앉혔다. 마지막 10분 혹은 20분 동안 공작은 몹시 흥분하여 황급히 말을 삼키며, 다른 사람들이 말을 꺼내지 못하도록 큰 소리를 외쳐 댔지만, 엉겁결에 해버린 자신의 언사와 주장에 대해 몹시 후회하지 않으면 안 되었다. 만약 흥분을 하지 않고 이성을 잃지 않았다면 그렇게 성급히 자기의 추측이나 노골적인 표현을 입 밖으로 나타내지 않았을 것이다. 자리에 앉자마자 고통스러운 후회가 밀려들어 그의 가슴을 후벼 파기 시작했다. 자기가 스위스에서 치료받았던 것과 똑같은 병이 그에게도 있다고 공개적으로 선언하여 부르도프스끼를 〈모욕〉했다는 사실뿐만 아니라, 장학 사업 대신 1만 루블을 그에게 주겠다고 제안했던 것은 마치 적선을 하겠다고 나선 것처럼 무례하고 경솔했다. 그것도 모든 사람들이 다 있는 데서 큰 소리로 떠들었으니 말이다! 〈적절한 시간을 기다렸다가 내일 단둘이 있는 데서 그런 제안을 했어야 했는데.〉 공작은 잠시 생각에 잠겼다. 〈이젠 어쩔 도리가 없다! 그래, 나는 백치다! 진짜 백치다!〉 그는 심한 수치심을 느끼며 그런 자신에 대해 몹시 후회했다.

그러는 사이에 한쪽 구석에서 계속 침묵만 지켜 오던 가브릴라가 공작의 부름을 받고 앞으로 나와 그의 옆에 섰다. 그리고 침착하고 분명하게 공작이 그에게 위임한 사건에 관해 보고를 하기 시작했다. 모두들 비상한 호기심을 가지고 그의 말에 귀를 기울였다. 특히 부르도프스끼의 일행이 모두 그러했다.

9

「당신은 물론 부정하지 않을 겁니다.」 가브릴라 아르달리오노비치 이볼긴은 온 힘을 다해 그의 말을 듣고 있던 부르도프스끼를 똑바로 보고 말했다. 부르도프스끼는 눈을 휘둥그렇게 뜨고 있었고, 이런 모습은 그가 몹시 당황했음을 보여 주는 것이었다. 「당신은 존경하는 당신의 어머니와 8급 서기인 아버지 부르도프스끼 씨가 합법적으로 결혼한 후 정확하게 2년 있다가 태어난 사실을 부인하지도, 또 부인하고 싶지도 않겠지요. 당신의 출생 시기를 실제적으로 증명하기는 너무나 간단한 일이오. 따라서 껠레르 씨의 기사에 실린 당신과 어머니에게 극히 모욕적인 사건의 왜곡은 껠레르 씨가 꾸며 낸 익살스런 허구에 지나지 않는다는 사실이 저절로 해명되는 거지요. 껠레르 씨는 그렇게 함으로써 당신의 권리를 분명히 강화시킬 수 있고, 당신의 이익에 도움이 될 수 있다고 생각했던 거지요. 껠레르 씨는 사전에, 전부는 아니지만 기사의 일부를 당신에게 읽어 주었다고 말했어요. 그가 당신에게 끝까지 읽어 주지 않은 것은 의문의 여지가 없어요. 그러니까 문제가 되는 부분까지는 읽지 않았던 겁니다…….」

「정말로 끝까지 다 읽어 주지는 않았어요.」 복서가 끼어들었다. 「하지만 모든 사실들은 어느 권위 있는 소식통에 의해 나에게 보고되었어요. 그리고 나는…….」

「죄송합니다, 껠레르 씨.」 가브릴라가 그의 말을 멈추게 했다. 「제가 먼저 말을 해야겠습니다. 당신의 기사에 대해서는 나중에 차례가 올 테니 그때 해명을 하세요. 지금은 순서대로 계속해 나가기로 합시다. 나는 아주 우연한 기회에 쁘찌찐의 아내가 된 내 여동생 바르바라의 도움으로 그녀와 가까운 친구인 여지주이자 미망인인 베라 알렉세예브나 주브꼬바에게서, 작고한 니꼴라이 안드레예비치 빠블리쉬체프의 편지를 입수하게 되었지요. 그 편지는 빠블리쉬체프가 24년 전 외국에서 베라 주브꼬바에게 보낸 것이었지요. 베라 주브꼬바와 가까이 사귀고 난 이후에 나는 그 여자의 지시에 따라 빠블리쉬체프의 먼 친척뻘이자 한때는 아주 가까운 친구 사이였던 퇴역 대위 찌모페이 표도로비치 뱌조프낀을 찾아갔어요. 나는 그로부터 또 두 통의 편지를 입수하게 되었지요. 역시 외국에서 쓴 편지였어요. 이 세 통의 편지에 씌어 있는 발송 날짜와 사실들을 종합해 볼 때, 빠블리쉬체프는 부르도프스끼 씨가 세상에 태어나기 이미 1년 반 전에 외국으로 떠났고 그 후에도 2년 동안 외국에서 계속 체류했다는 것이 수학적으로 증명이 되고 있어요. 여기에는 반박이나 의심의 여지가 추호도 없어요. 부르도프스끼 씨, 당신도 잘 알다시피 당신의 어머니는 러시아를 떠나 본 적이 단 한 번도 없었어요……. 지금 그 편지들을 읽지는 않겠어요. 지금은 시간이 너무 늦었어요. 단지 사실만을 밝히겠어요. 하지만 당신이 원한다면, 부르도프스끼 씨, 내일 아침에 나하고 시간을 정해서 당신의 증인들과 필적 감정사들을 데려와도 좋아요(얼마나 많이 데려오는가는 상관하지 않겠어요). 당신은 내가 보고한 사실의 명백한 진실성에 대해 확신하지 않을 수 없을 거예요. 나는 그것을 조금도 의심하지 않아요. 만약 그렇다면 당연히 이 모든 문제는 저절로 소멸되어 끝나 버리게 됩니다.」

또다시 모든 사람들이 동요를 하고 크게 흥분하기 시작했다. 당사자인 부르도프스끼는 의자에서 벌떡 일어났다.

「만약 그렇다면 나는 기만당한 거요. 하지만 체바로프에게 기만당한 것은 아니오. 아주 오래전부터 속아 왔던 겁니다. 나는 필적 감정사나 증인들을 원하지 않아요. 나는 당신을 믿어요. 그리고 1만 루블을 거절하겠어요……. 그럼 안녕히 계십시오…….」

그는 모자를 집어 들고 밖으로 나가기 위해 의자를 옆으로 밀었다.

「부르도프스끼 씨, 가능하다면」 가브릴라가 그에게 나직한 소리로 조심스럽게 말했다. 「단 5분만이라도 남아 계시지요. 이 문제에 관해 극히 중요한 사실이 몇 가지가 있어요. 특히 당신으로서는 무척이나 호기심이 갈 만한 사실이지요. 내 견해로는 당신도 그 사실을 꼭 알아야 합니다. 사건의 진상이 밝혀진다면 아마 당신의 기분이 좋아질 겁니다…….」

부르도프스끼는 약간 고개를 떨구고 깊은 생각에 잠긴 듯 말없이 앉았다. 레베제프의 조카도 함께 나가려고 자리에서 일어났다가 그의 뒤를 따라 앉았다. 그렇다고 기가 죽은 것은 아니었지만, 상당히 풀이 꺾여 있는 것만은 분명했다. 이뽈리뜨는 인상을 찌푸린 채 우울한 표정을 짓고 있었지만 대단히 놀란 듯했다. 이 순간 그는 너무나 심하게 기침을 해서 손수건을 피로 물들일 정도였다. 복서 껠레르는 경악 상태에 빠져 있다시피 했다.

「이봐, 부르도프스끼!」 그는 씁쓸하게 외쳤다. 「내가 그때…… 그저께인가 말했잖아. 자네가 사실은 빠블리쉬체프의 아들이 아닐지도 모른다고!」

이때 꾹 참고 있던 웃음이 터져 나왔다. 두세 사람은 다른 사람들보다 더욱 크게 웃어 댔다.

「껠레르 씨, 당신이 방금 말한 사실은 아주 소중한 말입니다.」 가브릴라가 말꼬리를 잡았다. 「하지만 나는 정확한 자료를 토대로 이렇게 주장할 권리를 가지고 있어요. 부르도프스끼 씨는 물론 자신의 생년월일을 너무나도 잘 알고 있었지만, 빠블리쉬체프가 외국에 체류했던 사정은 모르고 있었어요. 빠블리쉬체프는 대부분의 생애를 외국에서 보내고, 러시아에는 항상 짧은 일정으로 돌아왔지요. 더욱이 그 당시의 출국 사실은 그것에 관해 기억해 둘 만큼 주목할 만한 것이 없었어요. 당시에 태어나지도 않은 부르도프스끼 씨는 고사하고, 20년 가까이 빠블리쉬체프를 알고 있던 사람들조차 그런 사실을 잘 기억하고 있지 못했으니까요. 물론 지금 그때의 사실을 조사하는 일이 불가능하지는 않아요. 그렇지만 솔직히 말하자면, 나는 아주 우연한 기회에 그 자료를 입수했어요. 어쩌면 그러한 증거 자료를 입수하지 못할 수도 있었어요. 때문에 부르도프스끼 씨나 체바로프 씨도 그러한 자료를 입수해야 되겠다는 생각이 들었다 하더라도 실질적으로 그렇게 하기는 거의 불가능했겠지요…….」

「가브릴라 이볼긴 씨, 잠깐만요.」 이뽈리뜨가 갑자기 신경질적으로 말을 가로막았다. 「대체 무엇 때문에 그런 허튼소리를 늘어놓는 건가요? (나의 말투를 용서하세요.) 사건은 해명되었고, 우리는 그 중요한 사실을 믿기로 동의했어요. 그런데 뭣 하러 그런 모욕적인 헛소리를 힘들게 늘어놓는 건가요? 자신의 민완한 추리 솜씨를 우리들 앞에서, 그리고 공작 앞에서 자랑하고 싶은 겁니까? 당신이 얼마나 훌륭한 검사이며 탐정인지를 말입니다. 아니면 부르도프스끼가 이 사건에 연루된 것은 그 당시의 사정을 몰랐기 때문이라고 그를 변호하고 그를 대신하여 사죄하려는 겁니까? 하지만 그것은 불손한 짓입니다. 부르도프스끼는 당신의 변론이나 대리 사죄를 필요로 하지 않는다는 것을 당신 자신도 잘 알고 있어요! 그는 수치스러워하고 있고 더욱이 그는 지금 힘들어하고 있어요. 심기가 아주 불편하다고요. 당신은 이 점을 염두에 두고 이해해야 합니다…….」

「됐어요, 이뽈리뜨 쩨렌찌예프, 그만하면 됐어요.」 가브릴라가 그의 말을 간신히 차단했다. 「진정하세요. 그렇게 분개하지 마세요. 당신은 건강이 안 좋아 보이는군요. 진심으로 동정해요. 그렇다면 당신들이 알아서 결코 무익하지 않을 몇 가지 사실만 간략히 전해 주고 내 얘기를 마치겠어요.」 사람들이 지루해 하며 동요의 빛을 보이자 가브릴라는 이렇게 덧붙였다. 「나는 이 사건에 관심을 가진 분들에게 몇 가지 증거와 함께 알려 드리고 싶은 말이 있어요. 잘 들어 보세요, 부르도프스끼 씨. 빠블리쉬체프가 당신의 어머니를 보살펴 준 것은 당신의 큰이모 덕분이었어요. 빠블리쉬체프는 어린 시절에 하녀였던 당신의 큰이모를 사랑했던 적이 있어요. 그게 유일한 이유지요. 빠블리쉬체프는 무슨 일이 있더라도 사랑하는 하녀와 결혼을 해야 되겠다고 마음을 먹었지만, 그녀는 갑자기 병이 들어 죽고 말았어요. 거기에 대해 나는 정확한 증거를 가지고 있어요. 하지만 이 정확하고 분명한 사실을 알고 있는 사람은 얼마 되지 않기 때문에 그 사실은 그냥 잊혀져 갔지요. 그 후 빠블리쉬체프는 겨우 열 살밖에 안 된 당신의 어머니를 자기 집에 데려가서 정성껏 키우고 결혼 지참금까지 미리 떼어 주었어요. 하지만 그와 같은 배려 때문에 빠블리쉬체프의 수많은 친척들 사이에서는 매우 우려할 만한 소문이 나돌아다녔지요. 그 중에는 빠블리쉬체프가 옛 연인의 동생과 결혼할지도 모른다고 생각하는 이도 있었어요. 그러나 당신의 어머니는 스무 살 되던 해에 8급 관청 서기 부르도프스끼 씨에게 시집을 갔어요. 이 결혼은 그녀의 뜻에 따른 것이었지요(이것 역시 아주 정확하게 증거를 댈 수 있어요). 나는 당신의 아버지에 대한 입증 자료들을 약간 수집했어요. 그는 아주 비사무적인 사람이었지요. 당신의 어머니가 가져온 지참금 1만 5천 루블을 받자마자 관직을 팽개치고 사업에 뛰어들었지만 결국은 사기를 당하고 말았어요. 그는 돈을 잃고 괴로움을 참지 못해 술을 마시기 시작했는데, 거기서 병을 얻어 결국은 결혼 8년 만에 요절을 했지요. 그 다음에는 당신의 어머니에게서 직접 들은 얘기요. 그녀는 거의 알거지 신세가 되어 매년 빠블리쉬체프가 보내 주는 6백 루블의 후한 보조금이 없었다면 아예 굶어 죽었을 거라고 했어요. 그 후에 빠블리쉬체프가 어린아이인 당신을 지극히 귀여워했다는 증거는 무수하게 많아요. 그 증거와 당신 어머니의 증언에 따르면, 빠블리쉬체프가 어린 당신을 그렇게 귀여워했던 까닭은 당신이 유년 시절에 말더듬이에다 불구여서 불쌍하고 불행한 아이의 모습을 하고 있었기 때문이라고 하더군요. (정확한 입증 자료에 따르면, 빠블리쉬체프는 하늘에 의해 버림받고 학대받은 사람들, 특히 어린 아이들에게 평생 동안 온정을 품고 살아왔어요. 그것은 지금 이 사건을 푸는 데 중요한 단서가 된다는 것을 확신해요.) 그리고 마지막으로 가장 중요한 사실을 밝혀 낸 내 능력을 자찬하지 않을 수 없군요. 빠블리쉬체프가 당신에게 극진한 정성을 쏟았다는 사실이(그의 힘으로 당신은 중학교에 들어가 특별한 보호를 받아가며 공부를 했어요) 점차 그의 친척들과 하인들 사이에서, 당신이 그의 아들이고 당신의 아버지는 속아서 결혼했을 거라는 추측을 낳게 했던 거예요. 그러한 추측이 빠블리쉬체프의 말년에 가서는 사람들에게 확고한 신념으로까지 번졌어요. 그때 사람들은 원래의 사실들에 대해서는 까맣게 잊어버리고 유언장에 당신의 이름이 빠진 것을 보고 깜짝 놀랐지만, 정확한 조사가 불가능했었지요. 그와 같은 소문이 분명히 당신의 귀에까지 들어가서 당신의 마음을 완전히 지배하게 된 거예요. 내가 직접 만나 뵌 당신의 어머니도 이러한 소문에 대해 모두 알고 있었으나 아들인 당신이 그런 소문에 현혹되어 있다는 사실은 지금까지도 모르고 있어요(나도 그 사실을 숨겼어요). 부르도프스끼 씨, 나는 온갖 병과 굶주림에 시달리고 있는 존경하는 당신의 어머니를 쁘스꼬프에서 찾아냈어요. 빠블리쉬체프가 죽자마자 그렇게 되었다더군요. 그녀는 감사의 눈물을 흘리며 오직 당신을 통해 당신의 도움 덕택에 이 세상에 살고 있다고 말했어요. 그리고 당신의 미래에 커다란 기대를 걸고, 당신이 앞으로 대성할 것이라고 굳게 믿고 있더군요…….」

「이건 도무지 참을 수가 없군!」 레베제프의 조카가 언성을 높여 버럭 소리를 질렀다. 「어디다 쓰려고 그 따위 소설 같은 얘기를 하는 거요?」

「혐오스럽군, 불쾌해!」 이뽈리뜨가 강하게 몸을 떨었다. 그러나 부르도프스끼는 아무 말도 하지 않았고 몸도 떨지 않았다.

「어디다 쓰려느냐고요? 왜냐고요?」 가브릴라가 능청스럽게 놀라는 표정을 지었다. 그는 결론을 얘기할 준비를 단단히 하고 있었다. 「첫째, 부르도프스끼 씨는 지금 빠블리쉬체프가 그를 귀여워한 것은 그가 친자였기 때문이 아니라 빠블리쉬체프의 마음이 넓었기 때문이라는 것을 완전히 깨달았을 겁니다. 이 한 가지 사실만이라도 부르도프스끼 씨는 꼭 알아 두었어야 했어요. 특히 껠레르 씨가 기사를 읽어 준 후 그 기사의 게재를 동의하기 전에요. 부르도프스끼 씨, 내가 이런 말을 하는 것은 당신을 고결한 사람으로 보고 있기 때문입니다. 둘째, 이 문제에 관한 한 체바로프에게조차 협잡이나 사기 행각이 추호도 없었다는 거요. 이것은 나에게도 중요한 점이에요. 왜냐하면 아까 극도로 흥분한 공작이, 나도 이 불행한 사건의 협잡 및 사기 가능성에 대해 똑같은 견해를 가지고 있는 것처럼 언급했기 때문이지요. 반대로 이 사건은 모든 면에서 확고한 신념에 근거를 하고 있어요. 어쩌면 체바로프가 정말로는 대단한 사기꾼일지도 몰라요. 그러나 이 문제에 있어서만큼은 그는 겨우 잔꾀나 부릴 줄 아는 심부름꾼에 지나지 않아요. 그는 변호인으로 많은 돈을 벌어 볼 희망을 품었던 건데, 그의 계산은 치밀했을 뿐만 아니라 아주 올바르기까지 했어요. 그는 공작이 사람들에게 쉽게 돈을 내주고, 작고한 빠블리쉬체프에게 늘 감사하고 존경하는 마음을 가지고 있다는 사실에 착안을 했지요. 그러고는 궁극적으로(이것이 제일 중요한 것입니다만) 공작이 명예와 양심의 의무에 대해 대단한 기사도적 견해를 가지고 있다는 사실을 알아냈던 거지요. 부르도프스끼 본인에 관해서는 이렇게 말할 수 있겠지요. 부르도프스끼 씨는 이미 오래전부터 자기가 빠블리쉬체프의 아들일 것이라는 모종의 신념을 품어 오고 있던 터에, 체바로프와 주위의 동료들로부터 부추김을 받아 이 일을 추진하기 시작했던 겁니다. 마치 자신의 이익을 위해서라기보다 진리와 진보와 인류를 섬긴다는 마음가짐에서요. 이제 여러분들에게 보고한 사실들을 통틀어 볼 때 분명해진 것은, 부르도프스끼 씨가 겉보기와는 무관하게 깨끗한 사람이라는 사실입니다. 그리고 이제는 공작도 아까보다 기꺼이 그에게 친구로서의 도움과 앞에서 언급했던 학교와 빠블리쉬체프에 관한 실질적인 도움도 제안할 수 있게 되었습니다.」

「그만 하세요, 가브릴라, 그만요!」 공작이 몹시 놀라서 소리쳤지만 이미 늦었다.

「내가 말했잖아요. 벌써 세 번이나 말했어요!」 부르도프스끼가 신경질적으로 외쳤다. 「나는 돈을 원하지 않아요. 돈을 받지 않을 테요. 무얼 하려고…… 원치 않아요……. 치워요!」

그는 테라스에서 뛰쳐나가려고 했다. 그러나 레베제프의 조카가 그의 팔을 붙잡고 귀에 대고 뭐라고 속삭였다. 그러자 그는 재빨리 뒤돌아서서 봉하지 않은 커다란 편지 봉투를 주머니에서 꺼내 그것을 공작 곁에 있는 조그만 탁자 위에 내던졌다.

「자, 여기 돈이 있어요……! 당신은 나에게 감히…… 감히……! 돈을……!」

「당신이 체바로프를 통해 적선 형식으로 부르도프스끼에게 건네준 2백50루블이오.」 독또렌꼬가 해명했다.

「기사에는 50루블이라고 씌어 있던데!」 니꼴라이가 소리쳤다.

「내 잘못이오!」 공작이 부르도프스끼에게 다가서며 말했다. 「내가 당신에게 잘못을 저질렀어요, 부르도프스끼. 하지만 내가 적선 형식으로 보낸 건 아니니까, 믿어 주시오. 내 잘못이오. 오래전부터 내가 잘못한 거요. (공작은 몹시 혼란스러워 보였다. 힘이 빠지고 지친 표정이었다. 그의 말도 두서가 없었다.) 나는 사기 행각에 관해 말을 했지만 그것은 당신을 두고 한 말이 아니었어요. 내 실수요. 나는 당신이 나와 똑같은 병을 가진 환자라고…… 말했어요. 하지만 당신은 나와 달라요. 당신은 가정교사 노릇을 하며 어머니를 부양하고 있어요. 나는 당신이 어머니의 얼굴에 먹칠을 했다고 했지만 당신은 어머니를 사랑하고 있어요. 그녀 스스로가 그렇게 말하고 있다는 걸 나는 몰랐어요……. 가브릴라가 아까 끝까지 얘기를 해주지 않아서…… 그만…… 내가 잘못을 한 거요. 나는 감히 당신에게 1만 루블을 제안했지만, 내가 잘못했어요. 나는 그렇게 해서는 안 되었어요. 이제는 어쩔 도리가 없겠지요. 당신이 나를 경멸하고 있으니까요…….」

「이거야말로 정신 병원이군요!」 리자베따 쁘로꼬피예브나가 소리쳤다.

「예, 정말 정신 병원이에요!」 아글라야가 참지 못하고 날카롭게 되받았다. 그러나 그녀의 말은 사람들의 소음 속으로 흩어졌다. 떠들썩하게 모두들 한마디씩 하며 자기 의견을 내세웠다. 어떤 사람은 질문을 하고 또 어떤 사람은 웃어 댔다. 예빤친 장군은 극도로 화가 치솟아 있었다. 그는 체면이 아주 손상된 표정으로 아내 리자베따 쁘로꼬피예브나를 기다리고 있었다. 레베제프의 조카가 마지막으로 끼어들었다.

「공작, 당신도 공정을 기해야 됩니다. 당신은 자신의…… 병을 교묘하게 이용할 줄 아는 사람이오(보다 점잖게 병이라고 해둡시다). 당신이 그처럼 능수 능란하게 우정과 돈을 제안하는데, 누가 그 제안을 거절할 수 있겠습니까? 그건 둘 중의 하나일 거요. 지나치게 순진하다든가, 아니면 지나치게 교묘하든가. 그 중 어느 것인지는 본인 스스로가 잘 알 거요.」

「여러분, 잠깐만요.」 가브릴라가 돈이 든 봉투를 열어 보고 외쳤다. 「여기에는 2백50루블이 아니라, 1백 루블밖에 없어요! 나는, 공작, 아무런 오해가 없게 하기 위해 열어 본 거였어요.」

「내버려 두세요, 그냥 내버려 두세요.」 공작이 가브릴라에게 두 손을 저었다.

「아니에요, 〈내버려 두세요〉가 아니에요!」 이번에는 레베제프의 조카가 나섰다. 「공작, 〈내버려 두세요〉라는 말이 몹시 거슬리는군요. 우리가 숨기기라도 하나요? 솔직히 말해서 그 봉투에는 2백50루블이 아니라 1백 루블밖에 없어요. 하지만 마찬가지 아닌가요……?」

「뭐가 마찬가지란 말인가요?」 가브릴라가 기가 막히다는 표정을 지으며 끼어들었다.

「내 말을 가로막지 마세요. 변호사 선생, 우리는 당신이 생각하듯 그렇게 바보들이 아니란 말이오.」 레베제프의 조카가 사나운 표정을 지으며 못마땅한 듯이 소리쳤다. 「물론 1백 루블은 2백50루블이 아니고, 또 마찬가지도 아니에요. 하지만 원칙이라는 것이 중요한 겁니다. 원칙이 중요한 것이지 거기에 비하면, 부족한 1백50루블 따위는 극히 하찮은 문제입니다. 중요한 것은 부르도프스끼가 당신의 적선을 받지 않고 그것을 당신의 얼굴에다 던져 버렸다는 사실이지요. 이런 의미에서 1백 루블이나 2백50루블이나 마찬가지라는 얘기입니다. 부르도프스끼는 1만 루블을 거절했어요. 보시다시피, 그가 정직하지 못한 사내였다면 1백 루블을 가져왔겠어요? 그 모자라는 1백50루블은 체바로프가 공작을 찾아가는 데 쓴 여비로 지급되었어요. 우리의 어설픈 행동과 일 하나 제대로 처리 못 하는 무능을 마음껏 비웃으세요. 그렇지 않아도 당신은 온 힘을 기울여 우리들을 우스꽝스런 존재로 만들어 버리려고 애를 쓰셨잖아요. 하지만 우리가 정직하지 못하다고는 감히 말하지 마세요. 존경하는 공작, 우리는 모든 것을 다 갚아 드리겠어요. 비록 1루블씩이라 하더라도 이자까지 쳐서 되돌려 드리겠어요. 부르도프스끼는 가난해요. 그는 수백만 루블을 가진 부자가 아니에요. 체바로프가 출장을 갔다 와서 여비를 청구하더군요. 우리는 승산이 있다고 믿었어요. 누구라도 그런 입장에 섰다면 달리 행동하지 못했을 거예요!」

「누구라도라니?」 S공작이 외쳤다.

「환장할 노릇이군!」 리자베따 쁘로꼬피예브나가 소리쳤다.

「이건 꼭,」 오랫동안 서서 지켜보고 있던 예브게니가 웃기 시작했다. 「얼마 전의 그 유명한 변호사의 변론 같군. 그 변호사는 강도짓을 하려다 여섯 명을 살해한 자신의 고객인 피고를 가난 때문에 빚어진 일이었다고 변론하다 갑자기 이런 결론을 내렸어요. 〈본 피고인은 너무나 가난했으므로 갑자기 여섯 사람을 살해할 생각이 떠올랐던 것은 오히려 자연스런 일이었습니다. 누구라도 그의 입장이라면 그런 생각을 하고 말았을 겁니다!〉[96] 아주 재미난 데가 있는 변론이었지요?」

「그만 하세요!」 리자베따 쁘로꼬피예브나가 치를 떨듯 별안간 소리쳤다. 「이제 허튼소리는 집어치우세요!……」

그녀는 지독한 흥분 상태 속에 있었다. 그녀는 고개를 빳빳이 세우고 오만하고 불같이 성급한 도전적 자세로 주변에 있는 사람들을 노려보았다. 그녀의 눈빛은 타오르고 있었다. 이 순간만큼은 적과 친구를 구분하지 못하는 듯했다. 그것은 오랫동안 자제해 온 분노가 참을 수 있는 한계를 벗어나 마침내 폭발해 버리는 상태인지라, 다짜고짜 누구한테라도 달려들어 한바탕 싸움을 벌여야 되는 순간이었다. 리자베따 쁘로꼬피예브나를 알고 있던 사람들은 그녀에게 무언가 심상치 않은 일이 벌어졌다는 것을 느낄 수 있었다. 이에 대해 예빤친 장군은 다음날 S공작에게 변명조로 이렇게 말했을 정도였다. 〈우리 집사람이 어제 같았던 적은 3년에 한 번 정도 있을까 말까 할 정도로 드물어요. 자주 그러는 것은 아닙니다! 절대로 흔한 일이 아니에요!〉

「됐어요, 여보! 나를 내버려 둬요!」 리자베따 쁘로꼬피예브나가 언성을 높였다. 「손은 왜 내미는 거예요? 당신은 아까 나를 여기서 끌어냈어야 했어요. 당신은 내 남편이고 가장이니까, 내가

96 두라꼬프 변호사의 비똘드 고르스끼의 소송 판결문에 관한 내용의 일부이다. 이러한 사건에 대한 기사는 1868년 5월 14일자 「목소리」지에 실렸다.

당신 말을 안 듣고 나가지 않는다면 내 귀를 잡아당겨서라도 나를 끌어내야 했어요. 안 그러면 딸들이 이런 광경을 못 보게 배려를 했어야지요! 이제는 당신이 없어도 우리는 알아서 갈 길을 갈 거예요. 이 같은 수치는 1년 내내 잊혀지지 않을 거예요……. 잠깐 기다려요. 공작한테 감사를 드려야겠어요……! 고마워요, 공작, 대접을 잘 받았어요. 젊은이들의 말을 듣느라고 오래 앉아 있게 되었어요……. 그런 말이 대체 어딨어요? 아주 저질이에요! 막무가내에다 추잡하기 짝이 없어요. 꿈에 볼까 두렵군요! 이 세상에 저런 인간들이 있을 수 있다니……? 조용히 해라, 아글라야! 알렉산드라도 조용히 해! 이건 너희들이 나설 일이 아니다……! 내 옆에 얼씬거리지도 말아요, 예브게니 빠블로비치, 거슬려 죽겠어요……! 공작은 저런 자들에게 용서를 비는 건가요?」 그녀는 공작 쪽을 바라보며 말했다. 「저런 자에게 〈잘못했어요. 감히 당신에게 돈을 주겠다고 제안하다니〉라고요? 아니, 자네는 왜 그리 웃는 건가, 허풍쟁이 같으니라고!」 그녀는 갑자기 레베제프의 조카에게 화살을 돌렸다. 「뭐라고? 〈우리는 돈을 거절하겠어요. 우리는 구걸하는 게 아니라 요구를 하는 거예요!〉라고? 이 백치가 내일 저들을 찾아가 또다시 우정과 돈을 받아 달라고 부탁할 것을 뻔히 알면서 말야! 공작, 그렇지요? 찾아갈 거예요, 안 갈 거예요?」

「갈 겁니다.」 공작은 나직하고 겸손한 목소리로 말했다.

「모두들 들었지요? 자네는 바로 그걸 계산에 넣고 있는 거야!」 그녀는 다시 독또렌꼬를 바라보았다. 「그러니까 이미 자네 주머니에 돈이 들어와 있는 거나 마찬가지 아닌가? 우리를 속이려는 허튼소리는 이제 그만 하게……. 그렇게는 안 될 거야. 다른 바보들이나 찾아보지 그래. 난 자네들 속을 훤히 꿰뚫어 보고 있어…….」

「리자베따 쁘로꼬피예브나!」 공작이 소리쳤다.

「여기서 함께 나갑시다, 리자베따 쁘로꼬피예브나. 벌써 갔어야 했는데. 공작도 우리와 가시죠.」 가능한 한 침착하게 웃으려 하면서 S공작은 말했다.

딸들은 거의 어리둥절한 모습으로 옆에 서 있었다. 장군 역시 얼이 빠져 있었다. 모두들 놀란 얼굴이었다. 약간 떨어져서 서 있던 몇몇 사람들은 몰래 웃으며 서로 소곤거리고 있었다. 레베제프의 얼굴은 열광의 극치에 도달해 있었다.

「마님, 추잡한 꼴과 난장판은 어디서든지 볼 수 있습니다.」 레베제프의 조카가 의미심장하게 말했으나 풀이 죽은 소리였다.

「아냐, 그렇지 않아. 이런 난장판은 그 어디에도 없어.」 리자베따 쁘로꼬피예브나는 히스테리를 부리듯 사납게 소리쳤다. 「나를 내버려 둘 수 없어요?」 그녀는 만류하는 사람들에게 쏘아붙였다. 「예브게니 빠블로비치, 당신 스스로도 방금 말했듯이, 법정의 변호인이 가난 때문에 여섯 사람을 살해한 짓을 극히 당연하다고 봤다면 이제 세상은 말세가 된 거예요. 나는 그런 소리를 여태껏 들어 본 적이 없어요. 이제 모든 것이 해명되었어요! 여기 이 말더듬이가 사람들을 칼로 베어 죽이지 못할 것 같아요? (그녀는 극히 어리둥절해서 그녀를 바라보고 있던 부르도프스끼를 가리켰다.) 맹세컨대, 그는 사람을 능히 죽일 수 있을 거예요! 그는 당신의 돈 1만 루블을 아마 받지 않을 거예요. 양심상 그렇게는 못하지요. 하지만 한밤중에 찾아와 당신을 죽이고 금고에서 돈을 꺼내 가고 말 거예요. 양심상 그렇게 하는 거지요! 이 사람에게는 그게 정직하지 못한 일이 아니에요! 〈고상한 절망이 폭발을 했다〉느니, 무엇에 대한 〈부정〉이라느니, 돼먹지도 않은 소리를 지껄이겠지요. 정말 기가 막힌 일이에요! 이제는 모든 게 거꾸로 뒤바뀌었어요. 집 안에서 고이 자라던 처녀가 갑자기 길 한복판에서 마차 위로 뛰어오르며 〈어머니, 나 며칠 전에 까를리치인지 이바노비치인지 하는 남자하고 결혼했어요. 안녕히 계세요!〉[97] 하는 행위를 자네들은 멋지다고 생각하겠지. 자연스럽고 존경할 만한 처신이라고 여기겠지? 그게 여성 문제라고? 심지어는 여기 이 꼬마까지 바로 그게 〈여성 문제〉라는 거라고 건방지게 우겨댈 정도니 뭐. (그녀는 꼴랴를 가리켰다.) 어머니가 아무리 바보라 하더라도 인간답게는 대해 줘야지……! 자네들은 아까 이곳으로 들어올 때 왜 그리 머리를 꼿꼿이 세우고 들어왔지? 〈우리 앞길을 가로막지 마라. 우리가 들어가니까. 우리에게 모든 권리를 다오. 너희는 함부로 우리 앞에서 입에 발린 소리마저 할 생각을 마라. 예전에 없었던 최고의 존경심을 우리에게 보여라. 우리는 너희를 하인보다 형편없이 취급할 테니 그리 알아라!〉 자네들의 태도가 그랬단 말야. 말로는 진리를 찾는다느니 권리를 주장한다느니 하면서, 기사에는 회교도처럼 온갖 중상모략을 일삼고 있으니. 〈우리는 구걸을 하는 게 아니라 요구를 하는 겁니다. 그 어떤 감사의 말도 우리에게 들을 생각을 하지 마시오. 당신은 양심의 만족을 위해 돈을 주려는 거요.〉 그게 이치에 닿는 소리인가? 만약 자네가 아무런 고마움을 표시하지 않는다면 공작도 이렇게 대답할 수 있는 거야. 〈나는 빠블리쉬체프에게 아무런 고마움도 느끼지 않아요. 빠블리쉬체프가 내게 호의를 베풀어 준 것은 본인의 양심을 만족시키기 위한 것이니까요.〉 그런데 자네는 공작이 빠블리쉬체프에게 가지고 있는 고마운 마음만을 염두에 두고 있어. 공작이 자네에게서 돈을 꾸어 가기라도 한 건가? 공작이 자네에게 빚이라도 진 건가? 뭘 믿고 공작에게 고마워하지 않는다는 건가? 어떻게 고마워할 수가 없다는 거지? 미친 사람들이야! 사회가 유혹에 넘어간 처녀를 지탄하면, 사람들은 으레 그런 사회를 야비하고 몰인정하다고 하지. 몰인정한 사회라고 생각한다면 그 처녀는 그 사회 속에서 살아 나가기가 괴로운 거야. 그렇게 괴로워하는데 자네들은 신문을 통해 그 처녀를 이 사회로 끌어내어, 아프다는

97 N. G. 체르니셰프스끼의 소설 『무엇을 할 것인가』에서 베라 빠블로브나가 어머니와 헤어지는 장면을 암시하고 있다.

말을 해서는 안 된다고 요구하고 있어! 어떻게 그럴 수가 있지? 정신이 나간 사람들, 속이 텅 빈 사람들이야! 하느님을 믿지 않고, 예수를 믿지 않는 사람들이라고! 자네들처럼 허영과 자만심을 먹고 사는 사람들은 끝내는 서로를 잡아먹고 말 거라고! 안 그러면 내 손에 장을 지져! 이래도 자네들이 하는 짓이 황당 무계하고 막돼먹고 추하지가 않단 말인가? 그런 꼴을 당하고서도 창피한 줄도 모르는 이 사람은 잘못했다고 용서나 빌고 있다니까! 어디 자네들 같은 사람들이 이 세상에 또 있겠는가? 뭘 키득거리고 있어? 내가 자네들과 같이 망신살이 뻗쳐서인가? 난 망신당할 만큼 당해서 더 이상 당할 게 없네! 이보게, 자네, 날보고 버릇없이 그렇게 히죽거리지 마! (그녀는 별안간 이뽈리뜨에게 호령을 했다.) 간신히 숨을 쉬며 사는 주제에 친구들을 타락시켜 놓고서 말야. 너는 내 이 귀여운 꼬마를 타락시켰어(그녀는 다시 니꼴라이를 가리켰다). 이 아이는 늘 자네 얘기만 잠꼬대하듯 늘어놓고 있어. 자네가 이 아이한테 무신론을 가르친 게지? 하느님을 믿지 않는 자네는 곤장 세례를 받아야 해! 그래서 혼 좀 나야 돼……! 미쉬낀 공작, 이래도 내일 이자들을 찾아갈 건가요?」 그녀는 거의 숨을 헐떡이며 다시 공작에게 물었다.

「갈 겁니다.」

「그래도 간다면 난 당신 같은 사람은 쳐다보지도 않을 거예요!」 리자베따 쁘로꼬피예브나는 재빨리 몸을 돌려 나가려다 갑자기 되돌아섰다. 「이 무신론자에게 갈 건가요?」 그녀는 이뽈리뜨를 가리켰다. 「그런데 자네는 왜 나를 보고 키득거리는 건가?」 그녀는 왜 그런지 마치 꿈을 꾸고 있는 사람처럼 소리치고는 갑자기 이뽈리뜨에게 달려들었다. 더 이상 이뽈리뜨의 빈정대는 웃음을 참을 수가 없던 것이었다.

「리자베따 쁘로꼬피예브나! 부인! 리자베따 쁘로꼬피예브나!」 사방에서 그녀를 부르는 소리가 일시에 터져 나왔다.

「어머니, 창피하게 그게 무슨 짓이에요?」 아글라야가 큰 소리로 외쳤다.

「걱정 마세요, 아글라야!」 이뽈리뜨가 침착한 어조로 말했다. 리자베따 쁘로꼬피예브나는 대뜸 달려와 그의 팔을 붙잡고 있었다. 그녀는 어디서 그런 힘이 솟았는지 그를 꽉 잡고 있었다. 그녀는 분노에 찬 시선으로 그를 빨아들일 것처럼 서 있었다. 「걱정 마세요. 당신 어머니가 이렇게 죽어 가는 놈을 어떻게 하진 않을 거예요……. 내가 왜 웃었는지 그 이유를 밝힐 테니 기회를 주세요. 그러면 아주 기쁘겠습니다…….」

이때 그는 아주 심하게 기침을 하고는 1분 남짓 기침을 진정시키지 못했다.

「죽어 가면서도 웅변을 하는군!」 리자베따 쁘로꼬피예브나는 팔을 놔주며 소리쳤다. 그가 입술에 묻은 피를 닦아 내는 모습을 보니까 끔찍스러웠던 모양이다. 「그래 가지고 무슨 말을 한다고 그래? 그냥 집으로 돌아가서 누워나 있지…….」

「그렇게 할 겁니다.」 이뽈리뜨가 나직하고 쉰 목소리로 거의 속삭이듯 대답했다. 「오늘 집으로 돌아가는 즉시 누울 거예요……. 2주일쯤 뒤면 난 죽을 거라는 걸 알아요……. 지난 주에 B[98]가 나에게 그렇게 말해 주었어요……. 괜찮으시다면 여러분에게 작별하는 의미에서 딱 두어 마디만 하겠습니다.」

「아니, 자네 제정신인가? 무슨 헛소리야! 지금 치료를 받아야지 얘기할 여유가 어디 있나? 어서 가서, 누워 있으라고……!」 리자베따 쁘로꼬피예브나가 놀란 듯이 소리쳤다.

「누울 거예요. 그리고 죽을 때까지 안 일어날 거예요.」 이뽈리뜨가 미소를 띠었다. 「나는 어제 이미 누워 버릴 생각을 했어요. 죽을 때까지 안 일어나려고요. 그런데 아직 다리가 내 몸을 지탱

98 1865년에 도스또예프스끼를 치료했던 유명한 러시아의 내과 의사 S. P. 보뜨낀(1832~1889)을 가리키는 것 같다.

해 주고 있는 만큼 내일 모레까지 연기할 결심을 했어요. 그러니까 이렇게 친구들과 함께 이곳에 왔지요……. 하지만 매우 피곤해요…….」

「그럼 여기 앉게. 뭘 그리 서 있는 건가? 앉으라고! 자, 여기 의자가 있으니까.」 리자베따 쁘로꼬피예브나가 벌떡 일어나 직접 의자를 내밀었다.

「고맙습니다.」 이뽈리뜨가 조용히 말을 계속했다. 「부인께선 내 맞은편에 앉으세요. 그렇게 하고 얘기를 하지요. 우리는 꼭 얘기를 해야 돼요, 리자베따 쁘로꼬피예브나, 꼭 그렇게 해주세요…….」 그는 다시 리자베따 쁘로꼬피예브나를 보고 웃었다. 「한번 생각해 보세요. 오늘 나는 마지막으로 사람들과 함께 바깥 공기를 쐬고 있어요. 2주일 뒤에 나는 필시 흙 속에 묻혀 있을 거예요. 그러니까 오늘 내가 나온 것은 사람들과 자연과의 마지막 작별 인사가 될 거예요. 내가 그리 예민한 사람은 아니지만, 모든 일이 여기 빠블로프스끄에서 벌어지게 된 것에 대해 몹시 기뻐하고 있다는 사실을 상상해 보세요. 잎사귀가 붙어 있는 나무라도 볼 수 있으니까요.」

「지금 무슨 얘기를 하고 있는 건지 모르겠네.」 리자베따 쁘로꼬피예브나는 더욱더 놀라는 기색을 보였다. 「자넨 온통 고열 상태에 있어. 아까부터 소리를 질러 댔는데, 지금은 숨이 넘어가 죽어 버릴 것 같군!」

「곧 쉴 겁니다. 부인은 왜 남의 마지막 소망을 들어주지 않으려 하는 거지요? 리자베따 쁘로꼬피예브나, 아실는지 모르겠지만, 나는 아까부터 부인과 친해지길 바라 왔어요. 니꼴라이에게서 부인에 대한 얘기를 많이 들어서이지요. 그는 나를 혼자 내버려 두는 적이 거의 없어요……. 부인은 특별난 데가 있는, 기묘한 분이세요. 난 그런 분이라는 걸 금세 보아서 알 수 있었어요……. 난 부인을 조금 좋아하기까지 했습니다.」

「오, 맙소사. 그런 줄도 모르고 이 사람에게 손을 올릴 뻔했네.」

「부인을 말린 사람은 아글라야입니다. 내 말이 맞지요? 이분이 부인의 따님인 아글라야지요? 아주 아름다운 분이세요. 나는 아까 첫눈에 그녀라는 걸 알았어요. 한번도 본 적이 없었지만. 내 평생에 마지막으로라도 미인의 얼굴을 보게 해주세요.」 이뽈리뜨는 어색하게 일그러진 미소를 지었다. 「여기 공작이 계시고, 부인의 바깥어른이신 장군님, 그리고 모두들 모여 있습니다. 왜 부인께선 나의 마지막 소망을 안 들어주시는 거지요?」

「의자 좀!」 리자베따 쁘로꼬피예브나는 소리를 질러 의자를 가져오라고 했으나 자기가 직접 의자를 붙잡고 이뽈리뜨의 맞은편에 앉았다. 그리고 니꼴라이에게 지시를 했다. 「꼴랴, 너는 즉시 이 사람을 데리고 집으로 가라. 나는 내일 꼭 갈 테니…….」

「괜찮으시다면 공작에게 차 한 잔을 부탁하겠습니다……, 몹시 피로해서. 리자베따 쁘로꼬피예브나 부인, 부인께선 공작을 집으로 데려가 함께 차를 마시려고 했던 것 같은데. 그냥 여기 남아서 함께 시간을 보내시지요. 아마 공작은 우리 모두에게 차를 대접할 거예요. 용서하세요, 내가 이렇게 멋대로 놀아서……. 하지만 부인께서 선한 분이라는 걸 난 알아요. 공작도 마찬가지고요. 우리 모두가 우스꽝스러우리만치 착하디착한 사람들이에요…….」

공작은 당황한 빛을 보였다. 그러자 레베제프는 차를 준비하려고 쏜살같이 방에서 뛰쳐나갔다. 그의 뒤를 따라 큰딸 베라가 쫓아갔다.

「맞는 말이야.」 장군 부인이 확고히 단정을 내렸다. 「어서 말해 보게. 다만 조용조용히 해야 되네. 흥분은 하지 말고. 자넨 결국 내 마음을 움직였어……. 공작, 내가 여기서 차를 마시려고 하지는 않았지만 일이 이렇게 되었으니 여기 남아 있겠어요. 물론 누구에게도 용서를 빌지는 않겠어요! 아무한테도요! 쓸데없는 짓이에요……! 하지만 내가 당신에게 욕설을 퍼부었다면, 공작, 용서를 빌겠어요. 하지만 난 아무에게도 여기 있어 달라고 붙잡진 않겠어요.」 그녀는 갑자기 유난히 분개한 표정으로 남편과 딸들을 바라보았다. 마치 그들이 그녀에게 무슨 큰 잘못을 범하기라도 한 듯이. 「나 혼자서도 집에 갈 수 있어요…….」

그러나 사람들은 그녀가 계속 말할 기회를 주지 않았다. 모두들 다가와서 이미 약속한 듯이 그녀를 에워쌌다. 공작은 즉시 모든 사람들에게 자리를 뜨지 말고 차를 마시고 가라고 요청하기 시작했다. 그리고 지금까지 여기에 대해 생각이 미치지 못한 것을 사과했다. 심지어는 장군마저 상냥한 표정을 짓고 무언가 위로하는 말을 하며 다정하게 리자베따 쁘로꼬피예브나에게 물었다. 「테라스의 공기가 차지 않아요, 여보?」 그는 이뽈리뜨에게까지도 〈오래전부터 대학을 다녔느냐〉는 질문을 할 뻔했다. 그러나 물어보지 않았다. 예브게니와 S공작은 갑자기 유난스레 상냥하고 명랑해지기 시작했다. 아젤라이다와 알렉산드라의 얼굴에는 계속되는 놀라움의 빛이 멈출 줄 몰랐으며, 거기에는 만족감까지 어려 있었다. 한마디로 리자베따 쁘로꼬피예브나의 위기가 사라져 버려서 모두들 기뻐하는 것이 분명했다. 단지 아글라야만이 얼굴을 찌푸리고 약간 떨어져서 말없이 앉아 있었다. 원래 모여 있던 사람들이 모두 남아 있었다. 아무도 자리를 떠나고 싶어하지 않았다. 심지어는 이볼긴 장군까지 그랬다. 하지만 레베제프가 지나가며 그의 귀에 대고 뭐라고 소곤거리자 이볼긴은 즉시 구석으로 몸을 숨겼다. 공작은 부르도프스끼 일행에게도 다가가서 모두들 차를 마시고 가라고 했다. 그들은 건방진 표정을 지으며 이뽈리뜨가 무슨 말을 하는지 기다려 보겠노라고 중얼거리듯 말했다. 그러고는 테라스 구석으로 즉시 물러나, 거기에도 모두가 나란히 앉았다. 차가 금방 나온 걸 보면 아마 레베제프가 이미 오래전부터 차를 준비하고 있었던 것 같았다. 시계가 11시를 쳤다.

10

이뻴리뜨는 베라가 날라다 준 차로 입술을 적시고는 찻잔을 탁자 위에 올려놓고, 갑자기 당황한 얼굴로 주위를 둘러보았다.

「부인, 이 찻잔들을 보세요.」그는 이상하게 서둘러 말했다.「이 사기 찻잔들은 최고급 도자기 제품으로 레베제프의 유리장 속에 보관되어 한번도 사용하지 않은 것들입니다……. 이것은 레베제프의 아내가 혼수품으로 시집올 때 가져온 것입니다. 그런 찻잔을 부인을 존경하는 마음에서 이렇게 내왔지요. 물론 레베제프가 그만큼 부인을 모시게 된 걸 기쁘게 생각하고 있는 거지요…….」

그는 무슨 말인가 덧붙이고 싶어했으나, 적절한 말을 찾아내지 못했다.

「어쨌든 당황했군요. 내가 그러리라고 생각했어요!」예브게니 빠블로비치가 갑자기 공작의 귀에 대고 속삭였다.「이거 위험하지 않을까요? 아주 불길한 징조인데요. 무슨 괴팍한 일을 저질러 리자베따 쁘로꼬피예브나가 깜짝 놀라 뒤로 자빠질 것 같은데요.」공작은 그게 무슨 말인가 싶어 그를 쳐다보았다.

「당신은 괴팍한 행동이 두렵지 않은가요?」예브게니가 덧붙였다.「나 역시 두렵지 않아요. 오히려 그런 행동을 보고 싶어요. 우리의 사랑스런 리자베따 쁘로꼬피예브나께서 오늘 당장, 지금 당장 벌 받는 모습을 보고 싶군요. 그걸 보기 전까지 이 자리를 뜨고 싶지 않군요. 당신은 오한이 나는 것 같은데요.」

「다음에 얘기하기로 하고, 방해하지 마세요. 그렇소, 나는 지금 몸이 안 좋아요.」공작은 대수롭지 않다는 듯이, 심지어는 짜증나는 투로 대답했다. 그는 자신의 이름을 들었다. 이뻴리뜨가 그에 대해 말하고 있는 것이었다.

「내 말을 못 믿나요?」이뻴리뜨는 히스테릭하게 웃었다.「그렇겠지요. 공작은 단번에 내 말을 믿고 전혀 놀라지도 않을 겁니다.」

「공작, 듣고 있어요?」 리자베따 쁘로꼬피예브나가 공작을 바라보며 물었다. 「듣고 있나요?」

좌중은 웃음바다였다. 레베제프가 법석대며 앞으로 나와 리자베따 쁘로꼬피예브나 앞에서 맴돌고 있었다.

「공작, 이 애 말을 들어 보면, 잘난 척하는 이 집 주인이…… 아까 당신에 관한 그 기사 내용을 수정해 주었다는군요.」

공작이 놀라서 레베제프를 쳐다보았다.

「왜 아무 말이 없어요?」 리자베따 쁘로꼬피예브나는 발을 동동 구르기까지 했다.

「글쎄…….」 공작은 계속 레베제프를 바라보며 우물우물했다. 「내가 보기에도 저 사람이 고쳐 준 게 분명해요.」

「정말이지요?」 리자베따 쁘로꼬피예브나가 재빨리 레베제프를 돌아보며 말했다.

「명백한 사실입니다. 마님!」 레베제프가 한 손을 가슴에 갖다 대고 주저함이 없이 확고하게 대답했다.

「대단한 일이라도 한 것 같은 말투군!」 그녀는 자리에서 펄쩍 뛰어오를 뻔했다.

「난 치사한 놈이에요, 치사한 놈!」 레베제프가 자기 가슴을 치기 시작하며 고개를 더욱 낮게 수그리고 중얼거렸다.

「당신이 치사한 놈인지 아닌지는 내가 상관할 바가 아니라고요! 치사한 놈이라고 하면 누가 봐주기라도 할 것 같아요. 공작, 다시 한번 말하지만, 이런 인간들과 어울려 지내는 게 창피하지도 않아요? 난 절대로 당신을 용서해 줄 수가 없어요!」

「공작은 나를 용서해 줄 겁니다!」 레베제프가 감동에 찬 소리로 자신 있게 말했다.

「나는 단지 의리 때문에,」 이때 껠레르가 펄쩍 뛰어나와 리자베따 쁘로꼬피예브나를 향해 큰 소리로 말했다. 「나는 단지 의리 때문에 그랬던 겁니다, 마님. 모욕당한 친구를 배반하지 않으려는 의도에서, 아까 들으셨으리라고 믿지만 이 양반이 우리 보고 계단에서 내려가라고 권했음에도 불구하고 나는 기사의 수정 내용에 관해서 줄곧 함구하고 있었습니다. 정확한 사실을 고백하겠습니다. 나는 정말로 6루블을 주고 레베제프에게 의뢰했어요. 그것은 문장을 고쳐 달라고 하기 위해서가 아니라 내가 모르고 있던 사실을 알아내기 위해서였지요. 저 양반이 그래도 많이 알고 있는 것 같았어요. 각반에 관해서나, 스위스 교수 집에 있을 때 공작의 왕성한 식욕에 관해서나, 2백50루블 대신 50루블이라고 한 것 등, 한마디로 그 모든 것들은 6루블을 받은 저 양반 입에서 나왔던 겁니다. 하지만 문장 자체는 고치지 않았어요.」

「한마디 하지 않을 수 없군요.」 열병에 걸린 사람처럼 도무지 안절부절못하던 레베제프가 풀이 죽은 듯한 소리로 켈레르의 말을 가로막았다. 사람들의 웃음소리는 점점 더 퍼져 나갔다. 「나는 기사의 전반부만 고쳤어요. 하지만 중간에 의견 일치가 안 되는 곳이 한 군데 있어서 그걸 놓고 말다툼을 하느라고, 후반부에 가서는 아예 손도 대지 않았어요. 때문에 기사의 문장이 엉터리가 되었지요(전체적으로 문장이 형편없어요!). 그건 내 소관이 아닙니다…….」

「저 지껄이는 소리를 들었지요?」 리자베따 쁘로꼬피예브나가 소리쳤다.

「한마디 물어보겠소.」 예브게니가 켈레르에게 말했다. 「기사는 언제 고쳤던 거요?」

「어제 아침이었습니다.」 켈레르가 보고하듯이 말했다. 「우리는 만나서 양쪽이 비밀을 지키기로 약속을 했습니다.」

「어제 아침이라면 저 사람이 공작 앞에서 설설 기며 충성을 약속할 때였는데! 짐승 같은 인간들이로구먼! 당신의 뿌쉬낀 시집 같은 거 필요 없어요. 그리고 당신의 딸도 나한테 찾아오지 않아도 돼요!」

리자베따 쁘로꼬피예브나는 일어서려고 했다. 그러다가 갑자기 웃고 있는 이뽈리뜨에게 신경질적으로 말했다.

「자네는 왜 히죽거리는 거지? 나를 여기다 잡아 놓을 생각을 했던 건가?」

「천만에요.」 이뽈리뜨가 얼굴을 일그러뜨리며 웃고 있었다. 「무엇보다 내가 놀란 것은 부인의 괴팍스러움입니다. 솔직히 말해, 난 일부러 레베제프의 말을 꺼냈습니다. 유난히 부인만이 얼마나 충격을 받나 시험해 보기 위해서였지요. 사실 공작은 저 양반을 용서할 거라고 생각했어요. 아마 벌써 용서를 했을 겁니다. 어쩌면 마음속에서 용서의 구실을 찾고 있었는지도 모르지요. 안 그렇습니까, 공작?」

그는 숨을 헉헉거렸다. 한마디를 내뱉을 때마다 그에게는 이상한 흥분이 커져 가고 있었다.

「그래서?」 리자베따 쁘로꼬피예브나가 그의 어조에 놀라면서 분한 목소리로 말했다.

「부인에 대해서는 일찍이 들은 바가 많았습니다……. 이런 얘기에 대해서는 무척이나 반갑게 들었지요……. 나는 부인을 무척 존경하게 되었습니다.」 이뽈리뜨가 말했다.

그는 한 가지 사실에 대해서 말했지만, 마치 그런 말로 전혀 다른 것을 얘기하고 싶어하는 것 같았다. 그의 말투에는 조롱기가 섞여 있었다. 동시에 그는 몹시 흥분하여 미심쩍은 듯 주위를 둘러보았다. 분명히 혼돈스러워 무슨 말을 할지 갈팡질팡하는 모습이었다. 그의 병색이 짙은 얼굴과 번쩍거리며 타올라 광적으로 보이기도 하는 이상한 시선은 알게 모르게 사람들의 주목을 끌었다.

「나는 매우 놀랐습니다. 물론 나는 세상을 잘 모르지만(그 점은 시인해요), 우리같이 고상하지 못한 무리들이 모인 장소에 부인이 남아 있었다는 사실이 놀라웠어요. 게다가 여기 따님들까지 지저분한 얘기를 듣게 하셨어요. 물론 따님들은 소설 같은 데서 그와 유사한 얘기를 다 읽었겠지만요. 하지만 나는 뭐가 뭔지 잘 모르겠어요. 머릿속이 엉망인지라……. 어쨌든 애송이가 부탁한다고 해서…… 부인 이외에 누가 이런 자리에 남아 이 애송이와 함께 저녁을 보내고…… 온갖 말참견을 하고……, 또 다음날에는 그랬던 것을 부끄러워하겠어요……? (내가 애송이라는 걸 인정해요! 그리고 나의 표현이 적절치 못하다는 것도 동의합니다.) 나는 이 모든 것을 찬양하고 마음 깊숙이 존경합니다. 물론 부인의 남편이신 각하께서는 모든 게 몹시 불쾌하다는 얼굴입니다……. 히 — 히 — 히!」 그는 완전히 갈피를 잡지 못하고 히히거리며 웃다가 갑자기 기침을 하기 시작하더니 2분 남짓 말을 잇지 못했다.

「아예 숨이 넘어가는군!」 리자베따 쁘로꼬피예브나가 냉랭하고 날카롭게 말했다. 그녀는 강한 호기심을 가지고 그를 살펴보고 있었다. 「이제 그만하면 됐네! 집에 갈 시간이라고!」

「이보시오. 나에게도 한마디 할 기회를 주시오.」 예빤친 장군이 더 이상 참지 못하고 갑자기 신경질적으로 말했다. 「나의 아내가 여기 우리 모두의 친구인 공작의 거처에 와 있는 것은, 젊은 친구, 자네가 그녀의 행동에 대해 왈가왈부하고, 내 얼굴 표정이 어떻다느니 하고 내 면전에 대고 떠들게 하기 위한 것이 아닐세. 알겠나? 내 아내가 여기 남아 있었던 것은…….」 장군은 말을 하면 할수록 화가 치밀어 올랐다. 「이상한 젊은이들을 보면 누구나 느낄 법한 놀라움과 호기심 때문이랄 수 있지. 가끔 길을 가다 무언가 보거나 들여다볼 게 있을 때 발을 멈춰 서는 것처럼 나도 오늘 여기에 남아 있었던 거네. 길에서 볼 거라는 게 뭐냐 하면…….」

「진기한 광경 같은 거지요.」 예브게니가 옆에서 살짝 말해 주었다.

「맞아, 바로 그거야.」 장군은 무언가 예를 들려 하다가 생각이 잘 나지 않았던 터라 그의 말에 몹시 반가워했다. 「바로 그 진기한 거라고. 하지만 무엇보다 가장 놀랍고 안타까운 일은, 문법적으로 이렇게 표현할 수 있을지 모르겠지만, 젊은이, 자네조차 한 가지 이해하지 못한 것이 있단 말일세. 나의 아내가 지금 자네와 함께 남아 있었던 까닭은 자네가 환자이기 때문이었네. 자네가 금방 숨이 넘어갈 것 같아서였지. 바로 연민의 정 때문에, 자네의 연민을 불러일으키는 말 때문에 내 아내가 남아 있었다는 사실을 알아 두기 바라네. 그 어떤 경우에도 아내의 이름과 자질과 품위에 오욕이 가해지면 안 되네! 리자베따 쁘로꼬피예브나!」 얼굴이 빨갛게 상기된 장군이 결론을 지어 말했다. 「집에 가려거든 우리의 착한 공작과 작별을 합시다. 그리고…….」

「그렇게 훈시를 해주셔서 감사합니다, 장군님.」 이뽈리뜨가 느닷없이 심각한 어조로 장군의 말을 가로막고, 깊은 생각에 잠긴 듯 그를 바라보았다.

「어머니, 가세요. 이러다 아주 오래 걸리겠어요!.」 아글라야가 의자에서 일어나며 초조와 짜증 섞인 소리로 말했다.

「여보, 잠깐만 기다려 주실 수 없을까요?」 리자베따 쁘로꼬피예브나가 장군을 돌아보며 위엄 있게 말했다. 「내가 보기에 이 사람은 열이 높아 헛소리를 하는 것 같아요. 눈을 보면 틀림없이 그래요. 이런 상태로 내버려 둘 순 없어요. 미쉬낀 공작, 이 사람을 오늘 밤 당신 방에서 머물게 할 순 없을까요. 이런 사람을 오늘 뻬쩨르부르그로 끌고 가다시피 데려갈 수는 없잖아요? 친애하는 공작Cher prince, 당신은 지루한가 보지요?」 그녀는 갑자기 무슨 의도에서인지 S공작을 바라보며 말했다. 「알렉산드라, 이리 오렴. 머리 매무새를 고쳐야겠구나.」

리자베따 쁘로꼬피예브나는 딸의 머리를 매만져 주었다. 사실 알렉산드라의 머리는 매만질 필요가 전혀 없었다. 어머니는 딸에게 키스를 했다. 그냥 그렇게 해주기 위해 불렀을 따름이었다.

「나는 부인에게 발전할 능력이 있다고 봤어요.」 또다시 이뽈리뜨가 깊은 생각에서 벗어나 말을 꺼냈다. 「그런데 한 가지 하고 싶은 말이 있어요.」 그는 갑자기 무슨 생각이 떠올랐는지 몹시 기뻐했다. 「부르도프스끼는 진실로 자기 어머니를 보호하려고 했어요. 그렇지 않은가요? 그런데 그는 결과적으로 어머니를 욕되게 했어요. 그런데 공작은 부르도프스끼를 도와주고 싶어해요. 순수한 마음에서 그에게 따뜻한 우정과 돈을 주겠다고 제안했어요. 아마 여러분 중 누구도 공작에게 혐오감을 가지고 있지 않을 거예요. 그런데 이 두 사람은 불구대천의 원수처럼 마주 서서는 바라보고만 있었어요. 하 — 하 — 하! 여러분들은 모두들 형식의 아름다움과 우아함을 무척 사랑하고 있어요. 오로지 그것들만 고집하고 있지요. 안 그런가요? (나는 오래전부터 여러분들이 그렇다는 것을 눈치 챘다고요!) 하지만 여러분 중 그 누구도 부르도프스끼만큼 자기 어머니를 사랑하고 있지 않다는 것을 알아야 해요! 공작, 나는 당신이 가브릴라를 통해 부르도프스끼의 어머니에게 돈을 몰래 보내 준 것을 알아요. 맹세하지만(히 — 히 — 히! 하고 그는 히스테릭하게 웃었다), 맹세하지만, 부르도프스끼는 형식이 세련되지 못하고 그의 어머니를 존경하지 않았다고 당신에게 욕을 할 겁니다. 그럴 거라고요! 하 — 하 — 하!」

이때 그는 또다시 숨이 막히는지 기침을 해대기 시작했다.

「흥, 다 끝났나? 이제 모든 걸 다 말한 건가? 그럼 어서 가서 잠을 자게나. 자네는 열이 심해.」 계속 걱정스런 시선으로 그를 쳐다보고 있던 리자베따 쁘로꼬피예브나가 참지 못하고 말했다. 「어이쿠, 하느님! 또 입을 열었어!」

「당신은 나를 비웃는 것 같아요. 왜 그렇게 시종일관 나를 보고 비웃고 있는 거지요? 당신이 계속 나를 비웃고 있는 것을 알아차렸단 말이에요.」 이뽈리뜨는 불안과 짜증 섞인 소리로 갑자기 예브게니에게 대들었다. 그는 정말로 웃고 있었다.

「딱 한 가지만 물어보고 싶은데, 이뽈리뜨 씨. 미안해요, 당신 성을 잊어버려서 정식 존칭을 쓰지 못했군요.」

「이뽈리뜨 쩨렌찌예프예요.」 공작이 말했다.

「아, 쩨렌찌예프, 고마워요, 공작. 아까 듣긴 들었는데, 그만 건망증 때문에. 쩨렌찌예프 씨, 한 가지 물어보고 싶은 게 있어요. 당신이 사람들과 창문을 통해 15분만 얘기를 하면 사람들이 당신의 말에 찬동을 하여 곧바로 당신을 쫓아 나선다고 하는데, 그 얘기가 사실인가요?」

「충분히 그럴 수 있는 사실이에요.」 이뽈리뜨가 무언가를 기억해 내듯이 대답했다. 「내가 그렇게 말한 게 틀림없어요!」 그는 예브게니를 자신 있게 바라보고는 다시 활기를 찾았는지 갑자기 덧붙였다. 「그게 어쨌다는 거죠?」

「별거 아니오. 나는 그저 참고로 물은 거요.」

예브게니는 입을 다물었다. 그러나 이뽈리뜨는 계속 그를 쳐다보며 무슨 말이 나올까 초조하게 기다렸다.

「말을 다 마친 거예요 뭐예요?」 리자베따 쁘로꼬피예브나가 예브게니 빠블로비치에게 물었다. 「어서 말을 마치세요. 저 사람 잘 시간이에요. 아니면 말할 줄 모르세요?(그녀는 몹시 떨떠름한 표정이었다.)」

「계속 몇 마디 더 해야 할 것 같아요.」 예브게니는 미소를 띠며 계속했다. 「쩨렌찌예프 씨, 내가 당신의 동료들에게서 들은 말과 방금 당신이 유감없이 들려준 유창한 말을 간추려 본다면, 이 모든 것은 어떤 권리를 찬양하는 것으로 좁혀지는군요. 모든 것을 뒤로 미루고, 모든 것을 포기하고, 모든 것을 제외하고, 무엇보다 먼저 그 권리 자체를 연구해 보지도 않고서 말이오. 안 그래요? 내 말이 틀린 걸까요?」

「물론 틀렸지요. 나는 당신의 말조차 이해하지 못했어요. 그 다음엔 뭐지요?」

구석에서도 투덜대는 소리가 들렸다. 레베제프의 조카가 무엇인가를 낮은 소리로 중얼거렸다.

「더 말할 게 없어요.」 예브게니가 계속 말했다. 「딱 한 가지 말하고 싶은 게 있을 따름이에요. 그러한 논리에서 비약할 수 있는 것은 힘의 권리, 다시 말해 단 하나의 주먹과 개인적 욕구의 권리만 있을 뿐이지요. 세상일이 아주 종종 그런 식으로 결말이 나고 있어요. 프루동[99] 역시 힘의 권리에 의존하고 있어요. 가장 진보적인 미국의 자유주의파들도 미국 전쟁 때 농장주들 편에 서서 그러한 권리를 주장했지요. 말하자면 흑인은 어디까지나 흑인이고 백인보다는 열등하다는 설로, 따라서 힘의 권리는 백인이 가지고 있다는 거지요.」

「그래서요?」

「말하자면, 당신도 힘의 권리를 부정하지는 않지요?」

「그래서요?」

「당신은 캐묻길 좋아하는군요. 내가 하고 싶은 말은 딱 한 가지예요. 힘의 권리는 호랑이와 악어의 권리, 심지어는 다닐로프와 고르스끼의 권리와 멀지 않다는 겁니다.」

「모르겠는데요. 그래서요?」

이뽈리뜨는 예브게니의 말을 거의 듣지 않고 있었다. 예브게니가 하는 말 중간에 이뽈리뜨가 〈그래서요?〉라고 물어보는 것은 상대방의 말에 대한 어떤 호기심이나 관심 때문에서가 아니라, 대화시에 무의식적으로 반응하는 습관에서 기인한 것이었다.

「더 이상 할 말이 없어요. 그게 다요.」

「하지만 나는 당신에게 화를 내고 싶은 생각은 없어요.」 이뽈리뜨는 갑자기 뜻밖의 결론을 내렸다. 그러면서 상대방을 거의 의식하지 않고 미소까지 지으며 손을 내밀었다. 예브게니는 처음에는 놀랐지만 가장 심각한 표정으로 그가 내민 손을 마치 사과

99 피에르 조셉 프루동(1809~1865). 프티 부르주아적인 프랑스의 경제학자이자 사회학자이며 무정부주의 이론가 중 한 사람으로, 그가 쓴 글들은 공상적 사회주의자들의 관심을 끌었다.

를 받아주듯이 잡았다.

「한마디 더 하지 않을 수가 없군요.」 예브게니가 정중한 듯하면서도 정중하지 않은 어조로 계속 말했다. 「내가 하는 말에 관심을 갖고 들어 주어서 고마움을 표해야겠군요. 우리 나라의 자유주의자는, 내가 무수히 관찰한 바에 따르면 남들이 상이한 신념을 가지는 것을 허용하지 않아요. 그래서 자기와 신념이 다른 사람들에게 욕을 한다든가 그보다 더 못된 짓으로 대응을 한다니까요.」

「아주 맞는 말이네.」 예빤친 장군이 말했다. 그는 뒷짐을 지고 몹시 지루한 표정으로 테라스 출구까지 가서는 못마땅한 듯 하품을 했다.

「그만하면 됐어요. 당신 말을 듣는 것도 신물이 났어요.」 리자베따 쁘로꼬피예브나가 갑자기 예브게니에게 말했다.

「자, 갈 시간이 됐어요.」 이뽈리뜨가 걱정스럽고 약간은 놀란 듯이 갑자기 자리에서 일어나 당황스럽게 주위를 돌아보았다. 「내가 여러분을 붙잡고 있었군요. 나는 여러분에게 모든 것을 다 말하고 싶었어요. 나는 마지막으로……, 모든 것을……, 그건 환상이었군요.」

그는 연속적인 발작으로 인해 오히려 활기를 찾고 있는 듯했다. 그는 섬망 상태에서 순간순간 완전한 의식 상태로 돌아와 문득 머릿속에 떠오르는 것을 말했다. 그러나 그가 하는 말은 병상에서 홀로 잠 못 이루는 지루하고 긴 시간 동안 무한히 생각해 오고 곱씹어 온 상념의 편린들이 대부분이었다.

「그러면 안녕히들 가십시오!」 이뽈리뜨는 갑자기 날카로운 소리로 외쳤다. 「여러분은 내 입에서 쉽게 〈안녕히 가십시오〉라는 말이 나왔으리라고 생각하고 계시지요? 하 — 하!」 그는 자신의 어쭙잖은 질문이 못마땅하다는 듯이 웃었다. 그리고 갑자기 하고 싶은 모든 말을 다하지 못한 것에 울화가 치미는지 신경질적으로 소리 내어 말했다. 「장군님! 제 장례식 때 꼭 와주셨으면 영광이겠습니다. 물론 그럴 만한 가치가 있다고 생각하신다면요. 그리고…… 나머지 분들도 장군님을 따라서……!」

이뽈리뜨는 또다시 웃기 시작했다. 하지만 그 웃음은 이미 미친 사람의 웃음이었다. 리자베따 쁘로꼬피예브나가 깜짝 놀라서 그에게 다가가 그의 손을 잡았다. 그는 웃음 띤 얼굴로 리자베따 쁘로꼬피예브나를 유심히 쳐다보았다. 그러나 그의 웃음은 계속되지 않았고, 얼굴에서 얼어붙은 듯 멈춰 버렸다.

「내가 나무를 보러 여기에 온 걸 아세요? 바로 저 나무들을(그는 공원의 나무들을 가리켰다)…… 우스운가요? 과연 우스울 게 있을까요?」 그는 심각하게 리자베따 쁘로꼬피예브나에게 물었다. 그리고 갑자기 생각에 잠겼다. 얼마 후 그는 고개를 들고 사람들 속에서 호기심 어린 눈빛으로 누군가를 찾기 시작했다. 그는 예브게니를 찾고 있었다. 예브게니는 오른쪽으로 그리 멀지 않은 곳에, 여전히 전과 같은 장소에 서 있었으나, 이뽈리뜨는 그것을 잊어버리고 그를 찾고 있었던 것이다. 마침내 이뽈리뜨는 예브게니를 찾았다. 「아, 아직 가지 않으셨군요! 당신은 아까 내가 창문 너머로 15분만 얘기를 하면 어떻다느니 하며 비웃었지요. 내가 단순히 열여덟 살 먹은 아이가 아니라는 것을 알아야 해요. 나는 그만큼의 세월 동안 병상에 누워, 그만큼의 세월 동안 이 창밖을 바라보며 모든 사람들에 대해…… 모든 것에 대해…… 그만큼 생각해 왔어요. 죽은 자에게는 나이가 없는 법이에요. 나는 지난 주에 거기에 대해 생각해 봤어요. 새벽에 눈을 떴을 때……. 당신이 제일 두려워하는 것이 무엇인 줄 아세요? 당신은 우리들의 성실성을 제일 두려워하고 있어요. 물론 우리를 깔보면서도요! 이것도 역시 그날 새벽에 잠자리에서 생각했던 겁니다……. 리자베따 쁘로꼬피예브나, 내가 아까 부인을 비웃으려 했다고 생각하나요? 아니에요. 나는 부인을 비웃지 않았어요, 오히려 칭찬을 해주고 싶었을 뿐이에요……. 꼴랴가 그러는데, 공작이 부인을 어린애라고 불렀다는군요……. 그건 좋은 일이에요……. 이런, 내가…… 무슨 말을 하려고 했더라…….」

그는 두 손으로 얼굴을 가리고 생각에 잠겼다.

「바로 그거야! 아까 당신이 작별 인사를 했을 때 나는 갑자기 이런 생각을 해봤어요. 여기 이 사람들이 있지만 이들도 결코 존재하지 않게 될 것이다! 저 나무들도 마찬가지다. 다만 나의 창문 맞은편에 있는 메이예로프의 집…… 의 빨간 벽돌 담장만 남아 있을 것이다……. 그러니 저 사람들한테 이 모든 것에 대해 말해 줘라……. 한번 말해 봐라. 여기 미녀가 있구나……. 그런데 너는 죽은 자이다. 너는 사자라고 자기 소개를 해라. 〈죽은 자는 모든 것을 말할 수 있다〉고 해봐……. 공작 부인 마리야 알렉세예브나도 꾸지람을 하지 않을 거라고 말해 봐,[100] 하 — 하……! 여러분들은 우습지가 않습니까?」 이뽈리뜨는 못 믿겠다는 듯이 주위 사람들을 둘러보았다. 「병상에 누워 있으면 많은 생각이 떠오르는 걸 아세요……? 자연이란 매우 우스꽝스럽다는 확신을 얻었어요……. 여러분은 아까 나에게 무신론자라고 얘기했지요? 그런데 자연이란 것은…… 여러분은 왜 또 웃는 겁니까? 지독하게 잔인한 분들이군요!」 그는 사람들을 훑어보며 섭섭함과 분노를 감추지 못하고 갑자기 그렇게 말했다. 「나는 꼴랴를 타락시키지 않았어요.」 그는 아주 다른 어조로 말을 맺었다. 역시 갑자기 정신이 든 듯 심각하고 신념에 찬 목소리였다.

「여기에서 자네를 비웃는 사람은 아무도 없네, 진정하게!」 리자베따 쁘로꼬피예브나가 괴로운 심정으로 말했다. 「내일 새로운 의사가 올 거야. 전에 왔던 의사는 오진을 했어. 어서 앉아 있게나. 제대로 서 있지도 못하잖아! 계속 헛소리를 해대니……. 아,

100 〈마리야 알렉세예브나 공작 부인은 또 뭐라고 얘길 해댈까!〉 A. S. 그리보예도프의 희극 『지혜의 슬픔』에 나오는 대사이다. 공작 부인의 이름은 사교계의 쑥덕공론이란 뜻이 되었다.

이 청년을 어떻게 해야 하나!」 그녀는 서둘러서 이뽈리뜨를 의자에 앉혔다. 그녀의 뺨에서 눈물 방울이 빛났다.

이뽈리뜨는 놀라서 동작을 멈췄다. 그는 한쪽 손을 들어 조심스럽게 그녀에게 내밀고는 이 아름다운 눈물 방울을 건드렸다. 그는 앳된 미소를 지어 보였다. 그는 기쁘게 말했다.

「나는…… 부인을……. 부인은 모르실 겁니다, 내가 얼마나 부인을……. 꼴랴는 언제나 신이 나서 부인에 대해 말해 주었어요. 나는 이 애가…… 신이 나서 즐거워하는 게 좋아요. 나는 이 애를 타락시키지 않았어요! 나는 오로지 니꼴라이 한 사람만 남겨 놓고 저 세상으로 가요……. 물론 모든 사람들을 소중하게 남겨 놓고 싶지만 그럴 만한 사람들이 아무도 없었어요. 아무도 없었단 말이에요. 나는 활동가가 되고 싶었어요. 그럴 권리가 내겐 있었어요……. 아, 나는 하고 싶은 게 너무 많았어요! 지금 나는 아무것도 원치 않아요. 아무것도 원하고 싶지 않아요. 나는 더 이상 아무것도 원치 않는다고 혼자서 약속했어요. 내가 없더라도 사람들은 진리를 찾겠지요! 네, 자연이란 우스꽝스러워요!」 그는 갑자기 열을 올려 말하기 시작했다. 「왜 자연은, 왜 자연은 가장 훌륭한 존재를 창조하고서는 그 존재를 비웃는 것일까요? 자연은 이 세상에서 가장 완벽하다고 인정받는 유일한 존재를 만들어 놓고, 끔찍한 유혈을 불러일으킬 수 있는 운명을 부여했어요. 만약 그 피가 한꺼번에 쏟아진다면 사람들은 아마 그 피 속에서 허우적거릴 겁니다! 아, 내가 죽는 것이 얼마나 다행인가! 나 역시 자연의 섭리에 따라 살아 있으면 끔찍한 거짓말을 할 겁니다! 나는 아무도 타락시키지 않았어요. 나는 모든 사람들의 행복을 위해, 진리를 발견하고 선언하기 위해 살고 싶었어요. 나는 창문 너머로 메이에로프의 담을 바라보며, 15분만 말할 기회를 준다면 모든 사람들을 다 설득시킬 수 있다고 생각했어요. 다른 사람들이 아니라 당신들하고라도 내 생애에 딱 한 번 그런 기회를 갖고 싶었어요! 그런데 그 결과가 어떤가요? 아무런 기회도 없었어요. 결과는 당신들이 나를 조롱하는 거였어요! 그러니까 나는 필요 없는 존재에다, 바보에다, 내가 말을 꺼내면 시간이 너무 늦었다는 반응뿐이었어요! 나는 그 어떤 추억도 남기고 갈 수 없게 되었어요! 나는 아무런 소리도, 흔적도, 대의도 남기지 않고 아무런 신념도 퍼뜨리지 못했지요……! 이 머저리를 비웃지 말아 주세요! 잊어버리세요! 모든 것을 잊어버리세요. 제발 잊어버리세요……. 그리고 그렇게 잔인하게 굴지 마세요! 만약 이런 폐병에 걸리지 않았더라면 나는 자살이라도 했을 거예요.」

그는 계속 더 많은 말을 하고 싶었으나 다 하지 못했다. 그는 소파에 몸을 던지고 얼굴을 두 손으로 가린 채 마치 어린아이처럼 울기 시작했다.

「이 사람을 어떻게 하지요?」 리자베따 쁘로꼬피예브나가 외쳤다. 그녀는 이뽈리뜨에게로 얼른 다가가 그의 머리를 붙잡고 자기의 가슴에다 꼭 안아 주었다. 그는 경련적으로 울고 있었다. 「저런, 저런! 울지 말게. 그래 됐어. 하느님이 자네를 용서할 거야. 자네가 몰라서 그랬던 거야, 이제 됐어. 남자답게…… 이런 모습을 보이면 부끄럽잖아…….」

「거기에는,」 이뽈리뜨는 힘겹게 고개를 들며 말했다. 「나의 형제자매들이 있어요. 아직 어린애들이에요. 아무 죄가 없는 불쌍한 애들이에요……. 〈그 여자〉가 그 아이들을 타락시킬 거예요! 부인은 성녀예요……. 아이 같은 분이에요……. 부디 그 아이들을 구해 주세요! 그 아이들을 거기에서 끌어내 주세요. 그 여자는…… 수치…… 아, 그 아이들을 도와주세요. 그러시면 하느님이 백 배로 보답을 할 거예요. 제발, 제발!」

「여보, 어떻게 해야 될지 말해 주세요!」 리자베따 쁘로꼬피예브나가 예빤친 장군에게 초조하게 소리쳤다. 「어서 도와주세요. 그 장한 침묵을 이제 깨세요! 만약 결정을 내려 주시지 않으면 난 여기서 밤을 새고 갈 테니 그리 아세요. 나는 지금까지 당신의 독재 밑에서 당할 만큼 충분히 당해 왔어요!」

리자베따 쁘로꼬피예브나는 열정적이고 분노에 찬 목소리로 다그치며 즉각적인 대답을 기다렸다. 하지만 그와 같은 경우에 대부분의 사람들은 수가 많더라도, 수동적인 호기심과 침묵으로 일관하게 마련이다. 아무도 그런 일에 말려들고 싶어하지 않고, 다만 시간이 한참 지난 후에야 자기 의사를 피력하려고 한다. 여기에 와 있는 사람들 중에는 입도 벙긋하지 않고 다음날 아침까지 마냥 앉아 있을 인물도 있었다. 예를 들어 저녁 내내 약간 거리를 두고 앉아서 시종일관 침묵을 지키며 비상한 호기심으로 사람들의 대화를 듣고 있던 바르바라가 그랬다. 거기에는 아마 그럴 만한 이유가 있었을 것이다.

「여보, 내 생각으로는」 장군이 입을 열었다. 「우리가 해야 할 일은 그냥 이렇게 동요하고 있을 게 아니라 우선 간병할 사람을 찾아 주는 거요. 아주 신뢰할 만하고 정신이 올바른 사람이 하룻밤 돌봐 주어야겠어요. 어쨌든 공작에게 물어봅시다……. 그리고 즉각 안정시켜야 해요. 내일 또 알맞은 조치를 취할 수 있을 거요.」

「지금이 12시예요. 우리는 갑니다. 이뽈리뜨는 어떻게 할까요? 우리가 데려갈까요? 아니면 당신 집에 남아 있게 할까요?」 독또렌꼬가 짜증 섞인 말투로 공작에게 물었다.

「원한다면 여기 남아서 그와 함께 있어 줘요.」 공작이 말했다. 「머무를 장소는 있으니까요.」

「각하.」 껠레르가 느닷없이 장군을 불렀다. 그의 목소리는 당당했다. 「하룻밤 동안 쓸 사람이 필요하면 내가 친구를 위해 희생할 각오가 되어 있습니다……. 이 친구는 마음씨가 대단히 좋은 사람입니다! 나는 오래전부터 그를 위대한 인간이라고 생각해 왔습니다, 각하! 나는 물론 교양이 부족한 인간입니다. 하지만 이 친구가 한번 비판을 했다 하면 그 말은 진주가 됩니다. 그의 말에는 진주가 깔려 있습니다, 각하!」

장군은 기가 찬 듯이 외면을 했다.

「저 사람이 남아 준다면 나는 절대 환영이에요. 물론 지금 기차를 타기 힘들 거예요.」 공작이 리자베따 쁘로꼬피예브나의 초조해 하는 질문에 대답을 해주었다.

「그런데 자네 자야지? 자네가 이 일을 안 맡으면 나는 이뽈리뜨를 우리 집으로 데려가겠네! 어, 맙소사, 공작도 다리를 제대로 가누지 못하고 있네! 당신도 몸이 안 좋은 건가요?」

공작이 아파서 누워 있는 것을 본 리자베따 쁘로꼬피예브나는 공작의 외견만을 보고 그의 건강 상태를 지나치게 과장해서 판단하고 있었다. 그러나 지금껏 그를 괴롭혀 왔던 병, 고통스런 회상, 그로 인해 소란스러웠던 엊저녁의 피로, 〈빠블리쉬체프의 아들〉 사건, 이뽈리뜨와 지금 있었던 사건 등, 이 모든 것이 병적으로 예민한 공작을 자극시켜 거의 열병 상태까지 끌고 갔다. 하지만 그 외에도 그의 눈에는 지금 무언가 다른 우려가 나타나 있었다. 우려라기보다는 두려움이라고까지 할 수 있는 것이었다. 그는 아주 조심스럽게 이뽈리뜨를 바라보았다. 마치 그에게서 또 무엇인가를 기대하는 것 같았다.

갑자기 이뽈리뜨가 백지장처럼 창백해져서 일어섰다. 일그러진 그의 얼굴에는 절망에 가까운 수치의 빛이 감돌았다. 그러한 표정은 모여 있는 사람들을 증오에 차서 바라보는 겁먹은 그의 시선에, 파르르 떨고 있는 입술 위에, 사그라져 가는 일그러진 미소 속에 어려 있었다. 그는 즉시 눈을 내리깔고 여전히 미소를 유지하며 부르도프스끼와 독또렌꼬 쪽으로 잠시 비틀비틀 걸어갔다. 그들은 테라스 출구 곁에 서 있었다. 그는 이들과 함께 떠나려고 했다.

「이럴까 봐 내가 걱정했어요!」 공작이 소리쳤다. 「꼭 이렇게 될 줄 알았어요!」

이뽈리뜨는 재빨리 공작에게로 몸을 돌렸다. 그의 얼굴에는 악의가 가득했다. 그의 안면 근육이 경련을 일으키며 이렇게 말하는 것 같았다.

「바로 이럴까 봐 걱정했다고요! 당신 생각은 〈꼭 이렇게 될 줄 알았어요!〉입니까? 알아 둬야 할 게 있어요. 만약 여기서 내가 누군가를 증오한다면…….」 그는 침을 튀기며 목쉰 소리로 날카롭게 외쳤다. 「바로 당신, 당신, 위선자에다 달콤한 소리를 하는 당신, 백치에 백만장자에 자선가인 당신이에요. 이 세상 누구보다도 당신을 증오해요. 나는 오래전부터 당신을 파악하고 있었고 증오했어요. 당신에 관한 소문을 들었을 때부터 마음 깊이 증오했어요. 오늘 일은 모두 당신 때문에 벌어진 거예요! 내가 발작 상태까지 가게 된 것도 당신 때문이에요! 당신은 죽어 가는 사람에게 창피를 주었어요. 나의 비열하고 좁은 마음을 들춰낸 것도 당신이에요! 내가 계속 살아 있다면 나는 당신을 죽일 거예요! 당신의 자선 따위는 필요 없어요. 나는 누구에게서도 그 따위 자비를 받아들이지 않아요! 그 누구에게서도요! 나는 헛소리를 지껄였어요. 그렇다고 당신네들이 의기양양할 것은 없어요! 당신들 모두를 나는 영원히 저주해요!」

이때 그는 숨이 차서 더 이상 말을 못했다.

「눈물을 보였던 것이 수치스러웠던 겁니다요!」 레베제프가 리자베따 쁘로꼬피예브나에게 속삭였다. 「공작이 〈꼭 이렇게 될 줄 알았어요!〉라고 한 걸 보면, 사람의 마음을 꿰뚫어 볼 줄 아는 겁니다.」

그러나 리자베따 쁘로꼬피예브나는 그에게 눈길조차 보내지 않았다. 그녀는 상체를 꼿꼿이 펴고 고개를 뒤로 젖힌 채 당당하게 서 있었다. 그리고 경멸 섞인 호기심으로 〈이들 인간들〉을 훑어보았다. 이뽈리뜨가 말을 끝내자 장군은 어깨를 으쓱해 보였다. 리자베따 쁘로꼬피예브나는 〈그게 무슨 뜻이냐〉고 묻는 듯 노기를 띠고 남편을 머리끝에서 발끝까지 쳐다보고는 즉시 공작에게 얼굴을 돌렸다.

「우리의 기발한 친구, 공작, 오늘 우리 모두에게 이렇게 유쾌한 야회를 베풀어 줘서 고마워요. 아마 당신은 우리를 당신의 바보 놀이에 끌어들이는 데 성공해서 마음이 기쁘겠지요. 그만하면 됐어요, 다정한 친구. 마침내 당신을 자세하게 들여다볼 기회를 준 것만으로도 고마워요!」

그녀는 화가 난 채 자신의 망토를 매만지며 〈건달들〉이 떠나기를 기다렸다. 〈건달들〉에게 그때 마차가 다가왔다. 독또렌꼬가 15분 전에 중학생인 레베제프의 아들을 시켜 불러온 마차였다. 장군은 아내의 말이 끝나자마자 자신도 한마디했다.

「정말로, 공작, 나는 이러리라고는 기대조차 못했어요. 더욱이 그처럼 다정한 분위기 속에서……, 급기야는 리자베따 쁘로꼬피예브나가…….」

「글쎄 말예요. 어떻게 이럴 수가 있지요?」 아젤라이다가 소리쳤다. 그녀는 재빨리 공작에게 다가가 손을 내밀었다.

공작은 넋이 나간 표정으로 그녀에게 미소를 지었다. 갑자기 뜨겁고 빠른 속삭임이 그의 귀청을 찢는 듯했다.

「이 뻔뻔스런 족속들을 지금 당장 내쫓아 버리지 않는다면 나는 평생, 평생 당신 한 사람을 증오할 거예요!」 아글라야였다. 그녀는 마치 격분해 있는 듯했으나, 공작이 그녀를 쳐다보기도 전에 몸을 돌렸다. 하지만 공작은 이제 그 무엇도 그 어떤 사람도 내쫓을 수가 없었다. 그러는 사이에 병든 이뽈리뜨는 마차에 실려 떠나 버리고 말았다.

「여보, 뭐예요? 계속 이러고만 있을 건가요? 어떻게 하면 좋을까요? 내가 저런 못된 애송이들에게 계속 당하고만 있어야 되나요?」

「알았어요. 물론 나도 다 생각이 있어요…… 공작도…….」

예빤친 장군은 어쨌든 공작에게 손을 내밀었다. 그러나 미처 악수도 하기 전에 급히 리자베따 쁘로꼬피예브나를 쫓아갔다. 화가 치밀어 오른 그녀는 소란스럽게 테라스에서 내려가고 있었다. 아젤라이다와 그녀의 약혼자, 그리고 알렉산드라는 진정한 마음에서 공작과 상냥하게 작별 인사를 나누었다. 예브게니 빠블로비치도 그들 축에 끼였다. 예브게니 혼자만 명랑했다.

「내 생각대로 벌어졌어요! 다만 불쌍하게도 당신 혼자서 당한 것이 안됐을 뿐이오.」 그는 아주 다정한 웃음을 지으며 공작에게 속삭였다.

아글라야는 작별 인사도 하지 않고 나갔다.

그러나 이날 저녁의 사건은 완전히 끝난 게 아니었다. 리자베따 쁘로꼬피예브나는 그야말로 뜻밖의 상봉을 하게 되었다.

그녀가 층계에서 거리로(공원 주위를 도는) 나오기 전에, 흰 말 두 필이 끄는 번쩍거리는 마차가 공원의 별장 곁을 지나치고 있었다. 마차 안에는 화사한 옷차림의 두 귀부인이 앉아 있었다. 그리고 마차는 별장에서 열 발자국 정도 떨어진 곳에서 갑자기 멈춰 섰다. 귀부인 중의 하나가 그녀와 꼭 만나야 할 사람을 본 듯 마차에 앉은 채 급히 돌아보았다.

「예브게니 빠블로비치! 당신 맞지?」 낭랑하고 아름다운 목소리가 갑자기 들려왔다. 그 소리에 공작은 깜짝 놀랐다. 그것은 비단 공작뿐이 아니었을 것이다. 「정말 기쁘네요! 마침내 당신을 찾아내서요! 당신을 찾으려고 사람을 시내로 보내기까지 했어요! 그것도 두 사람이나요! 하루 종일 당신을 찾았어요!」

예브게니 빠블로비치는 마치 벼락을 맞기라도 한 듯 계단 위에서 있었다. 리자베따 쁘로꼬피예브나 역시 그 자리에 서 있었다. 그러나 예브게니처럼 기겁을 해서 마비되어 있지는 않았다. 리자베따 쁘로꼬피예브나는 그 대담한 여인을 5분 전에 〈건달들〉을 바라보듯, 차가운 경멸기를 띠고 오만하게 내려다보았다. 그리고는 시선을 찬찬히 예브게니에게로 옮겼다.

「좋은 소식이 있어!」 계속해서 낭랑한 목소리가 들려왔다. 「꾸뻬페로프의 어음은 걱정 마. 로고진이 3만 루블에 매수할 거야. 내가 설득했어. 앞으로 3개월쯤은 안심해도 좋을 것 같아. 그리고 비스꾸뻬와 그 일당들은 잘 처리할 수 있을 거야. 다 아는 사이니까! 그러니까 모든 게 순조롭게 되어가고 있어. 기뻐해도 돼. 내일 봐!」

마차가 움직이더니 곧 사라져 버렸다.

「저거 미친 여자군!」 화가 나서 얼굴이 벌개진 예브게니 빠블로비치가 마침내 소리쳤다. 그는 어쩔 줄 몰라 하며 주위를 둘러보았다. 「저 여자가 무슨 말을 하고 있는지 도대체 모르겠군! 어음은 무슨 놈의 어음이야? 저 여자는 대체 누구야?」

리자베따 쁘로꼬피예브나는 예브게니를 2초 정도 더 바라보다가, 자기의 별장 쪽으로 급히 몸을 돌려 걷기 시작했다. 그녀 뒤를 따라 모두들 좇아갔다. 정확히 1분 후에 극도로 흥분한 예브게니 빠블로비치가 다시 공작의 테라스에 나타났다.

「공작, 당신은 이게 다 무슨 일인지 알겠소?」

「전혀 모르겠어요.」 자신 또한 극도의 병적인 긴장 상태에 있는 공작이 대답했다.

「모른다고요?」

「모르겠는데요.」

「나 역시 모르겠소.」 예브게니 빠블로비치가 갑자기 웃음을 터뜨렸다. 「나는 어음하고는 아무런 연관이 없는데, 믿어 주시오, 정말이오……. 무슨 일이오? 졸도라도 할 것 같은데.」

「아, 아니에요. 정말 아무렇지도 않아요…….」

11

그 소동이 있고 사흘이 지나서야 예빤친 네 가족들은 기분이 완전히 풀렸다. 공작은 여느때와 같이 자기 잘못이 컸다고 하며 진심으로 처벌을 기다렸다. 그러나 그는 처음부터 리자베따 쁘로꼬피예브나가 자기에게 진심으로 화를 낸 것은 아니며, 오히려 그녀 자신에게 화낸 것이라고 내심 확신하고 있었다. 이렇게 오랫동안 계속되던 서먹함은 세 번째 날이 되어서는 그를 아주 참담한 곤경으로 빠뜨리고 말았다. 그는 또 다른 사건들 때문에 더욱 곤경에 빠졌다. 특히 그런 상황에 빠지지 않을 수 없는 한 가지 사건이 있었다. 그 사건은 지난 사흘 내내 공작의 강한 의구심 속에서 급속도로 커져 갔다(공작은 얼마 전부터 자신의 양면적인 극단성을 비난해 왔다. 그것은 바보스러울 정도로 고집스럽게 남을 믿는 마음과 암울할 정도로 비열하게 남을 의심하는 마음이었다). 한마디로 그저께 마차에 탄 채 예브게니 빠블로비치에게 얘기를 했던 괴상한 여인의 일이 공작의 마음속에서 수수께끼처럼 무섭게 확대되어 갔던 것이다. 수수께끼의 본질은 이 사건의 다른 측면은 접어 두고서라도 공작에게는 서글픈 문제를 제기했다. 이 〈괴팍한 사건〉의 잘못이 다름 아닌 그 자신에게 있는 것이 아닐까? 아니면 단지……. 그러나 공작은 잘못의 원인이 또 누구에게 있는지 끝까지 말하지 않았다. 한편 이니셜 N. F. B.에 관한 문제는 그가 보기에 사심 없는 장난, 극히 유치한 장난일 따름이었다. 때문에 그 문제를 심각하게 생각하는 것은 창피한 일일 뿐더러 어떤 면에서는 거의 치욕적이기도 했다.

공작이 원인 제공을 했던 그 추악한 난장판의 〈저녁〉 이후, 다음날 아침 공작은 S공작과 아젤라이다의 방문을 기꺼이 맞아들였다. 〈이들의 주된 방문 목적은 공작의 건강을 알아보기 위해서였다.〉 이들은 둘이서 산책을 하다 들른 것이었다. 아젤라이다는 공원에서 푸른 잎이 무성하고 가지들이 길고 구불구불하게 늘어진 멋진 노목(老木) 한 그루를 보았다. 이 나무줄기에는 큰 구멍이 뚫려 있었다. 그녀는 이 나무를 꼭 화폭에 옮겨 봐야겠다고 다짐했다. 그녀는 공작의 집에 들어오고 나서 반시간 동안 거의 이 나무에 관해서만 말을 했다. S공작은 평소처럼 다정하고 온화했으며, 이들이 맨 처음 만났을 때를 상기하면서 예전 일에 대해 이것저것 물어보았다. 따라서 전날 있었던 일은 거의 언급되지 않았다. 그런데 아젤라이다가 참지 못하고 웃음을 터뜨리며 사실은 공작의 동태를 살피러 들렀다고 고백을 했다. 그녀의 고백은 그것으로 끝났지만, 이들이 들렀다는 사실에서 그녀의 부모, 특히 리자베따 쁘로꼬피예브나의 심기가 몹시 불편하다는 것을 알 수 있었다. 그러나 아젤라이다와 S공작은 장군 부인이나 아글라야, 심지어는 예빤친 장군에 관해서도 아무 말하지 않았다. 이들은 다시 산책을 나가면서도 공작에게는 같이 걷자는 말이나 자기 집으로 초청하겠다는 암시조차 하지 않았다. 초청 건에 관해서 아젤라이다의 입에서 특이한 말이 튀어나왔다. 그녀는 자신의 수채화에 관해 얘기하다가 갑자기 그것을 보여 주고 싶은 생각이 들었는지 〈어떻게 하면 빨리 보여 드릴 수가 있을까? 잠깐! 오늘 니꼴라이를 통해 보내 드리지요. 아니면 내일 S공작과 산책하러 올 때 내가 직접 가져올게요〉라고 제안을 했다. 그녀는 누구에게든지 껄끄럽지 않게끔 이 문제를 교묘하게 해결한 것을 내심 기뻐하면서 나름대로 결론을 내렸다.

거의 작별 인사를 나눈 순간 S공작은 별안간 기억이 난 듯이 말했다.

「아, 맞아.」 그가 물었다. 「미쉬낀 공작, 어제 마차에서 예브게니 빠블로비치에게 소리친 그 여자가 누구인지 혹시 압니까?」

「그 여자는 나스따시야 필리뽀브나입니다.」 공작이 말했다. 「정말로 그 여인이 누구인지 여태까지 몰랐습니까? 하지만 누가 그녀와 함께 타고 있었는지는 모릅니다.」

「알아요. 들은 바가 있소!」 S공작이 말을 받았다. 「하지만 그녀가 한 말이 무슨 뜻일까요? 솔직히 말해서 그건 나에게 수수께끼예요……. 나뿐만 아니라 다른 사람들에게도요.」

말을 하면서 S공작은 놀라움을 표시했다.

「뭔지는 몰라도 예브게니 빠블로비치의 어음이 어쨌다는 것 같았어요.」 공작은 대수롭지 않게 대답했다. 「그 어음이 어떤 고리대금업자로부터 로고진에게 넘어갔는데 그 여자의 부탁으로 그렇게 되었다더군요. 그래서 로고진이 예브게니 빠블로비치에게 시간적 여유를 주겠다는 뜻인가 봐요.」

「내가 들은 것도 그거요. 친애하는 공작! 그렇지만 있을 수 없는 일이오. 예브게니 빠블로비치가 어음을 발행할 까닭이 없지 않소? 그만한 재산을 가지고서 말이오……. 사실 예전에 바람을 피울 때 그런 일이 있긴 있었소. 내가 그를 구해 주기까지 했으니까……. 하지만 그만한 재산 상태에서 어음을 고리대금업자에게 발행하여 그 일로 걱정한다는 것은 불가능해요. 게다가 그가 나스따시야 필리뽀브나와 반말을 할 정도로 가까운 사이일 리가 없소. 바로 그게 미심쩍은 부분이오. 그는 아무것도 모른다고 맹세하다시피 말했소. 나는 그의 말을 전적으로 믿소. 하지만, 공작, 내가 묻고 싶은 것은 혹시 무언가를 알고 있지 않은가 해서요. 우연히 무슨 소문이라도 들은 거 없소?」

「몰라요, 아무것도 몰라요. 확실히 말해 두지만 나는 이 일에 전혀 개입되어 있지 않아요.」

「아니, 공작 왜 그러시오? 오늘 당신은 전 같지 않군요. 내가 당신이 그런 일에 정말로 참여했다고 생각하는 줄 아십니까……? 당신의 몸은 오늘 정상이 아니군요.」

그는 공작을 포옹하고 그에게 키스를 했다.

「그런 〈일〉에 참여했다니오? 나는 그런 일을 전혀 알지 못해요.」

「물론이지요. 그 여자는 사람들이 보는 데서 예브게니가 가지고 있지도 않고 또 가질 수도 없는 약점을 들춰내어 어떤 방법으로든 방해하려는 거지요.」 S공작이 아주 태연하게 말했다.

미쉬낀 공작은 당혹스러워했으나, 여전히 S공작을 빤히 그리고 의아하게 쳐다보았다.

「그 말은 단순히 어음에 관해서 한 말이 아닐까요? 어제 들은 그대로가 아닐까요?」 마침내 공작은 참을 수 없다는 듯이 중얼거리듯 말했다.

「내 말을 잘 들어 보시고 직접 판단하시오. 예브게니 빠블로비치와…… 그녀, 거기다 로고진 사이에는 서로 통하는 것이 있을 수 있소. 재차 말하지만, 예브게니는 엄청난 재산을 가지고 있어요. 게다가, 내가 알고 있는 바에 따르면, 큰아버지에게서 별개의 재산을 상속받을 거요. 그러니까 나스따시야 필리뽀브나는…….」

S공작은 갑자기 입을 다물었다. 공작에게 계속 나스따시야에 관해 얘기하고 싶지 않은 눈치였다.

「그러니까 그녀와 예브게니는 아는 사이인가요?」 공작이 1분 정도 침묵을 지키다 갑자기 물어보았다.

「그럴 수가 있지요. 그 친구는 바람둥이니까! 하지만 그렇다 하더라도 그것은 이미 지난 일이오. 한 2, 3년 전의 일이죠. 그는 또쯔끼하고도 아는 사이였습니다. 하지만 지금은 모른 척하고 살 거요. 그런데 어쨌든 절대 반말을 할 정도로 친하지는 않았소. 아시다시피, 그녀는 최근까지 여기에 없었어요. 그 어디에도 없었소. 많은 사람들은 그녀가 다시 여기 나타났다는 사실조차 아직까지 모르고 있소. 겨우 사흘 전에야 그 마차를 보았으니까요.」

「멋진 마차였어요!」 아젤라이다가 말했다.

「그래요, 아주 멋진 마차였소.」

두 사람은 가장 친근하고, 가장 우의적이라고 할 수 있는 태도를 미쉬낀 공작에게 보이곤 자리를 떠났다.

우리의 주인공에게 있어서 이들의 방문은 중요하다고 할 수 있는 무언가를 내포하고 있었다. 공작이 어젯밤부터 많은 것에 의혹을 품어 왔지만, 이들이 방문하기 전까지 그는 자신의 의구심을 완전히 해명할 마음을 먹지 못했다. 이제 분명해지기 시작했다. S공작은 물론 이 사건을 잘못 해석했지만, 그래도 사건의 주위를 맴돌고 있었다. 어쨌든 S공작은 거기에 음모가 있다는 것을 파악했다. (어쩌면 그는 자기 자신에 대해서 매우 정확하게 파악했는지 모른다. 단지 그는 자신이 드러나는 걸 원치 않았기 때문에 고의로 잘못 해석한 것일 수도 있다고 공작은 생각했다.) 지금 이들이(특히 S공작이) 그를 찾아왔던 것은 이 사건의 진상을 밝힐 수 있다는 기대감에서였다는 것이 분명해졌다. 만약 그렇다면 그는 이 음모에 가담한 자로 취급당하고 있는 것이다. 게다가 이것이 정말로 그렇게 중요하다면, 그 여자에게는 어떤 가공할 만한 목적이 있는 것이다. 그게 어떤 목적일까? 무서운 일이다! 〈그 여자를 어떻게 말릴 수 있을까? 그녀가 자신의 목적에 확신을 갖고 있다면 그녀를 말릴 수 있는 가능성은 전혀 없다!〉 공작은 경험을 통해 이것을 알고 있었다. 〈제정신이 아니야. 제정신이 아니야.〉

이날 아침 지나치게, 지나치게 많은 다른 상황들이 쌓여 있었다. 그 모든 것들이 즉각적인 해결을 요구하고 있었으므로 공작은 심란했다. 그의 마음을 약간 누그러지게 한 것은 레베제프의 딸 베라의 방문이었다. 그녀는 류바를 안고 찾아와서 시종 웃음을 잃지 않고 무언가를 오랫동안 얘기해 주었다. 그녀 뒤를 따라 여동생이 입을 벌린 채 쫓아 들어왔고, 그 뒤로는 중학생인 남동생이 왔다. 중학생은 샘에 떨어졌던 묵시록의 〈쑥 별〉[101]은, 그의 아버지의 해석에 따르면 유럽에 퍼져 있는 철도망을 의미한다고 말해 주었다. 공작은 레베제프가 그렇게 해석을 했으리라고 믿지 않았다. 적당한 기회가 있으면 직접 물어봐야겠다는 생각을 했다. 베라는 공작에게 껠레르가 어제부터 레베제프의 집에서 기거를 했는데, 여러 가지 정황으로 보아 오랫동안 떠날 것 같지 않다는 얘기를 해주었다. 왜냐하면 여기서 마음 맞는 사람들을 만나기도 했고 이볼긴 장군과도 의기 투합했기 때문이라고 했다. 하지만 젤레르는 자기가 그 집에 체류하는 유일한 목적은 자신의 교육을 완성하기 위해서라고 했다. 공작은 레베제프의 아이들이 날이 갈수록 마음에 들기 시작했다. 니꼴라이는 하루 종일 보이지 않았다. 날이 새자마자 뻬쩨르부르그로 갔기 때문이다(레베제프 역시 새벽 무렵에 볼일을 보러 나가고 없었다). 그러나 공작이 애타게 기다리고 있는 사람은 가브릴라 아르달리오노비치였다. 그는 오늘 꼭 공작을 보러 와야 했다.

가브릴라는 오후 6시가 지나서야 나타났다. 바로 늦은 점심 식사가 끝나고 난 후였다. 그를 본 첫 순간에 공작은 이 신사야말로 사건의 진상을 똑바로 알고 있을 것이라는 생각이 들었다. 바르바라 아르달리오노브나와 그녀의 남편인 쁘찌찐 같은 지원군이 곁에 있는데 어찌 모를 수가 있겠는가? 그러나 가브릴라와 공작과의 관계는 묘한 데가 있었다. 예를 들어 공작은 간곡한 요청까지 해가며 그에게 부르도프스끼 사건을 위임했다. 그러나 이러한 신뢰감과 이전부터 이들 사이에 있어 왔던 그 어떤 것에도 불구하고, 둘이 서로 아무런 언급도 하지 않겠다고 약속이라도 한 것 같은 사항들이 존재하고 있었다. 공작은 이따금 가브릴라 아르달리오노비치가 자기 편에서 가장 완벽하고 우호적인 성실성을 바라고 있는지도 모른다는 생각을 해보았다. 예를 들어, 이날도 방으로 들어오는 그를 보며 공작의 머리를 스치고 지나간 것은, 가

101 요한의 묵시록에 따르면 하늘에서 떨어지는 큰 별이 세계의 종말을 암시해 준다고 한다.

〈……하늘로부터 큰 별 하나가 횃불처럼 타면서 떨어져 모든 강의 3분의 1과 생물들을 덮쳤습니다. 그 별의 이름은 쑥이라고 합니다. 그 바람에 물의 3분의 1이 쑥이 되고 많은 사람이 그 쓴 물을 마시고 죽었습니다.〉 요한의 묵시록 8장 10~11절.

냐가 바로 지금이 얼음을 깨고 모든 것을 설명할 때라고 확신했을 거라는 추측이었다(그러나 가브릴라는 레베제프의 집에서 누이가 기다리고 있다며 서둘렀다. 이들 남매는 무슨 볼일이 있어서인지 어디론가 서둘러 가야 했다).

그러나 가브릴라가 실제로 공작에게서 일련의 성급한 질문이나 우연히 흘러 나온 정보나 다정한 심경 토로를 기대했다면, 당연히 그것은 대단한 오산이었을 것이다. 그가 20분 정도 머물러 있는 동안 공작은 깊은 생각에 잠겨 있었으며, 거의 정신이 나가 있는 듯했다. 따라서 기대하던 질문들, 더 정확히 말하자면 가브릴라가 기다리던 한 가지 중요한 질문은 차마 나올 수가 없는 상태였다. 이때 가브릴라는 커다란 인내심을 가지고 말을 하기로 결심했다. 그래서 그는 잠자코 있지 않고 20분 동안 웃으며 수다를 떨면서, 아주 가볍고 유쾌한 잡담을 늘어놓았다. 그러나 중요한 문제는 건드리지 않았다.

가브릴라는 나스따시야 필리뽀브나가 이곳 빠블로프스끄에 온 지 겨우 사나흘 정도밖에 안 되는데, 벌써 이곳 사람들의 주목을 끌고 있다는 얘기를 해주었다. 그녀는 마뜨로스까야 가(街)에 있는 다리야 알렉세예브나의 작고 초라한 별장에서 살고 있지만, 마차는 빠블로프스끄에서 최고로 칠 만큼 화려한 것이었다. 그녀의 주변에는 젊은이에서 노인네까지 구애자들이 끊임없이 몰려들고 있으며, 이따금 말을 탄 기사들이 그녀의 마차를 호위하기도 했다. 나스따시야는 성격이 까다로워 여느때처럼 사람들을 가려 가며 사귀고 있었으나, 그녀 곁에는 일개 부대의 사람들이 형성되어 필요시에 그녀를 떠받들어 줄 사람들이 얼마든지 있었다. 정식으로 약혼을 한 어떤 남자는 별장 생활을 하던 중 그녀 때문에 이미 자신의 약혼녀와 언쟁을 벌인 바가 있고, 어느 늙은 장군은 그녀로 인해서 자기 아들을 거의 저주하다시피 했다. 그녀는 어느 매력적인 소녀를 자기의 마차에 태우고 다니는 경우가 자주 있었다. 열여섯 살 가량 된 그 소녀는 다리야 알렉세예브나의 먼 친척이었다. 소녀는 노래까지 잘 불러 이들의 별장은 저녁마다 사람들의 주목을 끌었다. 하지만 나스따시야 필리뽀브나는 매우 정숙하게 처신했다. 그녀의 옷차림은 화려하지는 않았으나 독특한 취향이 돋보였다. 모든 부인들은 그녀의 〈취향과 아름다움과 마차를 부러워했다〉.

「어제의 기이한 사건은 물론 의도된 일이었으니까.」 가브릴라가 입을 열었다. 「염두에 둘 필요는 당연히 없습니다. 그 여자에게 시비를 걸려면 고의로 흠을 잡든가 달콤한 말을 해주든가 해야 되지만, 서둘러야 합니다.」 가브릴라는 이렇게 끝마쳤으나 공작이 필시 이렇게 물어 올 때를 기다렸다. 〈어제의 사건을 왜 의도된 일이라고 합니까? 그리고 왜 서둘러야 됩니까?〉 그러나 공작은 묻지 않았다.

그리고 가냐는 예브게니 빠블로비치에 대해 공작이 묻지도 않았는데 자세한 정보를 늘어놓았다. 말을 꺼낼 계제가 아니었는데도 그를 화제로 삼았기 때문에 몹시 어색했다. 가브릴라의 견해에 따르면, 예브게니 빠블로비치는 이전부터도 나스따시야 필리뽀브나와 아무 관계가 없었으며 지금도 그녀를 겨우 아는 정도라고 한다. 그가 4일 전쯤에 산책을 나갔을 때 누군가에 의해 그녀를 소개받고 다른 사람들과 어울려 그녀의 집에 한번 들렀다고 한다. 따라서 어음 문제는 있을 수도 없다는 것이었다(이 점에 관해서 가브릴라는 거의 확신하고 있었다). 예브게니 빠블로비치의 재산은 물론 상당했지만, 〈영지의 재정은 정말로 흔들리고 있는 상태〉라고 했다. 가브릴라는 이 흥미로운 문제에 와서는 갑자기 입을 봉했다. 그는 나스따시야 필리뽀브나가 어제 보여 주었던 행동에 관해서는 아까 은연중에 언급한 것 이외에는 한마디도 하지 않았다. 그러던 중 바르바라 아르달리오노브나가 오빠를 찾으러 왔다. 그녀는 1분 가량 있으면서, 묻지도 않았는데 예브게니가 오늘 아니면 내일 뻬쩨르부르그로 갈 것이고 그녀의 남편 쁘찌찐도 예브게니의 일 때문에 뻬쩨르부르그로 간다며, 그런 것을 보면 거기에 무슨 일이 벌어졌음에 틀림없다고 말했다. 그녀는 나가면서 오늘 리자베따 쁘로꼬피예브나의 심기가 몹시 사나운 데다가, 무엇보다 이상한 일은 아글라야가 온 가족들하고, 비단 아버지와 어머니뿐만 아니라 두 언니들하고도 심하게 말다툼을 했다며 〈이건 아주 좋지 않은 일이에요〉라고 덧붙였다. 바르바라는 (공작에게는 극히 의미심장한) 이 마지막 소식을 전하고 오빠와 함께 나가 버렸다. 가브릴라는 〈빠블리쉬체프의 아들〉 건에 대해서는 한마디도 입 밖에 꺼내지 않았는데, 일부러 겸손함을 보이기 위해, 혹은 〈공작의 감정을 쓰다듬어 주기〉 위해서였다. 어쨌든 공작은 그의 수고로 이 사건이 마무리된 것에 대해 고마움을 표했다.

공작은 마침내 홀로 남게 되어 몹시 기뻤다. 그는 테라스에서 나와 길을 가로질러 공원으로 들어갔다. 그는 어떻게 해결할 것인가에 관해 생각을 했다. 그러나 그 〈한 발자국〉은 곰곰이 생각하는 것에서 해결되는 것이 아니라, 생각을 제쳐 두고 과감하게 결행하는 데서 해결되는 것이었다. 그에게는 갑자기 이 모든 것을 이곳에다 팽개치고, 왔던 곳으로 되돌아가고픈 강한 충동이 일었다. 지금 당장 그 누구와도 작별 인사를 나누지 않은 채 어디론가 먼 곳으로 떠나가고 싶은 충동이었다. 이곳에서 단지 며칠만 있더라도 그는 이 세계에 휘말려 영영 돌아가지 못할 거라는 예감이 들었다. 바로 그 세계가 그의 운명 속으로 파고드는 것이었다. 하지만 그는 10분 정도 그런 생각을 해보다가 이제 도망간다는 것은 〈불가능〉하다고 결론을 내렸다. 도망간다는 것은 소심함의 발로인 데다가 그에게는 해결해야 될 과제들이 있다. 그 과제들은 적어도 온 힘을 기울여 해결해야 되는 것들이다. 그런 것들을 방치할 권리가 그에게는 전혀 없었다. 그는 그와 같은 생각들을 하며 집으로 발길을 돌렸다. 겨우 15분 정도도 산책을 하지 못했다. 그는 이 순간만큼은 몹시 불행한 인간이었다.

레베제프는 여전히 집을 비우고 없었다. 저녁 무렵에 껠레르가 공작의 방으로 불시에 들어왔다. 술김에 그렇게 들어온 것이 아니었다. 뭔가 고백할 게 있어서였다. 그는 자신이 살아온 전력을 공작에게 말해 주려고 왔으며, 그래서 일부러 빠블로프스끄에 남아 있었던 것이라고 했다. 그를 쫓아낼 방도가 전혀 없었다. 그는 무슨 일이 있어도 안 나갈 심산이었다. 껠레르는 매우 오랫동안 아주 장황하게 얘기를 할 것 같았으나, 거의 첫마디부터 결론으로 뛰어넘어 갔다. 그는 〈도덕이 갖는 온갖 환영〉을 상실한 탓에(신을 믿는 마음이 없었기 때문에) 도둑질까지 하게 되었다고 실토했다. 「그런 일을 상상이나 할 수 있습니까?」

「내 말 좀 들어 봐요, 껠레르. 나라면 특별한 이유 없이 그런 것을 고백하지 않을 텐데요.」 공작이 말을 꺼냈다. 「당신은 고의로 자신을 중상하고 있는 건 아니오?」

「오로지 당신 한 분에게만 그러는 겁니다. 오직 나의 정신적 성장을 돕기 위해서이지요! 남들에게는 절대로 안 그래요. 나의 이 비밀은 죽을 때 관 속에 넣어서 가지고 갈 겁니다! 하지만 공작, 이 시대에 돈 벌기가 얼마나 힘들다는 것을 알아 줬으면, 알아 주기만 했으면 좋겠어요! 어디서 돈을 구하지요? 그것 좀 물어봅시다. 물론 〈금과 다이아몬드를 가져오면 돈을 주겠다〉라는 한 가지 답은 있지요. 말하자면 나에게 없는 것을 가져오라는 얘기입니다. 상상하시겠어요? 나는 화가 치밀어도 꾹 참아 왔어요. 〈그러면 에메랄드를 가져와도 돈을 주나요〉라고 말했더니 놈들은 〈에메랄드라면 돈을 주지〉라는 거였어요. 그래서 나는 〈좋다〉라고 말하고는 모자를 쓰고 나와 버린 적이 있지요. 제기랄, 악당 같은 자식들!」

「당신에게 정말로 에메랄드가 있었나요?」

「나한테 무슨 에메랄드가 있습니까? 아, 공작, 당신은 아직 밝고 순진하게, 너무 목가적으로 인생을 보고 있어요!」

공작은 불쌍하다는 생각보다도 수치스런 마음이 들었다. 그에게는 〈누군가 이 사람에게 좋은 영향을 주어 인간다운 사람으로 만들 수 없을까〉라는 생각이 스치고 지나갔다. 자기가 직접 영향을 주기에는 부적절한 이유가 몇 가지 있었다. 그것은 자기 비하에서가 아니라 사물을 보는 그의 독특한 시각 때문이었다. 조금씩조금씩 대화를 해나가다 보니 이들은 헤어지기가 아쉬울 정도가 되었다. 껠레르는 〈그러한 일을 어떻게 말할 수 있을까〉 하는 상상하기조차 힘든 것까지 용의주도하게 고백했다. 그는 새로운 화제를 꺼낼 때마다 자기가 참회하고 있으며 내적으로는 〈눈물을 흠뻑 흘린다〉고 긍정적으로 단언했다. 하지만 자신의 행동을 자랑스럽게 말하는 것처럼 보여서 때로는 우습기까지 했다. 그러다 공작과 그는 미친 사람처럼 깔깔대고 웃기도 했다.

「중요한 것은 당신에게 어린애처럼 사람을 잘 믿는 기질과 유난히 의로운 면이 있다는 거예요.」 공작이 마침내 입을 열었다. 「그것 하나만으로 당신은 속죄받을 수 있다는 걸 아십니까?」

「나는 고결해요, 고결합니다. 기사처럼 고결해요!」 껠레르는 감동 섞인 어조로 말했다. 「하지만 공작, 이 모든 게 다 마음속에서만 그래요. 허세라고요. 실제로는 전혀 안 그래요! 왜 그럴까요? 나도 이해를 못 하겠어요!」

「절망하지 마세요. 당신은 비밀을 모두 다 털어놓았다고 확신할 수 있지요? 적어도 내가 보기에 더 이상 덧붙일 말이 있을 수가 없는 것 같은데요. 안 그런가요?」

「안 그러냐고요?」 껠레르는 무엇인가 유감스럽다는 듯이 외쳤다. 「아, 공작, 당신은 어느 정도로까지, 말하자면 스위스 식으로 사람을 이해하는 겁니까?」

「그럼 덧붙일 말이 또 있나요?」 공작은 소심한 표정으로 흠칫 놀라면서 말했다. 「당신이 나에게 무엇을 기대하고 있는지 말해 주세요. 왜 고백을 하러 온 거지요?」

「당신에게서요? 무엇을 기대했느냐고요? 첫째, 당신의 순박성 하나만 보는 것도 기분이 좋을 것 같아서였어요. 당신과 앉아서 얘기를 나누는 것이 유쾌해요. 내 앞에 가장 자비로운 인간의 얼굴이 있다는 것만큼은 알고 있지요. 둘째, 둘째…….」 그는 말을 더듬었다.

「아마 돈을 빌리고 싶은 게 아닌가요?」 공작이 아주 심각하고 단순하게, 약간은 소심한 듯이 먼저 말을 꺼냈다.

껠레르는 바르르 몸을 떨었다. 그는 여전히 놀라는 눈빛으로 공작을 똑바로 응시하곤 주먹으로 탁자를 힘껏 내리쳤다.

「글쎄, 당신은 그런 식으로 사람을 크게 당혹하게 한다니까요! 그래요, 공작, 당신이 황금 세기에도 들어 본 적이 없는 소박함과 순진함을 보여 주면서, 어떤 때는 돌연히 예리한 심리 관찰로 화살처럼 사람을 깊숙이 꿰뚫어 볼 때가 있어요. 하지만 공작, 나에게 변명할 기회를 줘야 해요. 나는…… 나는…… 두 손 들었어요! 물론 최종적인 나의 목적은 돈을 빌리는 거예요. 그런데 당신은 돈 빌려 달라는 얘기가 나무랄 일이 아니라 오히려 당연한 것처럼 물어 오셨어요.」

「그래요……, 당신에게 그것은 아주 당연한 일이지요.」

「불쾌하지는 않은가요?」

「뭐가 불쾌하다는 겁니까?」

「내 말 좀 들어 보세요, 공작. 나는 어제 저녁부터 여기 있었어요. 그 첫번째 이유는 내가 프랑스 대주교 부르달루[102]를 특히 존경하고 있기 때문이었고(레베제프의 집에서 보르도 포도주를 새벽 3시까지 마셨거든요), 두번째 이유는 가장 중요한 것인데(모든 십자가들을 걸고 진실이라고 맹세하는 바입니다만) 당신에게 진심으로 참회함으로써 나의 정신적 성장을 꾀하기 위해서였지요. 그러한 생각으로 나는 눈물을 흘리며 3시가 넘어서야 잠이 들었어요. 이제 내가 대단히 고결한 인간이라는 것을 믿으실지 모르겠지만, 나중에 나는 안팎에서 나오는 참회의 눈물에 흠뻑 젖어 정말로 소리 내 엉엉 울었으니까요. 잠이 들려는 순간, 개 같은 생각이 머리에 떠오르는 것이었어요. 〈그 사람한테 참회를 하고 나서 돈을 꾸어 보면 어떨까?〉 그렇게 해서 나는 눈물 없인 들을 수 없는 참회 각본을 짜놓았지요. 그 눈물로 당신의 마음이 약해질 수 있도록 길을 닦아 놓은 뒤에 1백50루블쯤 빌려 볼 셈이었지요. 혹시 나의 이런 계산이 치사하다고 생각하지는 않나요?」

「꼭 그렇지는 않다고 봐요. 단지 그 두 생각이 동시에 떠올랐던 거예요. 두 생각이 한꺼번에 떠오를 때가 종종 있는 법이에요. 나는 끊임없이 그걸 체험해요. 하지만 나는 그런 이중적 체험을 좋다고 보지는 않아요. 껠레르, 나는 무엇보다도 이 점에 관해 자책감을 많이 느껴요. 당신이 얘기해 준 것은 나의 경우를 그대로 옮겨 놓은 것 같아요. 심지어는 이따금 이런 생각을 해요.」 공작은 이 대화에 깊은 흥미를 보이며 매우 심각하고 진실되게 말을 해 나갔다. 「모든 사람들이 다 그러니까, 나도 나 자신의 행위를 인정해야 한다는 거죠. 왜냐하면 그 이중적 사고와 싸운다는 것이 여간 힘들지 않기 때문이지요. 나는 그걸 체험했어요. 그런 생각들이 어떻게 와서 어떻게 생겨나는지는 오로지 신만이 알 수 있겠지요. 하지만 당신은 그런 이중성을 치사한 생각이라고 못을 박았어요! 지금 나는 그런 생각이 다시 두려워지기 시작했어요.

102 엉뚱한 주제를 찾아내는 레베제프가 진짜 부르달루에 대해 이야기한 것으로 볼 수도 있고, 말장난을 즐기는 껠레르가 프랑스 어 단어 〈보르도〉나 혼합 음료를 가리키는 러시아 어 단어 〈부르다〉를 암시한 것으로 볼 수도 있다. 유명한 프랑스 예수회 교도에게 붙인 대주교라는 칭호는 순전히 꾸며 낸 것이다. 부르달루 루이(1632~1704)는 루이 14세 치정 당시, 뛰어난 웅변술로 사회적인 죄악을 폭로한 유명한 전도자 중 한 사람이었다.

어쨌든 나는 당신을 심판하는 사람이 아니에요. 그렇지만 그런 생각을 치사하다고 못 박을 수는 없다고 봐요. 안 그런가요? 당신은 눈물을 통해 돈을 끌어 대려는 꾀를 썼지만, 당신의 고백에는 돈을 떠나 또 다른 고상한 목적이 있다고 본인 스스로가 맹세했어요. 사실 그 돈은 유흥을 위해 필요한 것이지요? 그런데 그렇게 고백을 하고 난 뒤에 유흥을 생각한다는 것은 의지 박약입니다. 잠시나마 유흥에서 손을 떼어 보면 어떨까요? 그렇게 하기는 불가능하겠지요. 어떻게 하면 좋을까요? 자신의 양심에 맡기는 것이 제일 좋은 방법이 아닐까요?」

공작은 몹시 궁금한 표정으로 껠레르를 바라보았다. 그는 이중적 사고에 관한 문제를 오래전부터 생각해 왔음이 분명했다.

「그런데 사람들이 당신 같은 분을 왜 백치라고 부르는지 이해가 되지 않는군요!」 껠레르가 외쳤다.

공작의 얼굴은 약간 빨개졌다.

「부르달루 대주교라도 나 같은 놈에게 관용을 베풀지는 않았을 거예요. 하지만 당신은 나에게 아량을 베풀어 주고 나를 인간적으로 평가했어요! 나를 벌하는 뜻에서, 그리고 내가 감동했다는 것을 보여 주는 의미에서 1백50루블 건은 없던 일로 하겠어요. 그 대신 나에게 24루블만 주세요. 그거면 충분합니다! 적어도 2주일을 버티는 데 그 돈이면 충분해요. 2주일도 안 되어서 돈을 빌리러 오지는 않겠어요. 난 아가쉬까에게 잘 보이고 싶었어요. 하지만 그 여자는 그렇게 해줄 가치가 없어요. 오, 사랑스런 공작, 신의 은총이 있기를 빌겠어요!」

방금 돌아온 레베제프가 마침내 방 안으로 들어왔다. 그는 껠레르의 두 손에 24루블짜리 지폐가 있는 것을 보고 눈살을 찌푸렸다. 돈을 받아 쥔 껠레르는 이미 멀찌감치 서둘러 나가서 순식간에 자취를 감추어 버렸다. 레베제프가 즉시 그의 욕을 늘어놓기 시작했다.

「그렇지 않아요. 저 사람은 정말로 마음에서 우러나온 참회를 했어요.」 공작이 이렇게 말했다.

「그렇게 뉘우쳐 본들 뭐 합니까? 내가 어제 〈치사해요, 치사해요〉라고 자신에게 말했지만, 그건 어디까지나 말에 불과합니다.」

「당신은 그저 말로만 그랬다는 거지요? 하지만 내가 생각하기로는…….」

「공작, 당신 한 분에게만은 진실을 밝히겠어요. 당신은 사람을 꿰뚫어 보는 분이니까요. 나에게는 말과 행동, 거짓과 진실이 언제나 함께 하고 있어요. 행동과 진실은 내가 진정으로 뉘우치는 순간에 나타나고 있어요. 믿으셔도 좋고 안 믿으셔도 좋지만 맹세코 하는 말입니다. 말과 거짓은 지옥 같은 생각이(누구에게나 다 그렇듯이) 들 때 나타나곤 해요. 말하자면 어떤 사람을 붙들고 참회의 눈물을 흘려 그 사람의 마음을 움직이고자 할 때 써먹는 것이지요! 다른 사람에게 이런 말을 할 수는 없었을 거예요. 만약 이런 말을 했다면 나는 조롱거리가 되겠지요. 하지만 공작, 당신은 인간적으로 나를 평가해 주고 있어요.」

「아, 그렇군요. 그가 아까 내게 당신과 같은 말을 했어요.」 공작이 소리쳤다. 「게다가 그와 당신은 그런 말을 자랑스럽게 했어요! 놀랍기까지 하군요. 다만 그가 당신보다 더 진실했어요. 당신은 직업적으로 그런 말을 하는 기분이 들어요. 됐어요. 이제 그만 인상 쓰세요, 레베제프. 그리고 더 이상 가슴에 손을 얹지 마세요. 나한테 무슨 할 말이 있어서 들어온 게 아닌가요? 공연히 왔을 리는 만무하고…….」

레베제프는 얼굴을 일그러뜨리고 몸을 움츠리기 시작했다.

「나는 하루 종일 당신을 기다렸어요. 한 가지 질문이 있어요. 평생에 단 한 번만이라도 첫마디부터 사실을 대답해 줘요. 당신은 어제 저녁의 그 마차 사건과 무슨 관련이 있는 거요, 없는 거요?」

레베제프는 다시 얼굴을 일그러뜨리고는 히히 하고 웃기 시작하며 두 손을 비비댔다. 나중에는 헛기침까지 했지만 여전히 입을 열 기미를 보이지 않았다.

「내가 보기에 관련이 있는 것 같은데요.」

「하지만 간접적으로, 오로지 간접적으로만 관련되어 있습니다! 난 진실을 말하는 겁니다. 단지, 고명한 그 처녀에게 우리 집에 어떤 일행이 모였는데 거기에는 모모 인사가 참석한다는 얘기를 해주었을 따름입니다. 그게 내가 관련된 전부입니다.」

「나는 당신이 아들을 그곳으로 보낸 사실을 알아요. 그 애가 아까 내게 말했어요. 하지만 무엇 하러 그런 음모를 꾸미는 거지요?」 공작이 참을 수 없다는 듯이 소리쳤다.

「그건 내가 꾸민 음모가 아니에요. 그건 다른 사람들이, 다른 사람들이…… 그리고 음모라기보다 환상이라고 할 수 있어요.」 레베제프가 정색을 하며 손을 저었다.

「그게 무슨 소리입니까? 제발 확실하게 해명을 해봐요. 이 사건이 나하고 직접적으로 연관이 된다는 것을 정녕 몰랐다는 건가요? 게다가 이건 예브게니의 이름까지 먹칠하는 짓이에요.」

「공작! 존경하는 공작!」 레베제프는 다시 몸을 움츠렸다. 「나에게 모든 사실을 말할 기회를 주지 않겠습니까? 누차 사실을 말하려고 했는데 그럴 틈을 주지 않는군요…….」

공작은 잠시 입을 다물고 생각에 잠겼다.

「그렇다면 좋아요. 어서 사실을 말해 봐요.」 그는 대판 싸움을 하고 난 뒤처럼 단호하게 말했다.

「아글라야 이바노브나가…….」 레베제프가 말을 시작하려 했다.

「잠깐, 조용히 해요!」 공작이 분노로 얼굴이 온통 시뻘게지며 미친 듯이 소리쳤다. 아마 수치심 때문이었을 것이다. 「그럴 리가 없어요. 모두가 헛소리예요! 모두가 당신이 꾸며 낸 일 아니면,

당신 같은 미친 사람들의 짓이오. 나는 당신에게 더 이상 그런 말 듣고 싶지 않소!」

밤늦게, 거의 11시쯤 되어서 꼴랴가 소식을 한 보따리 가지고 나타났다. 뻬쩨르부르그에서 가져온 소식과 빠블로프스끄에서 가져온 소식이었다. 그는 뻬쩨르부르그에서 가져온 소식들(주로 이뽈리뜨와 어제 있었던 사건)에 관해 우선 얘기하고, 자세한 얘기는 빠블로프스끄의 소식을 전한 후에 하기로 했다. 세 시간 전에 그는 뻬쩨르부르그에서 돌아와 공작에게 들르지 않고 곧장 예빤친 장군의 집으로 향했다. 〈거기는 보통 끔찍스럽지가 않아요!〉 물론 첫번째는 마차 사건이었다. 그러나 공작이나 니꼴라이가 모르는 마차 사건에 버금가는 또 다른 일이 벌어졌음이 확실했다. 〈나는 물론 스파이 노릇을 하지 않았어요. 또 아무에게도 무슨 영문인지 물어보고 싶지도 않았어요. 아무튼 예기치 못했을 정도로 나를 환대해 줬어요. 하지만 공작 얘기는 단 한 마디도 없었어요!〉 무엇보다 주목할 만한 사실은 아글라야가 가냐를 옹호하느라고 좀 전에 가족들하고 언쟁을 했다는 것이다. (한번 상상해 보세요!) 왜 그랬는지 자세히는 모르지만, 오로지 가브릴라의 편을 드느라고 그녀는 몹시 심하게 다투었다는 얘기였다. 아마 무언가 중요한 일이 있는 모양이었다. 예빤친 장군은 예브게니 빠블로비치와 함께 밤늦게 집으로 돌아왔는데 몹시 시무룩한 표정이었다. 그러나 가족들은 예브게니를 아주 따뜻하게 맞이해 주었다. 예브게니만 놀랄 정도로 명랑했고 유쾌해 보였다. 그러나 무엇보다 비중 있는 소식은 리자베따 쁘로꼬피예브나가 딸들과 앉아 있던 바르바라 아르달리오노브나를 자기 방으로 살짝 불러서 아주 정중하게 그녀를 집 밖으로 영원히 내쫓았다는 사실이었다. 〈바르바라에게서 직접 들었어요.〉 그러나 바르바라가 리자베따 쁘로꼬피예브나의 방에서 나와 그 집 딸들과 작별 인사를 할 때, 딸들은 그녀가 왜 이 집에서 영원히 쫓겨나야 하고 그녀가 왜 마지막으로 이들과 작별 인사를 나누어야 하는지 알지 못했다.

「그런데 바르바라는 7시에 내 방에 오지 않았었나?」 놀란 공작이 물었다.

「바르바라 누나가 쫓겨난 것은 7시가 좀 지나서였거나 8시쯤이었어요. 바르바라가 참 안됐어요. 가냐 형도 불쌍해요……. 그들은 항상 간계를 꾸미고 있는 게 틀림없어요. 그렇지 않고는 못 배기나 봐요. 그들의 머릿속에 무슨 꿍꿍이속이 있는지 나는 도무지 알 수도 없고 또 알아내고 싶지도 않아요. 하지만 착한 공작, 가냐에게 인정이 있다는 것 하나만은 확신해요. 가냐는 여러 면에서 타락한 인간임에 틀림없지만 그에게는 우리가 본받고 찾아내야 할 장점도 있어요. 예전에 내가 가브릴라를 이해하지 못한 게 무척 안타까워요……. 지금 바르바라 얘기를 계속해야 할지 모르겠어요. 사실 나는 애초부터 극히 객관적인 입장에 서 있었어요. 하지만 곰곰이 생각해 봐야 될 것 같아요.」

「지나치게 형을 동정할 필요는 없어.」 공작이 니꼴라이에게 말했다. 「일이 그 정도까지 진척되었다면 가브릴라 아르달리오노비치가 리자베따 쁘로꼬피예브나의 눈에는 위험스럽게 비친 거야. 가브릴라가 품고 있는 야망들이 그대로 드러나 버리니까, 그래.」

「뭐라고요? 어떤 야망들이지요?」 니꼴라이가 놀라서 물었다. 「공작 생각에 설마 아글라야가…… 그럴 리가 없어요!」

공작은 말이 없었다.

「공작은 지독한 회의론자시군요.」 2분 정도 있다가 니꼴라이가 덧붙였다. 「내가 느낀 바로, 공작은 어느 순간부터 대단한 회의론자가 되어가고 있어요. 공작은 아무것도 믿지 않고 모든 것을 억측하기 시작했어요……, 그런데 내가 여기서 〈회의론자〉라는 말을 정확히 썼는지 모르겠군요.」

「올바르게 쓴 것 같구나. 하지만 나 자신도 그 말의 의미를 확실히 몰라.」

「〈회의론자〉라는 말을 취소하겠어요. 그 대신 새로운 표현을 찾아냈어요.」 니꼴라이가 갑자기 소리쳤다. 「공작은 회의론자가 아니라 질투쟁이예요! 공작은 거만한 그 처녀를 놓고 가브릴라에게 지독한 질투를 느끼고 있는 거예요.」

니꼴라이는 이 말을 하고 나서 벌떡 일어서서 마치 한번도 후련하게 웃어 본 적이 없었던 사람처럼 깔깔대며 웃었다. 니꼴라이는 공작 얼굴이 빨개진 것을 보고 더 한층 심하게 웃기 시작했다. 그는 공작이 아글라야에게 질투심을 가지고 있다는 생각을 하니 기분이 좋아졌다. 하지만 공작이 진심으로 기분이 상한 것을 눈치 채고 니꼴라이는 입을 다물었다. 그러고 나서 그들은 매우 진지하고 세심하게 한 시간 내지 한 시간 반 동안 얘기를 계속했다.

다음날 공작은 어떤 긴급한 일로 오전 내내 뻬쩨르부르그에 머물렀다. 그는 오후 4시쯤이 되어서 빠블로프스끄로 돌아가는 기차역에서 예빤친 장군과 마주쳤다. 예빤친 장군이 재빨리 공작의 팔을 붙잡고 겁먹은 듯이 주위를 둘러보았다. 그리고 공작을 1등칸으로 데려갔다. 함께 가고 싶어서였다. 그는 무언가 중대한 일에 관해 얘기를 하고 싶어 안절부절못했다.

「친애하는 공작, 우선 나에게 화를 내지 마시오. 만약 나에게 실수가 있었다면 잊어 주길 바라오. 내가 어제 직접 당신 집을 찾아가려 했는데 아내가 어떻게 생각할지 몰라서……. 우리 집은 지금 지옥 같소. 집 안에 수수께끼 같은 스핑크스 한 마리가 들어앉아 있는 것 같으니 말이오. 나는 뭐가 뭔지 도무지 모르겠소. 당신과 관련해서는, 내 생각에 우리들 중 당신만이 가장 결백한 것 같소. 물론 당신 때문에 많은 사건이 벌어졌지만. 공작, 휴머니스트가 된다는 것은 분명히 유쾌한 일이지만, 대수롭지는 않다고 보오. 어쩌면 나 자신도 이미 먹어서는 안 될 열매를 먹었는지 모르겠소. 나는 물론 선을 사랑하고 리자베따 쁘로꼬피예브나를 존경해요. 하지만…….」

장군은 이런 내용의 말을 오랫동안 계속해서 애기했지만, 그의 말은 놀랍게도 앞뒤가 맞지 않았다. 그는 분명 그에게 전혀 납득이 가지 않는 무엇 때문에 몹시 놀라고 당혹해 했다.

「당신이 이 문제에 아무런 관련이 없다는 것은 나로서는 의심할 여지가 없소.」 마침내 장군은 명료하게 자신의 입장을 표명했다. 「하지만 당분간 우리 집을 방문하지 마시오. 친구로서 부탁하지만 바람이 잔잔해지면 오시오.」 그는 유난히 열을 올리며 말했다. 「예브게니 빠블로비치에 관한 그 모든 것은 무의미한 중상이오. 가장 악랄한 중상이오! 거기에는 모든 것을 와해시키고 우리를 싸움 붙이려는 음모와 간계가 숨어 있소. 공작, 이건 당신에게만 하는 말인데, 아직까지 우리들과 예브게니 빠블로비치 사이에 혼담 따위는 한마디도 오고 간 적이 없소. 알겠소? 우리는 그 무엇으로도 연결되어 있지 않아요. 하지만 그 말이 오고 가게 될 거요. 어쩌면 빠른 시일 내에, 그것도 아주 빠른 시일 내에! 그걸 훼방 놓으려는 속셈인지도 모르겠소! 하지만 무얼 얻으려고, 왜 그러는지는 이해가 되지 않소! 그 여자는 예측 불허인 데다 엉뚱해요. 난 그 여자가 두려워서 잠도 못 자고 있소. 그 대단한 마차 하며, 하얀 말, 그게 바로 〈시크chic〉하지 않소? 프랑스 말로 〈시크〉하단 말이오! 누가 그런 여자를 감당해 낼까? 나는 그날 예브게니 빠블로비치를 의심하는 죄를 지었소. 그게 사실이 아니라는 것이 드러났소. 그렇다면 무엇 때문에 그 여자가 훼방을 놓으려고 한 걸까요? 바로 그게 숙제요! 자기 곁에 예브게니 빠블로비치를 붙잡아 두기 위해서? 하지만 또 말하지만, 맹세코 예브게니는 그 여자와 모르는 사이인 데다가 그 어음 얘기는 순전히 꾸며낸 말이오! 그런데 뻔뻔스럽게도 길거리에서 반말로 외쳐 댈 수 있다니! 완전한 모략이오! 우린 분명히 그런 모략은 경멸로 제쳐놓고 예브게니 빠블로비치에게는 존경을 배가시켜야 하오. 나는 그렇게 리자베따 쁘로꼬피예브나에게 말해 주었소. 그리고 이번엔 당신한테만 밝혀 두는 나의 진실인데, 그녀의 그와 같은 행동은 과거의 나에 대한 개인적인 복수심에서 야기되었다고 나는 굳게 확신하고 있소. 물론 나는 그 여자에게 조금도 잘못을 한 적이 없소. 다만 한 가지 낯뜨거운 기억이 있소. 나는 그 여자가 완전히 사라져 버린 줄 알았는데 지금 다시 나타난 거요. 도대체 로고진이란 작자는 어디에 있는 거요? 나는 그녀가 이미 오래전에 로고진의 부인이 된 걸로 알고 있었소.」

한마디로 장군은 갈팡질팡하고 있었다. 그는 빠블로프스끄로 돌아가는 한 시간 내내 거의 혼자 말하며 여러 가지 문제를 제기하고는 스스로 그런 문제의 해결안을 제시했다. 그는 공작의 손을 꼭 쥐면서 자기만큼은 어떤 면에서도 공작을 의심하지 않는다고 확신시켜 주었다. 그것은 공작에게 중요한 일이었다. 그는 뻬쩨르부르그에 있는 어느 관청의 장(長)인 예브게니 빠블로비치의 삼촌에 관한 얘기로 일방적인 대화를 끝마쳤다. 〈꽤 괜찮은 자리에 앉아 있는 사람인데 일흔 살 가량 되었소. 대단한 향락가에 미식가이고, 상당히 남의 말을 잘 듣는 노인이라오……. 하하! 그 노인도 나스따시야의 소문을 듣고 어떻게 해보려고 했다는 걸 나는 알고 있소. 아까 그 사람한테 들렀더니 몸이 불편하다고 면회를 사절하더군요. 하지만 대단한 부자에다 사회적 지위도 높은 사람이라오. 아무튼 건강하게 오래 살아야 할 텐데. 하지만 예브게니 빠블로비치가 모든 걸 받을 거요……. 그럼, 그럼…… 그런데도 괜히 걱정이 되는군! 무엇 때문에 그러는지는 몰라도 겁이 나오……. 마치 허공에 박쥐가 날아다니듯이 재앙이 맴돌고 있는 것 같아 겁이 난다오……!〉

마침내, 앞에서 언급했듯이 셋째 날이 되어서야 예빤친 장군 가족들과 미쉬낀 공작 사이에 정식으로 화해가 이루어졌다.

12

저녁 7시였다. 공작은 공원으로 나갈 채비를 했다. 그러나 갑자기 리자베따 쁘로꼬피예브나가 혼자서 공작을 찾아 테라스로 들어왔다.

그녀가 말을 꺼냈다. 「첫째, 내가 여기에 찾아온 것은 당신에게 사과를 하기 위해서가 아니에요. 그런 건 다 부질없는 짓이에요! 모든 게 다 당신 탓이에요.」

공작은 침묵을 지켰다.

「당신 잘못인가요, 아닌가요?」

「부인께서 잘못하신 것만큼 저도 잘못했어요. 하지만 우리 두 사람 다 고의적인 잘못은 범하지 않았어요. 나는 지난 사흘 동안 내가 잘못했다고 생각해 왔지만, 지금 판단해 보니까 그게 아니었어요.」

「그렇다고요? 그래 좋아요. 어서 앉기나 해요. 나는 이렇게 서 있고 싶지 않아요.」

두 사람은 앉았다.

「둘째, 그 못된 꼬마들 얘기는 한마디도 꺼내지 말아요! 난 당신과 여기 앉아서 10분 동안만 얘기하겠어요. 내가 여기 온 것은 당신에게 물어볼 말이 있어서예요. (당신은 무슨 얘긴가 하겠지요?) 만약 당신이 한마디라도 그 뻔뻔스런 꼬마 녀석들 얘기를 꺼낸다면 나는 일어나서 나가 버릴 것이고, 당신하곤 완전히 절교하겠어요.」

「좋아요.」 공작이 대답했다.

「당신한테 한 가지 묻겠어요. 당신은 두 달인가 두 달 반 전 부활절 무렵에 아글라야에게 편지를 띄운 적이 있지요?」

「보 — 보냈습니다.」

「무슨 목적에서였나요? 어떤 내용을 썼지요? 그 편지 좀 보여 주세요!」

리자베따 쁘로꼬피예브나의 눈이 타올랐다. 그녀는 답답해서 부들부들 떨고 있었고 공작은 놀라서 기겁을 할 정도였다.

「난 편지를 갖고 있지 않아요. 편지가 아직까지 온전하다면 아글라야 이바노브나가 가지고 있을 겁니다.」

「얼렁뚱땅 넘기지 말아요! 무슨 내용을 썼는지 말해 봐요!」

「얼렁뚱땅하는 게 아닙니다. 나는 아무것도 두렵지 않아요. 내가 편지를 쓰지 말아야 할 이유라도 있는 겁니까?」

「조용히 해요! 다음에 얘기하세요. 편지에 무슨 내용을 썼어요? 왜 얼굴이 빨개지는 거지요?」

공작은 잠시 생각에 잠겼다.

「부인께서 무슨 생각을 하시는지 모르겠어요. 다만 그 편지가 매우 불쾌하신 모양이군요. 나는 그런 질문에 대답하는 걸 거부할 수도 있어요. 하지만 편지에 대해 결코 두려워하지도 않을 뿐더러, 편지를 쓴 사실을 후회하거나 그로 인해 얼굴이 붉어진 것이 아니라는 것을 입증하기 위해(공작의 얼굴은 더욱더 빨갛게 달아올랐다) 그 편지를 읽어 드리겠습니다. 나는 그 내용을 아직도 정확하게 기억하고 있어요.」

공작은 이 말을 하고 편지 내용을 거의 한 자도 틀리지 않고 그대로 읽어 주었다.

「그게 무슨 허튼소리예요! 무슨 생각으로 그런 헛소리를 한 거지요?」 리자베따 쁘로꼬피예브나가 촉각을 곤두세우고 편지 내용을 듣고 나서는 날카롭게 물었다.

「나 자신도 전혀 모르겠어요. 하지만 나의 감정이 진실하다는 것은 알겠어요. 그때 나에게는 생명과 놀랄 만한 희망이 충만된 순간들이 있곤 했어요.」

「어떤 희망이었지요?」

「설명하기가 곤란합니다. 하지만 부인께서 생각하시는 그런 희망은 아닙니다……. 글쎄 뭐랄까, 한마디로 내가 〈거기에서〉 남이 아니고 이방인이 아니라는 미래의 밝은 희망이겠지요. 나는 갑자기 조국에 있다는 것이 뿌듯하게 느껴졌어요. 어느 햇살이 가득한 아침 나는 펜을 들고 그녀에게 편지를 썼던 거예요. 왜 그녀에게 썼는지는 모르겠어요. 가끔 친구가 필요한 순간이 있지요. 바로 그런 감정에 이끌렸던 것 같아요…….」 공작은 잠시 말을 멈추었다가 그렇게 덧붙였다.

「당신은 그 애를 사랑하나요?」

「아 — 아닙니다. 나는…… 나는 누이한테 편지를 보내듯이 썼습니다. 그래서 나는 편지 말미에 〈당신의 오빠로부터〉라는 말을 썼어요.」

「흠, 고의라는 걸 알겠군요.」

「그런 질문엔 대답해 드리기가 몹시 곤란합니다, 리자베따 쁘로꼬피예브나.」

「알아요. 하지만 당신이 곤란한 것은 내가 상관할 바가 아니에요. 하느님 앞에서처럼 나에게 사실을 밝혀 줘요. 나에게 지금 거짓말을 하고 있는 건가요, 아닌가요?」

「거짓말을 하는 게 아닙니다.」

「사랑에 빠지지 않았다는 것은 정말인가요?」

「글쎄, 정말이라고 보는데요.」

「글쎄는 무슨 글쎄예요? 그 꼬마를 통해 보냈지요?」

「나는 니꼴라이 아르달리오노비치에게 부탁했어요.」

「그러니까 그 꼬마가 아닌가요?」 리자베따 쁘로꼬피예브나는 열을 내며 공작의 말을 가로막았다. 「나는 니꼴라이 아르달리오노비치가 누구인지 몰라요! 꼬마라고요!」

「니꼴라이 아르달리오노비치…….」

「꼬마라잖아요!」

「꼬마가 아니라 니꼴라이 아르달리오노비치예요.」

공작이 나직한 소리였지만 확고하게 대답했다.
「그래, 좋아요, 좋아요! 그것도 염두에 두겠어요.」
그녀는 잠시 흥분을 삭이느라고 숨을 가다듬었다.
「그런데 〈가난한 기사〉란 무슨 뜻이지요?」
「전혀 모르겠는데요. 나하고는 관련이 없는 농담 같은데요.」
「그 얘길 들으니 갑자기 기분이 좋아지는군요! 그 애가 정말로 당신한테 관심을 가지고 있는 걸까요? 그 애는 당신을 〈병신〉이니 〈백치〉니 하고 부르기까지 했는데.」
「그런 말씀은 저에게 옮기지 않으셔도 될 텐데요.」 공작이 힐난조로 속삭이듯 말했다.
「화내지 말아요. 그 애는 자기 집착이 강하고 제멋대로인 응석받이예요. 사람들을 면전에다 대놓고 큰 소리로 조롱하는 것을 좋아해요. 나도 그 아이랑 똑같았어요. 하지만 너무 우쭐해 할 필요는 없어요. 그 애는 당신의 여자가 아니니까. 절대로 당신의 여자가 될 일이 없을 거예요! 당신이 이제라도 마음가짐을 단단히 하라고 하는 말이에요. 그런데 당신은 지난번의 그 〈여자〉와 결혼한 사이가 아니라는 것을 맹세할 수 있나요?」
「리자베따 쁘로꼬피예브나, 무슨 말씀을 하시는 겁니까?」 공작은 놀라서 펄쩍 뛸 뻔했다.
「하지만 그 여자와 거의 결혼할 뻔 했지요?」
「거의 결혼할 뻔은 했습니다.」 공작이 속삭이듯 말하며 고개를 떨구었다.
「그렇다면 그 〈여자〉를 사랑한다는 건가요? 〈그녀〉 때문에 온 건가요? 그 목적으로?」
「결혼하려고 온 건 아닙니다.」 공작이 말했다.
「이 세상에서 당신에게 성스러운 것이 있나요?」
「있습니다.」
「그럼 맹세하세요. 그 〈여자〉와 결혼하러 온 게 아니라고.」

「원하시는 바대로 맹세하겠어요!」

「그 말을 믿겠어요. 나에게 키스를 해주세요. 마침내 마음놓고 숨을 쉴 수 있게 되었군요. 하지만 아글라야가 당신을 사랑하고 있지 않다는 것을 알아 두고 미리 마음가짐을 해두세요. 그리고 내가 살아 있는 동안 그 애는 당신에게 시집가지 않을 거예요! 알겠어요?」

「알겠습니다.」

공작은 리자베따 쁘로꼬피예브나의 얼굴을 똑바로 쳐다볼 수 없을 정도로 얼굴이 빨개졌다.

「내 말을 새겨 들으세요. 나는 하늘의 계시처럼 당신을 기다려 왔어요(당신은 그럴 만한 가치가 없었어요!). 나는 밤마다 눈물로 베갯잇을 적시곤 했어요. 당신 때문에 그런 것은 아니었으니까 걱정할 필요는 없어요. 나에겐 언제나 똑같은 한 가지 고뇌가 있어요. 내가 당신을 안절부절못하며 기다렸던 것은 바로 그 때문이었어요. 나는 아직까지도 하느님이 당신을 내 친구이자 형제로서 나한테 보냈다고 믿고 있어요. 내 곁에는 벨로꼰스끼 할망구 이외엔 아무도 없어요. 한데 그 노파마저 떠나가 버린 데다가 이젠 나이가 들어 곰처럼 우둔하기 짝이 없어졌어요. 이제는 네, 아니오라고만 대답하세요. 그 〈여자〉가 그저께 마차에서 왜 그렇게 소리를 질렀는지 당신은 알고 있지요?」

「솔직히 말해서, 나는 그 일과는 무관하고 아는 게 전혀 없습니다.」

「좋아요, 나는 그 말을 믿겠어요. 이제는 그 사건에 대해 다른 식으로 생각해 보겠어요. 어제 아침까지 나는 모든 죄를 예브게니 빠블로비치에게 뒤집어씌웠어요. 그저께부터 어제 오전까지만 해도 그랬어요. 이제는 그 사람들의 말에 수긍을 하지 않을 수 없게 되었어요. 그 여자는 예브게니를 바보로 보고 그런 식으로 조롱한 게 분명해요. 하지만 왜, 무엇 때문에, 무엇을 위해(그것만으로도 의심쩍고 불쾌하기 짝이 없지만) 그런 짓을 했을까요. 당신한테 말해 두지만 아글라야를 예브게니에게 보내지는 않을 거예요! 그는 물론 좋은 사람이에요. 하지만 그 사실 하나로 그만이에요. 이전에 나는 망설였지만 지금은 확실하게 결정했어요. 〈내 눈에 흙이 들어가기 전까지는 안 돼요.〉 나는 오늘 남편에게 그렇게 딱 잘라 말했어요. 내가 당신을 얼마나 신임하는지 이제 알겠지요?」

「알고말고요.」

리자베따 쁘로꼬피예브나는 공작을 뚫어질 듯이 바라보았다. 어쩌면 그녀는 예브게니 빠블로비치에 대한 소식을 듣고 공작이 어떤 인상을 받았는지 몹시 알고 싶었는지도 모른다.

「가브릴라 이볼긴에 대해서는 아무것도 모르나요?」

「저……, 많이 알고 있습니다.」

「그 사람이 아글라야와 교분을 맺어 오고 있다는 것을 알았나요, 몰랐나요?」

「전혀 몰랐어요.」 공작은 놀라면서 몸을 흠칫 떨기까지 했다. 「뭐라고 말씀하셨습니까? 가브릴라 아르달리오노비치와 아글라야 이바노브나가 교분을 맺어 왔다고요? 그럴 리가요!」

「바로 얼마 전까지 그랬어요. 바르바라가 겨울 내내 자기 오빠를 위해 쥐새끼처럼 길을 닦아 놓았다니까요.」

「믿을 수가 없군요.」 공작이 잠시 생각에 잠겨 흥분한 목소리로 확고하게 되풀이했다. 「만약 그랬다면 나도 틀림없이 알았을 텐데요.」

「그렇다면 그 사람이 직접 찾아와서 당신 가슴에 얼굴을 묻고 눈물을 흘리며 고백이라도 할 줄 알았단 말인가요? 에구, 당신도 보통 순진한 사람이 아니군요! 모두들 당신을 속이고 있단 말이에요. 누구처럼 말이에요. 그런 사람을 믿고 있는 게 수치스럽지 않은가요? 그 사람이 당신을 완전히 기만했다는 사실을 몰랐단 말이에요?」

「그가 이따금 나를 속인다는 것은 잘 압니다.」 공작이 기어드는 소리로 마지못해 대답했다. 「그도 내가 알고 있다는 것을 눈치챘어요…….」 그는 이렇게 덧붙였으나 말을 끝마치지는 않았다.

「알고서도 믿다니, 기가 막히는군요! 하지만 당신으로선 어쩔 수가 없었겠지요. 나 역시 그게 놀라워요. 오, 하느님! 당신 같은 사람이 세상에 또 있을까! 어휴! 그런데 그 가냐인지 바랴인지 하는 사람들이 그 애와 나스따시야 필리뽀브나를 연결시켜 주었다는 것을 아세요?」

「누구를요?」 공작은 깜짝 놀라서 소리쳤다.

「아글라야를 말이에요.」

「믿을 수가 없어요! 그럴 리가 없어요! 대체 무슨 목적으로 그랬단 말인가요?」

그는 의자에서 벌떡 일어났다.

「증거가 있어도 나 역시 믿을 수가 없어요. 그 애는 제멋대로예요. 그 애는 감상적인 데가 있어요. 그 애는 머리가 돌았다고요! 아주, 아주 못된 애예요! 못돼먹었다고 백 년이고 천 년이고 장담할 수 있어요! 우리 집 애들은 모두가 그 모양이에요. 비에 젖은 암탉 같은 알렉산드라마저 그래요. 하지만 그 애는 이미 부모의 품 안에서 떠나 버렸어요. 어쨌든 나 역시 믿어지지가 않아요! 어쩌면 믿고 싶지 않아서 그럴지도 모르지요.」 그녀는 혼잣말처럼 덧붙이며 갑자기 공작에게 얼굴을 돌리고 물었다. 「왜 당신은 오질 않았지요? 지난 사흘 내내 왜 한번도 우리 집엘 오지 않은 거지요?」

공작은 그 이유를 얘기하려 했으나, 리자베따 쁘로꼬피예브나가 다시 말을 가로챘다.

「모두들 당신을 바보로 취급하고 기만하고 있어요! 당신은 어제 뻬쩨르부르그엘 다녀왔어요. 틀림없이 그 비열한 녀석 앞에 무릎을 꿇고 1만 루블을 받아 달라고 사정을 했겠지요!」
「절대로 안 그랬습니다. 그럴 생각조차 못 했습니다. 그를 보지도 못했어요. 게다가 그는 비열한 자가 아닙니다. 나는 그의 편지를 받았어요.」
「편지를 보여 주세요!」
공작은 가방에서 편지를 꺼내 리자베따 쁘로꼬피예브나에게 건네주었다. 그 편지에는 이렇게 씌어 있었다.

존경하는 공작, 나는 뭇사람들이 보기에 자존심을 가질 만한 권리가 눈곱만치도 없는 놈입니다. 뭇사람들이 생각하는 바대로 나는 그러기에는 너무나 미천한 인간입니다. 하지만 그것은 뭇사람들의 견해이지 당신의 견해는 아닙니다. 존경하는 공작, 나는 당신이 다른 어떤 사람들보다 훌륭한 분이라는 사실을 지나칠 정도로 확신하고 있습니다. 나는 독또렌꼬와 이 점에서 의견이 엇갈립니다. 나는 당신의 돈을 단 한 푼도 받지 않겠습니다. 그러나 당신이 내 어머니를 이미 도와주신 데 대해서는 감사해야 할 의무를 가지고 있습니다. 나의 사의가 당신의 도움에 비해 미미하겠지만요. 어쨌든 나는 당신을 전과 달리 보고 있으며, 이 사실을 당신에게 꼭 알려야 된다고 생각하고 있습니다. 그리고 나와 당신 사이에는 더 이상 어떠한 관계도 있을 수 없다는 것을 밝혀 드립니다.

안찌쁘 부르도프스끼

추신 모자란 2백 루블[103]은 형편이 닿는 대로 틀림없이 갚아 드리겠습니다.

103 부르도프스끼는 1백 루블을 돌려주었으므로 2백 루블이 아니라 1백 50루블을 갚아야 한다.

「이게 무슨 헛소리야! 읽을 가치도 없었네. 당신은 왜 그렇게 싱글거리고 있지요?」 리자베따 쁘로꼬피예브나가 편지를 내던지며 결론지었다.
「편지를 읽으니까 기분이 좋아지셨지요?」
「무슨 소리예요! 이건 겉멋으로 꽉찬 헛소리예요! 정말로 당신은 그들 모두가 겉멋과 자만심에 차서 정신을 못 차리고 있다는 것을 모르나요?」
「하지만 그는 잘못을 시인하고 독또렌꼬와 절교까지 했습니다. 그가 겉멋이 많이 들면 들수록 그의 겉멋은 더욱더 고귀해진다고 말할 수 있어요. 리자베따 쁘로꼬피예브나, 당신은 정말로 순진한 어린애 같아요!」
「나한테 뺨이라도 한 대 얻어맞으려고 그러는 건가요?」
「아니에요. 전혀 그러고 싶지 않습니다. 부인께서 편지를 보고 기뻐하시면서 그 감정을 숨기려 하시니까 그러는 겁니다. 그렇게 자신의 감정을 부끄럽게 여길 필요가 있습니까? 부인은 만사가 다 그래요.」
「나에게 한 걸음도 다가오지 말아요.」 리자베따 쁘로꼬피예브나가 화가 나서 창백해진 얼굴로 펄쩍 뛰었다. 「다가오기만 하면 당신은 그 순간부터 목숨을 부지하지 못할 거예요!」
「사흘 뒤면 부인께서 직접 나를 찾아와 놀러 오라고 하실 겁니다. 부끄럽지 않으십니까? 그렇게 하면 본인 자신을 괴롭히게 될 뿐입니다.」
「죽어도 당신을 초청하지 않을 거예요! 당신의 이름을 영영 잊어버릴 거예요! 이미 잊었다고요!」
그녀는 공작에게서 등을 돌리고 저만치 가기 시작했다.
「나는 그러잖아도 댁의 출입이 금지되어 있는 몸입니다!」 공작은 그녀의 뒤에 대고 소리쳤다.
「뭐라고요? 누가 당신에게 출입 금지령을 내렸다는 거예요?」

그녀는 바늘에 찔리기라도 한 듯이 잠깐 동안 몸을 홱하니 돌렸다. 공작은 대답하기를 망설였다. 무심코 내뱉었으나 크게 실언했음을 깨달았다.

「누가 출입을 금지시켰느냐 말이에요?」 리자베따 쁘로꼬피예브나가 광적으로 소리쳤다.

「아글라야 이바노브나가 금지시켰습니다.」

「언제 그랬어요? 어서 말해 봐요!」

「오늘 아침에, 그녀의 집으로 찾아와서는 결코 안 된다는 전갈을 보내왔습니다.」

리자베따 쁘로꼬피예브나는 돌기둥처럼 꼼짝 않고 서서 생각하기 시작했다.

「무슨 전갈이었지요? 누구를 보냈던가요? 그 꼬마를 보냈던가요? 구두 전갈이었나요?」 그녀는 또다시 소리쳤다.

「편지를 받았어요.」 공작이 말했다.

「어디서요? 이리 줘봐요! 어서!」

공작은 1분 남짓 생각을 해보다가 조끼 주머니에서 아무렇게나 접은 종이를 꺼냈다.

미쉬낀 공작! 이 모든 일이 있고 나서도 당신이 우리 별장을 찾아와 나를 놀라게 하려 한다면 나는 절대로 반가워하지 않을 테니 그 사실을 명심하세요!

아글라야 예빤치나

리자베따 쁘로꼬피예브나는 1분쯤 생각에 잠겨 있었다. 그러고 나서는 갑자기 공작에게 달려들어 그의 팔을 붙잡고 잡아끌었다.

「어서요! 가자고요! 지금 당장에요!」 그녀는 심한 흥분과 초조감에 소리를 질렀다.

「그렇지만 부인께서는 나를 당하게 만들고 말 거예요.」

「무얼 당하게 한단 말이에요? 순진한 양반 같으니라고! 그래 가지고 어디 남자라고 할 수 있겠어요! 이제 내 눈으로 직접 보겠어요.」

「그럼 모자라도 쓸 여유를 주십시오.」

「자, 여기 당신의 혐오스런 모자가 있으니, 갑시다! 개성 있고 멋들어진 모자 하나 고르질 못하나요? 이것은 그 애가 아까 일이 있고 난 뒤에……, 이건 흥분한 상태에서 쓴 거예요.」 리자베따 쁘로꼬피예브나가 공작을 잡아끌며 한시도 팔을 놔주지 않고서 중얼거렸다. 「아까 내가 당신을 두둔하면서 우리 집에 찾아오지 않는 당신을 큰 소리로 바보라고 했더니 그러는 거예요. 안 그러면 그와 같은 편지를 쓸 리가 없어요! 아주 고상하지 못한 편지예요! 정숙하고 교양 있고 현명한 처녀가 쓰기에는 너무 단정치가 못해요! 흠!」 그녀는 계속해서 말했다. 「어쩌면 당신이 찾아오지 않는 게 괘씸해서 그랬는지도 몰라요. 백치에게 그렇게 쓰면 액면 그대로 받아들인다는 사실을 계산에 넣지 않았던 거예요. 무얼 그리 엿듣고 있어요?」 그녀는 아무렇게나 말을 하다가 정신이 퍼뜩 들어 소리쳤다. 「그 애한테는 당신 같은 광대가 필요해요. 오랫동안 보질 못하니까 당신에게 그런 부탁을 하는 거라고요! 그 애가 당신을 조롱하다니! 너무, 너무 즐겁군요. 당신은 그렇게 취급당해도 마땅해요. 그 애는 그렇게 하고도 남아요! 물론, 그렇게 하고도 남지!」

〈하권에 계속〉

열린책들 세계문학 015 **백치** 상

옮긴이 김근식 1954년 서울에서 태어나 한국외국어대학교 노어과를 졸업했으며, 통역대학원에서 박사 학위를 받았다. 현재 중앙대학교 동북아연구소 소장 및 노어학과 교수로 재직 중이다. 논문으로 「아이뜨마또프 작품의 주제 발전 연구」, 「전환기 러시아 문학출판 연구」, 「90년대 러시아 문학의 개성화 연구」, 「러시아 문학 이데올로기의 향방 연구」, 「러시아 정교회와 반체제 및 민족주의」 등이 있으며, 저서로 『이동 동사를 활용한 러시아어 작문』(1999), 역서로 『하얀 배』(1983, 아이뜨마또프), 『공산주의의 종언』(1992, 야꼬블레프, 공역), 『아버지 金』(1994, 아나똘리 김) 등이 있으며, 러시아어로 번역한 『천둥소리』(1999, 김주영)가 있다.

지은이 표도르 도스또예프스끼 **옮긴이** 김근식 **발행인** 홍예빈 · 홍유진
발행처 주식회사 열린책들 **주소** 경기도 파주시 문발로 253 파주출판도시
전화 031-955-4000 **팩스** 031-955-4004 **홈페이지** www.openbooks.co.kr

ISBN 978-89-329-0928-8 04890 **ISBN** 978-89-329-1499-2 (세트)
발행일 2000년 6월 15일 초판 1쇄 2002년 1월 10일 신판 1쇄 2005년 6월 15일 신판 7쇄 2007년 2월 5일 3판 1쇄 2009년 3월 30일 3판 5쇄 2009년 11월 30일 세계문학판 1쇄 2024년 5월 1일 세계문학판 22쇄

이 도서의 국립중앙도서관 출판예정도서목록(CIP)은 서지정보유통지원시스템 홈페이지(http://seoji.nl.go.kr)와 국가자료공동목록시스템(http://www.nl.go.kr/kolisnet)에서 이용하실 수 있습니다.(CIP제어번호 : CIP2009003486)